Ontario Historical Studies Series

L'*Ontario Historical Studies Series* retrace l'histoire complète de l'Ontario de 1791 à nos jours et comprend plusieurs biographies d'anciens premiers ministres, de nombreux ouvrages sur le développement économique, social, culturel et la vie politique de la province, ainsi qu'une histoire générale incorporant les fines analyses et les conclusions des autres volumes de la collection. Cette dernière vise à aider les lecteurs en général et les érudits à mieux saisir les particularités de l'une des principales régions du Canada.

Déjà publiés

THE ONTARIO HISTORICAL STUDIES SERIES

Peter Oliver, G. *Howard Ferguson: Ontario Tory* (1977)
J.M.S. Careless, ed., *The Pre-Confederation Premiers: Ontario Government Leaders, 1841–1867* (1980)
Charles W. Humphries, *'Honest Enough to Be Bold': The Life and Times of Sir James Pliny Whitney* (1985)
Charles M. Johnston, *E.C. Drury: Agrarian Idealist* (1986)
A.K. McDougall, *John P. Robarts: His Life and Government* (1986)
Roger Graham, *Old Man Ontario: Leslie M. Frost* (1990)
John T. Saywell, *'Just call me Mitch': The Life of Mitchell F. Hepburn* (1991)
A. Margaret Evans, *Sir Oliver Mowat* (1992)

Joseph Schull, *Ontario since 1867* (McClelland and Stewart 1978)
Joseph Schull, *L'Ontario depuis 1867* (McClelland and Stewart 1987)
Olga B. Bishop, Barbara I. Irwin, Clara G. Miller, eds., *Bibliography of Ontario History, 1867–1976: Cultural, Economic, Political, Social* 2 volumes (1980)
Christopher Armstrong, *The Politics of Federalism: Ontario's Relations with the Federal Government, 1867–1942* (1981)
David Gagan, *Hopeful Travellers: Families, Land and Social Change in Mid-Victorian Peel County, Canada West* (1981)
Robert M. Stamp, *The Schools of Ontario, 1876–1976* (1982)
R. Louis Gentilcore and C. Grant Head, *Ontario's History in Maps* (1984)
K.J. Rea, *The Prosperous Years: The Economic History of Ontario, 1939–1975* (1985)
Ian M. Drummond, *Progress without Planning: The Economic History of Ontario from Confederation to the Second World War* (1987)
John Webster Grant, *A Profusion of Spires: Religion in Nineteenth-Century Ontario* (1988)
Susan E. Houston and Alison Prentice, *Schooling and Scholars in Nineteenth-Century Ontario* (1988)
Ann Saddlemyer, ed., *Early Stages: Theatre in Ontario, 1800–1914* (1990)
W.J. Keith, *Literary Images of Ontario* (1992)
Douglas McCalla, *Planting the Province: The Economic History of Upper Canada, 1784–1870* (1993)

Sous la direction de
Cornelius J. Jaenen

Les Franco-Ontariens

Ontario Historical Studies Series

Les Presses de l'Université d'Ottawa

DONNÉES DE CATALOGAGE AVANT PUBLICATION (CANADA)

Vedette principale au titre :

Les Franco-Ontariens

(Ontario historical studies series)
Comprend des références bibliographiques et un index.
ISBN 2-7603-0376-4 : (rel.)
ISBN 2-7603-0268-7 : (br.)

1. Canadiens français – Ontario – Histoire. 2. Ontario – Histoire. 3. Ontario – Histoire religieuse. 4. Littérature canadienne-française – Ontario – Histoire et critique. I. Jaenen, Cornelius J., 1927– . II. Collection.

FC3100.5.F73 1993 971.3'004114 C93-090437-0
F1059.7.F83F73 1993

2-7603-0268-7 (broché)
2-7603-0376-4 (relié)
Les Presses de l'Université d'Ottawa
542, rue King Edward
Ottawa, Ontario
K1N 6N5

Imprimé et relié au Canada

Le Gouvernement de l'Ontario, par l'entremise du ministère de la Culture, du Tourisme et des Loisirs, a contribué au financement de cet ouvrage.

Table des matières

Préface

Depuis plusieurs années, le thème principal des ouvrages historiques canadiens-anglais a été l'apparition et l'affermissement de la nation canadienne. Ce thème s'est développé dans un climat d'inquiétude face à la persistence et à l'importance des identités et des intérêts régionaux; mais à cause du rôle central joué par l'Ontario dans le développement du Canada, l'Ontario n'a pas été perçu comme une région. Presque inconsciemment, les historiens ont donné comme équivalent de l'histoire de la province celle de la nation, et ils ont souvent représenté les intérêts des autres régions comme des obstacles à l'unité et à la prospérité du Canada.

La création de la province d'Ontario en 1867 fut la concrétisation d'une redoutable réalité : l'existence au cœur de la nouvelle nation d'une société puissante mais disloquée dont les traditions et les caractéristiques différaient à plusieurs égards de celles des autres colonies de l'Amérique du Nord britannique. Le siècle écoulé depuis n'a pas été le témoin de l'assimilation de l'Ontario aux autres régions du Canada, au contraire, il est devenu une entité plus clairement articulée. À l'intérieur du cadre géographique et institutionnel formel défini si assidûment par les leaders politiques ontariens, un réseau de plus en plus complexe d'intérêts économiques et sociaux a été assemblé et façonné par l'interaction dynamique entre Toronto et son *hinterland*. Le caractère de cette communauté régionale a été forgé par la tension entre une adaptation rapide aux processus de modernisation et d'industrialisation de la société occidentale moderne et une aversion à modifier ou à abandonner les attitudes et les valeurs traditionnelles. Il n'y a donc rien d'étonnant à ce que les vues de l'Ontario aient été — et soient encore dans une certaine mesure — une combinaison d'agressivité, de conservatisme jointe à la conviction que ses valeurs devraient être le modèle du reste du Canada.

Depuis l'origine, le conseil d'administration de cette série a eu comme objectif de décrire et d'analyser le développement de l'Ontario en tant que région distincte à l'intérieur du Canada. Une fois achevée, cette série comprendra trente-et-un volumes englobant plusieurs aspects de la vie et du travail de la province depuis sa fondation en 1791 jusqu'à nos jours. Parmi ceux-ci, il y aura les biographies de plusieurs premiers ministres et des ouvrages thématiques sur le développement de l'économie, des établissements d'éducation, du travail, du bien être, des Franco-Ontariens, des autochtones et des arts de l'Ontario.

En préparant ce projet, les éditeurs et le conseil se sont efforcés de garder un équilibre acceptable entre des types et des domaines différents de recherche historique, et de choisir des auteurs prêts à poser de nouvelles questions à propos du passé et d'y répondre selon les règles de l'érudition d'aujourd'hui. *Les Franco-Ontariens* est la onzième étude thématique à paraître. Dans ce volume, Cornelius Jaenen et ses collègues ont montré que, même si les Franco-Ontariens sont largement dispersés en Ontario, « leur personnalité distincte s'affirme de plus en plus dans de nombreux domaines ». Ils ont analysé l'apparition, dans un contexte historique, des traits distinctifs de l'existence économique, sociale et culturelle de cette communauté.

Les Franco-Ontariens est un recueil d'études savantes et approfondies dans lequel « chaque auteur a apporté au projet sa vision et ses observations ». C'est un ajout important à l'histoire d'une communauté dont les origines remontent au régime français. Nous espérons qu'il donnera aux Franco-Ontariens de nouveaux aperçus de leur histoire et de leur condition présente, et qu'il augmentera la compréhension par d'autres Ontariens de l'expérience des groupes minoritaires « dans un milieu où règnent encore le conformisme et l'intégrisme social ».

Les éditeurs et le conseil d'administration expriment leur profonde gratitude à Cornelius Jaenen et à ses collaborateurs pour avoir entrepris cette tâche.

Goldwin French, Peter Oliver, Jeanne Beck.
Maurice Careless, président du conseil d'administration.
Toronto
1er mars 1993

Les Franco-Ontariens

1 *Introduction*

CORNELIUS J. JAENEN

Est-il possible, aujourd'hui, d'écrire l'histoire des Franco-Ontariens? Disposons-nous de sources suffisantes pour entreprendre un tel projet? Et même si cela était, pareille entreprise se justifierait-elle dans l'état actuel des choses et des préoccupations? En fait, peut-on affirmer qu'il existe une collectivité franco-ontarienne identifiable et non simplement des îlots dispersés de Franco-Ontariens? Voilà quelques-unes des questions qui ont été débattues avec les directeurs de la Ontario Historical Studies Series lors d'échanges de vues préliminaires et qui ont par la suite abondamment alimenté les discussions des membres de l'équipe qui a accepté de s'attaquer à la tâche. Selon toute vraisemblance, une longue gestation aura permis de faire évoluer le cadre conceptuel de ce projet et d'élaborer davantage l'apport de chacun de ses collaborateurs. Dès le départ, ma politique éditoriale a été de favoriser l'expression d'une réflexion et d'une pensée personnelles sur des aspects précis de la vie communautaire. Aussi n'avons-nous jamais cherché à agencer les points de vue ou à réaliser un consensus, préférant laisser aux lecteurs le soin d'effectuer leur propre synthèse. Chaque auteur a apporté au projet sa vision et ses observations, ce qui permet de mettre en lumière la complexité de la société franco-ontarienne. Notre propos ne vise pas à offrir une exégèse définitive, mais une perspective globale qui s'appuie sur une solide recherche historique et sociologique.

Est-on fondé à parler d'une collectivité ou d'une société franco-ontarienne? À vrai dire, existe-t-il une société ontarienne dont elle serait un élément constitutif? Pour prétendre à l'existence, une société doit avoir un certain degré de cohérence interne et des attributs qui la distinguent des « autres ». Les Québécois, à n'en pas douter, diffèrent des autres Canadiens en ce qu'ils partagent un même territoire où prédominent leurs institutions et leurs mœurs propres. Quant aux Franco-

Ontariens, ils sont inégalement disséminés sur une grande partie du territoire ontarien, de telle sorte qu'ils ne forment jamais un groupe majoritaire dans aucun de ses grands centres urbains. S'ils ressemblent à certains égards aux Québécois, leur personnalité distincte s'affirme de plus en plus dans de nombreux domaines. Pierre Savard nous révèle la complexité de leurs rapports avec le Québec. À propos de l'influence de l'Église, question qui nous vient inévitablement à l'esprit, Robert Choquette en fait ressortir les limites. Les Franco-Ontariens sont par ailleurs conscients de constituer une entité différente et autonome et, comme certains le diraient, un groupe ethnique ou une communauté culturelle. Danielle Juteau et Lise Séguin-Kimpton traitent des comportements collectifs et des structures communautaires qui sont la condition de la survivance des grands groupes sociaux. Fernan Carrière, pour sa part, nous invite à réfléchir aux changements de plus en plus rapides qui se produisent au sein de cette collectivité, tandis que René Dionne attire surtout notre attention sur les aspects permanents du groupe tels que reflétés par sa littérature. Bref, nos collaborateurs ont satisfait aux exigences de la définition sociologique d'une société eu égard à la localisation, aux structures organisationnelles, à la durabilité et à l'auto-identification[1].

Nous tenons comme fondamental le concept selon lequel aucune étude culturelle, sociologique, littéraire ou politique, quelle qu'en soit l'ampleur, n'a de signification en dehors de son cadre historique. Économiquement et affectivement parlant, cette collectivité plonge ses racines dans le Régime français au « pays d'en haut ». Les Ontariens, tout comme les Canadiens de l'extérieur du Québec, ignorent souvent que la présence francophone remonte loin dans l'histoire de leur région. En nous guidant à travers les XIXe et XXe siècles, Gaétan Gervais et Fernand Ouellet nous aident à comprendre l'importance du rôle que les Franco-Ontariens ont joué dans l'économie de la région. Pour significatives qu'elles soient, les questions relatives à la colonisation, à l'éducation et à l'organisation paroissiale nous sont présentées sous un jour différent et n'ont plus le même poids que dans les exposés antérieurs sur la vie des Franco-Ontariens. L'image stéréotypée du Franco-Ontarien — colon défricheur perdu aux confins nordiques du territoire, ou manœuvre, dont la très catholique femme était largement inculte — devra être radicalement révisée à la lumière de ce que nous révèlent des recherches historiques plus poussées.

Cette étude aborde carrément la question des inégalités sociales en Ontario en ce qui a trait à la richesse, aux chances d'avenir et au prestige social. Les disparités économiques régionales en Ontario se sont répercutées sur la vie quotidienne des Franco-Ontariens. Depuis l'époque du commerce des fourrures au temps de la colonie jusqu'à celle où prévalait l'exploitation forestière et minière, leur situation socio-économique a été déterminée par des décisions qui ont été prises dans l'intérêt de la classe dominante[2]. Tant que les Franco-Ontariens vivaient à la périphérie, dans l'arrière-pays ontarien, il était difficile de les percevoir comme des membres fondateurs de la province, ce qu'ils étaient historiquement. Mais par suite de l'accroissement de la mobilité géographique et professionnelle chez les nouvelles générations vers la fin du XXe siècle, on peut soutenir qu'ils font désormais partie de la vie industrielle et urbaine de la province[3]. Qu'ils aient pour autant acquis plus d'influence sociale reste un point discutable.

Nous espérons que cette série d'essais incitera les lecteurs à réfléchir, entre autres choses, à la dynamique de notre société. À titre d'exemple, nous souhaiterions qu'ils songent aux potentialités du principe du bilinguisme dans un cadre multiculturel. La mise en œuvre du multiculturalisme à l'échelle provinciale pourrait vouloir dire que les Franco-Ontariens n'ont pas à s'assimiler et à perdre leur caractère distinct, ni à se fusionner à d'autres groupes ethniques pour trouver une identité totalement nouvelle. Les Franco-Ontariens vivent de moins en moins dans l'isolement et participent de plus en plus aux principales activités de la collectivité tout en se dotant de leurs propres structures institutionnelles. Il ne s'agit pas pour eux d'un attachement nostalgique à une culture étrangère à leur vie de tous les jours — quoiqu'il y aurait lieu de se rappeler que la réalité quotidienne des Franco-Ontariens peut varier grandement selon leur situation familiale, leur métier ou profession, l'endroit où ils vivent et leur condition sociale. De fait, un Franco-Ontarien peut très bien éprouver le sentiment d'être, selon les termes du sociologue Raymond Breton, ethniquement fragmenté; certains aspects de son existence, sa profession par exemple, le forçant à laisser sa spécificité ethnique au vestiaire alors que sa vie familiale et ses relations amicales se déroulent au sein de sa communauté ethno-culturelle. Il y a donc lieu de se pencher sur la question de savoir si les individus comme les groupes vivant en Ontario peuvent préserver leur identité dans un milieu où règnent encore le conformisme et l'intégrisme social.

NOTES

1 Harry H. Hiller, *Canadian Society. A Macro Analysis* (Scarborough, Prentice-Hall Canada Inc., 1991) p. 3–6.

2 La théorie intéressant les systèmes mondiaux qui examine les sociétés nationales en fonction de ce qui les différencie en matière de pouvoir a d'abord été formulée

par Immanuel Wallerstein dans *The Modern World System* (New York, 1976) puis appliquée au Canada par Lorna R. Marsden et Edward B. Harvey dans *Fragile Federation : Social Change in Canada* (Toronto, 1979).

3 Arthur Davis, « Canadian Society and History as Hinterland and Metropolis », dans Richard J. Ossenberg, éd., *Canadian Society : Pluralism, Change and Conflict* (Scarborough, 1971) p. 6–32.

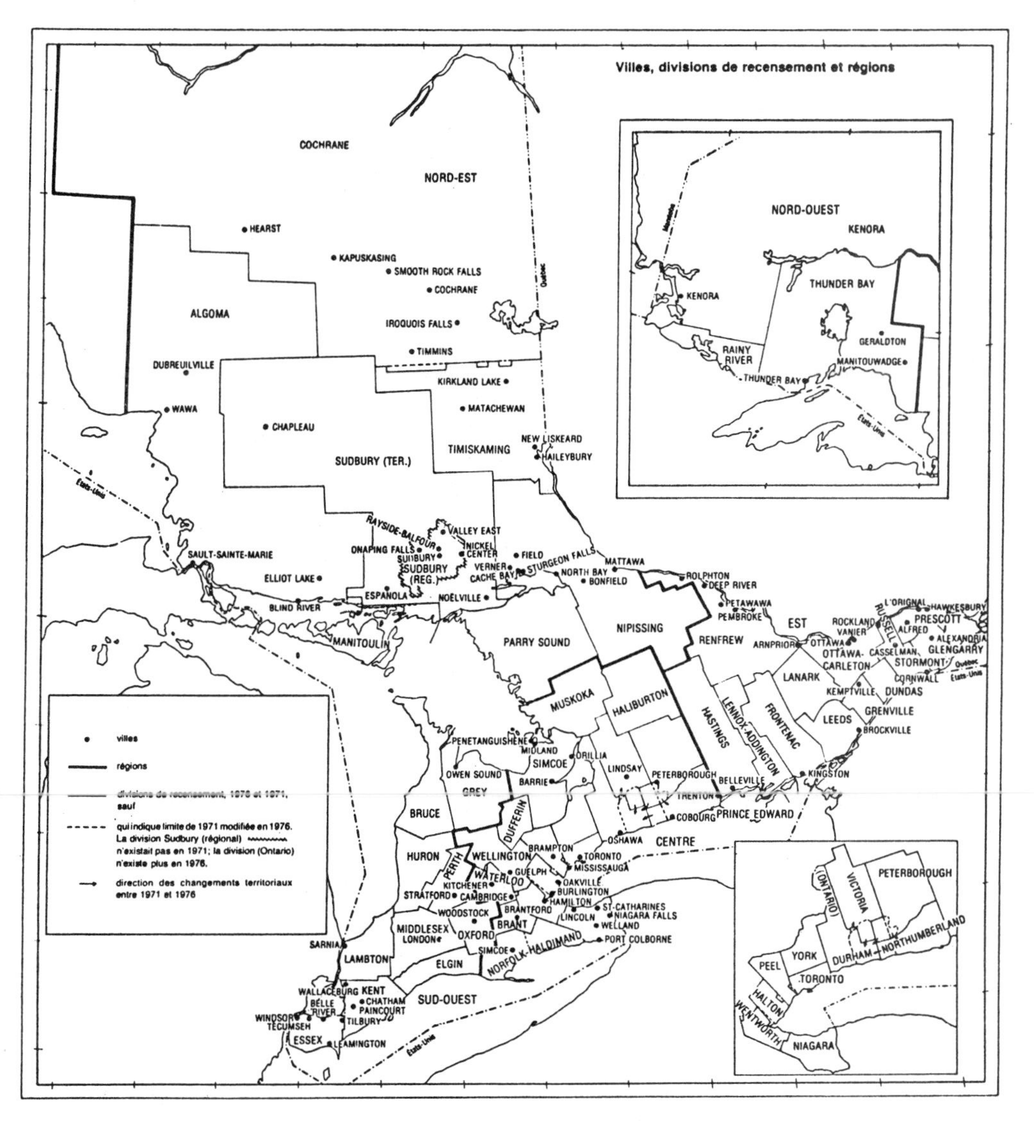

Centres francophones : villes, divisions de recensement et régions.
(*Source : Atlas de l'Ontario français*, par Gaetan Vallières et Marcien Villemure, Montréal, Éditions Études vivantes, 1982. Avec leur aimable autorisation.)

2 *L'ancien régime au pays d'en haut, 1611–1821*

CORNELIUS J. JAENEN

Les Français furent les premiers Européens à pénétrer dans l'arrière-pays, le pays d'en haut du Canada laurentien, à l'explorer, à exploiter ses ressources et à s'y installer; les premiers à former des alliances militaires et commerciales avec ses habitants autochtones. Ils y venaient à titre d'apprentis interprètes, en tant que commerçants de fourrures, missionnaires, explorateurs, soldats, gens de métier et finalement en tant qu'agriculteurs. Tout comme le long des rives acadiennes et gaspésiennes et dans la vallée laurentienne, l'intérêt matériel précéda l'activité missionnaire. Les considérations stratégiques prirent de l'importance dans la dernière phase de cette triple motivation mercantile, missionnaire et militaire.

D'abord mus par le mirage des mines fabuleuses, comme celles qui existaient supposément dans le royaume du Saguenay décrit par les Stadaconais à Jacques Cartier en 1535, et par le rêve d'une voie d'eau continentale qui les mènerait à la richesse de l'Orient exotique, les aventuriers laïcs et religieux cherchèrent des guides amérindiens pour les diriger le long des voies d'eau sinueuses du bassin des Grands Lacs. Le passage jusqu'à Cathay et Cipangu demeura une espérance vaine. Ils trouvèrent en revanche de nouveaux peuples auxquels vendre grâce au troc des produits manufacturés français et à initier aux mystères de la religion catholique.

La quête incessante des profits dans le commerce des fourrures compliqua vite la tâche des missionnaires zélés qui suivaient à la trace les commerçants pour sauver des âmes. Le commerce et les missions n'étaient pas à prime abord nécessairement antagonistes. Nombre de missionnaires furent de véritables explorateurs, et il était dans leur intérêt que les peuples autochtones adoptent les coutumes françaises; plusieurs d'entre eux firent pression sur les fournisseurs de biens européens pour qu'ils commercent par l'entremise d'intermédiaires convertis et qu'ils engagent pour conduire leurs canots des hommes convertis pour la plupart. De leur côté, les commerçants appréciaient les contacts et les engagements assurés par les évangélisateurs récollets et jésuites. Avec leurs associés autochtones, ils assuraient le transport des missionnaires et de leurs bagages aux postes de l'intérieur, à l'allée et au retour, et ce, souvent sur l'ordre du roi.

Les militaires constituaient le dernier maillon dans cette chaîne commerciale, catholique et stratégique. Les soldats furent d'abord amenés vers l'intérieur parmi les Hurons par les missionnaires, pour défendre la vie et la propriété de ceux-ci contre les incursions iroquoises. La mise en poste d'une petite garnison au Fort Frontenac (Cataracoui) sur le lac Ontario en 1673 visait autant à promouvoir le commerce qu'à le protéger. La carrière de Robert Cavelier de La Salle illustre bien les intérêts complémentaires de l'exploration, du commerce et de la stratégie militaire. Mais c'est Lamothe Cadillac qui sut le mieux combiner l'intérêt personnel et celui de l'État au moyen d'un commandement exploitateur et controversé, d'abord à Michilimackinac et ensuite à Détroit. La guerre de la Succession d'Espagne (1701–1713) persuada le roi, ainsi que l'administration métropolitaine, que l'arrière-pays canadien était d'une importance stratégique dans la lutte d'hégémonie contre la Grande-Bretagne. Les Français adoptèrent une attitude offensive plutôt que défensive malgré le fait que leurs postes étaient très épars et à court d'hommes. La guerre de la Succession d'Autriche (1744–1748) entraîna une augmentation de dépenses pour créer une série de forts dans l'intérieur, formant un cordon sanitaire qui retenait les Anglo-Américains sur la côte de l'Atlantique.

Une suite d'impératifs géopolitiques et économiques dictèrent l'exploration et l'exploitation du pays d'en haut, soit du bassin des Grands Lacs et des régions du nord et de l'ouest. Ces priorités qui évoluèrent peuvent être réparties, pour les besoins de la cause, en cinq étapes qui suivent un ordre chronologique tout en se chevauchant quelque peu. Il y a d'abord l'exploration du bassin des Grands Lacs lui-même, soit par la rivière des Outaouais ou par le haut Saint-Laurent. Cette période connaît aussi une intense activité missionnaire, surtout chez les Hurons. Suit une période caractérisée par l'exploitation commerciale de la fourrure par un système de monopole qui cède ensuite le pas aux permis de commerce ou congés. Le troisième volet de notre synthèse comprend l'activité commerciale française dans les baies du nord nommées en l'honneur de Henry Hudson et Thomas James, la création de la Compagnie du Nord et la souveraineté française sur cette région, revendiquée par la Compagnie de la Baie d'Hudson, de 1697 à 1713. Au cours de la quatrième étape, les activités militaires et économiques deviennent inextricables après 1701 dans le pays d'en haut, et marquent donc un stade précis dans le développement colonial jusqu'à la conquête britannique en 1760. Enfin, les intérêts français dans l'Ouest, la création d'une unité administrative connue sous le nom de Mer de l'Ouest, et l'activité commerciale jusqu'en 1821 de la Compagnie du Nord-Ouest dont le siège est à Montréal concluent la période du début de la colonie. Les administrateurs britanniques, les entrepreneurs écossais et les immigrants américains transforment rapidement le pays d'en haut et en changent la conjoncture historique. Si la révolution américaine a eu pour la communauté française des conséquences plus immédiates que la conquête britannique, on peut dire aussi que la fusion de la Compagnie de la Baie d'Hudson et de la Compagnie du Nord-Ouest en 1821 a marqué la fin d'une époque d'ancien régime.

Les premières explorations

Samuel de Champlain, au printemps de 1613, remonte la rivière de Outaouais jusqu'à l'île des Allumettes afin d'établir des relations commerciales directes avec les Nipissing et les Cris et aussi, peut-être, pour vérifier le dire de Nicolas de Vignau qui prétendait avoir atteint la baie d'Hudson par cette route[1]. Les Algonquins du chef Tessouat contredirent les affirmations de Vignau, en le menaçant et se moquant de lui, et pour cette raison Champlain décide de ne pas poursuivre son but premier qui était de continuer vers le nord. Un tel projet aurait sapé le rôle d'intermédiaire dont jouissaient les Algonquins, et les aurait privés des redevances que devaient leur verser toutes les tribus de l'ouest qui commerçaient avec les Français. Ce voyage avait néanmoins donné accès aux Français à la route de canot du nord, qui menait au lac Huron par le lac Nipissing et leur permettait d'éviter le pays iroquois au sud. Champlain publia aussi à cette occasion une description importante de la région. Le but ultime du voyage de Champlain demeure obscur : s'agissait-il de revendiquer formellement la vallée de l'Outaouais, ou simplement d'y établir des jalons, religieux et commerciaux[2]?

C'est à la suite de ce voyage que Champlain convainquit les commerçants autochtones de prendre avec eux deux « gens de bien et véritables ». Ces jeunes gens, et les autres intermédiaires qui vinrent peu après, étaient connus sous le nom de *truchements*; ils devinrent de précieux émissaires et interprètes, qui adoptèrent rapidement les us et coutumes autochtones. Ils n'étaient cependant pas tous vus d'un bon œil par les autorités, puisque Nicolas de Vignau fut traité d'imposteur et confié « à la garde de Dieu », ou simplement abandonné; Étienne Brûlé fut qualifié de vaurien et sa mort aux mains des Hurons ne fut guère déplorée. On prétendait que Nicolas Marsolet avait trahi son roi et vendu la colonie aux envahisseurs anglo-huguenots en 1629. Les truchements rendirent d'importants services en matière d'exploration géographique, quelle qu'ait été l'opinion des autorités gouvernementales et ecclésiastiques sur leur sens éthique. Il n'est pas impossible qu'en 1611–12, Vignau ait effectivement accompagné à la baie James quelques chasseurs algonquins et qu'il ait vu l'épave de la chaloupe dans laquelle les mutins avaient abandonné le fils de Henry Hudson[3]. En 1621–23, Étienne Brûlé, accompagné par un aventurier nommé Grenolle, fit le parcours en canot de la baie Georgienne au lac Supérieur et ramena aux missionnaires récollets des échantillons de cuivre provenant de mines exploitées par les autochtones. Deux ans plus tard, il fit un séjour dans la région du lac Érié, habitée par la nation Neutre[4].

Jean Nicollet fut sans doute un truchement exceptionnel : à partir de 1618, Champlain l'envoya passer plusieurs saisons avec la bande de Tessouat sur l'Outaouais supérieur; il vécut ensuite neuf ans parmi les Nipissing, et enfin en 1633 il voyagea au lac Michigan et explora la route imaginaire vers la Chine; il faisait alors l'objet de la confiance et de l'admiration des Français comme des autochtones. Sa présence à la baie Verte en robe de damas aux couleurs voyantes — tenue de circonstance pour être reçu dans une cour orientale — provoqua sur le coup un étonnement certain. Mais il sut établir des relations amicales avec les tribus de l'intérieur et son expédition augmenta considérablement la connaissance des Français sur les voies d'eau intérieures des Grands Lacs supérieurs et sur les peuples qui habitaient ces régions[5]. C'était là la route de cette « grande mer qui est par-delà celle des Hurons », dont avait parlé la supérieure des Ursulines dans une lettre de 1646 comme étant un facteur significatif dans le développement futur de la colonie[6]. Il s'agissait d'un rêve dont la réalisation, évidemment, serait lente. Champlain, après avoir passé les années 1615–1616 dans le pays d'en haut afin de promouvoir le commerce de la fourrure et permettre l'établissement de la mission des récollets, avait porté son attention sur le renforcement de la base agricole dans la vallée du Saint-Laurent et la planification d'un centre commercial, qui s'appellerait Ludovica, pour servir de relais entre les ports de la France-atlantique et la Chine. À la mort de Champlain en 1635, il n'y avait encore aucune famille française dans le pays d'en haut.

Les exploits des missionnaires

Des missionnaires entreprenants bâtirent les premiers avant-postes européens. Les récollets furent les premiers à s'aventurer sur ce terrain.

En 1615, Joseph Le Caron se rendit au village huron de Carhagouha où il établit la première mission. Avec Champlain, il visita plusieurs villages des Pétuns. En 1623, en compagnie de Nicolas Viel et de Gabriel Sagard, il se joignit à des commerçants hurons qui étaient venus faire le troc à l'embouchure de la rivière Richelieu et retourna à Carhagouha. On érigea un couvent « en forme de tonnelle » afin que les commerçants français puissent y recevoir les sacrements et afin de prêcher aux Hurons pour tenter de les convertir. Le frère Sagard a laissé deux livres inspirés par cette entreprise missionnaire : *le Grand Voyage au pays des Hurons* (1632) et *l'Histoire du Canada* (1636). Le père Viel fut tué par quelques Hurons pendant son retour à Québec en 1625, et devint ainsi le premier « martyr » de la foi au Canada[11].

La décision des récollets d'établir une mission dans les villages de la confédération huronne, situés entre la baie Georgienne et le lac Simcoe, fut de conséquence à plusieurs points de vue. Les missionnaires avaient choisi un peuple sédentaire et agricole, déjà uni aux Français par les liens commerciaux et militaires, et qui semblait le plus susceptible de se convertir et de permettre l'instauration d'un catholicisme institutionnel. Le pays huron, comme le démontre l'archéologie, était depuis longtemps une plaque tournante stratégique en matière de communications et de commerce, donnant accès aux systèmes hydrographiques du Saint-Laurent, du Mississippi et de la baie d'Hudson. Les Hurons pratiquaient le troc sur une grande échelle avec leurs voisins, et servaient d'intermédiaires pour les biens français même avant l'arrivée des Européens dans le pays d'en haut. Leurs villages marquaient la frontière septentrionale de la culturel du maïs, de sorte qu'il était peu probable que les Français entreprennent de cultiver les terres au nord du pays des Hurons[8].

Les jésuites entrèrent dans le pays d'en haut en 1626 sous le couvert de prêter secours aux récollets dont les maigres ressources humaines et matérielles semblaient insuffisantes pour convertir rapidement les peuples autochtones; cette démarche s'inscrivait d'ailleurs dans le désir d'intégrer de façon permanente cette région dans la colonie. Après quelques revers en 1629, Jérome Lalemant, qui pouvait en 1639 compter sur l'aide de 13 missionnaires, entreprit la construction d'une mission permanente fortifiée et d'un village agricole modèle appelé Sainte-Marie (Midland). Au bout d'un certain temps, la population de Sainte-Marie-des-Hurons comprenait 23 jésuites, 27 *donnés* bénévoles qui étaient souvent des gens de métier, 7 domestiques et 8 soldats. Cependant, elle ne comprenait ni femmes françaises, ni familles, ni esclaves, parce que le plan prévoyait une communauté agricole autosuffisante composée éventuellement de familles huronnes converties et francisées, mais non de colons français.

La mission jésuite de Sainte-Marie-des-Hurons était composée de deux communautés. D'abord, une forteresse de pierre qui servait de quartier général aux missionnaires, de lieu de retraite aux prêcheurs itinérants, et qui abritait les habitations, magasins et ateliers des aides laïcs. À côté, un village à palissade pour les Hurons convertis, comprenant sa propre chapelle, son infirmerie, sa résidence et son cimetière. Entouré de champs défrichés et cultivés, sur les bords de la rivière Wye, le village de mission ressemblait à une communauté monastique médiévale, exposée à l'assaut des « barbares ».

Peu à peu, la maladie et la dépopulation entraînèrent la démoralisation. Les avertissements des jésuites, qui voulaient faire croire aux Hurons que la colère de Dieu s'abattait sur eux pour les punir de leur impiété, ne servirent qu'à confirmer chez certains la croyance que les missionnaires étaient la cause de la malédiction qui pesait sur le pays. Les Hurons étaient divisés en deux camps : une minorité catholique d'une part, et les traditionalistes d'autre part. À deux reprises, en 1637 et en 1640, les conseils autochtones décidèrent presque de tuer les jésuites ou du moins de les expulser hors du pays huron.

Néanmoins, la mission jésuite fut sauvée à cette époque grâce à l'intervention des commerçants de fourrures et à celle des autorités civiles de la colonie. Le parti chrétien chez les Hurons fut considérablement renforcé quand, en 1641, les autorités approuvèrent la distribution d'armes à feu aux convertis. L'opposition fut freinée temporairement, mais la plus grande menace à l'expérience jésuite vint de l'extérieur. En effet, les Iroquois maraudeurs qui, depuis longtemps, harcelaient les établissements laurentiens, apparurent en 1648 en nombre sans précédent. Bien armés, assurés et résolus à détruire un à un les villages hurons et leurs missions jésuites, ils utilisèrent d'habiles tactiques de surprise et de concentration de forces.

Les Hurons furent mis en déroute et leurs villages brûlés. Au XXe siècle, cinq missionnaires jésuites de cette mission furent reconnus par l'Église comme « martyrs », puis canonisés, bien que Joseph le Caron ait observé antérieurement que « nul ne doit venir dans l'intention de souffrir le martyre... car il ne s'agit pas d'un pays où les sauvages mettent les Chrétiens à mort en raison de leur religion. Ils laissent à chacun le soin de ses croyances[9]. » Plutôt que de résister, ce qui aurait peut-être découragé les Iroquois qui n'avaient pas l'habitude d'assiéger longuement des endroits fortifiés, les jésuites préférèrent brûler la mission et fuir pour se joindre aux survivants hurons, démoralisés et désorganisés, qui s'étaient réfugiés sur les îles dans la baie Georgienne. Un second établissement nommé Sainte-Marie fut construit à la hâte sur l'Île des Chrétiens, mais fut abandonné en 1650 à la suite d'une terrible famine hivernale. La guerre entre tribus avait éliminé les intermédiaires du commerce français ainsi que les missions catholiques les plus prometteuses.

Les sulpiciens furent les derniers missionnaires à entrer dans le pays d'en haut pour l'explorer et s'y installer. En 1669, René de Bréhant de Galinée et François Dollier de Casson furent parmi les 22 Européens qui accompagnèrent La Salle dans sa remontée du fleuve Saint-Laurent, le long de la rive sud du lac Ontario et jusqu'à l'extrémité nord-ouest du lac (Hamilton aujourd'hui), où ils rencontrèrent Adrian Jolliet qui revenait d'une mission de reconnaissance sur les lacs supérieurs. De là, les missionnaires continuèrent seuls jusqu'à la rive nord du lac Érié, où ils passèrent l'hiver occupés à évangéliser. Au printemps, ils retournèrent à Montréal par le lac Huron, visitant la mission située à Michilimackinac, la baie Georgienne et la route de canot du Nord. Ils tracèrent à leur retour une carte de la région étendue qu'ils avaient explorée[10].

En 1668, les *abbés* François de Fénelon et Claude Trouvé établirent une mission parmi les Cayugas sur la péninsule Quinté du lac Ontario. Fénelon étendit cette mission l'année suivante en se chargeant de l'instruction des Iroquois de Gandaseteiagon (Port Hope). Trouvé dirigea la mission Quinté pendant douze ans, pendant que Jean-Baptiste Colbert, ministre de la Marine et des Colonies, l'intendant Jean Talon et le gouverneur Buade de Frontenac, entre autres, vantaient les mérites de cette entreprise « exemplaire », qui démontrait ce qu'ils prétendaient être l'inadéquation des missions jésuites. Malgré l'appui généreux du séminaire sulpicien de Paris, les autochtones préféraient à la mission le poste militaire Fort Frontenac. En 1677, le supérieur à Paris espérait toujours pouvoir sauver la mission auprès des cinq villages iroquois de la rive nord du lac Ontario[11]. En 1680, Dollier de Casson confirmait la décision d'abandonner la mission Quinté, mais prenait soin de souligner que les subventions de l'État pour la francisation des enfants amérindiens continueraient de s'appliquer pour poursuivre l'objectif initial « que les Sauvages se rapprochent des Français afin de s'habituer peu à peu à nos coutumes et d'être plus disposés à raffiner leurs manières[12] ». Une fois encore, on abandonnait une entreprise du pays d'en haut pour consolider l'activité dans la basse région laurentienne.

Les récollets revinrent dans le pays d'en haut après leur retour dans la colonie (1670) et l'érection du Fort Frontenac (1673). Louis Hennepin et Luc Buisset bâtirent une importante maison de mission au Fort Frontenac en 1676, puis se joignirent à la mission de reconnaissance de l'expédition de La Salle au Mississippi, qui bâtit le Fort Conti à Niagara (1678), où s'installèrent les missionnaires Gabriel de La

Ribourde et Zénobe Membré. Alors qu'il explorait le haut Mississippi pour La Salle, Hennepin fut capturé par les Sioux et gardé prisonnier pendant cinq mois avec deux commerçants, dans la région des Mille-Lacs (Minnesota). Une rencontre accidentelle avec l'expédition de Dulhut en septembre 1680 permit sa libération[13]. Les récollets demeurèrent les aumôniers et missionnaires des postes du Roi, puisqu'ils jouissaient de la faveur des fonctionnaires royaux qui se méfiaient de l'influence jésuite. La Ribourde et Membré furent tous deux tués lors d'expéditions de La Salle, le premier au cours de la première expédition le long de l'Illinois et le second au cours de la troisième expédition au Texas. Une fois de plus, la hardiesse des récollets faisait des « martyrs ».

L'expansion dans l'arrière-pays

L'expansion au cours de la deuxième moitié du XVIIe siècle avait pour but le développement du commerce de la fourrure, la quête de la route vers la mer de Chine, et la recherche de richesses minières. En même temps, la France prenait possession de ce territoire et revendiquait son droit en occupant « les lacs et les testes de Rivieres qui communiquent aux contrées occupées par les Européens[14] ». Cette démarche était animée par le rêve de l'intendant Jean Talon d'un « beau plan dans lequel on peut former un grand Royaume et fonder une monarchie ou du moins un Estat fort considérable ». La métropole, pour sa part, était d'opinion que « le Roy ne peut convenir de tout le raisonnement que vous faites sur les moyens de former du Canada un grand & puissant Estat, y trouvant divers obstacles qui ne sçauroient estre surmontez que par un tres long espace de temps[15] ». Dès les débuts du gouvernement royal, qui remplaça l'administration de la colonie par la Compagnie des Cent-Associés, soit de 1627 à 1663, il y eut conflit entre la politique métropolitaine d'un peuplement restreint des basses terres du Saint-Laurent et les ambitions des administrateurs coloniaux et des habitants locaux désireux d'exploiter les ressources de l'intérieur, et ce, souvent dans leur propre intérêt.

Quatre grandes expéditions ont lieu au cours de cette période. En 1659, deux commerçants sans permis, Médart Chouart des Groseilliers et son beau-frère Pierre-Esprit Radisson, remontèrent en canot jusqu'au Sault Sainte-Marie, qu'avaient visité dix-huit ans plus tôt les jésuites Charles Raymbault et Isaac Jogues. Groseilliers et Radisson poursuivirent leur route le long de la rive sud du lac Supérieur jusqu'à la péninsule Keweenaw et la baie Chequamegon. À l'extrémité du lac Supérieur, ils parcoururent à pied pendant six semaines le pays des

Sioux avant de revenir près de la pointe, où ils cachèrent leurs provisions, pour ensuite traverser le lac jusqu'à sa rive nord. Il est possible qu'ils aient visité Grand Portage, début de la meilleure route de canots pour le Far Ouest, mais moins probable qu'ils aient accompagné les Cris jusqu'à la baie d'Hudson, comme l'affirme Radisson dans son journal assez confus rédigé neuf ans plus tard[16]. Lors de leur retour à la colonie, accompagnés par 300 autochtones de plusieurs tribus, et ayant en leur possession une grande quantité de fourrures de valeur, ils découvrirent à Long Sault les restes d'Adam Dollard, de 16 jeunes Français et de nombreux guerriers autochtones qui avaient succombé à une attaque iroquoise[17]. Le gouverneur d'Argenson confisqua leurs fourrures et leur imposa une amende pour avoir commercé sans son autorisation. Ils passèrent du côté anglais. À partir de ce moment, la région supérieure des Grands Lacs connut toujours la présence de commerçants français.

La seconde grande expédition fut celle du jésuite Jacques Marquette, remarquable linguiste, et Louis Jolliet, cartographe et hydrographe du roi. Marquette travailla à la mission d'Algonquins à Sault-Sainte-Marie, ensuite ouvrit une mission de courte durée à la Pointe du Saint-Esprit pour des réfugiés hurons et outaouais, et à l'été 1671 il fonda la mission de Saint-Ignace sur la rive nord du détroit de Michilimackinac. En 1673, il se joint à l'expédition de Louis Jolliet, à qui l'intendant Talon a confié la mission de découvrir le Mississippi « qu'on croit se décharger dans la mer de Californie ». Jolliet et Marquette descendirent le Mississippi jusqu'à la rivière Arkansas et revinrent ensuite par la rivière des Illinois et le portage Chicago jusqu'au lac Michigan. Malheureusement, il ne reste rien, ni du journal du père Marquette, ni du livre de bord, ni de la carte de Jolliet. Cependant, les nouveaux renseignements géographiques qu'ils acquirent ont été préservés grâce à la carte tracée en 1681 par Melchisedech Thévenot et quatre cartes tracées par Vincent Coronelli qui furent publiées en 1689[18].

René-Robert Cavelier de La Salle réalisa la troisième grande série d'expéditions de 1679 à 1682. Dix ans auparavant, il avait exploré la région du lac Ontario. En 1676, il avait remplacé le petit fort de bois par un nouveau Fort Frontenac en pierre et, se prévalant de ses droits de seigneur, il concéda des terres aux récollets sur la rivière Cataracoui et Belle-Isle (Simcoe Island) et Grande Isle (Wolfe Island). À l'été 1681, Madeleine de Roybon d'Allone obtint en fief et seigneurie Tonequinion (Collins Bay) où elle mit en valeur ses terrains jusqu'en 1687. Entre temps, La Salle profita largement du commerce de la fourrure au Fort Frontenac, sous la protection du gouverneur Frontenac.

Mais, non satisfait de ce privilège, il demanda à la Cour de lui accorder les droits seigneuriaux pour deux établissements, l'un situé à l'entrée du lac Érié et l'autre à la sortie du lac Michigan. Il reçut plutôt la permission de poursuivre plus avant ses explorations, qui l'amenèrent à l'embouchure du Mississippi en avril 1682[19].

La Salle a aussi le mérite d'avoir inauguré la construction navale sur les Grands Lacs, car jusqu'à ce qu'il construise le *Frontenac* à Cataracoui en 1673, aucun vaisseau plus large qu'un grand canot n'avait navigué sur ces eaux intérieures. L'année suivante, il fit construire le *Cataraqui* pour le commerce de la fourrure, en 1675 un autre vaisseau plus large que les deux premiers, et, en 1679, le célèbre *Griffon*, construit en haut des chutes Niagara afin qu'il puisse faire voile sur la Chine. En 1685, le gouverneur La Barre commanda *Le Général* qui serait chargé de patrouiller le lac Ontario au nom du roi[20].

La quatrième expédition majeure fut celle de Daniel Greysolon Dulhut dans la région du lac Supérieur. En 1678–79, il était à la tête d'une délégation qui réussit à réconcilier les Sioux, Ojibways et Cris, alors en guerre, et à les convaincre de ne pas vendre leurs fourrures aux Anglais de la baie d'Hudson. En 1680, il se rendit à la source du Mississippi, où il parvint à convaincre les Sioux de libérer trois des hommes de La Salle, y compris le récollet Louis Hennepin. En 1683, il obtint une commission d'une durée de trois ans de la part du gouverneur La Barre, qui lui permit de renforcer l'alliance des tribus de l'Ouest, de fortifier Michilimackinac, de construire des postes de commerce au Lac Nipigon et à Kaministiquia (Thunder Bay), ainsi qu'un poste militaire à Détroit. La connaissance qu'avait Dulhut de la région ouest du lac Supérieur à partir du lac Nipigon, où son frère Claude Greysolon de la Tourette avait le commandement, jusqu'à la région des Mille-Lacs de Minnesota, est évidente dans la carte d'Hubert Jaillot datant de 1685, dans les cartes de Coronelli (1689), et surtout dans celles de Claude et Guillaume De l'Isles (1700; 1703)[21].

La recherche de richesses minières était subordonnée au désir de découvrir les secrets du continent. L'intendant Talon envoyait en 1669 Jean Peré et Adrian Jolliet « pour aller reconnoistre si la mine de cuivre qui se trouve au dessus de lac Ontario (...) est abondante, facile à extraire ». Ils devaient aussi trouver une « route plus facile que la route habituelle » pour transporter le cuivre, et éventuellement le plomb, jusqu'à Montréal. Ils s'intéressèrent davantage au profit immédiat assuré par le commerce de la fourrure, bien qu'ils virent effectivement certains dépôts dans la région du lac Supérieur. En 1670, Simon Daumont de Saint-Lusson reçut la commission « pour la recherche de la mine de cuivre au pays des Outaouacs » et pour tenter de découvrir un passage nord-ouest jusqu'au Pacifique. Les principaux dépôts de cuivre ne furent ni identifiés ni exploités à cette époque[22].

Par contre, Saint-Lusson remplit avec succès une autre partie de sa mission qui était de prendre formellement possession du pays d'en haut et d'obtenir ce que les autorités françaises considéraient être des serments d'allégeance de la part des nombreuses tribus et bandes amérindiennes. Le 14 juin 1671, à titre de représentant du roi et d'envoyé spécial de l'intendant, Saint-Lusson, accompagné de l'interprète en chef Nicolas Perrot, et en présence de 4 missionnaires jésuites, de 14 chefs autochtones et d'environ 2 000 spectateurs amérindiens, prit formellement possession du pays au Sault-Sainte-Marie en plantant une croix aux armes de Louis XIV. En 1679, ce fut le tour de Dulhut, qui annexa le pays des Sious, et dix ans plus tard, Nicolas Perrot hissa le drapeau français à la baie des Puants[23].

Le commerce de la fourrure

Le commerce de la fourrure constituait évidemment le principal intérêt économique de la région. Les fourrures étaient la matière première, selon le modèle de Harold Innis de l'exploitation des ressources régionales; les peuples autochtones constituaient les fournisseurs de base et les finisseurs des fourrures, parfois les intermédiaires dans le troc; les Canadiens jouaient le rôle d'intermédiaires principaux, et les Français de la métropole étaient les manufacturiers, les consommateurs, et les fournisseurs de biens d'échanges européens. Le commerce de la fourrure se révélait d'importance pour les colons, même si les principaux profits allaient aux entrepreneurs de la métropole, et même si les activités connexes telles que le textile, la fabrication des chapeaux et les industries de distillation restaient la prérogative de la France en raison des intérêts capitalistes et de la réglementation mercantiliste. Tous les colons avaient le droit de participer à ce commerce, même la noblesse, qui depuis 1669 pouvait le faire sans crainte de perdre ses privilèges d'ordre, à la condition que toutes les fourrures soient envoyées aux entrepôts de la compagnie bénéficiant du monopole. Ce monopole fut successivement entre les mains de la Compagnie des Cents-Associés (1627–1645), de la Communauté des Habitants (1645–1663), de la Compagnie des Indes Occidentales (1664–1674), puis il fut aboli jusqu'en 1700, quand fut formée la Compagnie de la colonie dans laquelle tous les marchands coloniaux qui participaient au commerce de la fourrure possédaient des actions. En 1717, la Compagnie de l'Occident reçut les droits monopolistiques, et fut réorganisée en 1719 comme Compagnie des Indes Occidentales.

L'agriculture et les petites industries ne permettaient pas de profits rapides ni importants en Nouvelle-France, et par conséquent, ceux qui étaient entreprenants préféraient s'adonner au commerce de la fourrure. Au début, les commerçants autochtones amenaient les cargaisons de fourrures à chaque printemps aux foires de fourrure du bas Saint-Laurent, car les Français payaient non pas le travail des autochtones, mais bien le produit de leur labeur. Peu après, les Français commencèrent à pénétrer dans le pays, leurs canots chargés de biens d'échange comme des ustensiles de métal, des chaudières, des couvertures, et même de l'eau-de-vie, alors interdite. Se rendre à Michilimackinac de Montréal représentait au moins deux mois de voyage par canot. Les canots, avec 3 hommes à bord et quelques 1 000 livres de cargaison, devaient affronter plus de 30 portages ainsi que quelque 20 décharges. Le clergé et les fonctionnaires de l'État craignaient que le départ des jeunes gens en nombre croissant entrave le développement de l'agriculture, retarde l'établissement d'une solide vie de famille, favorise un esprit d'indépendance, et corrompe la moralité. En fait, cet exode annuel assurait des bénéfices économiques à la colonie laurentienne, renforçait les alliances avec les Amérindiens, et suppléait au revenu des hommes, ce qui pouvait éventuellement encourager la vie de famille et l'agriculture. Ce phénomène faisait aussi ressortir le caractère périphérique du pays d'en haut. Même l'espace de la société seigneuriale le long du Saint-Laurent pouvait difficilement prétendre être un centre au XVIIe siècle, dans un contexte impérial, selon la théorie moderne du centre et des périphéries[24].

Le commerce de la fourrure posait trois problèmes en particulier : le vagabondage des coureurs de bois, le trafic de l'eau-de-vie et le mélange des ethnies. À partir de 1654, on émettait des permis pour le commerce dans le pays d'en haut, mais on ne réussit jamais à contrôler le nombre de gens engagés dans cette entreprise. Des ordonnances royales de 1673, de 1678 et de 1681 furent sans effet. Une surabondance de stocks de pelleteries dans les ports français en 1696 provoqua l'abolition du système de *congés*[25].

La question du trafic de l'eau-de-vie ne fut résolue ni par les prohibitions imposées par les gouverneurs, ni par les diverses censures ecclésiastiques, ni par l'ordonnance royale du 24 mai 1679 résultant d'une assemblée délibérative à Québec. *L'Histoire de l'eau-de-vie* écrite par le sulpicien François de Belmont, les mandements de Saint-Vallier, et même le jugement de la Sorbonne en 1696, attribuèrent une bonne partie de la culpabilité aux autochtones qui voulaient de l'alcool, qui en abusaient, et qui commettaient des crimes et des péchés en état d'ébriété[26] !

Le métissage avait d'abord été encouragé au Canada, et par les missionnaires et par les fonctionnaires, qui y voyaient un moyen d'assimiler la population amérindienne et une façon de peupler la colonie sans qu'il y ait besoin d'une immigration massive de France. Dans le pays d'en haut, les missionnaires en vinrent à distinguer deux types de relations entre Français et Amérindiennes : ce qu'ils appelaient le concubinage, sans aucune idée de permanence et aucune prise en charge de responsabilités familiales, et les unions stables qu'ils appelaient *mariages à la façon du pays*. Le métissage n'entraîna ni l'assimilation des peuples autochtones ni l'établissement de la culture française. Il donna plutôt naissance à un peuple distinct, les Métis, qui, avec le temps, fondèrent leurs propres petites communautés le long des rives des Grands Lacs supérieurs[27].

L'expansion vers le Nord

La route vers la mer du Nord offrait autant de défis que le bassin des Grands Lacs ou que la route vers la mer du Sud. Dès 1657, Jean Bourdon avait entrepris, sans succès, d'en découvrir les secrets par l'Atlantique. Quatre ans plus tard, les jésuites Claude Dablon et Gabriel Druillettes remontèrent le Saguenay pour trouver la mer du Nord, jusqu'à ce qu'ils rencontrent quelques chasseurs Cris. Dablon écrit que les autochtones les reçurent « très humainement » et consentirent qu'ils prennent possession de leur pays au nom du roi, ce qu'ils firent aussitôt en plantant une croix aux armes du roi et en enterrant une plaque gravée de cuivre et de plomb. La France avait, par ce geste symbolique, pris possession du territoire du Nord, dont les limites demeuraient insoupçonnées[28].

En 1671, l'intendant Talon, ayant pris connaissance de la formation de la Hudson's Bay Company et des activités de Radisson et Groseilliers, envoya le jésuite Charles Albanel vérifier si la mer du Nord était bien la baie d'Hudson et constater la présence de Français là-bas. Albanel explora la baie James et laissa une lettre pour Radisson avec un bateau anglais ancré à l'embouchure de la rivière Rupert. En 1674, il descendit de nouveau la rivière Rupert jusqu'au Fort Charles où il fut fait prisonnier et envoyé en Angleterre. Albanel avait ouvert la route intérieure jusqu'à la mer du Nord et favorisé une concurrence accrue dans cette région[29].

En 1682, Charles Aubert de la Chesnaye forma la Compagnie du Nord, avec l'appui de Philippe Gaultier de Comporté, Jacques Le Ber et Charles Le Moyne, et de concert avec nombre d'entrepreneurs français et canadiens qui se sentaient menacés par le monopole qu'exerçaient le gouverneur Frontenac et La Salle sur le commerce. L'entreprise reçut l'aval des autorités métropolitaines, qui arrangèrent même une rencontre à Paris entre La Chesnaye et Radisson. Mais l'expédition française, une fois arrivée à l'embouchure de la rivière Nelson avec l'intention de fonder une colonie, dut affronter une expédition anglaise ainsi que Benjamin Gillam, un commerçant hors-la-loi de la Nouvelle-Angleterre. Une cargaison importante de fourrures fut ramenée à Québec, mais comme il était impossible d'éviter une taxe de 10 %, Radisson, dépité, retourna en Angleterre. En 1684, Claude de la Martinière ramena 20 000 livres de castor de la région et un vaisseau anglais capturé en route. La Compagnie du Nord demanda à Versailles un vaisseau armé pour défendre ses droits. En fait, les métropoles essayaient à l'époque de régler les différends qui les opposaient en matière de prétentions territoriales[30].

En février 1686, le gouverneur Brisay de Denonville confia à Pierre de Troyes 30 soldats et 70 miliciens afin qu'ils chassent les Anglais de ce qu'il considérait être territoire de la Compagnie du Nord. L'expédition remonta jusqu'aux postes de la compagnie à Temiscamingue et Abitibi, atteignit la rivière Moose par un réseau de lacs et de rivières, pour ensuite capturer Moose Factory (Fort Saint-Louis), Fort Rupert (Fort Saint-Jacques), ainsi que Fort Albany (Fort Sainte-Anne). De Troyes retourna à Québec en octobre 1686, laissant à Pierre Le Moyne d'Iberville le commandement des trois forts devenus français. Iberville rentra à Québec en 1689, rapportant des fourrures et du butin au compte de la Compagnie du Nord.

Quand Iberville retourna à la baie en 1694, il était bien armé et bien ravitaillé par les militaires; de plus, les actionnaires métropolitains, à la grande consternation de leurs associés canadiens, lui avaient accordé le monopole de ce commerce jusqu'en juillet 1697. Le Fort York se rendit en octobre 1694, fut rapidement rebaptisé Fort Bourbon, et devint la principale base d'opérations dans la région. Les Anglais reprirent le poste en 1696, mais Iberville revint en 1697 et réussit à couler deux des trois bateaux anglais qu'il y trouva. De nouveau, la baie d'Hudson était aux mains des Français. Le traité de Ryswick (1697) stipulait que « le fond de la baye » demeurait français et que le Fort York revenait à la Hudson's Bay Company, mais en fait, les Anglais retinrent Albany tandis que les Français gardaient le Fort Bourbon jusqu'au traité d'Utrecht (1713)[31].

Beaucoup d'efforts et de dépenses n'avaient rapporté que des profits sporadiques aux actionnaires de la Compagnie du Nord; pourtant, ils avaient eu de grandes visées. Deux routes intérieures avaient été ouvertes, par le Saguenay et par la rivière des Outaouais, et la route de la mer. Mais à la longue, les associés canadiens encoururent des difficultés financières parce que leurs investissements n'étaient pas diversifiés, et nombre de revers les amenèrent au bord de la faillite. L'impossibilité d'évincer de la mer du Nord la compagnie basée à Londres était source de préoccupations quant à l'avenir du commerce dans le pays d'en haut.

Stratégie et commerce

Le développement dans la région pendant la première moitié du XVIIIe siècle s'explique par la prise de conscience impériale de l'importance stratégique de la Nouvelle-France par opposition à son utilité économique marginale pour la métropole. Dès 1701, Louis XIV était convaincu que la principale contribution du Canada était sa capacité de restreindre l'expansion anglo-américaine et ainsi diminuer la menace de l'hégémonie anglaise. Les résultats désastreux de la guerre de la Succession d'Espagne, manifestes dans les termes du traité d'Utrecht (1713) — notamment le retour de la souveraineté britannique sur le bassin hydrographique de la baie d'Hudson — ne firent que renforcer la politique de Versailles. Il fallait augmenter le nombre de forts intérieurs et augmenter leurs effectifs, car bien que le traité de Montréal (1701) ait instauré la paix entre les Iroquois et les tribus alliées aux Français, les Iroquois neutres voulaient aussi poursuivre le commerce dans le pays d'en haut.

La nouvelle stratégie fut manifeste dans la fondation de la colonie de la Louisiane et dans le fait d'accepter que des colons s'établissent à Détroit. La pratique devint de mettre les commandants, qui provenaient de plus en plus de la noblesse coloniale, en charge du commerce dans les environs immédiats d'un poste. En tant que groupe social, donc, la noblesse canadienne exerçait son pouvoir à l'intérieur du continent à la fois dans la sphère militaire et dans la sphère commerciale[32].

La restauration des congés de traite en 1716 ne changea pas cette stratification sociale. Plus d'un quart des congés étaient accordés aux membres de la noblesse canadienne. La pratique donnait lieu à des abus et, pour cette raison, elle était souvent contestée. Les congés furent restreints en 1720, complètement supprimés en 1723, mais réintroduits en 1726. Le gouvernement essayait de contrôler les marchands au moyen des congés, tandis que les marchands tentaient de contrôler les pratiques d'embauche et la main-d'œuvre au moyen d'engagements ou contrats notariaux ou privés. Les permis de l'époque font état d'une plus grande main-d'œuvre que ne le font les contrats, et la quantité de fourrures transportées démontre une plus grande main-d'œuvre que

TABLEAU I
Ampleur du commerce du pays d'en haut, 1675–1685

Année	*Fourrures exportées (livres)*	*Canotiers*
1675	102 000	309
1685	232 000	696
1695	121 000	**
1705	198 000	**
1715	320 000	961
1725	244 000	900 +
1735	438 000	1 123
1745	444 000	1 360
1755	488 000	1 527
1765	272 000	821
1775	698 000	2 112
1785	812 000	2 428

Source : Brian D. Murphy, « The Size of the Labour Force in the Montreal fur trade, 1675–1790 », (Thèse de maîtrise, Université d'Ottawa, 1986), 1986, *passim*.

celle décrite sur les permis. À partir de 1715, les expéditions comprenaient plusieurs canots financés et organisés par les marchands qui entretenaient avec les militaires des liens étroits.

Pour cette raison, les voyageurs devenaient de simples engagés et les conditions de travail se détérioraient au fur et à mesure que la taille des canots et des cargaisons de biens d'échange augmentait. En 1722, on utilisait encore des canots à 4 hommes; en 1740, les canots comprenaient 6 hommes, chacun devant porter 8 ballots de près de 90 livres; dans les années 1750, on commença à utiliser des canots à 8 hommes sur la rivière des Outaouais, et les charges devinrent encore plus lourdes, bien que les ballots demeuraient de la même taille. Les contrats commençèrent à stipuler combien de ballots, généralement un total de huit transportés deux à la fois, un engagé serait tenu de porter. À partir des années 1730, le volume de commerce enregistré demandait une main-d'œuvre d'au moins 1 300 hommes à chaque année, et probablement au moins 1 500 hommes pour la manutention des biens d'échange transportés vers l'intérieur et des pelleteries qui en sortaient[33] (Tableau I).

Un autre changement dans le commerce de la fourrure était le nombre accru de pelleteries autres que celles du castor que les Français achetaient. Dans les années 1740, la Hudson's Bay Company commença à se plaindre du fait que les Français prenaient les fourrures les plus légères et de la meilleure qualité, car en fait les peaux de castor ne composaient que 39 % des exportations en 1728, 27 % en 1739, et 24 % en 1755. Cette évolution doit être comprise en termes de l'expansion territoriale et des opérations de commerce, de l'augmentation des coûts généraux qui en découlaient, et du besoin pour une main-d'œuvre plus importante. Comme à l'habitude, il fallait que les Amérindiens demeurent satisfaits et loyaux, et ils avaient eux aussi leur mot à dire sur la qualité et la quantité de fourrures et d'articles européens échangés, ainsi que sur les présents du roi[34].

Certains problèmes apparemment insolubles demeuraient. Il y avait d'abord la question de contrebande avec les colonies anglaises, surtout celle qui se pratiquait entre Montréal et Albany et après 1722 avec Oswego. Fait peu surprenant, l'édit de 1706 interdisant le commerce avec New York fut répété en 1709, en 1724, et en 1738. On connaît trois marchands de New York pour leur participation à ce trafic qui profita aux contrebandiers canadiens et amérindiens en amenant des biens étrangers dans le commerce français et en offrant un paiement rapide. Entre 1722 et 1734, la Compagnie des Indes Occidentales perdit probablement un cinquième des pelleteries du pays d'en haut qu'elle aurait dû recevoir. Ce ne fut qu'après 1742, quand des contrôles plus sévères furent imposés, que ce commerce irrégulier diminua[35].

Un second problème était la présence persistante des coureurs de bois. La participation militaire dans le commerce de la fourrure n'élimina pas les coureurs de bois, qui devinrent souvent fournisseurs de fourrures et intermédiaires entre les autochtones et le personnel militaire engagés dans ce commerce. En 1714, on proclama une amnistie générale, à condition que les contrevenants se rapportent au commandant du poste à Michilimackinac pour un service de milice éventuel. En avril 1737, une autre amnistie générale fut proclamée, dans une tentative désespérée d'éliminer ces commerçants illicites[36].

Un troisième problème qui se posait était la confusion engendrée par la participation des militaires au commerce de la fourrure. Le Fort Frontenac, le Fort Niagara et le Fort Rouillé (Toronto) étaient désignés comme postes du roi, la première ligne de défense, où aucun congé de traite n'était officiellement émis. Dans certains postes, les commandants contrôlaient les congés, tandis que dans certains autres postes les congés étaient accordés ou vendus par le gouvernement. À partir de 1742, certains postes étaient mis aux enchères. Cette tactique visait à maintenir un monopole local et un semblant d'ordre, à éliminer autant que possible la concurrence locale, à contrôler les dépenses du poste, à fixer le prix des biens d'échange, et à empêcher les Amérindiens de passer au camp des Anglais[37].

Le poste de Détroit

Au début du XVIIIe siècle, quatre postes furent fortifiés dans le pays d'en haut : Détroit, Michilimackinac, Niagara et Rouillé. Le premier et le plus prospère était Fort Pontchartrain de Détroit, fondé en 1701 par Lamothe Cadillac, accompagné de 50 soldats, 50 habitants canadiens, un missionnaire jésuite et un aumônier récollet. Sur un arpent de terre, entouré d'une palissade, ils érigèrent quelques maisons, un entrepôt et une chapelle. L'année suivante quelques femmes arrivèrent, les premières Européennes à s'installer dans le pays d'en haut. En 1703, Cadillac demanda qu'on lui accorde six lieues des deux côtés de la rivière du Détroit, le titre de Marquis, les droits seigneuriaux et la haute et basse justice, ainsi que des privilèges de chasse, de pêche et de commerce ! Il disait avoir l'intention d'établir une industrie de soie, et qu'il ferait venir de France les ouvriers et vers à soie. Malheureusement, non seulement le climat ne permettait pas une telle entreprise, mais Cadillac avait aussi sous-estimé l'opposition à son projet de colonisation de la part des jésuites et des familles de Montréal intéressées au commerce de cette région[38].

L'immigration débuta lentement en 1705 avec l'arrivée des familles Maillet, Robert, Fafard et Campeau. La possession n'était assurée qu'en autant que la terre octroyée était cultivée, et la Couronne gardait le droit de seigneurie. On rapportait deux ans plus tard qu'il y avait 275 personnes dans la nouvelle colonie, les fermes s'étendant sur 10 kilomètres le long de la rivière. Le commerce de la fourrure demeurait important parce que les fermiers n'avaient accès qu'à un marché local. En 1714, Détroit commença à fournir le maïs aux habitants de Michilimackinac[39].

Cadillac avait tendance à prendre une allure dictatoriale en vertu de sa charte qui lui accordait le monopole du commerce. Sa politique autochtone fut très controversée. Il incita nombre de Hurons à quitter Michilimackinac pour venir s'installer à Détroit. La politique royale était que les tribus dans le pays d'en haut devraient être laissées là où elles étaient, et non réunies à proximité les unes des autres afin d'éviter des conflits. À Détroit, environ 6 000 Amérindiens répartis dans cinq villages ethniques dépendaient de l'aide des Français et vivaient une situation de conflit. Cadillac tenta de les franciser et de leur imposer une vie sédentaire, mais l'absence d'un missionnaire sur place jusqu'en 1728 rendit les relations assez tendues[40].

Cadillac fut transféré en Louisiane en 1710 et la colonisation agricole ralentit considérablement en 1716, après une attaque par la tribu des Renards en 1712 et l'annulation deux ans plus tard de tous les titres

TABLEAU II
Population de Détroit, 1750–1782

Année	*Hommes*	*Femmes*	*Enfants*	*Esclaves*	*Total*
1750	144	113	192	33	483
1765	276	197	335	60	868
1782	657	326	1 029	179	2 012

Sources : La jeunesse *The Windsor Border Region*, p. 55–56, 82, 69–74; Parkins, *Historical Geography of Detroit*, p. 71, 80–81, 99–100.

fonciers accordés par Cadillac. La nomination en 1730 de Deschamps de Boishébert au poste de commandant raviva les espoirs de prospérité. Il encouragea les soldats à se consacrer à l'agriculture. En 1740 il y avait une centaine de familles établies dans la région, « environ autant de commerçants que de fermiers », avec un certain surplus de production. Par ailleurs, le commerce périclitait parce qu'il y avait trop de commerçants et la concurrence était telle que plusieurs devaient vendre leurs marchandises à des prix si bas qu'ils étaient incapables de payer leurs fournisseurs de Montréal[41].

En 1749, le gouverneur Barrin de la Galissonière entreprit, à des fins stratégiques, d'augmenter la population de Détroit. Il pensait qu'en atteignant une population de 1 000 habitants, Détroit « pourrait défendre et nourrir toutes les autres » places fortes. Son plan fut lancé par la lecture dans toutes les paroisses canadiennes de la proclamation suivante : « Chaque homme qui s'établira au Détroit recevra gratuitement une pioche, une hache, un soc de charrue, une grosse et une petite tarière. On leur fera l'avance des autres outils... il leur sera délivré une vache... une truie... Seront privés des libéralités du roi ceux qui, au lieu de cultiver, se livreront à la traite[42]. Plusieurs familles de la région de Montréal acceptèrent l'offre de l'État et s'établirent sur la rive sud de la rivière du Détroit (site de Windsor). Il y eut d'autres concessions par la suite, de sorte qu'en 1765 la population avait dépassé 800 habitants et plus de 500 lots de terre avaient été concédés pendant une période de quarante ans. Détroit était devenue la plus grande ville dans le pays d'en haut.

Sa croissance, cependant, reflétait sa nature de ville frontière. En quelque trente ans la population totale avait quadruplé et la population masculine avait augmenté dans cette proportion, mais le rythme de croissance de la population féminine était beaucoup plus lent. Plus de la moitié de sa population était composée d'enfants de moins de

15 ans, tandis que l'augmentation de la population d'esclaves indiquait le développement de l'agriculture. Après la révolution américaine, la population commença à se déplacer vers Grosse Pointe, sur les rives du lac Sainte-Clair. En même temps, nombre de familles métisses, ayant à leur tête François Navarre, s'installèrent à Rivière Raisin (Frenchtown) sur des terres non enregistrées que Navarre avait acquises des autochtones de la région. Les origines du développement, liées au commerce de la fourrure, ne furent pas oubliées de sitôt, et le commerce continua dans la région.

Michilimackinac/Sault-Sainte-Marie

La colonisation de la région de Michilimackinac et Sault-Sainte-Marie, antérieure à celle de Détroit, connut cependant moins de succès. Bowating, ou Sainte-Marie du Sault, fut visité dès 1618 par Étienne Brûlé à l'époque où il cherchait des dépôts de cuivre. Nicolet, en route pour Green Bay en 1634, visita le village ojibway, et en 1643 les jésuites y arrivèrent pour prêcher à environ 2 000 Amérindiens. Déjà à cette époque, plusieurs voyageurs s'étaient établis près des rapides. De Lusson prit formellement possession de la région en 1671, comme nous l'avons déjà vu, et Dulhut et le baron de Lahontan visitèrent tous les deux la petite colonie française et les villages autochtones.

Quand Morel de la Durantaye, nommé commandant, arriva en 1683, les villages huron et outaouais sur le détroit étaient séparés par une clôture, et les voyageurs français vivaient le long de la rive, dans des cabanes de bois rond dont le toit était fait d'écorce de bouleau. Les portes du Fort Buade demeuraient verrouillées pendant les séances de troc et les fréquentes beuveries. La Durantaye fut remplacé par La Porte de Louvigny en 1690, auquel succéda Cadillac en 1694. Il y avait à l'époque environ 700 autochtones, plus d'une centaine de soldats, plusieurs commerçants autorisés, de même qu'au moins une centaine de coureurs de bois qui n'étaient point retournés à la colonie laurentienne comme on leur avait ordonné de le faire. En 1696, Cadillac dut retourner au Canada parce qu'un édit royal avait suspendu tout commerce et avait ordonné la fermeture des postes de l'ouest. Les jésuites brûlèrent leur mission en 1705 et rentrèrent eux aussi au Canada[45].

Le poste et la mission furent réouverts en 1716. En 1720, on créa l'office de commandant en chef du pays d'en haut, pour rendre hommage aux brillants services de La Porte de Louvigny contre les Renards. Il reçut, en même temps, l'obligation de visiter tous les postes de l'ouest chaque deux ans et de restreindre le trafic de l'eau-de-vie. Les décennies suivantes furent occupées par le commerce de la fourrure et cet endroit connut peu de colonisation, à l'exception de la croissance d'une communauté distincte de Métis[44].

En 1751 arriva Louis Legardeur de Repentigny pour prendre possession d'une des rares seigneuries créée dans le pays d'en haut — Sault-Sainte-Marie — qui lui avait été accordée ainsi qu'à Louis de Bonne. Il fit construire un petit fort et ériger trois autres bâtisses, amena du bétail en provenance de Michilimackinac, puis installa comme premier fermier Jean-Baptiste Cadotte sur une petite clairière près du fort. En 1755 Repentigny retourna au Canada pour participer à une dernière guerre contre les Anglais, laissant Cadotte et sa femme ojibwaye en charge de la seigneurie. Cadotte administra la ferme, fit du commerce, et incita avec succès les autochtones de la région à rester neutres dans l'attaque des Ojibways contre la garnison britannique à Michilimackinac en 1763. Les héritiers de Cadotte restèrent si longtemps en possession de la seigneurie au Sault-Sainte-Marie qu'ils en vinrent à la considérer comme leur[45].

Fort Niagara

Niagara, par contraste, devait ses origines davantage à des considérations stratégiques qu'au commerce. En août 1687, le gouverneur Brisay de Denonville, à la tête d'un corps expéditionnaire qui venait d'infliger une défaite aux Senecas, prit formellement possession de la région de Niagara. Il fit construire un important fort de rondins avec bastions et palissades. Une garnison de 100 hommes sous le commandement de Sieur de Troyes fut laissée au fort. En septembre 1688, ce poste fut abandonné parce qu'il était trop coûteux à maintenir et difficile à ravitailler.

La route offerte par la rivière Niagara devint plus importante après la fondation de Détroit. En 1702, Louis Thomas Joncaire, qui avait été adopté par les Senecas et qui s'entendait bien avec eux, fit construire un entrepôt royal au pied du portage de Niagara. Quatre ans plus tard, on décida de faire construire deux petits vaisseaux sur le lac Ontario « pour empêcher le commerce avec les Anglais » et pour transporter les marchandises du Fort Frontenac au Fort Niagara. Des ouvrages de défense furent terminés en 1727, ce qui permet à Niagara de devenir une base d'opérations militaires et un poste de contrôle pour le commerce avec les Amérindiens. Le naturaliste finnois Pehr Kalm visita Niagara en 1750, et y trouva plus de 200 autochtones qui vivaient près de la garnison française, occupés à « transporter ballots de fourrures, surtout de chevreuils et d'ours, dans le portage », ce pourquoi ils étaient payé en espèces[46].

Quand La Galissonière décida de bloquer la pénétration anglaise dans la vallée de l'Ohio, il ordonna la construction d'un autre fort au haut des chutes Niagara, et la construction d'une route reliant le Fort Niagara et ce nouveau Fort du Petit Niagara (1752). On défricha des terres près du Fort Niagara qui devinrent rapidement pâturages et terres de culture pour le maïs indien et le tabac. Une scierie fut également construite. Cette base servit de point de départ pour des tonnes de ravitaillement et 2 500 hommes qui s'installèrent dans la région de l'Ohio pour établir quatre forts. Le Fort Presqu'Isle (Erie, Pa.) et le Fort Le Bœuf (Waterford, Pa.) servirent de liens entre Niagara et la Nouvelle-Orléans. En 1753–54, quand les hostilités s'engagèrent le long de la frontière, on envoya à Fort Niagara un contingent supplémentaire de 350 soldats, on arma 35 bateaux en vue d'une campagne militaire au printemps, et on fit cuire 6 000 livres de biscuits ou galettes. Cette activité intense se poursuivit jusqu'en 1759 quand, à la suite de la prise du Fort Frontenac en août 1758, le Fort Niagara se rendit, après un siège de dix-neuf jours, le 25 juillet 1759[47].

Toronto/Fort Rouillé

Sur la rive nord de lac Ontario, près de l'embouchure de la rivière Torontow (Humber), un portage et port naturel avait déjà été visité par Étienne Brûlé, en route vers les Andastes en 1615, puis par les missionnaires sulpiciens, et enfin par les commerçants et les coureurs de bois, surtout ceux qui pratiquaient la contrebande avec les Anglais de New York. En 1716, Jean Dagneau-Douville établit un commerce à cet endroit, et quatre ans plus tard un entrepôt royal fut construit « au fond du lac », nom qu'on donnait encore à l'endroit à cette époque. L'entrepôt demeura en place jusqu'en 1730 sur le site de l'ancien village iroquois de Teiaiagon.

Pendant toute la guerre de 1744–48, Anglais et Français sur les Grands Lacs s'abstinrent mutuellement de s'attaquer, les Français restant inactifs au Fort Frontenac et au Fort Niagara et les Anglais faisant de même à Oswego. En octobre 1749, le gouverneur et l'intendant décidèrent qu'un fort important devrait être construit au portage de Toronto. Un officier, 15 soldats et quelques ouvriers obtinrent le contrat pour ériger un fort avec palissade. Ce poste, nommé Fort Rouillé, était armé de quatre canons et comprenait une maison, un poste de garde, un entrepôt et une boulangerie. La mission à proximité devait s'appeler Saint-Victor, mais aucune chapelle ne fut érigée. À sa place, on construisit une taverne que fréquentaient surtout les Mississaugas! En 1754, la population française ne comprenait que huit militaires et quelques ouvriers et marins canadiens. Lors de la chute du Fort Niagara, un navire transportant des soldats qui s'en étaient échappés s'arrêta à Fort Rouillé. Le commandant ordonna que le fort soit brûlé et la garnison se retira à Montréal. Le régime français sur le lac Ontario venait de se terminer[48].

Conquête et révolutions

La conquête britannique du Canada en 1760, la révolution américaine et la création des États-Unis bouleversèrent la vie des habitants du pays d'en haut. Quelques années après la chute de Montréal, le commerce de fourrures reprit, et les Canadiens défendirent avec succès leurs intérêts, malgré le fait qu'ils avaient désormais à faire face à deux innovations : la pratique croissante de former des associations pour la fourniture de biens d'échange, et la tendance persistante d'utiliser des canots plus grands avec des chargements plus lourds. L'indépendance américaine consacrée par le traité de 1783 fut un coup beaucoup plus dur pour les commerçants canadiens que la conquête vingt ans auparavant. Ils devaient maintenant se tourner vers le nord-ouest éloigné, ayant à faire face à une situation concurrentielle où seuls ceux qui avaient de l'ambition et les moyens financiers pouvaient survivre[49].

Peu de personnes dans l'arrière-pays avaient été préparées par leur formation ou par leur expérience à entreprendre d'autres occupations sous le régime britannique. Les fermiers le long des rivières Niagara et du Détroit continuèrent évidemment leur labeur, quoique les Anglais quittèrent définitivement la ville de Détroit en 1796. Les voyageurs faisaient l'éloge des cultivateurs de la colonie de l'Assomption (Sandwich) dans le comté d'Essex pour leurs vergers productifs, leurs champs défrichés, leurs maisons proprettes et leurs jardins bien ordonnés. En 1815, Joseph Bouchette en donna une description favorable : « Sandwich, qui contient environ cent maisons, une église... une cour de justice, et une prison; il y a des quais le long de la rivière, où les navires peuvent être en sûreté pendant l'hiver. De Sandwhich au Lac Sainte-Claire, le bord de rivière est partout dans un haut état de culture avec des maisons qui se présentent fréquemment sur la route[50]. » Quelques années plus tard, en 1821, John Howison décrivit la région comme l'Éden du Haut-Canada où les terres fertiles et productives en lanières prenaient, comme les terres seigneuriales du Bas-Canada, une forme allongée[51].

D'autre part, on accusait les colons de ne pas avoir d'initiative et d'être complaisants, satisfaits de cultiver leurs terres riches et fertiles juste assez pour subsister. L'historien William Kingsford créa le stéréo-

TABLEAU III
Marchands affectés à la traite de l'ouest, 1770–1790

	1770	*1775*	*1780*	*1785*	*1790*
Francophones	71(78 %)	56(72,7 %)	32(37,2 %)	24(36,4 %)	14(30,4 %)
Anglophones	20(22 %)	21(27,3 %)	54(62,8 %)	42(63,6 %)	32(69,6 %)
Total	91	77	86	66	46

Source : NAC, RG4, B 28, Vol. 115, Fur trade licenses.

type — en se basant sur les récits de voyage de Jacob Ferris et Anna Jameson — de producteurs marginaux dominés par une Église, qui contribuaient au peu de qualité esthétique ou de pensée élevée[52]. Dans cette population la chasse et les bonnes relations avec les autochtones demeuraient importantes. La convivialité fut toujours un élément fondamental — le dimanche, après la messe, la fête commence — on danse et on boit une quantité étonnante d'alcool.

Certains habitants trouvèrent de l'emploi comme fonctionnaires : Charles Réaume, par exemple, bien que fermier prospère, exerça la fonction d'interprète pour le Bureau des Affaires indiennes; Testard de Montigny, distingué soldat revenu au Canada en 1770, servit en cette même qualité et commanda une unité de milice. En fait, quelques familles éminentes étaient assez bien établies socialement, jouissant d'un statut et d'une fortune suffisante pour leur permettre de maintenir leur position privilégiée sous le régime britannique. La conquête ne représentait pour eux qu'une prolongation d'une société d'ancien régime. Les Baby, par exemple, continuèrent de dominer le commerce de la fourrure. Deux ans après la conquête, les quatre fils de Raymond Baby avaient formé une association pour vendre leurs fourrures sur le marché de Londres.

Les familles dominantes permettaient le mariage entre groupes ethniques, de sorte que les Barthes et les Baby étaient parents avec John Askin et James Dougall, tous deux personnages importants dans la vie politique et financière de la région. Certains y voyaient un danger d'être anglicisés, mais les récompenses politiques ne se firent pas attendre. Philippe Dejean, qui était venu à Détroit établir un commerce, fut nommé juge de paix, et ultérieurement, quand l'Acte de Québec de 1774 plaça la région sous l'administration civile de Québec, nommé juge, une position dont il était fort content bien qu'il exerçat parfois son autorité d'une façon assez arbitraire. Après la division du pays d'en haut en quatre régions administratives en 1788, on créa pour les notables des positions appropriées. La famille Askin-Baby fut continuellement au pouvoir à partir de ce moment-là. Jacques Duperson Baby, qui avait épousé une Réaume, fut nommé juge à la *Court of Common Pleas* et ses fils Jacques et François furent membres de l'Assemblée législative et hauts fonctionnaires après 1792[53].

L'Église continua elle aussi à jouir de beaucoup de ses privilèges traditionnels, bien que le catholicisme romain ne fut plus lié formellement à l'État. Les tentatives d'augmenter les effectifs des écoles et de recruter des religieuses étaient vues d'un bon œil par les autorités parce qu'elles contribuaient à élever les mœurs et la moralité. L'éducation demeurait largement entre les mains de l'Église.

La petite communauté de Kingston survécut à la conquête et à la vague d'immigrants loyalistes. En 1795, l'évêque de Québec envoya l'abbé Bédard pour s'occuper des besoins spirituels de la communauté qui avait jusque-là fréquenté l'église anglicane St. George, une politesse qui serait rendue et à Montréal et à Québec. En 1806, on consacra une chapelle, connue sous le nom de « French Church ». Les successeurs de Bédard, Rémi Gaulin et Joseph Périnauld, instruisaient les enfants en français. L'adoption de la première loi sur les écoles publiques, qui ne précisait point quelle devait être la langue d'enseignement, donna lieu à des subventions gouvernementales qui assuraient le fonctionnement de l'école[54].

La région de Détroit connaissait aussi des problèmes dans le domaine de l'éducation. Le sulpicien François-Xavier Dufour ouvrit une école paroissiale à Sandwich en 1786 et engagea deux enseignantes. Dès ses débuts, cette école française dut faire face à deux crises qui présageaient déjà les problèmes ultérieurs des Franco-Ontariens. En 1799, la validité des certificats d'enseignement du Québec fut remise en question, et en 1830, une enquête législative eut lieu parce que certains contribuables anglophones voulaient déplacer l'école à un autre endroit, allant ainsi à l'encontre des désirs exprimés par les parents francophones[55].

Parmi les loyalistes se trouvaient aussi quelques Français. En 1770, Jean-Bonaventure Rousseau, interprète attaché au Bureau des Affaires indiennes, obtint un permis de commerce pour le portage de Toronto. Dès 1792, son fils Jean-Baptiste, interprète pour les Mohawks et les Mississaugas, s'installa à Ancaster, où il exploita un moulin et une scierie; il ouvrit un magasin général et fit construire une petite distillerie. Officier de milice qui se distingua pendant la guerre de 1812, il fut nommé juge de paix et percepteur d'impôts. Il fut membre fondateur de la loge des francs-maçons d'Ancaster. Dans un sens, il représenta cette minorité qui sut combler l'écart entre le commerce des fourrures sous le régime français et le capitalisme commercial et charges publiques du régime britannique[56].

Un autre loyaliste fut Philippe François de Rastel, Sieur de Rocheblave, qui avait rallié les peuplements français dans la région de l'Illinois à la cause britannique. On lui accorda 1 000 acres des terres cédées par les Mississaugas à Toronto en 1787, et le monopole du commerce du portage de Toronto[57]. L'importance de ce portage pour le commerce de l'ouest après l'indépendance américaine fit de cet emplacement un choix logique comme capitale du pays d'en haut.

Deux autres héros de la guerre de la révolution américaine furent René-Hippolyte La Force, nommé commandant des navires et des chantiers navals sur le lac Ontario en 1780, et Jean-Baptiste Bouchette, qui succéda à La Force en 1784 et remplit cette fonction pendant vingt ans. Il commandait la marine provinciale, qui comptait un grand nombre de Canadiens français qui avaient installé leurs familles à Kingston. Malheureusement, le gouverneur Simcoe décida en 1792 de négliger ces loyaux sujets et d'ignorer leurs revendications foncières. Il voulait récompenser ses propres amis et en même temps limiter l'influence française dans le Haut-Canada. Il alla jusqu'à rebaptiser le portage historique de Toronto du nom de York et le lac des Claies de Simcoe. La rivière La Tranche devint la Thames, la rivière Chippewa devint la rivière Welland, la rivière Toronto devint la rivière Humber, la rivière Wonscoteonach devint la rivière Don. Cette démarche s'inscrivait dans sa politique d'effacer autant que possible les connexions et la toponymie française et amérindienne.

La Révolution française eut non seulement pour effet de fournir nombre de prêtres immigrés à l'Église canadienne, mais entraîna aussi quelques aristocrates à chercher liberté et fortune dans le Haut-Canada. L'idée d'établir des nobles de la Cour de Versailles avec leurs familles et domestiques à York et Niagara revient à Joseph-Geneviève Puisaye, comte de Puisaye. Une avant-garde composée de 31 hommes et 7 femmes, ainsi que 21 colons de la ville de Québec s'installa temporairement à Picardville, la section française de Kingston[58]. Quand les exilés français partirent l'année suivante pour York, les Canadiens français demeurèrent près de la taverne Picard, endroit de prédilection des soldats. François-Xavier Rocheleau, maître-maçon, fut parmi ceux de cette communauté qui se distinguèrent; ses enfants s'unirent en mariage avec des familles anglophones distinguées de la région.

Cette communauté francophone de Kingston, qui comptait au moins 55 familles, se vit considérablement renforcée pendant la guerre de 1812, quand nombre de régiments, y compris 4 compagnies de Voltigeurs comprenant 420 officiers et soldats, furent postés dans les environs. La construction navale connut un essor pendant la guerre. Picardville vit arriver des menuisiers et autres ouvriers spécialisés du Bas-Canada qui travaillaient sur les chantiers, ainsi que des boulangers, des cordonniers, des tailleurs, des bouchers, etc. Il y avait aussi 400 voyageurs et draveurs de la région de Montréal qui assuraient le transport et la communication entre Montréal et Kingston.

Le comte de Puisaye ne resta point à Picardville/Kingston. Les notables venus avec lui, tels que le marquis de Sainte-Aulaire, le comte de Chalus, le vicomte de Chalus, les gentilshommes d'Allegre de Saint-Tronc, Jean-Baptiste Caste de Saint-Victor, René-François de Marzeul, Augustin Boiton de Fougères, et Laurent Quetton de Saint-Georges, décidèrent de poursuivre leur projet initial à la fin 1798 et s'établirent à Windham au nord de Toronto, tandis que le comte de Puisaye s'installa dans la région de Niagara[59]. Puisaye fit construire un manoir à Niagara, et ne visita qu'à l'occasion la colonie de Windham, où 18 maisons imposantes, une église et un presbytère furent bientôt érigés. Le gouvernement britannique, tout en aidant ces réfugiés, avait pris soin de préciser qu'ils ne devaient pas s'établir là où existait déjà une population francophone et où ils pourraient assumer un rôle de dirigeants et organiser la société selon leurs modes traditionnels :

> La Couronne souhaite que ces derniers soient tenus aussi éloignés que possible des autres Français, ou des personnes qui parlent français, qui sont actuellement établies en Amérique, ou que le gouvernement peut ultérieurement placer à cet endroit, parce qu'ils se considèrent eux-mêmes d'une race plus pure que la classe hétéroclite d'immigrants...

Les autorités coloniales n'étaient pas pressées de les recevoir, de toute façon, puisque « nous ne voulons pas que les colons arrivent si vite que nous ne puissions les installer avec facilité ». Le fait de leur accorder des domaines importants au nord de Markham, Pickering et Whitby, « à distance égale des peuplements français du Bas-Canada et de la rivière du Détroit », était conforme aux désirs impériaux[60].

Ces nobles avaient rêvé de poursuivre une carrière militaire dans la colonie et d'employer des paysans bretons pour cultiver leurs domaines! Ils durent cependant engager des ouvriers du Bas-Canada, et en tant qu'étrangers, ces royalistes n'obtinrent pas leur part de pouvoir sur le plan local. Laurent Quetton de Saint-Georges fut la seule exception à cette règle, parce qu'il devint un important marchand de Toronto, accumula de vastes domaines, et fut nommé trésorier de l'armée; toutefois, il ne s'engagea jamais en politique. L'appréciation suivante de sa carrière semble encore valide : « Sa carrière démontre qu'un homme capable mais non de famille britannique, pouvait jouer un rôle important dans les affaires de la colonie s'il était prêt à commencer de façon essentiellement britannique et à fonctionner dans la structure de pouvoir établie par le gouvernement impérial — un genre de carrière qu'on retrouvait chez nombre de ses contemporains français au Québec[61]. » Puisaye retourna en Angleterre en 1802, et après la restauration en France les autres quittèrent un à un, de sorte qu'en 1816 la colonie royaliste n'existait plus.

Dans le nord de la province et sur le territoire de la Hudson's Bay Company, le commerce de la fourrure continuait d'être l'activité principale. Des postes furent construits à Mattawa, à Temiscamingue, et le long de la rive nord du lac Supérieur; Grand Portage, à l'extrémité ouest, étant le point de départ pour les Prairies et les contreforts des Rocheuses depuis 1766, date à laquelle Michilimackinac avait perdu ce titre. Sous le régime britannique, des commerçants indépendants, connus sous le nom de *pedlars*, avaient repris à leur compte ce commerce profitable et s'étaient rendus jusque dans la région d'Athabasca, obligeant ainsi la Hudson's Bay Company, qui détenait le monopole en vertu d'une charte royale de 1670, à envoyer ses agents dans les mêmes régions pour faire concurrence dans ce commerce. Les entrepreneurs de Montréal formèrent diverses associations commerciales jusqu'à ce que la Compagnie du Nord-Ouest émerge comme concurrent principal. Les *bourgeois*, c'est-à-dire les marchands intéressés, organisèrent chaque printemps un convoi pour aller quérir les pelleteries des *hivernants*, les commis et partenaires qui passaient l'hiver dans l'Ouest, lors d'un grand rendez-vous qui se déroulait chaque été aux bords du lac Supérieur. Des commerçants indépendants à Michipicotin, Le Pic, Nipigon, Kaministiquia et Grand Portage s'associèrent à la Compagnie du Nord-Ouest.

En 1804 le centre d'opérations dans le pays d'en haut fut déplacé de Grand Portage à Kaministiquia (baptisé Fort William en 1807), où les Français avaient érigé un fort dès 1680 et avaient maintenu des activités suivies depuis 1717. La grande rencontre entre les *hivernants* et les *mangeurs de lard* arrivant de Montréal avec les marchandises de troc réunissait des milliers de voyageurs et d'autochtones[62].

En 1814 la garnison britannique du Fort Michilimackinac s'installa à l'île Drummond, où quelques années plus tard un missionnaire en route pour l'Ouest y trouva une population catholique d'environ 500 personnes, dont la plupart étaient des voyageurs canadiens unis à des autochtones. Parmi les familles installées à Sault Sainte-Marie, on note les Ainse, Chaboillez, Blondeau et Cadotte. En 1823, l'agent des Affaires indiennes estimait à environ 900 le nombre de francophones canadiens et métis mariés à des femmes autochtones et résidant sur la rive nord du lac Huron et sur le détroit[63].

Dans la région entre le lac Simcoe et la baie Georgienne, où avaient existé les missions huronnes, un commerçant nommé Constant fut trappeur entre 1791 et 1806, éleva sa famille, et employa six autres Canadiens; chaque année il allait à Michilimackinac pour vendre ses fourrures et acheter des provisions. Il n'était sans doute pas le seul trappeur puisque Pierre Piché vint s'installer dans la région de la rivière Saugeen en 1820 pour y ouvrir un poste de commerce. En 1819, un certain Louis Beausoleil vint s'installer à l'île Prince Henry William et deux ans plus tard, le comte de La Ronde se fit construire une résidence à la baie de Penétanguishene. Étienne de la Morandière fut à l'origine du village de Killarney et Baptiste Bruneau de celui de Bruneauville, près du site de l'ancienne mission de Sainte-Marie-des-Hurons. Louis Descheneaux et Joseph Messier de Lafontaine, et d'autres, s'installèrent dans les environs de Coldwater et de Fesserton. Sir John Franklin recruta quatre voyageurs d'expérience de la région pour son expédition Arctique en 1825. Ces individus étaient les précurseurs d'une immigration francophone plus importante à venir[64].

La construction d'une base navale à Penétanguishene en 1814–15 et la mise en poste de Canadiens membres des compagnies de Voltigeurs, préalablement en service à l'île Drummond, après détermination de la frontière internationale, firent croître la population francophone. Trois des soldats qui s'installèrent dans la région — André Cadieux, Louis Corbières, Charles Vasseur — avaient été décorés pour héroïsme pendant la guerre de 1812. Les 28 familles francophones avaient tout lieu de croire que leur nombre augmenterait, parce que Penétanguishene était maintenant une base navale ainsi qu'un entrepôt de commerce, et le lieu où chaque année le lieutenant-gouverneur distribuait les présents aux Amérindiens. Le déclin du commerce de la fourrure après 1821 en incita plusieurs à devenir agriculteurs, de sorte que, dans la décennie qui suivit, au moins 220 francophones prirent possession de terres dans les environs. Certains trouvèrent d'autres métiers pour gagner leur vie. Les frères Gendron et Pierre Charlebois exploitaient une scierie, Louis Chevrette était producteur de sucre d'érable, Michel Gendron exploitait une tannerie et une fabrique de chaussures, Louis Colombe et Louis Corbières étaient respectivement l'armurier et le ferblantier de l'endroit. Le médecin, le maître d'école et le prêtre étaient tous compatriotes[65].

Dans les cantons de l'est du Haut-Canada, la seigneurie de la Pointe-à-l'Orignal comptait quelques colons francophones depuis 1791. Au début du XIXe siècle, on érigea une scierie à Hawkesbury

Mills et les villages de Vankleek Hill et Orignal apparurent. C'était le début de la colonisation francophone dans ces cantons[66].

À cette époque succède aux coureurs de bois un autre travailleur saisonnier industrieux et aventureux, le bûcheron. Dès 1806, Philemon Wright avait réussi à descendre des trains de billots par la rivière des Outaouais. La demande britannique en bois, surtout pour la construction navale pendant les guerres napoléonniennes, et l'application d'un tarif préférentiel aux bois canadiens en 1808, signifiaient qu'il y aurait de l'emploi dans les forêts pour les fils des habitants du Bas-Canada. La façon dont cette ressource était exploitée n'impliquait pas l'implantation immédiate de centres importants de peuplement permanent. Les institutions qui assureraient la perpétuation de la société francophone ne se développeraient que très lentement.

Réflexions

Le pays d'en haut, devenu le Haut-Canada du régime britannique, fera toujours partie de l'économie du bas Saint-Laurent, celle-ci à son tour demeurant rattachée à une métropole européenne. Au début, la fourrure joua le rôle prépondérant dans l'économie de la région. Mais au XVIIIe siècle la région acquiert une importance primordiale dans la stratégie géopolitique de la colonie. Cependant, elle n'eut jamais la population nécessaire pour jouer pleinement le rôle militaire que l'on voulait lui attribuer. La France consacra plus d'argent à la construction d'une chaîne de forts, qui devaient constituer une barrière infranchissable, et aux présents pour garder les Amérindiens fidèles à leur alliance, qu'à l'encouragement de l'immigration vers le bassin des Grands Lacs. Le pays d'en haut demeura essentiellement une colonie sans peuplement. Les personnes qui quittaient les seigneuries laurentiennes pour s'établir sur les terres vierges choisissaient souvent le pays des Illinois.

L'hospitalité et la coopération des Amérindiens fut indispensable au succès, à la survie même, de toute activité française dans la région. Toutes les décisions économiques et politiques concernant la région furent prises à l'extérieur du territoire en question. L'avènement de la domination britannique, surtout après l'arrivée des loyalistes en 1784, ne changea guère cette domination par des facteurs et puissances externes. Le pays d'en haut demeura encore longtemps un *hinterland* dépendant de Montréal, Québec et une métropole européenne. Habitués à se trouver minoritaires parmi les autochtones, les francophones devront à l'avenir s'habituer de plus en plus à s'accommoder avec une majorité anglophone.

La pénétration française du continent nord-américain avait débuté par une prise de possession de têtes de pont, selon le modèle d'exploitation pratiqué par les Portugais et nommé thalassocratique[67]. Par contre, l'exploitation du pays d'en haut, réclamé surtout par les missionnaires, les marchands associés à la traite de la fourrure, et les officiers du gouvernement royal après 1663, fut une expansion territoriale à partir des cours d'eau, selon le modèle potamique décrit par Adolf Rein[68]. Les Français pénétrèrent le pays d'en haut par la rivière des Outaouais et le haut Saint-Laurent. À partir du bassin des Grands Lacs, ils pénétrèrent jusqu'aux systèmes hydrographiques du Mississippi-Missouri, de l'Ohio, de la Saskatchewan, de la Rouge-Assiniboine, et du bassin de la baie d'Hudson. À l'intérieur de ce vaste pays qui deviendra l'Ontario, ils n'ont établi que des postes de contrôle — contrôle de la traite avec les Amérindiens et surveillance militaire. En somme, la dépendance des Français sur l'amitié, le commerce, et les alliances militaires des autochtones fut la clef de leur succès dans une colonisation sans peuplement.

Dès les années 1820, les francophones du Haut-Canada formaient une petite minorité à la périphérie de l'activité économique et politique de la colonie. Ils étaient à peu près 4 000 personnes sur une population totale de 120 000 habitants. La vie semblait dominée par l'activité agricole, de faibles moyens de communication, la piété et les factions politiques auxquelles ne participaient que quelques privilégiés. Les communautés francophones étaient géographiquement éloignées, isolées par la langue et les traditions culturelles, et volontairement gardées à l'écart par leur Église.

NOTES

1 H. P. Biggar, ed., *The Works of Samuel de Champlain*. Toronto : The Champlain Society, 1925, Vol. II, p. 291.

2 *Ibid.*, II, p. 297.

3 Gabriel Sagard, *Histoire du Canada et voyages que les Frères mineurs Recollects y ont faicts pour la conversion des infidèles depuis l'an 1615*, éd. Edwin Tross, 4 vol. Paris : 1866, Vol. II, p. 367; Vol. III, p. 739–741; James G. Shaw, « Brother Sagard's Huronia Triangle », *Culture*, 3, 1 (1942) : p. 17–30.

4 Sagard, *op. cit.*, Vol. II, p. 306, 328, 338, 430–32, 456–57, 589, 716–17, 752–53.

5 Gérard Hébert, « Jean Nicolet, le premier blanc à résider au lac Nipissing », La Société historique du Nouvel-Ontario, *Documents historiques*, (Sudbury), XIII, (1947), p. 8–24; R. G. Thwaites, éd., *The Jesuits Relations and Allied Docu-*

ments, New York : Pageant Book Company, 1959, Vol. VIII, p. 247, 257, 267, 295–99.

6 Dom Guy Oury, éd., *Marie de l'Incarnation, Ursuline (1599–1672), Correspondance*, Solesmes : Abbaye Saint-Pierre, 1971, lettre xcvii, 29 août/10 septembre 1646, p. 277–87.

7 ASQ, Manuscrit 200, Mortuologie des frères mineurs récollets de la province de St-Denys en France.

8 Conrad E. Heidenreich, *Huronia. A History and Geography of the Huron Indians, 1600–1615*, Toronto : McClelland & Stewart, 1971, p. 155, 227–241 ; Denys Delâge, *Le Pays renversé*, Montréal; Boréal Express, 1985, p. 59–81, 104–113.

9 B.N., Imprimés LK 12, 733, « Au Roy sur la Nouvelle-France », 1626. Sur la mission jésuite, voir Bruce G. Trigger, *Natives and Newcomers* (Montreal/Kingston : McGill-Queen's University Press, 1985), p. 226–272. Sur la résistance à l'évangélisation, voir Cornelius J. Jaenen, « Amerindian Responses to French Missionary Intrusion, 1611–1760 : A Categorization », in William Westfall *et al.*, éd., *Religion/Culture, Comparative Canadian Studies* (Ottawa : Association for Canadian Studies, 1985), p. 185–197.

10 Olivier Maurault, « Sur les pas des missionnaires-explorateurs », *Revue de l'Université d'Ottawa*, I (1931), p. 316–341 ; aussi, « Notes sur les Sulpiciens aux alentours de Hamilton au XVIIe siècle », SCHEC, *Rapport* (1942–43), p. 11–16.

11 NAC, MG17, A, 7–1, Bibliothèque de St-Sulpice, Paris, Correspondance Tronson, Vol. I, Tronson à LeFebvre, 5 avril 1677, p. 54; J. H. Coyne, « Discovery and Exploration of the Bay of Quinté », Ontario Historical Society, *Papers and Records*, V (1904), p. 15 situe la mission de Quinté à Weller Bay.

12 NAC, MG17, A, 7–1, Correspondance Tronson, N°s 11, 18, 23, 24, 48, 60, 71, 72, 105, 107, 118, p. 73–85, 99, 106, 118, 125, 133–134, 193–195, 205; François Dollier de Casson, *Histoire du Montréal, 1640–1672* (Montréal : Société historique de Montréal, 1868); James S. Pritchard, « For the Glory of God. The Quinté Mission, 1668–1680 », *Ontario History*, LXV, 3 (1973), p. 133–148.

13 Armand Louant, « Précisions nouvelles sur le père Hennepin, missionnaire et explorateur », *Bulletin de la classe des lettres et sciences morales de l'Académie royale de Belgique*, XLII (1956), p. 215–276.

14 Pierre Margry, éd., *Découvertes et établissements des Français dans l'ouest et dans le sud de l'Amérique septentrionale, 1614–1754* (Paris : Maisonneuve, 1879–88), Vol. I, Talon à Louis XIV, 2 novembre 1671, p. 100.

15 NAC, MG i, Série C11A, Vol. II, Talon à Colbert, 4 octobre 1665, p. 207; *Rapport de l'Archiviste de la Province de Québec, 1922–23* (Québec, 1923), Colbert à Talon, 5 janvier 1666, p. 41.

16 A. T. Adams, éd., *The Explorations of Pierre-Esprit Radisson, from the Original Manuscript in the Bodleian Library and the British Museum* (Minneapolis : Ross & Haines, 1961), *passim*; Grace Lee Nute, « Radisson and Groseilliers' Contribution to Geography », *Minnesota History*, 16, 4 (1935), p. 414–426. L'édition

de Adams est fondée sur les manuscrits d'Oxford et de Londres plutôt que sur les manuscrits en français qui sont dans les archives de la Hudson's Bay Company, Winnipeg.

17 André Vachon, « Dollard des Ormeaux », *Dictionnaire biographique du Canada* (Québec : Presses de l'Université Laval, 1966), Vol. I, p. 266–275 éclaire le débat nationaliste autour de la personne et mission de Dollard et ses compagnons.

18 Cornelius J. Jaenen, « French Colonial Attitudes and the Explorations of Jolliet and Marquette », *Wisconsin Magazine of History*, 56, 4 (1973), p. 300–310; Conrad E, Heidenreich & Edward H. Dahl, « The French Mapping of North America in the Seventeenth Century », *The Map Collector*, 13 (1980), p. 2–11.

19 NAC, MG1, Série B, Vol. VII, permission pour La Salle, 1678, p. 240–243; *ibid.*, MG 3, I, Série K, Carton 1232, pièce I, mémoire de La Salle; Margry, *Découvertes et établissements*, Vol. I, p. 292–298, 435–455, 494–504, 511–515, 542–544; Claude Bordeleau, « Patrimoine français de Kingston », Manuscrit communiqué à l'auteur, p. 1–2.

20 C.H.J. Snider, éd., *Tarry Breeks and Velvet Garters. Sail on the Great Lakes of America* (Toronto: Ryerson Press, 1958), p. 127–131; Harold A. Innis, « An Introduction to the Economic History of Ontario from Outpost to Empire », Ontario Historical Society, *Papers and Records*, XXX (1934), p. 111–123.

21 Antoine d'Eschambault, « La vie aventureuse de Daniel Greysolon, sieur Du Lhut », *Revue d'histoire de l'Amérique française* V (1951–52), p. 320–339; Gérard Malchelosse, « Un gentilhomme coureur de bois : Daniel Greysolon, sieur Du Lhut », *Cahiers des Dix*, XVI (1951), p. 195–232.

22 *Collection de manuscrits relatifs à la Nouvelle-France* (Québec : 1883–85), Vol. I, p. 213, 217–218; Vol. II, p. 409, 553, 558, 560.

23 Thwaites, *Jesuit Relations*, LV, pp. 104–114; J. Tailhan, éd., *Mémoire sur les mœurs, coustumes et relligion des sauvages de l'Amérique septentrionale de Nicolas Perrot* (Paris, 1864), p. 126–128; *Collection de Manuscrits*, Vol. I, pp. 213, 217–218; NAC, MG 4, C-I, Article 14, Vol. I, N° 5, p. 32–33; Ronald Creagh, *Nos cousins d'Amérique, Histoire des Français aux États-Unis* (Paris : Payot, 1988), p. 60.

24 Fernand Ouellet, « La formation d'une société dans la vallée du Saint-Laurent : d'une société sans classes à une société de classes », *Canadian Historical Review*, LXII (1981), p. 407–450; Ian Parker, « Harold Innis, Karl Marx and Political Economy », in J. P. Grayson, éd., *Class, State Ideology and Change : Marxist Perspective on Canada* (Toronto, 1980), p. 361–372; J. Savaria, « Le Québec est-il une société périphérique? » *Sociologie et Sciences*, VII (1975), p. 115–127.

25 *Édits, ordonnances royaux, déclarations et arrêts du Conseil d'États du Roi concernant le Canada* (Québec : E. R. Fréchette, 1854–56), Vol. I, p. 73–74, 105–106, 248–250, 350.

26 André Vachon, « L'eau-de-vie dans la société indienne », Société historique du Canada, *Rapports, 1960* (Ottawa, 1961), p. 22–32; H. Têtu & C. O. Casgrain,

éd., *Mandements, lettres pastorales et circulaires des Évêques de Québec* (Québec : Coté, 1887), Vol. I, p. 41–44, 77, 91–94, 149–156, 286–287, 353–357; *Édits, ordonnances*, Vol. I, p. 235–236; Cornelius J. Jaenen, *Friend and Foe. Aspects of French-Amerindian Cultural Contact in the Sixteenth and Seventeenth Centuries* (New York : Columbia Univesity Press, 1976), p. 107–109, 161–165, 173–175, 183–185; Thwaites, *Jesuit Relations*, Vol. V, p. 211, Vol. X, p. 26, Vol. LXVB, p. 238–243.

27 Cornelius J. Jaenen, « Miscegenation in Eighteenth Century New France », in Barry Gough & Laird Christie, éd., *New Dimensions in Ethnohistory* (Ottawa : Canadian Museum of Civilization, 1991), p. 79–116; Jacqueline Peterson, « Prelude to Red River : A Social Portrait of the Great Lakes Métis », *Ethnohistory*, 25 (1978), p. 41–67; Jacqueline Peterson, « Fur Traders, Racial Categories, and Kinship Networks », *Proceedings of the Sixth Algonquian Conference* (Ottawa : Carleton University, 1975), p. 209–222.

28 NAC, MG5, B-I, Vol. V, p. 17–18, 51–52, 125–126.

29 Oury, *Marie de l'Incarnation*, p. 941, 944; Thwaites, *Jesuit Relations*, Vol. XXXIV, p. 246–248; LIII, p. 58–72; LV, p. 235–237; LVI, p. 148–217; LIX, p. 67, 320.

30 NAC, MG1, Série C11A, Vol. VI, Pt. 1, p. 431–433; Vol. VII, p. 249–254, 306–307, 315–325; Archives du Séminaire de Québec, Polygraphie 35, N° 3D, procès-verbal du 9 novembre 1684.

31 NAC, MG1, Série C11A, Vol. VIII, p. 149–151, 154–156, 254–266, 369–405; Vol. IX, p. 69–72, 273–274, 279–305, 412–419; Vol. X, p. 165–173, 237–240, 499–504, 514–518; Vol. XII, p. 334–335; Vol. XIII, p. 137–142, 481–489; Vol. XIV, p. 22–31; Vol. XV, p. 66–67; Vol. XVI, p. 184–192; *Calendar of State Papers. Colonial Series, America and West Indies, 1685–1688* (Vaduz : 1964), Vol. 12, N°s 1257, 1258, 1324, 1325, 1418, 1419; Vol. 17, N°s 266, 370, 1358; NAC, MG5, B-I, Pty. 3, Mémoire pour Seignelay, 1690, p. 441–456; *ibid.*, MG18, H 37, Papiers Claude de Bernon de la Martinière, 11 mai 1688.

32 William J. Eccles, « The Social, Economic, and Political Significance of the Military Establishment in New France », *Canadian Historical Review*, LII, 1 (1971), p. 1–22.

33 Nous devons nos conclusions aux thèses de Brian Murphy, « The Size of the Labour Force in the Montreal Fur Trade, 1675–1790 : A Critical Evaluation », (Thèse de maîtrise, Université d'Ottawa, 1986), et de Michel Filion, « Les marchands de fourrures canadiens au XVIIIe siècle à travers les congés de traite, les licences de commerce et les engagements pour l'ouest », (Thèse de maîtrise, Université d'Ottawa, 1986). Voir aussi Gratien Allaire, « Les engagements pour la traite des fourrures — évolutions de la documentation », *Revue d'histoire de l'Amérique française*, 34, 1 (1980), p. 3–26.

34 Louise Dechêne, *Habitant et marchands de Montréal au XVIIe siècle* (Paris : Plon, 1974), p. 217–229; Harold A. Innis, *The Fur Trade in Canada* (Toronto :

University of Toronto Press, 1930), p. 153–154; Cornelius J. Jaenen, « The Role of Presents in French-Amerindian Trade », in Duncan Cameron, éd., *Explorations in Canadian Economic History. Essays in Honour of Irene M. Spry* (Ottawa: University of Ottawa Press, 1985), p. 231–250.

35 Jean Lunn, « The Illegal Fur Trade Out of New France, 1713–1760 », Société historique du Canada, *Rapports, 1939* (Ottawa 1940), p. 61–77; *Édits, ordonnances*, Vol. I, p. 302–304, 307, 320–323, 395–399, 401–405, 489, 491, 505–506; Vol. II, p. 374–376.

36 *Édits, ordonnances*, Vol. I, p. 341–342, 350–352, 551–552.

37 NAC, MG1, Série C11A, Vol. 93, pp. 23, 337–338; *ibid.*, Série B, Vol. 76, p. 392–394; *Wisconsin Historical Society Collections* (Madison, 1906–09), Vol. XVII, p. 434–435, 443; Vol. XVIII, p. 174, 183; *Rapport de l'archiviste de la province de Québec, 1927–28* (Québec, 1928), p. 340.

38 Frank H. Severance, *An old Frontier of France. The Niagara Region and Adjacent Lakes under French Control* (New York, 1917), Vol. I, p. 203; Jean Delanglez, « Cadillac at Detroit », *Mid-America*, 30, 3–4 (1948), p. 152–176, 233–256; 21, 3–4 (1950), p. 155–188, 226–258; M. Mansfield Stimson, « Cadillac and the Founding of Detroit », *Michigan History*, 35, 2 (1951), p. 129–136.

39 S. E. Parkins, *The Historical Geography of Detroit* (Port Washington: 1970), p. 54–62.

40 Thwaites, *Jesuit Relations*, Vol. XXXVIII, p. 292–296; Vol. L, p. 325; Vol. LVIII, p. 281–283; Vol. LXIV, p. 50–54; Vol. LXV, p. 201, 247–249, 271–273; Vol. LXVIII, p. 333; Vol. LXIX, p. 285, 300–306; Vol. LXX, p. 305–307.

41 Parkins, *The Historical Geography of Detroit*, p. 61–72 cite des sources contemporaines.

42 Lajeunesse, *The Windsor Border Region*, p. lii–liii.

43 Elizabeth Baird, « Reminiscences of Early Days on Mackinac Island », *Collection of the State Historical Society of Wisconsin* (Madison, 1898), Vol. XIV, p. 17–64; Edmund J. Danzinger, Jr., « The Coming of the French to Lake Superior », in *The Chippewas of Lake Superior* (Norman: University of Oklahoma Press, 1978), p. 26–41; Stanley Newton, *Mackinac Island and Sault Ste. Marie* (n.p., 1909), p. 96–151; Thwaites, *The Jesuit Relations*, Vol. L, p. 325–326; Vol. LXV, p. 58–63, 188–253.

44 Jacqueline Peterson, « Many Roads to Red River: Métis Genesis in the Great Lakes Region, 1680–1815 », in Jacqueline Peterson & Jennifer S. H. Brown, *The New Peoples* (Winnipeg: University of Manitoba Press, 1985), *passim*.

45 NAC, MG1, Série B, Vol. 93, fols. 8, 9, 15; *ibid.* Série C11A, Vol. 97, fol. 141; Vol. 105, fol. 12.

46 Donald H. Kent, *Historical Report on the Niagara River and the Niagara River Strip to 1759* (New York: Garland Publishing Company, 1974), p. 84–89, 109–110; Severance, *An Old Frontier of France*, p. 225–332; Charles M. Dow,

Anthology and Bibliography of Niagara Falls (Albany, 1921), Vol. I, p. 53–55.

47 Kent, *Historical Report on the Niagara River*, p. 134–160; Severance, *An Old Frontier of France*, p. 154–209, 303–328; S.K. Stevens & D.H. Kent., éd., *Journal of Chaussegros de Léry* (Harrisburg : Pennsylvania Historical Commission, 1940), p. 3, 10–12; Fernand Grenier, éd., *Papiers Contrecoeur et autres documents* (Québec : PUL, 1952), p. 31–32, 85–86.

48 Percy J. Robinson, *Toronto during the French Régime* (Toronto : Champlain Society, 1933), *passim*; Severance, *An Old Frontier of France*, Vol. I, p. 398, 426; Vol. II, p. 237, 249, 308, 328.

49 Dale Miquelon, « The Baby Family and Trade of Canada, 1750–1820 », (Thèse de maîtrise, Carleton University, 1966), W.S. Dunn, « Western Commerce, 1760–1774 », (Thèse de doctorat, University of Wisconsin, 1971), et José Igartua, « The Merchants and *Négociants* of Montreal, 1750–1775 : A Study in Socio-Economic History », (Thèse de doctorat, Michigan State University, 1974) sont pertinents à ce sujet.

50 Joseph Bouchette, *Description topographique de la province du Bas-Canada avec des remarques sur le Haut-Canada* (Montréal : Éditions Élysées, 1978), p. 638, réimpression d'une édition de Londres 1815.

51 John Howison, *Sketches of Upper Canada, Domestic, Local, and Characteristic* (London, 1821; Coles Reprint, 1980), p. 210.

52 William Kingsford, *History of Canada* (Toronto : 1887), Vol. I, p. 1ff. Voir aussi Leo A. Johnson, « The Settlement of Western District, 1784–1850 », in Fred H. Armstrong *et al.*, éd., *Aspects of Nineteenth-Century Ontario* (Toronto : University of Toronto Press, 1974), p. 19–35.

53 W.W. Porter, « Michigan's first justice of the peace », *Michigan History Magazine* 6 (1922), p. 630–641; Frederick H. Atrmstrong, « James Dougall and the Founding of Windsor, Ontario » : *Ontario History*, LXXVI, 1 (1984), p. 48–53; Frederick H. Armstrong, « Ethnicity in the Formation of the Family Compact : A Case Study in the Growth of the Canadian Establishment », in Jorgen Dahlie & Tissa Fernando, éd., *Ethnicity, Power and Politics in Canada* (Toronto, 1985), p. 22–37; Brother Alfred, « The Honourable James Baby, the first Catholic Member of the Executive Council of Upper Canada — A 'Forgotten Loyalist' », *Canadian Catholic Historical Association Report*, (1933–1934), p. 57–67.

54 Léopold Lamontagne, « Kingston's French Heritage », *Ontario History*, 45 (1953), p. 109–121.

55 Arthur Godbout, « Les Francophones du Haut-Canada et leurs écoles avant l'Acte d'union », (Thèse de doctorat en éducation, Université d'Ottawa, 1969), p. 219–220; Arthur Godbout, « Les Franco-Ontariens et leurs écoles, de 1791 à 1844 », *Revue de l'Université d'Ottawa*, 33, 3–4 (1963), p. 245–268, 462–479; 36, 4 (1966), p. 678–697; 37, 1 (1967), p. 80–100.

56 David Welch, *Jean-Baptiste Rousseau et son époque* (Toronto, 1985), p. 1–50. Simcoe loua la contribution de Jean-Bonaventure Rousseau, père : Ernest B. Cruikshank, éd., *The Correspondence of Lt. Gov. John Graves Simcoe* (Toronto : Champlain Society, 1923), Vol. I, p. 396.

57 Percy J. Robinson, « The Chevalier de Rocheblave and the Toronto Purchase », *Transactions of the Royal Society of Canada*, 3rd series, 31 (1937), sec II, p. 131–152; Percy J. Robinson, « The Toronto Carrying-Place and the Toronto Purchase », *Ontario Historical Society, Papers and Records*, 39 (1947), p. 41–50.

58 Neil A. Patterson, « The Mystery of Picardville and the French Church », *Families*, 19, 4 (1980), p. 211–222.

59 Narcisse Faucher de Saint-Maurice, « Les Émigrés de la Révolution française au Canada », *Bulletin de recherches historiques*, 3, 4 (1987), p. 56–57; « French Royalists in Upper Canada », *Public Archives of Canada, Report 1888* (Ottawa, 1889), p. 73–86.

60 Canada, *Report on the Canadian Archives, 1888* (Ottawa : Queen's Printer, 1888), p. 79–82; Télésphore Saint-Pierre, « Le comte Joseph de Puisaye », *Bulletin de recherches historiques*, 3, 10 (1987), p. 146–148; Janet Carnochan, « The Count de Puisaye », *Ontario Historical Society, Papers and Records*, 5 (1904), p. 36–52.

61 Armstrong, « Ethnicity in the Formation of the Family Compact », p. 25–26.

62 Corday Mackay, « The Great Rendez-vous : Kaministikwia — Fort William », *Canadian Geographical Journal* 36, 1 (1948), p. 9–15; William L. Morton, « The North West Company : Pedlars Extraordinary », *Minnesota History*, 40, 4 (1966), p. 157–165; W. Stewart Wallace, *The Pedlars from Quebec and other Papers on the Nor'Westers* (Toronto : Ryerson Press, 1954); Rodrigue Masson, *Les Bourgeois de la Compagnie du Nord-Ouest*, 2 vol. (Québec, 1889–1890). Sur le recrutement de la main-d'œuvre, voir Allan Greer, *Peasant, Lord and Merchant. Rural Society in Three Quebec Parishes, 1740–1840* (Toronto : University of Toronto Press, 1985), p. 177–193.

63 Jacqueline Peterson & Jennifer S. H. Brown, éd., *The New People : Being and Becoming Métis in North America* (Winnipeg : University of Manitoba Press, 1985), p. 42–53. Sur le rôle des femmes autochtones dans le commerce de la fourrure, voir Jennifer S. H. Brown, *Strangers in Blood : Fur Trade Company Families in Indian Country* (Vancouver : University of British Columbia Press, 1980) et Sylvia Van Kirk, *« Many Tender Ties » : Women in Fur Trade Society* (Winnipeg : University of Manitoba Press, 1980).

64 Fred Landon, *Lake Huron* (New York, 1972), p. 116; Daniel Marchildon, *La Huronie* (Ottawa : Centre de ressources pédagogiques, 1984), *passim*; Daniel Marchildon & Cécile Desrosiers, *De coureur de bois à quoi?* (Penétanguishene : s.l., 1979), p. 20–27.

65 A. C. Osborne, « The migration of *voyageurs* from Drummond Island to Penétanguishene in 1828 », *Ontario Historical Society. Papers and Records*, III (1901), p. 123–166; Marchildon & Desrosiers, *De coureur de bois à quoi?*, p. 30–33; Landon, *Lake Huron*, p. 144; Micheline Marchand, *La colonisation de Penétanguishene par les voyageurs (1825–1871)* (Thèse de maîtrise, Université Laurentienne, 1988), est la plus récente étude, que nous n'avons pas pu consulter cependant.

66 Robert Choquette, *L'Ontario français, historique* (Montréal : Éditions Études Vivantes, 1980), p. 97.

67 D. W. Diffie & G. D. Winius, *Foundations of the Portuguese Empire* (Minneapolis : University of Minnesota Press, 1977) *passim*.

68 Adolf Rein, *Die europanische Ausbreitung über die Erde* (Potsdam, 1931), p. 122.

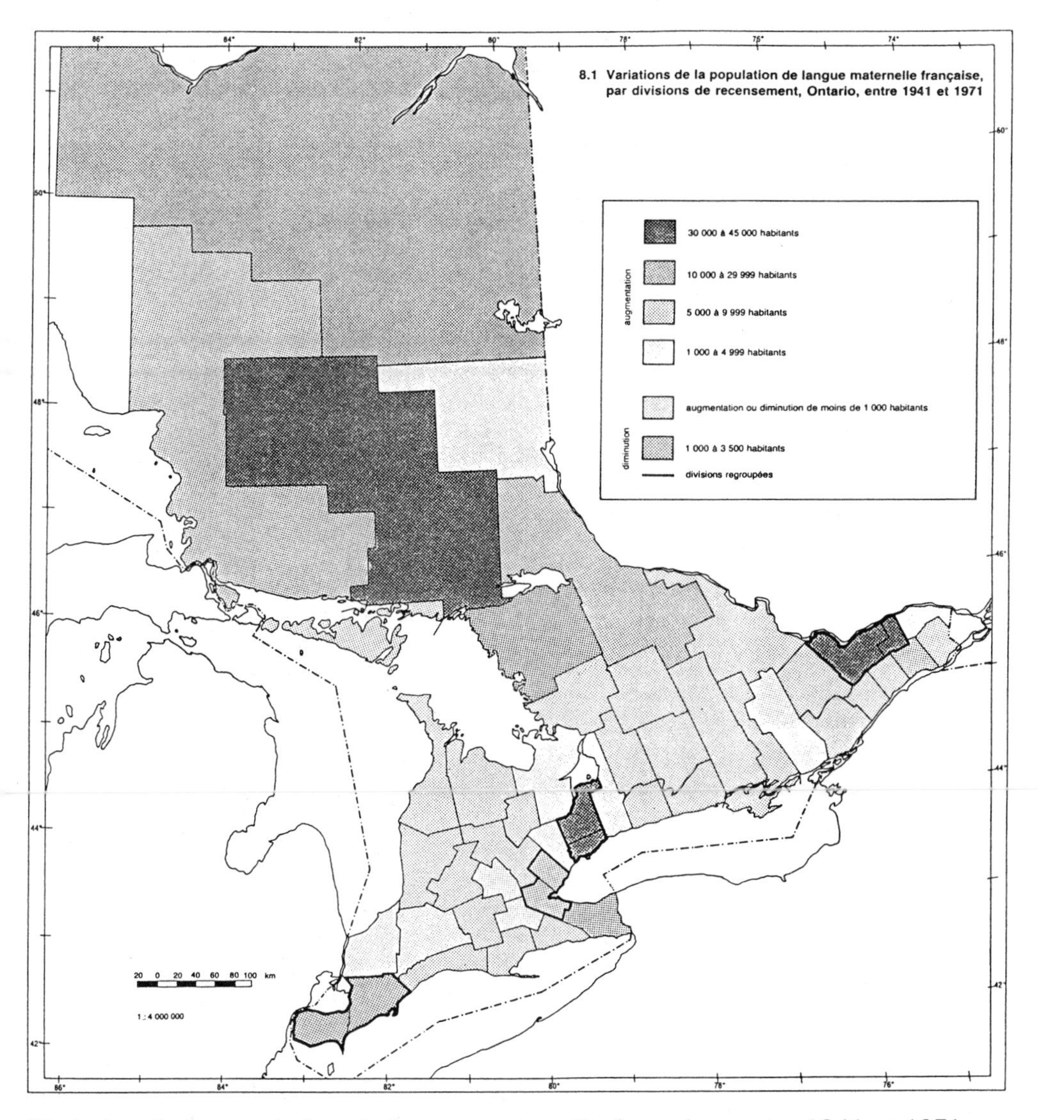

Variation de la population de langue maternelle française, entre 1941 et 1971.
(*Source* : *Atlas de l'Ontario français*, par Gaetan Vallières et Marcien Villemure, Montréal, Éditions Études vivantes, 1982. Avec leur aimable autorisation.)

3 *L'Ontario français (1821–1910)*

GAÉTAN GERVAIS

L'année 1821 marque le déclin définitif du commerce de la fourrure dans le Canada central, une activité qui est à l'origine de la venue des premiers Français dans la région des Grands Lacs; la fondation de l'Association canadienne-française d'éducation de l'Ontario (ACFÉO), en 1910, à l'autre terme de cette période, atteste la présence d'une communauté franco-ontarienne viable. Les premiers foyers de peuplement français en Ontario doivent à la fourrure et à la coupe du bois une existence précaire, ces deux activités économiques favorisant peu le peuplement intense. La colonisation franco-ontarienne ne prit son véritable essor que dans la deuxième moitié du XIXe siècle, dans la foulée de l'industrie forestière. Elle put s'appuyer sur la présence, dans la ville d'Ottawa, d'un important réseau d'institutions.

Les effectifs totaux de la population ontarienne d'origine française n'étaient que de quelques milliers en 1821, mais ils atteignaient plus de 200 000 en 1910. Toutefois, les Canadiens (français) ne se répandirent pas partout dans la province. Ils se concentrèrent surtout dans l'extrême Est, dans l'extrême Sud-Ouest et dans le Nord-Est. Comment expliquer la survivance culturelle de cette population canadienne-française, accueillie avec réticence à cause de sa religion catholique, plus tard objet de suspicion à cause de sa langue qui l'empêchait de s'assimiler pleinement à la société ontarienne?

LES DÉBUTS DE L'ONTARIO FRANÇAIS ET L'ÉMERGENCE D'OTTAWA

Un aspect fondamental de la formation de la communauté franco-ontarienne au XIXe siècle, c'est l'établissement à Ottawa d'institutions, surtout religieuses, où la colonisation de l'Est a pu trouver un soutien important. Ce réseau institutionnel, maintenu par des élites conscientes de former un groupe culturel distinct, recouvrit éventuellement les autres parties de la province. La ville d'Ottawa resta longtemps la capitale culturelle de l'Ontario français.

Les premiers foyers de peuplement

Le début de la colonisation canadienne dans la région des Grands Lacs commença aux environs du fort Pontchartrain du Détroit à partir des années 1740. La paroisse de l'Assomption, fondée en 1767, en face de Détroit, occupait la péninsule bornée par le lac Sainte-Claire au nord, la rivière du Détroit à l'ouest et le lac Érié au sud. Un deuxième foyer de peuplement se développa, après 1828, quand des *voyageurs* et leur famille s'établirent dans les environs de Pénétanguishene, à la baie Georgienne.

Lors du recensement de 1842, le Haut-Canada (l'Ontario) ne comptait que 13 969 personnes d'origine française sur une population totale de 487 053 (Tableau I), la plus grande concentration française se trouvant dans le district de Western, au sud-ouest. Le recensement suivant, en 1851, nous apprend que les Canadiens d'origine française sont au nombre de 27 424 personnes, soit 2,8 % de la population totale de 952 004 vivant dans le Haut-Canada. À Essex, la population d'origine française s'élevait à 5 454 personnes, alors qu'elle atteignait déjà 3 440 dans Prescott et 2 056 dans le seul village de Bytown (Ottawa).

En 1871, la population de l'Ontario était rurale à 78,2 %. Marginalement moins élevé, à 76 %, le taux correspondant des Franco-Ontariens indique que la répartition rurale / urbaine, en Ontario français, n'est guère différente de celle de l'ensemble de l'Ontario. Dans les décennies suivantes, toutefois, la province s'industrialisera fortement, mais ce ne sont pas les villes manufacturières du Sud qui recevront les immigrants canadiens-français.

Dans le comté d'Essex, durant les premières décennies du XIXe siècle, l'étendue des cultures ne dépassait guère les environs d'Amherstburg, de l'Assomption et du rivage en amont. Les premiers visiteurs ont laissé sur la région de Sandwhich des images contradictoires; pour les uns, c'est un pays de pauvreté, pour les autres, un pays de cocagne. Plusieurs témoignages de l'époque laissent cependant entrevoir une agriculture plutôt médiocre, surtout dans la vallée inférieure de la Tranche (Thames)[1].

La description la plus complète de la vie de cette population canadienne-française d'Essex, au milieu du XIXe siècle, provient du jésuite Pierre Point, curé de la paroisse de l'Assomption entre 1843 et 1859. Il a laissé une description de cette population et, à travers le

TABLEAU I
La distribution, par districts, de la population d'origine française en 1842

District	*Pop. totale*	*Can.-franç.*	*% de l'Ont. fr.*	*% fr. du distr.*
	(1)	(2)	(3)	(4)(=2 : 1)
Western	24 390	4 558	32,6	18,69
Ottawa	7 369	2 066	14,8	28,0
Home	83 301	827	5,9	0,99
Midland	34 446	1 025	7,3	2,97
Eastern	32 006	1 418	10,2	4,43
Dalhousie	16 193	1 336	9,6	8,25
Bathurst	21 053	420	3,0	1,99
12 autres	268 293	2 319	16,6	0,86
Total	487 053	13 969	100,0 %	2,87 %

Source : Recensement de 1842, dans *Recensement du Canada 1871*, Vol. V, p. 136.

regard de ce missionnaire français, on peut voir les environs de Sandwhich et ses habitants au milieu du siècle dernier. Le village comptait, à son arrivée, une centaine de familles, une seule rue, mais aussi un tribunal pour le comté, une prison et une imprimerie : « C'est la partie la plus ancienne, la mieux cultivée, la plus sociale et surtout la plus catholique du Haut-Canada[2]. »

Le curé Point s'intéressa aux pratiques religieuses de ses ouailles et consacra beaucoup d'efforts au catéchisme, à la première communion et aux autres aspects de son ministère. La quatrième église de l'Assomption fut achevée en 1845 : « Rien de riche, mais tout est propre; nos Canadiens ont hérité des Anglais l'amour de la propreté et de la décence. » Point introduit dans les écoles la prière et le chant « en dépit des règlements des athées anglicans ». Langue et religion vont déjà de pair chez ce missionnaire. Point parle de ceux qui « rougissent de leur langue » et adoptent l'anglais. Derrière cette question linguistique se cache en fait une préoccupation religieuse, car le vrai danger semble avoir été la « démangeaison de lire les bibles anglaises protestantes », distribuées gratis. Ainsi, la langue constituait à ses yeux un rempart contre le protestantisme.

Point s'intéressa aussi à l'éducation. La première école française de l'Ontario vit le jour à l'Assomption en 1786, mais elle chancela longtemps. À l'Assomption, le premier instituteur de langue française, François Chénier, embauché pour enseigner dans l'école commune que l'Assemblée législative du Haut-Canada avait établie en 1816, arriva en 1824. Point fut à l'origine, dans les années 1850, d'une école pour jeunes filles, mais aussi le fondateur, en 1857, du collège de l'Assomption qui ouvrit ses portes malgré des difficultés financières énormes.

À l'époque de Pierre Point, la paroisse de l'Assomption comprenait deux dessertes, à Saint-Pierre-de-la-Tranche, au sud du lac Sainte-Claire, et à Amherstburg (Saint-Jean-Baptiste). Avant l'arrivée du chemin de fer à Windsor, en 1854, les communications se faisaient surtout par eau, ce qui explique que le peuplement s'aligna le long des rives du lac Sainte-Claire et de la rivière du Détroit. Les migrations canadiennes-françaises, dans la deuxième moitié du siècle, favorisèrent surtout les paroisses situées plus au nord : Tecumseh, Belle-Rivière, Pointe-aux-Roches, Saint-Joachim, Paincourt.

Dans l'histoire du peuplement franco-ontarien, les *voyageurs* furent à l'origine de foyers de colonisation tels que Lapasse, mais surtout de Pénétanguishene[3]. En route vers l'Ouest, en 1822, le jeune évêque Norbert Provencher avait remarqué, à l'île Drummond, au nord du lac Huron, une population catholique de 500 personnes, la plupart étant des *voyageurs* unis à des Amérindiennes. Parmi les milliers d'hommes employés dans le commerce de la fourrure durant les premières décennies du XIXe siècle, certains s'établirent de manière plus ou moins permanente dans les régions de la fourrure. Certains prirent même des terres.

En 1828, environ 75 familles de *voyageurs* quittèrent l'île Drummond pour aller s'établir à Pénétanguishene dans les concessions 15 et 16 du canton de Tiny; d'autres prirent des terres dans les environs de Coldwater, de Fesserton et près de la rivière Wye. Ayant goûté à la vie nomade, les *voyageurs* n'éprouvaient cependant qu'un attachement ténu à l'agriculture, plusieurs préférant devenir des guides ou des interprètes lors d'expéditions d'exploration, de chasse ou d'arpentage. Le peuplement français dans cette région de Pénétanguishene ne progressa qu'avec l'immigration, après 1840, de familles agricoles venues du Bas-Canada à l'instigation de l'abbé Amable Charest. Des vagues de colons arrivèrent de la région de Sainte-Anne-de-la-Pérade et de Batiscan, puis de Joliette, enfin de Vaudreuil et Soulanges. Quelques autres colons vinrent des Laurentides. Ce mouvement cessa vers 1854 et ne reprit que plus tard dans les environs du village de Perkinsfield.

Dans son étude des *voyageurs* de Pénétanguishene, Micheline Marchand a noté des différences importantes dans la productivité agricole des voyageurs d'une part et des colons venus directement du Bas-Canada d'autre part[4]. Les descendants des *voyageurs*, en 1871, occupaient des terres plus petites, moins bien équipées et moins productives. En outre, les fils de *voyageurs* épousaient des filles de *voyageurs*, peu de mariages étant contractés avec les descendants des autres colons canadiens-français. Ce clivage entre la population issue des anciens *voyageurs* et les descendants des colons recrutés directement au Québec a persisté jusqu'au XXe siècle. La transformation des *voyageurs* en colons n'était pas chose facile[5].

Quand les missionnaires, remontant la rivière des Outaouais, passèrent à l'île des Allumettes, vers 1835, ils y découvrirent 250 catholiques. Le hameau de Lapasse représentait ce qu'Alexis de Barbezieux, à la fin du siècle, appela « les anciens centres de voyageurs ». C'est là que les *voyageurs* attendaient, dans l'espoir d'un emploi, le passage de convois en route vers l'ouest, mais où « les longues stations annuelles de jeunes gens non surveillés engendraient nécessairement des désordres et des abus »[6]. Dans ces lieux de rassemblement, cependant, il semble que le voyageur ait acquis avec le temps un lopin de terre, se transformant peu à peu en habitant permanent voué à l'agriculture.

Au début du XIXe siècle, les *voyageurs* avaient, aux yeux des élites cléricales, une assez mauvaise réputation. Mais à la fin du siècle, on tenta de réhabiliter leur mémoire et de glorifier leurs exploits. Benjamin Sulte ira jusqu'à écrire : « Le voyageur, c'est l'élément le plus manifeste de notre destinée en Amérique. » À cette époque, le mot acquit un autre sens, celui de « voyageur forestier », cette main-d'œuvre saisonnière qui jouera un rôle plus grand encore dans le peuplement franco-ontarien.

Le commerce du bois

Au XIXe siècle, la Grande-Bretagne devint une grande importatrice de bois nord-américain. Les gouvernements coloniaux mirent en place un régime permettant aux entrepreneurs d'acquérir un droit de coupe sur les terres de la Couronne. Sur ces concessions forestières, ils érigèrent des chantiers afin de mettre en exploitation les grandes et riches pinèdes du réseau hydrographique du Saint-Laurent, principalement dans l'Outaouais. Au début, beaucoup de petits entrepreneurs, à la tête d'équipes de cinq ou six bûcherons, se lançaient en forêt, mais ils disparurent, à mesure que le siècle avançait, laissant la place aux « barons du bois ». L'unité de production resta le chantier, les « campes », où des équipes de bûcherons abattaient les arbres. Cette main-d'œuvre saisonnière fournira une partie des colons qui peuplèrent la vallée de l'Outaouais. Après 1860, l'importance du marché américain augmenta et l'Ontario exporta de plus en plus de planches, ce qui explique que les scieries aient surgi comme des champignons le long de tous les cours d'eau. Souvent de taille modeste, elles transformaient le bois en planches ou madriers. Mais on vit aussi naître de grandes scieries dans les villes de Hawkesbury, de Rockland, d'Ottawa-Hull, d'Arnprior, de Pembroke, de Mattawa et dans plusieurs villes du Nord[7].

En fait, la main-d'œuvre de l'industrie forestière se recrutait, comme les anciens *voyageurs* de la fourrure, dans les paroisses rurales, surtout parmi les habitants et leurs fils qui savaient manier la hache avec adresse. Durant les premières décennies du XIXe siècle, le Bas-Canada traversait une crise agricole qui jeta des milliers de jeunes ruraux sur le marché du travail. Mais l'arrivée de grandes vagues d'immigrants irlandais, après 1819, mit un autre groupe d'ouvriers sur le même marché du travail pour les emplois de bûcherons ou de draveurs. Au temps du bois équarri, on trouvait aussi, à ce palier inférieur, les *raftmens*, affectés à faire descendre les grands radeaux de bois équarri vers Québec. Dans ce métier, les ouvriers canadiens (français) avaient l'avantage de connaître les rivières et les passages, en plus de jouir d'une réputation d'ouvriers fiables et dociles. Au début, seuls les Amérindiens et les Canadiens (français) acceptaient ce travail irrégulier de la forêt. Durant les années 1820, jusqu'à 2 000 bûcherons remontaient chaque année l'Outaouais pour aller travailler dans les chantiers[8].

Les Canadiens (français) formèrent une grande partie de cette main-d'œuvre non spécialisée qui trouvait des emplois soit dans les chantiers forestiers, soit dans les « méga-projets » de l'époque, c'est-à-dire la construction des canaux. Lors de la construction du canal Rideau, entre 1826 et 1832, on retrouva en effet ces ouvriers saisonniers que la baisse dans les exportations du bois, en 1826–1827, avait mis en chômage. William Wylie nous apprend que les canaux Welland et Rideau, alors en construction, embauchaient de 8 000 à 9 000 ouvriers annuellement. C'était beaucoup, mais peu en regard d'une immigration irlandaise qui atteignait alors, à elle seule, environ 25 000 personnes par année[9]. À l'encontre des idées reçues, Wylie constate que les deux entrepreneurs qu'il a pu étudier (Philémon Wright and Sons et McKay and Redpath) ont embauché non seulement des Irlandais, mais aussi des Canadiens (français) dans leurs travaux sur le canal Rideau. Environ la moitié de leurs ouvriers spécialisés et presque les trois quarts de leurs ouvriers non spécialisés furent des Canadiens (français) exerçant les métiers de maçons, tailleurs de pierre, ferblantiers, charpentiers, fabricants de harnais. En outre, il semble que les entrepreneurs avaient déjà embauché ces mêmes ouvriers dans d'autres projets, y compris la coupe du bois.

La coexistence d'ouvriers canadiens et irlandais dans les chantiers du canal Rideau ne semble pas avoir provoqué de conflits ethniques. Selon Richard M. Reid[10], les conflits survenus parmi les ouvriers forestiers et les rixes, fréquentes à l'époque, s'envenimaient lorsqu'ils se conjuguaient à des griefs politiques et sociaux. Une partie de la violence se produisit entre Irlandais catholiques et Écossais presbytériens, mais davantage entre les Irlandais catholiques et les Orangistes (Irlandais protestants). Quant aux conflits entre Canadiens et Irlandais, ils se produisirent surtout quand des Irlandais, sous la direction de Peter Aylen, tentèrent d'évincer les bûcherons canadiens-français de l'Outaouais. Annoncés dès 1828, les troubles de la « guerre des shiners » survinrent principalement entre 1835 et 1838. Le curé de Bytown, W. Cannon, eut fort à faire avec ses turbulents paroissiens des chantiers. Peu à peu, toutefois, les autorités civiles s'organisèrent et le clergé catholique intervint pour mettre fin aux désordres à Bytown, alors qualifiée par certains de « babylone ». Selon Reid, le véritable conflit opposait les groupes catholiques et réformistes de la basse-ville de Bytown (Irlandais et Canadiens) aux groupes conservateurs et orangistes de la haute-ville. Ces épisodes ont donné naissance à la légende de Jos. Montferrand, l'homme fort qui défendit les Canadiens (français).

Mais comment convertir le bûcheron en colon et comment, par la suite, le transformer en véritable agriculteur? Le régime agro-forestier, qui combinait le travail en forêt, l'hiver, et le travail de la terre, l'été, fut généralement décrié comme nuisible à l'agriculture. Mais ce régime s'imposait quand les terres n'étaient pas assez bonnes, ou assez développées, pour faire vivre la famille de leurs propriétaires[11]. Coloniser, c'était « faire de la terre », la débarrasser de sa couverture d'arbres. Le colon avait donc avantage à prendre un terrain déjà déboisé par l'industrie forestière. À ce point de vue, la coupe du bois pouvait favoriser la colonisation. D'ailleurs, les bûcherons eux-mêmes se percevaient comme des colons à temps partiel ou des colons en attente. Ils s'engageaient à un même entrepreneur qui les embauchait d'année en année, en même temps que des voisins ou des parents de leur paroisse d'origine. De même, ces bûcherons prenaient, parfois avec des voisins, souvent avec des parents, la décision de s'établir sur des terres nouvelles. Cette colonisation, dans la première moitié du siècle, ne fut encadrée ni par des sociétés de colonisation ni par le clergé. Il faut cependant ajouter qu'une partie de cette population ne se fixa que temporairement, allant choisir de nouvelles terres ailleurs après quelques années seulement d'exploitation. C'est ce qu'Arthur Lower, donnant un portrait peu flatteur des colons canadiens-français, appelle « following the forest »[12].

À l'origine de plusieurs villages de la vallée de l'Outaouais se trouvent soit des fermes d'approvisionnement exploitées par les entrepreneurs forestiers, soit des scieries. Alors que l'agriculture de subsistance, selon le modèle traditionnel, est basée sur la culture du blé, cette agriculture naissante dans l'Outaouais cherchait non seulement à alimenter la famille du colon, mais aussi à favoriser la vente du foin, de l'avoine, des pommes de terres et d'animaux aux entrepreneurs des chantiers. Dans une modeste mesure, la production est donc orientée vers le marché forestier quand celui-ci est assez rapproché.

En mettant les bûcherons en contact avec des régions nouvelles, en dépouillant les terres de leur couverture d'arbres, en offrant aux agriculteurs la chance de vendre certains produits, l'industrie forestière a favorisé les débuts de la colonisation. À la fin du siècle, Barbezieux écrivait : « Aux voyageurs [des chantiers] sont dues les premières églises de beaucoup de paroisses de l'Ottawa ». Mais pour donner un gros coup à la colonisation franco-ontarienne, il manquait un encadrement. C'est l'élite canadienne-française établie à Ottawa qui la fournit dans la deuxième moitié du XIXe siècle.

Les débuts d'Ottawa (1826–1870)

Qui, en 1842, aurait prédit un grand avenir à Bytown, un village formé à la sortie du canal Rideau, devenu ensuite le rendez-vous mal famé des bûcherons, un centre d'approvisionnement des chantiers ? En 1848, le nouvel évêque de Bytown, Bruno Guigues, écrivait que cette ville à deux tiers catholique « a été formée en grande partie de personnes pauvres, endettées et souvent venues de leurs paroisses qu'elles avaient affligées par leurs scandales[13] ». Bytown (Ottawa) devint la ville principale de la vallée des Outaouais, ayant éclipsé les autres centres (Perth, Richmond, Lanark). Devant les insurmontables rivalités entre Kingston, Montréal, Québec et Toronto, Bytown, érigée en ville (« city ») en 1855, fut désignée par la reine Victoria, en 1857, pour devenir la capitale du Canada-Uni[14].

De 3 122 personnes en 1841, la population d'Ottawa s'éleva à 7 214 en 1871 et à 90 560 en 1911, devenant le centre commercial de la vallée des Outaouais. Il exista dès le début, de part et d'autre du canal, une division entre la basse-ville, peuplée des pauvres canadiens-français et irlandais, tous catholiques, et la haute-ville, anglaise et protestante, ce qui rendrait aussi compte des sympathies réformistes de la basse-ville et des préférences conservatrices de la haute-ville. Cette démarcation explique aussi que les institutions canadiennes-françaises (les églises, l'hôpital, les communautés religieuses, le collège, les écoles) prirent racine dans la basse-ville. Au début du XXe siècle, Ottawa était devenue la capitale culturelle de l'Ontario français, le siège de ses principales institutions religieuses, culturelles et sociales.

Trois facteurs expliquent cette ascendance : la proximité du Québec, la présence de nombreuses communautés religieuses et la fonction publique fédérale. Le Québec, tout proche, a fourni aux institutions d'Ottawa du personnel, des ressources, des moyens d'action. La contrepartie de ce voisinage, toutefois, c'est la division persistante de l'élite canadienne-française d'Ottawa entre les « Québécois en exil », tournés vers Montréal et le Québec, et la véritable « élite franco-ontarienne », tournée vers Toronto et le reste de l'Ontario. Durant les années 1840, arrivèrent deux communautés religieuses appelées à jouer un grand rôle en Ontario français : la congrégation des oblats de Marie-Immaculée, missionnaires et éducateurs, et les sœurs Grises de la Croix. Il faut aussi ajouter la création d'un évêché (1847), promu en 1886 au rang d'archevêché, la fondation (1848) du collège de Bytown, et enfin l'établissement à Ottawa de plusieurs autres communautés religieuses. Le troisième facteur qui explique la place d'Ottawa en Ontario français, c'est la fonction publique fédérale qui attira dans cette ville de nombreux Canadiens de langue française, surtout Québécois, qui s'enracinèrent ici. En effet, l'installation du gouvernement fédéral contribua de manière déterminante à la formation d'une élite franco-ontarienne laïque dont les membres devinrent des chefs de file qui exercèrent un rôle décisif dans l'organisation d'activités culturelles, dans la fondation de journaux et dans la direction de diverses associations sociales et patriotiques.

Le premier titulaire du diocèse de Bytown, en 1848, fut le supérieur des oblats au Canada, Bruno Guigues (1805–1874). Il prit possession d'un nouveau diocèse s'étendant jusqu'à la baie d'Hudson, un diocèse pauvre, comptant peu de prêtres et peu d'églises[15]. Mais l'évêque avait la conviction que pour fixer la population temporaire des chantiers sur des terres, il fallait ouvrir de nouvelles paroisses, chacune avec son curé résident. Ainsi, 43 paroisses naquirent durant son épiscopat (1848–1874), traduisant ainsi la volonté d'amener dans l'est de l'Ontario, dans les vastes terres inoccupées entre Rigaud et Ottawa, une population catholique.

Dans le développement de l'Ontario français, les sœurs de la Charité, mieux connues sous le nom de sœurs Grises de la Croix, ont joué un rôle considérable, tant dans le domaine scolaire que dans celui des hôpitaux. En mars 1845, à peine quelques semaines après leur arrivée à Ottawa, les religieuses ouvraient une « petite école »; peu après, elles mettaient sur pied un hôpital rudimentaire. À la demande de Guigues, les religieuses ouvrirent en 1849 un pensionnat pour filles, modeste début qui annonçait non seulement la création du pensionnat Notre-Dame-du-Sacré-Coeur (Couvent de la rue Rideau), mais surtout la formation de la plus importante communauté enseignante de l'Ontario français. Pendant un siècle, les sœurs Grises furent la cheville ouvrière du système scolaire primaire en Ontario français. Les commissions scolaires catholiques firent souvent appel à leurs services, les religieuses étant en mesure non seulement de garantir une relative abondance d'enseignantes, mais aussi d'assurer la direction des écoles et d'en garantir l'orthodoxie religieuse. Mieux, les sœurs se contentaient de salaires médiocres, ce que ne dédaignaient pas les commissaires d'écoles. Quant au clergé séculier, il appréciait la soumission des religieuses à l'autorité ecclésiastique[16].

En 1847–1848, Jean Bédard devint le premier échevin de langue française à Bytown, remplacé en 1848 par Joseph-Balsura Turgeon qui, en 1853, fut le premier maire canadien-français de la ville. C'était un membre du parti réformiste. Les journaux de l'époque laissent déjà voir qu'il existait une petite bourgeoisie canadienne-française, formée de médecins, d'avocats, de marchands, d'hôteliers, d'entrepreneurs et d'artisans, une petite élite locale qui comprenait, durant les années 1850, les médecins de Celles, A. O. Lacroix, Cléophas Tessier de Beaubien et le dentiste Robichaud. Cette élite locale et laïque constituait l'encadrement normal d'une petite ville ne comptant encore que quelques milliers d'habitants. Régnaient sur ce petit monde les politiciens et le clergé.

Quand le Mechanics' Institute d'Ottawa, fondé en 1847 et jusque-là bilingue, élimina ses directeurs de langue française, en 1851, le médecin Cléophas Tessier de Beaubien, P. Comte et quelques autres citoyens, incités par Joseph-Balsura Turgeon, se regroupèrent pour former une section de la Société Saint-Jean-Baptiste. Ce groupe, fondé en 1852, donna ensuite naissance à l'Institut canadien-français. Au début, Société Saint-Jean-Baptiste et Institut canadien-français ne firent qu'un. Quand, en 1856, on voulut enregistrer la constitution de l'Institut, le greffier refusa d'en accepter le texte en français. Mais le secrétaire provincial, George-Étienne Cartier, donna l'ordre d'accepter le document. En français. Dans les années suivantes, l'Institut construisit un édifice, monta une bibliothèque, donna des conférences et des concerts de musique, organisa des loisirs et des fêtes, tint de nombreuses séances de chant, de théâtre, d'art oratoire. En somme, il devint un important centre culturel dans la basse-ville d'Ottawa[17].

L'Institut encouragea aussi la formation de sociétés d'aide mutuelle : l'Union Saint-Joseph (1863), la Société Saint-Pierre (1873), la

Société Saint-Thomas (1875) et la Société de Construction (1875). En 1863, trois cordonniers de la basse-ville, Jean-Baptiste Champoux, Léonard Desmarais et Cuthbert Bordeleau, en imitation d'une société semblable qui existait à Joliette, fondaient l'Union Saint-Joseph, une société d'aide mutuelle qui est à l'origine de l'Union du Canada, une entreprise encore vivante. À une époque où les secours et les pensions étaient des phénomènes rares, surtout pour les travailleurs, ces sociétés aidaient les ouvriers en cas de maladie, ou en secourant leur famille en cas de décès. Pour avoir droit à ces bénéfices, les membres versaient une cotisation mensuelle.

Charles Aumond, qui siégeait au conseil d'administration de l'Union Saint-Joseph, était aussi directeur dans la société ferroviaire d'Ottawa-Prescott. Il est le seul homme d'affaires d'envergure dans la petite communauté française d'Ottawa, ayant fait fortune dans l'industrie du bois en association avec John Egan. Venu à Bytown comme commis au service de J.D. Bernard, de Montréal, il avait par la suite ouvert son propre magasin général. Il avait été cofondateur, avec Egan, de l'Association forestière de l'Outaouais. Dans les années 1840, il embauchait jusqu'à 1 000 hommes[18].

L'ascendance d'Ottawa (1870–1910)

En 1874, Thomas Duhamel (1841–1909) succéda à Bruno Guigues comme évêque d'Ottawa. Il obtint en 1882 la division de son diocèse et, en 1886, le diocèse d'Ottawa devint un archidiocèse. Le programme de Duhamel se développa selon deux axes : en premier lieu, continuer d'encourager la colonisation dans l'Est, politique qu'attestent les 95 nouvelles paroisses qui surgirent dans son diocèse, et deuxièmement poursuivre le programme, initié par Guigues, d'implanter des communautés religieuses à Ottawa, en leur imposant comme condition de leur insertion dans le diocèse l'établissement de leur maison-mère dans la capitale canadienne. Duhamel leur laissait entendre que l'université d'Ottawa rivaliserait un jour avec les grandes universités européennes grâce à ses professeurs recrutés dans plusieurs communautés religieuses différentes.

Les frères des Écoles chrétiennes arrivèrent en 1864, à la demande de la commission scolaire locale. Ils ouvrirent en 1870 l'école De La Salle dans l'ancien édifice du collège d'Ottawa et, trois ans plus tard, fondèrent une académie, institution supérieure payante destinée aux meilleurs élèves de la ville d'Ottawa. Les montfortains arrivèrent en 1887 à la paroisse Notre-Dame-de-Lourdes à Eastview (Vanier), puis à Cyrville. Ils ouvrirent plus tard un scolasticat et un noviciat dans leur paroisse de Vanier. Les Filles de la Sagesse vinrent au même moment ouvrir une école dans cette paroisse et, l'année suivante, un pensionnat. Finalement, en 1904, elles établirent à Ottawa un noviciat canadien afin de favoriser le recrutement sur place. Elles fondèrent aussi des pensionnats à Sturgeon-Falls (1904) et à Lefaivre (1907).

À la demande de Duhamel, les dominicains prirent la direction de la paroisse Saint-Jean-Baptiste d'Ottawa en 1884. Avant 1900, il n'y eut que quelques pères dans leur monastère. C'est en 1900 que les dominicains établirent leur maison d'étude à Ottawa, origine du Collège des Dominicains qui existe toujours. Quant aux capucins, arrivés à Ottawa en 1890, Duhamel leur imposa deux conditions, prendre la charge d'une paroisse et renoncer à la quête.

À Ottawa, on trouvait encore les Petites sœurs de la Sainte-Famille, originaires du Nouveau-Brunswick et de Sherbrooke, établies en 1888. Ayant pour mission les humbles travaux ménagers dans les maisons du clergé, elles s'occupèrent, par exemple, du juniorat du Sacré-Coeur, une école appartenant aux oblats. Mais à l'université d'Ottawa, ce furent les sœurs Grises qui effectuèrent les travaux domestiques entre 1859 et 1902. Un contingent de cinq sœurs du Sacré-Coeur de Jésus, originaires de Bretagne, arriva en 1902 pour s'occuper des travaux domestiques au scolasticat Saint-Joseph; elles ouvrirent en 1910 un noviciat à Ottawa. Quelques autres communautés (les sœurs de la Congrégation et les frères du Sacré-Coeur) vinrent aussi fonder des maisons à Ottawa. Les rédemptoristes arrivèrent en 1907. Il y avait aussi deux monastères, le Couvent du Bon-Pasteur, ouvert en 1866, et le Monastère des sœurs du Précieux-Sang, établi en 1887.

La profusion des communautés religieuses, surtout quand elles recrutèrent des membres au pays, eut de grandes conséquences, augmentant la disponibilité d'une main-d'œuvre bien encadrée, bon marché, capable de prendre en main le système d'enseignement, les hôpitaux, les orphelinats, les asiles et les autres institutions sociales du Canada français. Les recrues canadiennes-françaises, formées dans les collèges classiques et inspirées par l'ultramontanisme, percevaient nettement le lien intime entre la langue et la religion[19]. En même temps, la population française d'Ottawa augmentait, ce qui amena la création de nouvelles paroisses : Saint-Jean-Baptiste dans l'ouest de la ville (1872), Sainte-Anne dans la basse-ville (1873), Sacré-Coeur sur la Côte-de-Sable (1889), Saint-François-d'Assise (1890), Sainte-Famille (1900), Saint-Charles (1908).

Avant l'émergence d'une élite laïque, les premiers chefs de file de la communauté canadienne-française d'Ottawa se recrutèrent dans le clergé : l'évêque, bien entendu, les curés, les supérieurs et supérieures de communautés. Dans Ottawa, cette élite religieuse gravitait autour de l'évêché.

L'encadrement par une élite laïque

Mais il exista aussi à Ottawa, au siècle dernier, une élite laïque, composée de professionnels, de marchands, de journalistes, d'éducateurs, de traducteurs, de fonctionnaires, parfois de députés ou de sénateurs. Les actions de ce groupe ont contribué à élever Ottawa au rang de capitale culturelle de l'Ontario français, ce que démontrait l'existence dans la ville d'institutions scolaires, culturelles et religieuses de langue française. On peut aussi en voir une expression dans la presse de langue française qui s'y publia et dans la vie artistique qui s'exprima par le théâtre et la littérature.

Le collège de Bytown, fondé en 1848 pour accommoder à la fois les Canadiens et les Irlandais, obtint en 1866 une charte universitaire en s'appuyant sur son caractère bilingue; mais le fardeau financier étant trop grand, les autorités universitaires annoncèrent, peu après la mort de Guigues en 1874, que le collège d'Ottawa n'enseignerait plus qu'en anglais, les Canadiens (français) ayant la possibilité de fréquenter des collèges classiques au Québec. Ce régime unilingue anglais dura jusqu'en 1901, quand l'archevêque Duhamel et le supérieur des oblats, alors un Canadien, prirent la décision de revenir au bilinguisme dans l'enseignement. Mais cette fois, le bilinguisme était parallèle, c'est-à-dire qu'y coexistaient des programmes différents.

L'Institut canadien-français fut la principale institution culturelle à Ottawa. Dressant un bilan des activités de l'Institut, Benjamin Sulte n'exagérait guère quand il écrivait, en 1879, que « nous retrouvons aujourd'hui à la tête de la population canadienne-française d'Ottawa la plupart des anciens officiers de l'humble mais utile association qui nous occupe ». À l'occasion du 25e anniversaire de cette société, célébré en 1877, Joseph Tassé, homme politique en vue de la capitale, décida de marquer l'événement non seulement en inaugurant un nouvel édifice, mais en convoquant une « convention littéraire », le premier congrès du genre au Canada. Placée sous le haut patronage du gouverneur général et de l'évêque, cette rencontre réunit non seulement les sommités politiques ou religieuses de la ville, mais les anciens présidents de l'Institut, des personnalités littéraires du Canada français (P.-J.-O. Chauveau, Pamphile LeMay, Louis P. Turcotte, Narcisse-Europe Dionne, Ernest Gagnon) et, bien entendu, la cohorte littéraire

TABLEAU II
Journaux ontariens de langue française (1858–1910)

Décennie	*Nombre de journaux fondés*			
	Ottawa	*Sud-Ouest*	*Est*	*Nord*
1851–1860	1			
1861–1870	3			
1871–1880	12	1		
1881–1890	3	3	2	
1891–1900	8	3	2	2
1901–1910	2	2	1	1
	29	9	5	3

d'Ottawa (Joseph Tassé, Benjamin Sulte, L.O. David, Joseph-Charles Taché, Stanislas Drapeau, l'abbé Cyprien Tanguay). Ce fut, en somme, une réunion fort imposante.

Le congrès recommanda la création de bibliothèques, la formation de cercles littéraires, l'établissement de cours gratuits, l'attribution de prix lors de concours de poésie, d'histoire et d'éloquence, la distribution dans les écoles d'un plus grand nombre d'ouvrages canadiens, et l'établissement d'une librairie canadienne avec des succursales dans différentes villes. On adopta aussi des résolutions au sujet des archives et des droits d'auteur. On entrevoit par ces recommandations l'envergure des discussions et la place enviable faite aux intellectuels d'Ottawa, qui se conçoivent, à l'époque et pour longtemps encore, comme une partie intégrante du Canada français.

Mais une autre activité confirme la place dominante d'Ottawa dans l'histoire de l'Ontario français : la presse. Au XIXe siècle, une quarantaine de journaux de langue française ont vu le jour en Ontario. Ils peuvent servir d'indice — même ceux qui n'ont pas duré longtemps — pour mesurer le poids relatif des différentes régions dans la vie de l'Ontario français. Ainsi, il est très net (Tableau II) que la ville d'Ottawa occupa une place centrale dans l'histoire de la presse ontarienne de langue française[20].

Le Sud-Ouest est la seule autre région où plusieurs journaux virent le jour avant 1910. Ce sera par exemple le cas des journaux à Windsor (*L'Étoile canadienne* en 1870, *Le Progrès* en 1881, *Le Courrier d'Es-*

sex en 1884, *Le Courrier de l'Ouest* en 1885, puis, en 1891–1892, *Le Drapeau national*, *Le Canadien* et *L'Indépendant du Canada*) et à Chatham (*Le Canadien* en 1907 et *L'Ami du Peuple* en 1908). On trouve aussi, avant 1910, quelques autres petits journaux à Plantagenet (*La Nation*, 1885), à Alfred (*L'Interprète*, 1886–1900), à Mattawa (*La Sentinelle*, 1895), à Clarence-Creek (*Le Ralliement*, 1895), à L'Orignal (*La Concorde*, 1899), même à Cobalt (*Le Temps*, 1907) et à Hawkesbury (*Le Moniteur*, 1908).

Mais de loin le plus grand nombre de journaux vit le jour à Ottawa. Une trentaine. Dirigés par cette élite politique et intellectuelle qui se forma à Ottawa, plusieurs affichèrent des couleurs politiques prononcées. Le premier journal français fut *Le Progrès*, fondé en 1858 par des membres de l'Institut canadien-français. Suivront *Le Courrier d'Ottawa* (1861–1864) et *Le Canada*, des entreprises des frères Duvernay, propriétaires de *La Minerve*, le principal journal conservateur de Montréal. *Le Canada* compta parmi ses collaborateurs des écrivains qui occupèrent par la suite une grande place dans la vie de la communauté, par exemple Benjamin Sulte, homme politique et auteur prolifique, et Joseph Tassé, futur député et sénateur. En 1878, un autre journal porta le même nom (*Le Canada*), dirigé par Joseph Tassé, un des chefs conservateurs de la ville; ce journal dura jusqu'en 1896. Il faut encore mentionner *Le Foyer Domestique* (plus tard l'*Album des Familles*) publié par Stanislas Drapeau entre 1878 et 1884. *Le Temps*, créé en 1894, persévéra jusqu'en 1916. Enfin, il a existé quatre journaux humoristiques à Ottawa : *Le Fantasque*, 1879, *Le Triboulet*, 1879, *Le Messager comique*, 1885, *Le Frou Frou*, 1896.

Certains auteurs de ces journaux faisaient partie du groupe des intellectuels de la petite société outaouaise. Par exemple Joseph Tassé (1848–1895), rédacteur du *Canada* d'Ottawa (1867–1868), puis en 1872 traducteur officiel. Auteur prolifique, il publia non seulement dans la presse, mais rédigea plusieurs livres avant d'être élu député d'Ottawa, une première fois, aux élections générales de 1878; réélu en 1882 et battu en 1887, il fut nommé sénateur quatre ans plus tard. Ce fut un acteur important de la vie intellectuelle d'Ottawa. D'autres artistes ou intellectuels se firent remarquer. Mentionnons d'abord Stanislas Drapeau (1821–1893), originaire de Québec, qui arriva à Ottawa en 1865 avec le bureau fédéral de la Statistique. Il fonda en 1876 le *Foyer domestique* et, en 1888, *La Lyre d'or*. Parmi ce groupe d'intellectuels, il faut encore citer le nom d'Hector Berthelot, professeur et photographe, qui habita Ottawa entre 1865 et 1874, et aussi Antoine Gérin, auteur de la fameuse chanson « Le Canadien errant », écrivain, journaliste, traducteur et bibliothécaire.

Le célèbre abbé Cyprien Tanguay, père de tous les généalogistes canadiens, arriva à la même époque, de même que Thomas Chapais, qui fit à la fois une carrière d'homme politique et d'historien. Benjamin Sulte (1841–1923) devint un intellectuel influent à la fin du siècle. D'origine modeste, il commença par publier des chansons et des contes et, à Ottawa, collabora à la rédaction du *Canada*. Il fut ensuite traducteur officiel jusqu'en 1870 quand Cartier le choisit comme chef de division au ministère de la Milice. Ayant épousé en 1871 une fille d'Étienne Parent, il était donc le beau-frère d'Antoine Gérin. En 1874, Sulte présida l'Institut canadien-français d'Ottawa. Il publia un très grand nombre de textes littéraires et historiques, dont beaucoup parurent dans les *Mémoires de la Société royale du Canada*, société dont il fut un des membres fondateurs et, pendant plusieurs années, un des piliers.

Cette élite intellectuelle augmenta son influence dans les dernières décennies du XIXe siècle[21]. Dans le conflit scolaire qui s'annonce au tournant du siècle, elle tiendra un rôle central.

LE PREMIER MOUVEMENT DE COLONISATION DANS L'EST ET AU SUD (1820–1900)

Peupler et coloniser, ces deux articles figuraient au programme de tous les groupes économiques, politiques et sociaux du XIXe siècle, tant en Ontario qu'au Québec, tant au Canada qu'aux États-Unis. La fièvre colonisatrice s'empara de tous les gouvernements nord-américains, dont la volonté d'exploiter les vastes terres incultes du continent découlait de l'idée que la vraie richesse des nations provient de l'agriculture. Les terres étant abondantes, les gouvernements mirent en place des politiques de concession et toute famille put aspirer à devenir propriétaire de son terrain. Une grande expansion démographique se produisit en Europe au XIXe siècle. Cette « explosion blanche » engendra un excédent de population, un trop-plein qui provoqua de grands mouvements migratoires vers toutes les parties du monde, mais principalement vers les Amériques, surtout les États-Unis.

À l'échelle du continent, un attrait irrésistible appelait les colons toujours plus à l'ouest; avec le temps, ces pressions migratoires touchèrent même les agriculteurs déjà établis dans les régions habitées de l'est du continent. Dans cette perspective continentale, le déplacement de Canadiens (français) vers l'Ontario, le Manitoba et le Mid-Ouest américain n'a rien d'étonnant. La proximité de la vallée laurentienne et un contact séculaire avec toutes les régions des Grands Lacs ont péparé l'expansion du Canada français vers le Haut-Canada, même si ces migrations se confondirent, chronologiquement, avec les migrations européennes.

Dans le demi-siècle précédant la Première Guerre mondiale, l'Ontario connut une impressionnante expansion économique, basée non seulement sur l'agriculture, sur le commerce et sur l'activité grandissante du secteur manufacturier dans le sud de la province, mais aussi sur l'exploitation des richesses naturelles du Nord ontarien[22]. Entre 1871 et 1911, la population ontarienne passa de 1,62 à 2,53 millions d'habitants. L'Ontario français, lui, passait durant la même période de 75 383 personnes (4,65 % de la population ontarienne) à 202 242 (8 % de la population provinciale). La plus grande partie de cette population franco-ontarienne, en 1911, était native de l'Ontario : en 1851, il y avait en Ontario 26 417 personnes nées au Québec (francophones ET anglophones), alors qu'en 1901, il n'y en avait que 61 776. Ces chiffres laissent voir que l'Ontario n'a absorbé qu'une modeste partie de l'émigration québécoise qui se chiffre dans les centaines de milliers.

Le contexte de la colonisation franco-ontarienne au XIXe siècle

La participation franco-ontarienne au mouvement de la colonisation se situe dans le double contexte de l'Ontario et du Canada français. L'histoire de l'Ontario, au XIXe siècle, c'est la lente conquête des champs sur la forêt. Après l'acquisition des terres indiennes par la Couronne, les arpenteurs publics traçaient les frontières des cantons qu'ils subdivisaient ensuite en sections puis en lots. Pour exploiter les cantons ouverts à la colonisation, il fallait des bras et l'Ontario, riche en terres et pauvre en agriculteurs, en manquait toujours. C'est pourquoi le Haut-Canada chercha toujours des immigrants. Les premiers gouvernements du Haut-Canada ne lésinèrent pas en distribuant généreusement des terres aux amis du pouvoir, aux loyalistes et à leurs descendants. Mais l'aliénation abusive des terres de la Couronne devint parfois nuisible au peuplement parce que les spéculateurs, dans l'attente d'une hausse des prix, retardaient la vente de leurs propriétés, contribuant ainsi à l'éparpillement des colons et à leur isolement, deux facteurs qui entravèrent le peuplement[23].

Pour mettre fin à certains abus de spéculation, le gouvernement du Haut-Canada adopta en 1837 une première loi prévoyant la vente des terres publiques à l'encan, au meilleur prix. Le gouvernement du Canada-Uni adopta, entre 1841 et 1867, plusieurs lois fixant les modalités de concession aux seuls colons de « bonne foi ». Le colon, à partir de 1859, devait fournir des preuves de résidence et de mise en culture de ses terres avant d'en obtenir le titre définitif. Surtout, en 1868, une loi d'établissement rural (« Free Grant and Homestead Act ») mit en place le régime de concession des terres qui dura jusqu'au XXe siècle et dont les effets se firent surtout sentir dans le Nord. Aux termes de cette loi, le gouvernement accordait aux couples, selon qu'ils avaient ou non des enfants, 200 ou 100 acres de terre, dans certains cantons désignés. Le colon recevait le titre de sa propriété après cinq années s'il avait rempli trois conditions : avoir tenu feu et lieu, avoir mis 15 acres en culture et avoir construit une résidence mesurant au moins 16 pieds sur 20.

La colonisation fut aussi une question importante au Canada français. L'agriculture de la vallée du Saint-Laurent, dans la première moitié du XIXe siècle, « se trouve dans un état lamentable »[24], situation qui se traduit par l'endettement des habitants, par l'épuisement des sols, par le surpeuplement des seigneuries, par le morcellement et l'exiguïté des parcelles de terre, par un manque de productivité. L'émigration des ruraux vers les villes s'accrut au milieu du siècle, les journaux de l'époque regorgeant de descriptions de ces départs ruraux. C'est alors que naquirent, à partir des années quarante, des sociétés de colonisation, greffées sur les structures ecclésiastiques et fortement soutenues par les autorités politiques du temps[25]. Toutes les couches sociales et politiques du Canada français, dans ce que Gabriel Dussault a appelé une « Sainte-Alliance », partagèrent la volonté de peupler et de coloniser les nouvelles régions rurales.

Le prêtre-colonisateur, dont le modèle achevé fut le fameux curé Antoine Labelle, devint le fer de lance de cette activité. Louis Hamelin l'a dit clairement : « Chaque fois que l'on n'a pu trouver de prêtre... la colonisation a piétiné[26]. » Le clergé apportait son appui à la colonisation par la fondation de sociétés de colonisation diocésaines et paroissiales, chargées de la propagande, du recrutement et du financement de la colonisation, mais aussi par l'organisation de cercles agricoles, par la publication de mandements encourageant la colonisation, par la collecte de quêtes spéciales. À la demande de leur évêque, les curés des vieilles paroisses organisaient chaque année des réunions publiques pour encourager les jeunes à relever le défi de la colonisation. Parfois, la société de colonisation aidait l'éventuel colon durant sa première année de défrichement.

Encouragés par la propagande des gouvernements, par l'attrait des terres à bon marché, par les exhortations du clergé, par la publicité des sociétés ferroviaires, des dizaines de milliers de colons canadiens-français prirent la route de l'Ontario et des autres parties de l'Amérique du Nord. La colonisation dans l'Est ontarien ne fut que le prolongement d'une activité semblable ailleurs dans la vallée laurentienne.

D'autant plus que le diocèse de Bytown se développait dans la mouvance de la hiérarchie catholique, et française, du Québec. Emboîtant le pas à ses collègues du Québec, l'évêque Bruno Guigues fondait dès septembre 1849 une société de colonisation dont il prit la présidence. Selon le biographe de Guigues : « La colonisation fut une des grandes affaires de sa vie[27] »; son successeur, Thomas Duhamel, montra le même zèle, allant jusqu'à nommer un « prêcheur diocésain de colonisation », J.-B. Nolin. La colonisation se présente à la fois comme une œuvre nationale et comme un devoir religieux. En créant la société de colonisation du Témiscamingue (1884), Duhamel notait que « La patrie et la religion gagneront beaucoup par la fondation de missions et de paroisses dans ces bois[28]. »

Le colon et sa famille répondent, eux, à des considérations matérielles beaucoup plus immédiates, comme l'endettement ou le manque de terres dans les vieilles paroisses. Dans son célèbre récit, Antoine Gérin-Lajoie a bien décrit le défrichement d'un lot de colonisation[29]. À l'automne, le futur colon érige sur son lot une cabane construite en rondins ou en bois équarri, commence aussitôt l'abattage des premiers arbres afin de pouvoir au printemps faire les premières semences. Les arbres abattus, brûlés, produiront la cendre qui sera la source de modestes revenus. Au printemps, les semences, jetées sur la terre vierge, entre les souches, donneront généralement de bons résultats. Heureusement pour le colon, car il ne possède pas beaucoup d'argent et il doit acheter des outils, des provisions et, surtout, des semences. Toute la famille du colon joue un rôle central car la femme contribuera largement aux travaux et les enfants, s'il y en a, travailleront aussi au défrichement de la terre. Le dur travail se poursuivra des années encore, la famille du colon vivant dans la crainte constante d'une mauvaise récolte. Pour joindre les deux bouts, le colon ira s'embaucher dans les chantiers ou dans les scieries afin de toucher un revenu d'appoint. Cette vie de misère comportait en outre une alimentation sommaire. Mais le pire, selon certains, c'était l'isolement, le manque de routes.

Vers le milieu du XIXe siècle, les curés colonisateurs estimaient qu'il fallait de 250 $ à 300 $ pour établir un colon. W.T. Easterbrook et H.G.J. Aitken, de leur côté, évaluent à 500 $ le coût d'établissement. Pour fin de comparaison, il faut rappeler qu'au milieu du siècle dernier, un ouvrier spécialisé pouvait gagner de 5 $ à 6 $ la semaine, soit environ 250 $ par année. Le sort économique du colon ne s'améliora qu'avec l'agrandissement des surfaces en culture, surtout s'il arrivait à vendre ses récoltes ou ses animaux. Avec le temps, le nombre de voisins augmentait, les fermes devenaient plus prospères. S'il réussissait bien, le colon remplaçait sa cabane par une maison en planche ou en bois équarri, blanchie à la chaux et recouverte de bardeaux. Mais ces améliorations prenaient du temps.

La colonisation, malgré toute la propagande agriculturiste, restait un défi.

La colonisation dans Prescott-Russell

Après la Guerre de 1812, le gouvernement britannique favorisa la colonisation de l'Outaouais, établissant des foyers de peuplement à Perth, à Richmond et à Lanark. On pensa d'abord que les Écossais formeraient le gros des effectifs, mais des colons irlandais les rejoignirent dès les années 1820. La politique britannique de canaliser certains immigrants vers les comtés de Carleton et de Lanark réussit assez bien et plusieurs cantons se remplirent[30].

Les deux comtés les plus à l'est, Prescott et Russell, le long de la rivière des Outaouais, ne contenaient encore qu'une population dispersée, en partie transitoire, vivant proche de la rivière. Selon un témoignage devant le groupe d'enquête institué par l'Assemblée législative du Bas-Canada en 1821, les Canadiens ne s'établissaient pas dans le Haut-Canada d'abord par peur de la tenure en franc et commun soccage, ensuite parce qu'ils craignaient de ne pouvoir pratiquer leur religion et obtenir des écoles de langue française[31]. Pourtant, ces régions limitrophes du Québec étaient appelées à devenir la terre de prédilection des colons canadiens arrivant en Ontario dans la deuxième moitié du siècle.

Les bûcherons des vieilles paroisses du Saint-Laurent fréquentaient déjà l'Outaouais inférieur depuis 1810. Quand il visita Hawkesbury, en 1820, le missionnaire William Salmon nota qu'il y avait trouvé « un Canadien, propriétaire, du nom de Saint-Julien, et plusieurs autres Canadiens ». Quelques colons, tels Étienne Châtelain à Plantagenet ou Jean-Baptiste Paquette à Alfred, prirent des terres durant les années 1820. Selon Rameau de Saint-Père, qui a visité le Canada quelques décennies plus tard, les Canadiens formaient en 1844 des noyaux à L'Orignal et dans les cantons avoisinants. Il précisait que « les voyageurs, draveurs, navigateurs de l'Ottawa sont presque tous Canadiens. Ils forment de petits établissements sur le bord du fleuve [la rivière des Outaouais]. »

Selon Guigues, la création du diocèse de Bytown, en 1847, avait pour but d'aider à établir des colons, irlandais et français, dans la région entre Rigaud et Bytown. La rivière des Outaouais donnerait aux colons une voie de communication avec Montréal et l'extérieur. En plus, et c'était un grand avantage aux yeux de Guigues, les colons auraient la possibilité de travailler dans les chantiers[32]. Tous, cependant, ne partageaient pas cet enthousiasme, comme le journaliste Étienne Parent qui, dans une lettre à Rameau de Saint-Père en 1859, mettait en doute « que notre race acquière jamais aucune importance sociale sur l'Ottawa »[33]. Au milieu du XIXe siècle, les jeux n'étaient pas encore faits. Après une visite à Clarence, en 1860, Guigues, de son côté, écrivait que « Les terres sont excellentes et peu cher : quatre à cinq piastres l'arpent : les Canadiens affluent et cette paroisse aura l'avantage d'être d'une seule langue. » Ce commentaire révèle bien la stratégie épiscopale : attirer les colons vers des bonnes terres qui coûtent peu et les y garder en établissant pour eux des paroisses linguistiquement homogènes.

Dans l'Est ontarien, les premiers noyaux de peuplement se constituèrent le long de la rivière, mais petit à petit, des routes pénétrèrent à l'intérieur des terres. Les premières paroisses de Prescott et de Russell surgirent à L'Orignal (1836), à Saint-Eugène (1851), à Curran (1860), à Orléans (1860), à Embrun (1864), à Clarence-Creek (1865), à Fournier (1866). Ce sont les plus anciens foyers de peuplement rural de l'Est où le poids économique de l'industrie forestière resta grand tout au cours du siècle, non seulement dans une ville comme Hawkesbury, où les scieries de la famille Hamilton, à la fin du siècle, employaient de 800 à 900 hommes, mais aussi dans les nombreux chantiers qui exploitaient les forêts subsistant encore dans cette région. Il est significatif que Guigues, dans sa propagande en faveur de la colonisation, ne manquait jamais de signaler l'avantage pour les futurs colons de trouver du travail en forêt ou dans les scieries[34].

Les colons arrivaient souvent avec leur famille, en compagnie de parents ou de voisins de leur paroisse d'origine. Ainsi, la migration n'est pas un phénomène individuel, ce que l'historien de la famille Chad Gaffield a bien mis en valeur en examinant le peuplement de deux cantons du comté de Prescott, Alfred et Caledonia. Il note que le gros de l'immigration se produisit avant 1880 et que, par conséquent, c'est l'accroissement naturel qui explique après cette date la croissance de la population de langue française. Les mariages y sont endogames, les deux groupes linguistiques vivant dans « two demographic solitudes ». Les familles comptaient en moyenne 6,1 enfants en 1881 et 5,75 enfants en 1901. Les colons qui s'établissaient en Ontario ne furent pas des déracinés vagabonds, arrivant seuls, comme certains l'auraient prétendu[35]. Tant dans l'Est que dans le Nord, l'histoire de la colonisation de nombreux villages démontrerait en effet que la colonisation n'est pas un phénomène individuel.

Pour ces populations, l'unité sociale de base fut la paroisse. Ce n'est pas une institution spécifique au Canada français, mais elle a pris une importance particulière pour les minorités françaises du Canada en devenant le foyer sur lequel se sont greffées les institutions gardiennes de la langue et de la culture françaises : c'est la différence entre la paroisse française et la paroisse desservant les autres catholiques irlandais ou écossais. Étant donné l'importance historique de la paroisse au Canada français et son rôle central dans l'organisation de l'Ontario français, la date de fondation des paroisses marque efficacement les jalons de l'expansion du peuplement franco-ontarien, aussi bien dans les villes qu'à la campagne[36].

Au début, le village de L'Orignal, dans le canton de Longueuil, devint le centre politique de la partie orientale du canton. Les colons canadiens-français arrivèrent ici surtout après 1850, mais ils augmentèrent si vite qu'ils formèrent la majorité de la population lors du recensement de 1861. Ils se regroupèrent surtout autour de la section de Saint-Charles, alors que les protestants occupèrent plutôt Caledonia. À Saint-Eugène, dans le canton de Hawkesbury-Est, Guigues constatait en 1857 que les protestants vendaient leurs terres aux catholiques. Le village de Sainte-Anne-de-Prescott se détacha de Saint-Eugène dans les années 1880. D'abord appelé Grand-Chantier, le village de Sainte-Anne se constitua autour de l'auberge d'Alexandre Vachon, tandis que la Chute-à-Blondeau regroupait des gens qui, au milieu du siècle, sont « presque tous occupés à la drave sur la rivière ». Selon Lucien Brault : « De 1800 à 1830, tous les voyageurs et tous les colons naviguant sur l'Outaouais s'y arrêtaient[37]. »

Les Canadiens français fréquentèrent les environs du village de Plantagenet, plus à l'ouest, dès les années 1830. À partir de ce noyau, la colonisation s'étendit dans les deux cantons de Plantagenet (nord et sud), mais notamment vers le nord-ouest, près de Wendover. À la suite de conflits entre Français et Irlandais, Guigues établit une mission pour les Français à trois milles au sud, à Curran, où beaucoup de Canadiens français s'établirent durant les années 1860, principalement à l'ouest de Curran. En 1868, la paroisse Saint-Luc (Curran) comptait 300 familles. Peu à peu, les loyalistes, établis les premiers, abandonnèrent la région aux catholiques. Si bien qu'à la fin du siècle, dans la paroisse de Saint-Luc, où l'industrie laitière connaissait une grande activité, on trouvait 218 familles, dont seulement 57 irlandaises. Quant à la paroisse de Saint-Paul, dans Plantagenet-Nord, son érection canonique en 1877 mit fin à sa rivalité avec Curran.

La colonisation de Plantagenet-Sud, plus éloignée de la rivière, prit plus de temps. C'est ici que naquirent les paroisses de Saint-Bernard de Fournier (1867) et, plus tard, Saint-Isidore de Prescott (1883), villages à très forte concentration française. À Saint-Isidore, il existait de bonnes terres autour de la mission, surtout à l'ouest et à l'est. Dans les années 1870 et 1880, les colons canadiens-français occupèrent la région entre Saint-Isidore (Scotch River) et Saint-Bernardin. En 1897, Saint-Isidore comptait 240 familles, toutes françaises sauf une. Une telle homogénéité, fréquente dans les comtés de l'Est, répondait au dessein de l'évêque Guigues.

Le petit village de Fournier se forma au milieu du XIXe siècle, le long de la route reliant Vankleek-Hill et Casselman. En cet endroit, Bernard Lemieux construisit en 1854 un moulin sur le ruisseau Castor et l'année suivante, Cajetan Fournier y ouvrait un magasin général. Plusieurs familles arrivèrent dans les années 1860 et l'érection de la paroisse eut lieu en 1867, transformant la région en milieu fortement franco-ontarien. Au sujet du village de Fournier, Guigues notait en 1859 : « Lorsque je plantai, en juillet 1854, la croix pour marquer la place de la future église, il n'y avait là que 29 familles, presque toutes irlandaises. Aujourd'hui, ce nombre a doublé et la majorité est devenue canadienne. » À la fin du siècle, la paroisse comptait 292 familles, dont seulement 46 de langue anglaise.

Vankleek-Hill, à l'extrémité sud-est du comté de Prescott, se développa dans la deuxième moitié du siècle grâce à l'agriculture. Le passage du chemin de fer Canada-Atlantique, au début des années 1880, confirma la vocation commerciale du village qui possédait un moulin à farine depuis 1875. On y fabriquait aussi des traîneaux, des cutters, des charrettes dans des entreprises qui étaient toutes anglaises, sauf une industrie de voitures d'été et de carrioles d'hiver, fondée par Auguste Mercier en 1861.

Située en amont des rapides de Carillon où un entrepreneur américain, Thomas Mears, installa au début du siècle un barrage et une scierie, plus tard une meunerie et une distillerie, Hawkesbury, érigé en municipalité en 1858, fut la plus importante ville du comté de Prescott. Les premiers habitants de la région furent des loyalistes et des immigrants britanniques, la population française restant faible, de sorte que la première paroisse française de cette ville ne fut créée qu'en 1883. Mais en 1897, Barbezieux indique que la paroisse catholique comptait 323 familles, dont seulement 33 irlandaises. La ville elle-même, devenue française, possédait une école séparée où huit religieuses enseignaient à 400 enfants.

Un autre centre de peuplement se constituait dans le canton d'Alfred, le long de la rivière des Outaouais. Sur la crique des « Atocas », où Jean-Baptiste Paquette vivait en 1800, les habitants canadiens-français commencèrent à arriver à partir des années 1820 et 1830, mais ils s'établirent surtout dans les décennies suivantes. Le village d'Alfred fut érigé en municipalité en 1852, et le canton s'organisa en municipalité en 1854 avec le village comme chef-lieu. À la fin du siècle, la paroisse comprenait 320 familles, dont le quart seulement dans le village et dont seulement 19 étaient de langue anglaise. Dans la région du nord-ouest du canton d'Alfred, le village de Lefaivre se développa après 1850, tirant lui aussi son existence de l'agriculture et de l'industrie forestière.

Le peuplement du comté de Russell, plus à l'ouest, prolongeait tout naturellement, dans l'espace et dans le temps, la colonisation de Prescott[38]. Dans Russell, la colonisation française s'étendit surtout dans les cantons de Cumberland et de Clarence, situés le long de la rivière, et dans Russell et Cambridge, plus au sud. Les villages d'Embrun et de Cumberland étaient les deux centres les plus anciens du comté, mais Rockland en devint avec le temps la principale ville.

Dans ce comté, et dans le cœur de Guigues, le point de départ de la colonisation franco-ontarienne fut le village d'Embrun, dans le canton de Russell. Ce premier établissement français, situé le long du ruisseau Castor, un affluent de la Petite-Nation-du-Sud, et récemment qualifié de « société rurale, catholique, française et heureuse[39] », devint un foyer de peuplement à l'intérieur des terres. La région d'Embrun reçut surtout des colons de langue française à partir des années 1850, grâce aux efforts de la société de colonisation fondée en 1849. Ils arrivaient de Montréal, de Vaudreuil, de Joliette et des Laurentides. En 1861, le village comprenait déjà une école, quatre scieries et deux moulins à farine. Lors de sa visite, en 1865, Guigues nota cependant que les habitants d'Embrun « s'abandonnent à la boisson et se font exploiter par des marchands protestants », malgré la prospérité qu'il rapporta dans les années suivantes. La paroisse Saint-Jacques d'Embrun, la plus grosse du diocèse, devint le modèle même, dans l'Est, du « village catholique », rural, linguistiquement homogène. À la fin du siècle, la paroisse regroupait 425 familles, toutes françaises sauf une.

Le peuplement progressa d'abord dans les deux cantons longeant la rivière, Clarence et Cumberland, où 120 familles catholiques vivaient déjà en 1857. Trois centres ruraux se constituèrent dans le canton de Clarence (Clarence-Creek, Bourget et, plus tard, Saint-Pascal-Baylon), tandis que dans le canton de Cumberland, les deux foyers furent Orléans et Sarsfield. L'origine de Rockland, la seule ville de Clarence, remontait à l'industrie du bois, notamment aux scieries que William C. Edwards établit en 1868, à quelques milles en amont de Clarence-Point. Une nombreuse main-d'œuvre, dans la ville, en dépendait. Le feu rasa tous les ateliers en 1875, mais le village continua d'exister. Le nombre d'ouvriers canadiens-français augmenta au point qu'en 1889, ils obtinrent une paroisse française à Rockland. Mais cette population ouvrière dépendait du travail des scieries, une situation précaire.

Trois villages franco-ontariens se développèrent dans le canton de Cambridge : Saint-Albert, Casselman et Limoges. Situé en arrière du canton de Clarence, qui avait d'abord reçu des colons écossais, Cumberland, plus loin de la rivière, fut colonisé par des familles canadiennes-françaises qui occupèrent davantage la partie nord du canton, d'abord autour du village de Saint-Albert. Cependant, le passage du chemin de fer, au début des années 1880, favorisa définitivement le développement de Casselman et de South-Indian (Limoges). Dans les environs de Casselman, les colons écossais s'établirent les premiers, suivis des anglais puis des canadiens-français. Ceux-ci arrivèrent par le sud, en passant par Crysler, dans le canton de Finch. En 1881, le Canada-Atlantique traversa le village, ouvrant tout grand les terres avoisinantes à la colonisation qui progressa rapidement et donna un essor considérable au village de Casselman, aux dépens de Saint-Albert. Le village prit un caractère français. La région de South-Indian (aujourd'hui Limoges) fit d'abord partie d'Embrun, puis releva de Casselman. Ce village se trouvait aussi sur la route du Canada-Atlantique, à la tête de l'embranchement de Rockland.

Les autres régions de la colonisation franco-ontarienne (1850–1890)

Les colons écossais occupèrent les premiers les terres rocailleuses des comtés de Glengarry et de Stormont, les deux comtés situés au sud de Prescott-Russell. Mais après 1860, ils commencèrent à vendre leurs propriétés aux Canadiens français arrivant du Québec, tout proche, invasion qui inquiéta le clergé écossais de cette partie du diocèse de Kingston, puis, après 1890, du nouveau diocèse d'Alexandria. Les autorités ecclésiastiques craignaient de perdre parmi les catholiques leur majorité anglophone. Néanmoins, le peuplement de Prescott et de Russell, de plus en plus français, débordait vers le sud, dans les environs de Saint-Albert. Des foyers de peuplement français se formèrent au nord de Stormont, dans les cantons de Finch (Crysler) et de Roxborough (Moose-Creek), une colonisation qui prit un nouvel essor après 1881 quand passa le chemin de fer Canada-Atlantique.

Dans Glengarry et Stormont, où l'évêque de Kingston refusait d'ériger des paroisses de langue française, les familles gardèrent parfois l'habitude de retourner dans leur paroisse d'origine pour les baptêmes, les mariages, la confession, se contentant de se plaindre que leur évêque, à Kingston, ne se souciait pas assez des services en français. La création du diocèse d'Alexandria, en 1890, ne changea rien[40].

Au pire, l'évêque admettait le besoin de l'une ou l'autre paroisse bilingue. Les deux premiers évêques d'Alexandria (Alexander MacDonell, 1890–1905, et William Andrew MacDonell, 1906–1920) refusèrent de recruter des prêtres de langue française, disant que les prêtres bilingues suffisaient. Selon le premier MacDonell, les Canadiens français ne réclamaient l'usage du français que pour « propagate and perpetuate the French language[14] ». Plus tard, à l'époque du Règlement 17, l'évêché interdit l'enseignement en français dans les écoles paroissiales[42].

Les premières familles canadiennes-françaises arrivèrent à Cornwall vers 1830, mais elles restèrent relativement peu nombreuses avant la deuxième moitié du siècle quand la ville prit son véritable essor économique grâce aux manufactures de textile et à une papeterie. Cette expansion industrielle attira beaucoup de travailleurs, dont certains Canadiens français qui, en 1871, constituaient 16 % de la population de la ville. Durant le siècle suivant, ils devinrent majoritaires. À Cornwall même, les catholiques fondèrent une première paroisse (Saint-Columban) en 1834 et une deuxième (Nativité de la Bienheureuse-Vierge-Marie) en 1887. En cette époque de grandes tensions linguistiques, l'évêque d'Alexandria trouva assez de courage, en 1892, pour décider que les deux paroisses de la ville se partageraient désormais les fidèles, non plus géographiquement, mais au point de vue ethnique. À partir de ce moment, la population canadienne-française de la ville s'identifia à la paroisse française de la Nativité.

Plus au nord, dans le comté de Carleton, qui comprend la ville d'Ottawa, quelques noyaux de peuplement canadien-français se formèrent, soit dans la ville d'Ottawa même, soit dans le canton de Gloucester. Mais l'ensemble du comté de Carleton garda une forte majorité anglophone. À la fin du siècle, Barbezieux considérait les comtés de Carleton et de Renfrew, à l'ouest, comme perdus à la colonisation catholique : « Les Canadiens n'y prendront point pied, car les bonnes terres, toutes occupées et bâties, étaient devenues trop chères pour des commerçants. Ici la cause de la colonisation catholique est donc définitivement perdue... On peut dire la même chose du comté de Renfrew, quoique à un moindre degré. »

Juste à l'est d'Ottawa, il y avait à la fin du XIXe siècle deux petits villages, appelés à former plus tard Eastview (Vanier). Janeville, le plus gros, forma la partie sud du futur village d'Eastview, tandis que Clarkstown, plus proche de la sortie de la rivière Rideau, au nord, constitua le noyau de la paroisse Saint-Charles d'Eastview. Ce qui favorisa la croissance de Janeville, c'est le passage de la voie ferrée du Bytown-Prescott en 1854. Au début du XXe siècle, 68 personnes seulement (dont 61 Canadiens français) vivaient dans la partie nord

TABLEAU III
Proportion de langue française selon les comtés de l'est

Année	*Prescott*	*Russell*	*Carleton*	*Renfrew-S*	*Renfrew-N*
1871	54,5 %	30,3 %	3,8 %	9,0 %	11,6 %
1881	42,1 %	38,4 %	6,8 %	10,5 %	15,4 %
1901	71,0 %	49,8 %	13,1 %	11,6 %	12,7 %
1911	74,6 %	56,5 %	14,6 %	11,3 %	12,5 %

Source : *Recensements du Canada*, 1871, 1881, 1901, 1911.

(Clarkstown) et 344 (dont 122 de langue française) dans la partie sud (Janeville). Dans les deux petits villages, fusionnés en 1908 sous le nom de Eastview, on comptait, en 1901, 3 169 personnes. La majorité en devint rapidement de langue française.

En 1873, l'évêque Guigues avait ouvert à Cyrville, située à l'est de Janeville, une paroisse qui prit le nom du sanctuaire, tout près, consacré à Notre-Dame-de-Lourdes. À leur arrivée à Ottawa, en 1887, les montfortains prirent la direction de la paroisse de Cyrville, mais ils établirent leur maison plus à l'ouest, à Janeville. Ainsi, il y eut par la suite deux paroisses du même nom : Notre-Dame-de-Lourdes de Cyrville et Notre-Dame-de-Lourdes de Cumming's Bridge (Eastview). Plus tard, les montfortains, expulsés de France, établirent leur scolasticat Saint-Jean à Eastview. La paroisse de Cumming's Bridge étant éloignée de la rivière, les habitants de Clarkstown, au nord, réclamèrent leur propre paroisse, objectif atteint en 1908 par la fondation de la paroisse Saint-Charles d'Eastview.

À l'est d'Eastview et de Cyrville, dans le canton de Gloucester toujours, se trouve le petit village d'Orléans, à quelques milles en aval de Bytown, où des familles originaires de Deux-Montagnes, de Terrebonne et de Saint-Jean commencèrent à arriver dans les années 1850. En 1857, la paroisse comptait 90 familles, la plupart canadiennes-françaises. Lors de sa visite de 1871, Guigues notait l'existence de 110 familles catholiques dans la mission de Saint-Joseph d'Orléans; il y en aura 196 en 1897, dont 168 de langue française. Il s'agit donc, comme dans Prescott et Russell, d'un milieu relativement homogène, catholique et français.

En amont d'Ottawa se trouvaient les villages d'Arnprior, où vivait une population de langue française, de Renfrew, peu fréquenté par les Canadiens français, de Lapasse, ancien centre de voyageurs, et de

Pembroke, appelé à devenir la principale ville du comté de Renfrew. Dans ces régions, c'est l'industrie du bois qui attira les immigrants, comme à Pembroke, où de grandes scieries employaient beaucoup de travailleurs. Les Canadiens français, ici, semblaient peu enclins à l'agriculture, comme le constate Barbezieux en 1897, quand il affirme que dans le comté de Renfrew, les Canadiens français « habitent les villes des bords de l'Ottawa ». Dans la paroisse Saint-Jean-Chrysostome d'Arnprior, à la fin du siècle, on dénombre 135 familles canadiennes-françaises parmi les 300 qu'elle contient. Cette population française a d'ailleurs pris l'initiative de fonder une section de l'Union Saint-Joseph, une société de bienfaisance qui se fusionna en 1895 à l'Union Saint-Joseph d'Ottawa. Dans la petite ville de Renfrew, les Canadiens français formaient environ le tiers de la paroisse Saint-François-Xavier, le restant de la population se partageant également entre les Irlandais et les Polonais.

En remontant la rivière, on atteint ensuite le petit village de Lapasse. Au début, ses habitants n'avaient qu'une mission, mais ils avaient érigé une croix « sur la pointe d'en haut de l'île » et élevé une statue à Sainte-Anne, où ils se réunissaient le dimanche pour dire le chapelet et entonner des cantiques. En route vers la rivière Rouge, dans l'Ouest, les missionnaires s'arrêtaient et faisaient la mission, de part et d'autre de la rivière. Du côté ontarien, ils se réunissent chez J.-B. Renaud. En 1849, Guigues commente plaintivement que « La chapelle de la Passe est dans une très belle position et ce lieu promettait de devenir considérable, si les Canadiens étaient plus économes et savaient conserver leurs terres. Malheureusement quelques-uns en ont déjà vendu aux protestants; d'autres le feront probablement encore, car Dieu ne peut pas bénir une localité où règne tant d'indifférence religieuse. » Ces descendants de voyageurs semblaient donc faire des colons peu sûrs. Ils avaient la bougeotte et furent bientôt candidats à des déplacements vers le nord de l'Ontario quand cette région s'ouvrit à la colonisation à la fin du siècle. La paroisse, érigée en 1858, était fortement française.

À la fin du XIXe siècle, Barbezieux nous indique aussi qu'un autre groupe de voyageurs vivait à Combermere, sur la rivière Madawaska, dans le canton de Radcliffe, au sud de Barry's Bay : « Les habitants sont des fermiers canadiens, anciens voyageurs, perdus dans ces régions protestantes; ils comptent une vingtaine de familles. » On trouvait encore quelques familles canadiennes-françaises près d'Eganville, dans Perreault, groupe qu'on détacha d'Eganville en 1852 pour le rattacher à Renfrew, où le curé parlait français.

La plus grande ville du comté de Renfrew était Pembroke, située à la décharge du lac du Rat-Musqué par où passaient les anciens voyageurs afin d'éviter les rapides et le long détour de la rivière des Outaouais. On y exploitait plusieurs scieries. Quand Guigues visita la mission en 1849, il remarqua dans son auditoire « bon nombre de Canadiens qui auraient eu besoin de se confesser ». Pembroke n'était encore qu'un embryon de village, divisé du reste en deux foyers rivaux. La paroisse bilingue, fondée en 1855, et ses missions, comptaient, en 1897, 560 familles dont 276 canadiennes. En amont de Pembroke, d'autres familles canadiennes-françaises formèrent environ le tiers de la population catholique dans les villages de Chalk-River et d'Alexander-Point. Le passage du chemin de fer, au début des années 1880, encouragea la formation de plusieurs autres petits villages en amont : Mackey's-Station, Deux-Rivières et d'autres petites gares le long de la voie ferrée.

Ainsi, à la fin du XIXe siècle, la colonisation avait presque atteint son expansion maximale dans les comtés de l'Est ontarien. Approchant du Bouclier canadien, elle s'étirait, péniblement, le long de la rivière des Outaouais et de ses affluents. Sauf dans quelques petites zones, ces régions n'avaient pas de vocation agricole. Pour continuer, la colonisation devait faire un saut, par-dessus les régions montagneuses, vers les environs du lac Nipissing, où les terres basses se prêtaient mieux à l'agriculture et à la colonisation. C'est le chemin de fer qui rendit possible cet enjambement dans les dernières décennies du XIXe siècle.

Peu d'études ont traité directement de la qualité de l'agriculture pratiquée par les Canadiens français dans les régions rurales de l'Est. Dans les zones de colonisation, et ce sera encore le cas au XXe siècle, le grand défi de la colonisation, c'est de transformer le colon en agriculteur. Alors que le premier se consacrait à l'abattage des arbres et à la préparation de la terre, il maintenait souvent une activité parallèle dans la coupe du bois pour obtenir un revenu d'appoint. Quand sa terre devenait suffisamment déboisée et que la superficie en culture était assez grande, le colon cessait d'aller aux chantiers et consacrait tout son temps à l'agriculture. Au XIXe siècle, il existait peu de débouchés commerciaux pour les produits de la ferme, sauf dans les petites villes locales et dans les chantiers; ainsi, le foin constitua un produit commercial parce que le transport, à l'époque, dépendait des nombreux chevaux qu'il fallait nourrir. Les fermes proches des chantiers eurent un avantage considérable dans la vente du foin, qui coûtait très cher à faire venir du Sud.

Ce n'est qu'à la fin du XIXe siècle que la spécialisation agricole se développa dans l'Est. C'est l'industrie laitière qui marqua ce passage. En effet, un très grand nombre de beurreries et de fromageries surgirent dans l'est de l'Ontario. Ainsi, en 1888, Stanislas Chénier et

Moïse Gendron établirent la première fromagerie de Bourget; pendant quelques mois, certains cultivateurs mécontents exploitèrent même une deuxième fromagerie dans le petit village. Plusieurs autres naîtront dans l'Est ontarien. Les fermiers canadiens-français de Prescott et de Russell participèrent à ce mouvement. Un débat passionné oppose les historiens sur la qualité de l'agriculture canadienne-française au XIXe siècle, surtout en regard de l'agriculture des anglophones. Dans la documentation disponible sur l'Est ontarien, il n'existe pas d'indice que les Canadiens français pratiquaient un type d'agriculture inférieur aux autres, compte tenu des circonstances locales. L'étude récente de Nicole Casterna sur Prescott conclut même, pour 1871, que « les paysans canadiens-français semblent tirer le meilleur parti possible du sol et des ressources parfois très modestes dont ils disposent[43] ».

Dans son étude sur la colonisation dans l'est de l'Ontario, le plus substantiel des travaux sur le peuplement franco-ontarien dans cette région, Donald Cartwright utilisa les « Farmers' Directories » de 1885, de 1895 et de 1905 pour conclure que plusieurs colons furent d'abord des locataires de leurs terres avant d'en devenir les propriétaires. Mais on préférait toujours devenir propriétaire. Dans tout l'Ontario, d'ailleurs, le modèle normal d'exploitation du sol était la petite ferme familiale, ce qui s'explique par la facilité d'acquérir des terres et par l'ambition universelle des colons de devenir propriétaires indépendants. À cette époque, les grandes unités d'exploitation étaient inexistantes car on n'aurait pu trouver pour les mettre en valeur la main-d'œuvre nécessaire.

C'est au Sud-Ouest, dans les comtés d'Essex et de Kent, que l'agriculture franco-ontarienne a le mieux réussi. La population canadienne-française de ces régions doubla entre 1850 et 1870, grâce à l'arrivée d'immigrants du Québec. En 1871, les deux comtés comptaient 14 000 Canadiens français, population concentrée surtout dans les cantons de Rochester, de Sandwich-Est, de Tilbury et de Dover. C'est alors que se formèrent plusieurs paroisses agricoles situées au sud du lac Sainte-Claire[44]. Dans l'État américain de Michigan, juste à côté, la proportion de Canadiens français augmenta durant le XIXe siècle, ces immigrants étant attirés par l'industrie du bois et par le travail dans les mines. En 1890, selon Télesphore Saint-Pierre, le Michigan aurait compté 140 000 Canadiens français, probablement davantage. Le recensement canadien de 1891 n'indiquait que 14 001 Canadiens français dans l'Essex, ce qui traduisait d'ailleurs un léger recul par rapport au recensement de 1881. Dans le comté voisin de Kent, la population française, entre 1881 et 1891, déclina de 4 529 à 3 183. Après les premières vagues d'immigrants, l'attrait d'Essex semblait diminuer pour les colons arrivant du Québec[45].

C'est depuis la paroisse de l'Assomption (Windsor) que le clergé catholique tenta d'organiser la vie religieuse des régions périphériques, en amont et en aval de la rivière du Détroit. La région de la Rivière-aux-Canards, en aval de Sandwich, reçut ses premiers colons dès le XVIIIe siècle. D'autres Canadiens, encore plus au sud, s'établirent dans les environs du fort Malden, à Amherstburg. Sandwich conserva son rôle de chef-lieu du comté d'Essex, mais le passage du chemin de fer, en 1854, appela Windsor à un plus grand avenir que Sandwich.

Au sud du lac Sainte-Claire, à Belle-Rivière, les colons affluèrent en assez grand nombre pour que le curé de l'Assomption y établisse en 1834 une mission dédiée à Saint-Jude, plusieurs familles canadiennes-françaises arrivant dans les années 1840. Après le passage du Great-Western, une première meunerie et une scierie, appartenant à Luc et à Denis Ouellette, s'installèrent de part et d'autre de la rivière, juste au sud de la voie ferrée, La scierie s'approvisionna en bois auprès des nouveaux colons qui faisaient de la terre. Par la suite, les colons produisirent des céréales qu'ils apportaient à la meunerie pour transformation. Grâce au transport ferroviaire, beaucoup d'autres colons canadiens-français arrivèrent durant les années 1860 et 1870. L'agriculture fut la principale activité de Belle-Rivière, mais le transport par bateau joua aussi un rôle important à la fin du XIXe siècle.

L'accroissement démographique de la région fut tel qu'en 1867, on divisa la paroisse de Belle-Rivière pour créer, à l'est, la paroisse de L'Annonciation à Pointe-aux-Roches, la rivière Ruscom servant de frontière. À l'intérieur des terres, sur la rivière Ruscom, les environs de Saint-Joachim attirèrent aussi des colons, mais ils se trouvaient à l'écart des voies de transport; à l'embouchure de la rivière, il y avait en 1854 un bureau de poste, un magasin général et un hôtel. C'est surtout le passage du Michigan-Central qui donna un meilleur accès à la région. Une centaine de familles vivaient en 1880 dans ce qui forma la paroisse de Saint-Joachim (Ruscom) et en 1881, Eugène Beuglet y ouvrit un magasin général. Ce peuplement s'opéra avec des colons arrivés du Québec. En 1882, l'évêque érigeait la nouvelle paroisse de Saint-Joachim qui donna alors son nom au village appelé Ruscom River.

Le village de Paincourt se trouvait plus à l'est, dans le canton de Dover (Kent). En 1825, cinq familles canadiennes-françaises vivaient dans les environs du futur village, mais l'évêque Pinsoneault y trouva 2 000 habitants en 1863, vivant dans une grande pauvreté. Dans les dernières décennies du XIXe siècle, il existait encore du bois dans les environs et une scierie, construite en 1870 par Calixte Béchard, permettait de le transformer en planches; ce même Béchard érigea aussi un moulin à farine. La vie assez dure des colons expliquerait le curieux nom du village, choisi parce que le pain manquait parfois. La mission Saint-Joseph de Paincourt, fondée en 1851 par Claude-Antoine Ternet, changea de nom en 1854, à l'occasion de la proclamation à Rome du dogme de l'Immaculée-Conception. Tout près de Paincourt, le petit village de Grande-Pointe deviendra une paroisse en 1886.

L'histoire de Paincourt peut éclairer, comme Embrun à l'est, ou Verner au nord, le modèle du village franco-ontarien. Les premiers curés étaient natifs de France, puis du Québec, finalement de la région : le onzième curé, nommé en 1911, était Alfred-David Emery, un enfant de la paroisse. Celle-ci était du reste devenue une pépinière de vocations religieuses, produisant, entre 1851 et 1926, six prêtres et une vingtaine de religieuses. Le village vit aussi naître des professionnels et des hommes d'affaires comme Narcisse Béchard. Natif de Paincourt, il devint greffier à Ottawa, maître de poste, juge de paix, commissaire d'école, évaluateur et percepteur des taxes, puis partisan d'un projet de chemin de fer électrique entre Paincourt et Chatham, voie terminée en 1910. Son frère, David Béchard, devint chirurgien à Windsor. Mais les plus grands succès économiques revinrent à Alfred Thibodeau, né à Paincourt en 1877, un important homme d'affaires de Détroit au début du XXe siècle, et à Calixte Béchard, qui établit le premier moulin à farine de la paroisse[46]. Paincourt donne une idée de ce que les élites franco-canadiennes espéraient réussir dans les paroisses rurales de colonisation.

Plus au nord, dans le comté de Simcoe, en Huronie, la population française des environs de Pénétanguishene remonte à l'arrivée d'un groupe de voyageurs en 1828, suivis par les colons recrutés par le curé Amable Charest[47]. Au milieu du siècle, les cantons de Tay et de Tiny (paroisse Sainte-Anne), comptaient environ 1 300 personnes, dont près de la moitié étaient des Canadiens français. La création de la paroisse de Sainte-Croix, à Lafontaine, en 1861, et la création de la mission bilingue de Saint-Patrick, à Perkinsfield, en 1867, attestèrent l'arrivée d'un nombre croissant de colons de langue française. Lors du recensement de 1871, la majorité de la population de Tiny était de langue française. À cette époque, les terres en culture dépassaient en superficie les surfaces boisées. En 1911, la colonisation française recouvrait toute la partie septentrionale du canton.

En 1911, la ville de Pénétanguishene avait quelques milliers d'habitants, dont environ le tiers de langue française. Mais tout près, l'industrie du bois aida plutôt à la croissance de Midland, au sud-est, dont l'importance finit par triompher. Le chemin de fer arriva en 1879, ce qui favorisa encore plus l'industrie forestière, notamment les scieries qui obtenaient ainsi un moyen d'exporter leur produit. Parmi les industries qui se développèrent, à Pénétanguishene et à Midland, quelques-unes appartinrent à des Canadiens français comme Joseph Dubeau, qui tenait une écurie à Pénétanguishene en 1870, entreprise qui se transforma en 1892 en service de diligence et plus tard en compagnie d'autobus. Les frères Courtemanche fondèrent un commerce de bois, Didace Grisé devint successivement boucher, quincaillier, puis aubergiste. En 1880, Peter Payette ouvrit à Pénétanguishene une fonderie fabriquant de l'équipement de scierie. Comme ailleurs, il y avait là de nombreux marchands et des gens de métier (cordonniers, bouchers, boulangers, etc.), tel Cornelius Gendron qui ouvrit une manufacture de souliers et de bottes. Dans un petit village comme Lafontaine, toutefois, on ne trouvait que quelques marchands généraux; en 1884, C. Pelletier et Frank Longpré y tenaient chacun un magasin dans le village.

Ailleurs dans le sud de l'Ontario, le peuplement franco-ontarien ne fut pas toujours rural. Certains se rendaient plutôt dans les villes, la plupart ouvriers voués au travail journalier. Les recensements de la deuxième moitié du XIXe siècle montrent que toutes les régions du sud de la province contenaient une petite population, numériquement peu significative, de personnes d'origine française. Il faut cependant faire une exception pour Toronto, où un faible pourcentage produisit néanmoins un nombre significatif de personnes. La population franco-ontarienne de Welland et du Niagara n'arriva qu'au XXe siècle, à l'époque de la Première Guerre mondiale.

Au début du XIXe siècle, une quarantaine de royalistes français tentèrent de s'établir dans le Haut-Canada, sous la direction du comte Joseph de Puisaye, mais leurs efforts échouèrent[48]. À Toronto, les premiers Canadiens français commencèrent d'arriver dans la deuxième partie du siècle. L'essor économique de la ville, déjà rivale de Montréal, multipliait les manufactures et les industries, sources d'emplois. En 1851, Toronto ne comptait que 467 Canadiens français, soit 1,5 % de sa population totale. En 1881, les 1 230 Canadiens français ne représentaient que 1,4 %; les 3 015 de 1901 formaient encore la même proportion. On voit donc que les Canadiens, s'ils augmentaient en nombre, ne constituèrent jamais qu'une très petite partie de la population totale. Mais ils sont assez nombreux pour former, en 1887, une paroisse à part, Sacré-Coeur[49].

L'abbé Philippe Lamarche, envoyé de Montréal pour prendre la direction de la paroisse Sacré-Coeur dès 1887, semble être resté longtemps le personnage le plus marquant de la communauté de langue française dont il fut le curé jusqu'à sa mort en 1924. Parmi les 130 familles canadiennes-françaises présentes en 1887, la plupart venaient du Québec, quelques-unes d'Acadie ou d'Europe. Ce groupe comptait peu de personnalités en vue, sinon peut-être cet Alfred Gendron qui peut offrir des emplois dans l'entreprise à laquelle il était associé, la Gendron Manufacturing, fabricante de carrosses pour bébé, de lits, de traîneaux et d'échelles : presque tous les ouvriers de cette entreprise étaient des Canadiens français au début de ce siècle. Plus tard, un autre entrepreneur, Félix Renaud, put aussi offrir des emplois à ses parents et amis. On trouvait encore William Sirois, originaire de Brockville, un cordonnier, dont la femme, Belzemire, tenait une pension fréquentée par ses compatriotes. Dès 1888, le curé Lamarche fit ouvrir, au sous-sol de l'église paroissiale, une école, la première, et longtemps la seule, de langue française à Toronto.

L'EXPANSION VERS LE NORD (1880–1910)

À la fin du XIXe siècle, il restait peu de bonnes terres disponibles dans les comtés de l'Est. De même, dans le sud de l'Ontario, les terres arables étaient occupées. On avait commencé, dans les années 1850, à cultiver les terres du Bouclier canadien, dans la région entre la rivière des Outaouais et le lac Huron, mais sans succès. Pour continuer la colonisation vers le nord, il fallait franchir les régions rocheuses pour atteindre les basses terres du Nipissing, du Témiscamingue et de la Grande Zone argileuse. Grâce aux chemins de fer, ces nouveaux territoires s'ouvrirent à la colonisation entre 1880 et 1930. Le gouvernement provincial, surtout après 1901, se soucia beaucoup de l'exploitation des richesses naturelles du Nouvel-Ontario, vaste territoire s'étendant au nord jusqu'à la baie d'Hudson et à l'ouest jusqu'à la frontière du Manitoba. Après le temps des trappeurs, voilà que sonnait l'heure des bûcherons, des mineurs et des colons.

Le développement dans le Nord avant 1910

L'exploitation des richesses naturelles du Nord-Est et les timides débuts de la colonisation commencèrent au milieu du XIXe siècle, sur deux fronts, accessibles par voie d'eau : d'abord par la rivière des Outaouais, dont les forêts du cours supérieur abondaient en pins, mais aussi par la rive nord du lac Huron, riche zone forestière et minière convoitée par les marchands de bois et les prospecteurs. En 1850, les Amérindiens signèrent les traités Robinson, cédant au gouvernement canadien la quasi-totalité des terres situées au sud de la hauteur des terres entre le bassin des Grands Lacs et celui de la baie d'Hudson. Cette aliénation des terres indiennes ouvrit la région du Nord à la colonisation. Aussitôt, les arpenteurs du gouvernement sillonnèrent la région entre le lac Témiscamingue et le lac Supérieur, traçant les grandes lignes de l'arpentage provincial et délimitant les frontières des cantons. La frontière septentrionnale de l'Ontario, avant 1878, suivait la hauteur des terres, le versant nord de cette frontière, propriété de la Compagnie de la baie d'Hudson, n'étant acquis par le gouvernement canadien qu'en 1869.

Avant les années 1880, l'activité économique du Nord-Est se limita à la fourrure, à quelques timides établissements miniers et à la coupe du bois. L'agriculture était inexistante, sauf dans les environs des quelques postes de traite comme Mattawa ou Sault-Sainte-Marie. Car ni l'agriculture, ni la coupe du bois, ni l'exploitation minière ne pouvaient beaucoup avancer en l'absence de moyens de transport permettant de s'éloigner des voies navigables. À la fin des années 1850, la coupe du bois atteignait les environs de Mattawa, à l'est, et la Rive-Nord, à l'ouest. En 1872, le gouvernement provincial vendit des droits de coupe dans la vaste région au nord du lac Nipissing[50].

Dans le Nord-Est, l'œkoumène s'étire en trois longs rubans, correspondant aux trois grandes voies ferrées qui le traversent. Une première zone de peuplement, la plus importante, s'étend entre Sault-Sainte-Marie à l'ouest et Mattawa à l'est. Cette région se développa après le passage du Canadien Pacifique au début des années 1880. La deuxième région recouvre, de part et d'autre de la frontière Ontario-Québec, la cuvette qui entoure le lac Témiscamingue et forme la Petite Zone argileuse (Little Clay Belt). Cette deuxième région commença à se peupler à la fin du XIXe siècle, mais ne connut pas d'essor avant la construction du chemin de fer Témiscamingue-Nord-Ontario à partir de 1903, quand furent découverts les gisements d'argent de Cobalt. Enfin, la troisième région, la Grande Zone argileuse (Great Clay Belt), se peupla à la suite de la construction du Transcontinental en 1907-1914. Durant la période avant 1910, seulement les deux premières zones sont colonisées.

La construction du chemin de fer du Pacifique put enfin commencer en 1881. Depuis Bonfield, le chemin de fer devait remonter la vallée de la rivière de l'Esturgeon, au nord du lac Nipissing, puis se diriger vers le lac Supérieur. Mais en attendant la construction de la voie entre Ottawa et Bonfield, il fallait approvisionner les chantiers de construction et on décida de construire un embranchement entre le lac Huron, où les matériaux pourraient arriver par bateaux, et la ligne principale qu'on décida par conséquent de déplacer plus à l'ouest. Le point de raccordement entre la ligne principale et l'embranchement d'Algoma fut fixé à un endroit appelé Sudbury Junction.

Pendant vingt ans encore, l'industrie du bois resta la première activité économique de la région et un grand nombre de villages lui durent leur existence. Mais en 1884, quelques prospecteurs découvrirent près de Sudbury des roches qui se révélèrent très riches en cuivre. Les premiers villages s'organisèrent autour des gares de chemin de fer, plus tard autour des scieries, parfois près des mines, tandis que d'autres naquirent au cœur des régions agricoles. La zone de peuplement entre Mattawa et Sault-Sainte-Marie se remplit progressivement entre 1880 et 1914, mais stagna après la Première Guerre mondiale. La croissance de l'agriculture dépendait des marchés qui, au début du siècle, étaient rares et éloignés. C'est pourquoi les chantiers représentaient un marché important où les fermiers pouvaient vendre leur foin et quelques produits de la terre, en plus d'y gagner en hiver, par leur travail, un revenu d'appoint dont peu pouvaient se passer.

La population de langue française dans le nord de l'Ontario se multiplia certes dans les villes comme Sudbury, Mattawa, Sturgeon-Falls et Sault-Sainte-Marie, où on la retrouvait dans les usines, dans les mines, dans les commerces. Mais principalement, elle s'implanta dans les régions rurales nouvellement occupées. En beaucoup d'endroits, ce peuplement revêtit le caractère homogène des paroisses de Prescott et de Russell.

La région du Témiscamingue

La Petite Zone argileuse, autour du lac Témiscamingue, constituait un prolongement septentrionnal de la vallée de l'Outaouais[51]. Le lien entre le Témiscamingue et l'Outaouais se maintint au XIXe siècle, autant sur le plan économique que sur le plan religieux. Les premiers chantiers forestiers furent mis en exploitation au Témiscamingue dans les années 1860. En 1863, le missionnaire J.-M. Pian fonda une mission du côté ontarien du lac, en face du poste de la Compagnie de la baie d'Hudson, mais la colonisation se développa d'abord du côté québécois. En 1882, le premier bateau à vapeur, construit sur place et propriété d'Olivier Latour, marchand de bois, commença à circuler sur le lac Témiscamingue, transportant voyageurs et marchandises vers les chantiers. C'est au début des années 1880 que les oblats, conscients que les terres disponibles dans les comtés près d'Ottawa disparaissaient, entreprirent des efforts plus systématiques de colonisation au Témiscamingue.

L'oblat Charles Paradis, qui avait parcouru la région en 1883, fit miroiter la possibilité de fonder une quarantaine de nouvelles paroisses[52]. Son supérieur envoya le père Edmond Gendreau, fondateur d'une vingtaine de paroisses dans l'Estrie, pour faire enquête. À la suite de ces démarches, on fonda non seulement une société de colonisation, mais aussi une société ferroviaire qui construisit, sous la présidence de Gendreau, une ligne d'une soixantaine de kilomètres entre Mattawa et le Témiscamingue. Les oblats établirent une ferme, un hôpital (tenu par les sœurs Grises) et une église sur la baie des Pères, site du futur village de Ville-Marie (Québec). Dans le dessein de prolonger le mouvement de colonisation de l'Est, Duhamel assuma la vision du curé Labelle, grand promoteur de la colonisation du Nord, et publia en 1884 un mandement en faveur de la colonisation.

À Toronto aussi, l'avantage de la colonisation était une vérité reçue. Cet appui populaire au mouvement de la colonisation se traduisait par des slogans tels que « Go North, young man » et s'exprimait dans la propagande gouvernementale diffusée en Europe et ailleurs, en faveur du Nord, appelé le Nouvel-Ontario. Durant le demi-siècle entre 1880 et 1930, le gouvernement ontarien ne cessa d'en faire la promotion, le décrivant comme une région aux promesses agricoles presque illimitées. Le gouvernement n'abandonna ce rêve d'un paradis rural que dans les années 1930, quand il dut bien constater l'échec des tentatives de transformer la Grande Zone argileuse en vaste territoire agricole.

La colonisation du Témiscamingue ontarien commença, misérablement, quand le gouvernement de l'Ontario, en 1891, ouvrit 25 cantons à la colonisation, mais ce geste ne suscita pas grand intérêt. Le progrès fut lent malgré les efforts de C.C. Farr, ancien facteur de la Compagnie de la Baie d'Hudson, établi en Ontario depuis 1889. Craignant la croissance de la population française de l'autre côté du lac Témiscamingue, Farr espérait ériger contre cette menace une colonie anglaise, une « Little England » composée de colons anglais et protestants. Se faisant propagandiste de la colonisation dans le Témiscamingue, Farr publia, en 1894, une brochure officielle pour attirer des colons[53]. Il y constatait la valeur des forêts, mais affirmait que le sol pouvait tout recevoir, la culture des légumes, des céréales, des fruits (pommes, raisins, groseilles, fraises, framboises).

La région ne comprenait encore ni école ni église, mais elle possédait un magasin, une scierie et une meunerie. Ces commerces formèrent du reste le noyau du village de Haileybury. Le futur colon, selon Farr, devait disposer de quelques ressources pour s'installer, même si le travail était facile à obtenir dans les chantiers. On pouvait acheter des terres à 50 cents l'acre aux conditions énoncées dans la loi de 1868. Les pins, toutefois, étaient réservés à la Couronne. Comme ailleurs dans le Nord, les arpenteurs avaient dressé, et le ministre avait publié dans son rapport annuel, une description de chaque canton où le colon éventuel pouvait songer à s'établir. Mais les résultats se firent attendre. Car le nombre de colons anglais resta mince avant l'arrivée du chemin de fer Témiscamingue-Nord-Ontario (TNO) en 1903.

En 1900, le gouvernement ontarien envoya 10 équipes explorer les régions situées au nord de la voie du Canadien Pacifique, dans le Nouvel-Ontario. Leur rapport, publié l'année suivante, révélait l'existence de richesses naturelles illimitées et de millions d'acres de terre arable. Le gouvernement provincial de Ross décida en 1902 de construire un chemin de fer vers ces forêts, mines et terres dont la richesse promettait de surpasser ce qu'on connaissait déjà. Depuis North-Bay, le chemin de fer devait rejoindre, plus au nord, le Transcontinental qui serait bientôt construit entre Moncton et Winnipeg. Dès 1903, lors de la construction, on découvrit près de Haileybury, à un endroit baptisé Cobalt, de fabuleux gisements argentifères, ce qui semblait confirmer les prévisions les plus optimistes du rapport de 1901.

Une ruée de prospecteurs fondit sur la région. Mais les colons furent rares tant que le boom se maintint, durant deux décennies. Une succession de nouvelles découvertes, dans les années suivantes (à Gowganda, à Elk-Lake, à Porcupine-Timmins et à Kirkland-Lake), confirma la vocation minière de la région. Selon une légende invérifiable, la première découverte à Cobalt serait attribuable à Fred Larose, forgeron au service du TNO, qui aurait lancé son marteau à un lièvre et ainsi découvert, accidentellement, le premier gisement d'argent. Les camps miniers se multiplièrent dans toute la région et en 1908, 108 mines étaient en exploitation à Cobalt seulement. La production atteignit son maximum en 1911, quand la population du village grimpa à 7 000 personnes. Baissant par la suite, la production d'argent avait presque disparu en 1930.

À côté de ces fabuleuses richesses minières, la vocation agricole d'une région comme Haileybury ou New-Liskeard souffrait de la concurrence. Aussi, l'agriculture ne put progresser que lentement et commença à peine dans la période avant 1910. Le peuplement rural se produisit à quelques kilomètres au nord de Cobalt, dans les environs du village de Haileybury, siège du district de Témiscamingue. Comme ailleurs, le difficile passage du statut de colon à celui d'agriculteur prit beaucoup de temps ici et il faut bien dire que la concurrence de l'industrie forestière et des mines, ajoutée aux rigueurs du climat et à la qualité des terres, maintint longtemps l'agriculture dans une situation précaire. Au début, le village de Haileybury fut un centre de services, un village bien pourvu en tavernes et en hôtels, parce que la loi ontarienne des mines interdisait les débits d'alcool à proximité des mines. Ainsi, tous les prospecteurs et mineurs assoiffés de Cobalt se rendaient à Haileybury. Le village brûla en 1906, sort qui éprouva plusieurs autres villes du nord dans les décennies suivantes. À l'époque de la Première Guerre mondiale, Haileybury cessa d'être un centre pour l'industrie forestière et minière et se transforma en village agricole dans la Petite Zone argileuse. C'est ici que les autorités religieuses établirent en 1908 le siège du vicariat apostolique du Témiscamingue, noyau du futur diocèse de Haileybury (plus tard de Timmins).

Les premiers colons, anglophones, arrivèrent dans la région de New-Liskeard, à quelques kilomètres au nord de Haileybury, au début des années 1890. En 1901, un groupe de 162 fermiers du sud de l'Ontario visita la région et choisit de s'y établir, dont 125 prirent des terres. New-Liskeard, centre commercial de la région, obtint, en 1907, le premier hôpital au nord de North-Bay. En 1915, le gouvernement provincial y créa une « ferme de démonstration ». Le village gardait l'entrée de Elk-Lake, situé à 70 kilomètres à l'ouest, où de grandes découvertes de minerai eurent lieu en 1907, début d'une nouvelle ruée entre 1907 et 1911. Mais la plus grande concentration de colons canadiens-français se produisit un peu plus au nord, dans les environs du village d'Earlton, un autre centre né de l'industrie forestière. Le premier colon canadien-français arriva en 1907, au moment où le TNO traversait la région, en même temps que les premiers colons anglophones.

En 1904, le gouvernement ontarien donna un contrat pour le prolongement du TNO sur une centaine de milles vers le nord. D'autres villages se formèrent le long de la voie ferrée, comme à Englehart et à Swastika. Plus à l'est, les découvertes de gisements aurifères de Kirkland-Lake, en 1911, ouvrirent une autre région à la prospection minière. Au terminus nord du TNO, le chemin de fer se raccordait avec le Transcontinental, une voie qui partait de Moncton, traversait l'Abitibi québécois, puis la Grande Zone argileuse du nord de l'Ontario. Au point de raccordement, le village de Cochrane, qui fait partie de la Grande Zone argileuse, reçut une immigration agricole durant les décennies suivantes.

Ainsi, le peuplement du Témiscamingue se rattache, chronologiquement et géographiquement, à celui de la Grande Zone argileuse. Dans cette foulée, plusieurs autres villages agricoles (Moonbeam, Opasatika, Val-Rita, Hearst, etc.) prolongèrent ce mouvement colonisateur vers l'ouest. On vit aussi, tout au long de la voie ferrée, l'émergence de villes minières comme Timmins et Porcupine, ou des villes forestières comme Kapuskasing.

Le Nipissing

Cent cinquante kilomètres séparent Pembroke et Mattawa, une région sans possibilité agricole. À la fin du XIXe siècle, les oblats préconisaient le peuplement du Témiscamingue, beaucoup plus au nord, mais c'est dans la région de Nipissing, à l'ouest de Mattawa, que la colonisation prit le plus grand essor dans les dernières décennies du XIXe siècle. Le capucin Alexis de Barbezieux, qui a visité la région, écrivait en 1897 : « La colonisation catholique devra pousser plus loin, dans le district du Nipissing et dans le diocèse de Peterborough[54]. »

À travers le Moyen-Nord, plusieurs villes doivent leur existence à l'industrie forestière : Mattawa, Sturgeon-Falls, Espanola, Blind-River, pour ne nommer que les plus importantes. Même dans une ville minière comme Sudbury, l'industrie forestière resta la première activité économique jusqu'en 1910. Le commerce du bois précéda ou accompagna tous les efforts de colonisation dans cette région. À cause de la voie ferrée, le nord de l'Ontario dépendait économiquement de Montréal et l'hégémonie économique de Toronto ne s'imposa qu'au XXe siècle, par le financement des mines. Dans le nord de l'Ontario, la plupart des centres urbains furent des villes à industrie unique, devant leur survie économique, souvent précaire, soit à l'industrie forestière, soit aux mines, soit au transport ferroviaire. Où il existait des terres arables, la colonisation eut lieu si les moyens de transport le permettaient.

La colonisation franco-ontarienne se répandit d'est en ouest, le long du Canadien Pacifique, selon la disponibilité des terres arables. Le Nipissing se divise en deux régions, séparées par la réserve indienne numéro 10. La partie orientale comprend Mattawa et North-Bay, plus la région agricole qui sépare ces deux villages. À l'ouest, Sturgeon-Falls domine économiquement la région au nord et à l'ouest du lac. La population française est nombreuse dans la partie orientale, mais elle domine presque totalement dans la partie occidentale.

Mattawa, situé à la décharge de la Petite Rivière (Mattawa), occupe un point stratégique sur la rivière des Outaouais. Lorsqu'il visita les lieux en 1836, le missionnaire de Bellefeuille ne trouva qu'une chaumière, un hangar et, un peu plus loin, une maison de chantier. Ce poste de la Compagnie de la Baie d'Hudson devint un point d'arrêt obligé des missionnaires oblats qui remontaient annuellement à la baie James après 1844. De village de la fourrure, Mattawa devint un centre forestier. À la fin des années 1850, quand arrivèrent les bûcherons, le premier entrepreneur forestier fut Eugène Varin, suivi de plusieurs autres marchands de bois. En 1863, les oblats y établirent une mission, rendue permanente en 1869. Ce fut le noyau de la paroisse Sainte-Anne. À la même époque, l'oblat Jean-Marie Nédelec ouvrit la première école de Mattawa, signe certain de la présence de nouveaux habitants. Mais en 1873, la quarantaine d'élèves se regroupa dans une école publique, dirigée par une institutrice catholique enseignant dans le presbytère catholique. En 1878, les sœurs Grises ouvrirent un hôpital et une école. Ainsi, dans les environs de Mattawa, plusieurs familles avaient précédé le chemin de fer.

Après le passage de la première locomotive, en 1881, le transport favorisa la croissance de Mattawa, qui fut érigé en municipalité en 1884. Visitant les environs en 1889, Arthur Buies notait que Mattawa, petit village de 500 personnes (plus 1 500 temporaires), était un grand entrepôt pour le commerce du bois, où les entrepreneurs s'approvisionnaient et où ils embauchaient la main-d'œuvre dont ils auraient besoin dans les chantiers. Au printemps, c'est ici que les bûcherons venaient dépenser une partie de leur argent et festoyer[56], maintenant qu'Ottawa était devenue un peu plus respectable. Cette petite capitale locale est le point de service des villages en aval (Klock's-Landing, Deux-Rivières, Bisset, Rockliffe, Mackey, Des-Joachims) et en amont (Les Érables).

Dans la plaine argileuse entre le lac Nipissing et Mattawa, au sud du lac Talon, plusieurs communautés franco-ontariennes vont prendre racine, surtout dans les environs de Bonfield, d'Astorville, de Corbeil et de Chiswick. Le centre le plus ancien (la mission de Sainte-Philomène) fut originellement situé près du lac Talon, où vivaient des colons dès le milieu des années 1860. Nédelec en a laissé une description. En 1864, Maxime Cherrier arrive à la tête du lac Talon, suivi de plusieurs autres dans la décennie suivante : « Les années suivantes arrivèrent d'autres colons de Coulonge, de la Madawaska, de l'île des Allumettes, de la "gueule" de la Petawawa. Déjà en 1879 on compte 35 familles catholiques et 15 protestantes entre Mattawa et le lac Nipissing[57]. » Comme prévu, le passage du chemin de fer donna, selon l'expression d'Arthur Buies, « des ailes à la colonisation ».

En 1885, la mission de Sainte-Philomène déménagea au lac Nosbonsing, donnant ainsi naissance au village de Bonfield, où J.R. Booth, grand entrepreneur forestier, avait fait construire ses entrepôts, ses magasins et ses bureaux. Joseph-Alphonse Lévesque, arrivé la même année, y fonda une société d'agriculture et tenta de construire une scierie, mais en vain. Dans la paroisse, fondée en 1886, Lévesque fonda un journal, *La Sentinelle*. Plus tard, on le trouva au travail dans les chantiers du chemin de fer TNO. En 1904–1905, il lança un projet d'association canadienne d'action catholique, l'Union catholique. Le village d'Astorville, d'abord appelé Lévesqueville, à l'autre bout du lac, a toujours vécu dans la dépendance de l'industrie forestière. Booth y exploitait des concessions forestières, mais pour ne pas devoir acheminer les billes vers le lac Huron, il avait construit une voie ferrée (« la track à Booth ») pour les transporter au-delà de la hauteur des terres et les acheminer, par le lac Nosbonsing, vers l'Outaouais. Astorville devint une paroisse en 1902, sous le curé Antonin Astor, d'où le nouveau nom du village. Ce curé dirigea les efforts des paroissiens pour faire construire une scierie qui fut ensuite confiée, en 1908, à des entrepreneurs français, Maurice et Paul Bénard. Mais ils quittèrent le canton, ruinés, en 1912. Plus au nord, le village de Corbeil resta une mission jusqu'en 1920 et ne trouva la gloire que plus tard, lorsque les quintuplées Dionne y naquirent en 1934.

Le canton de Bonfield reçut plusieurs colons en 1887 et 1888. Quand, l'année suivante, les colons ne purent vendre leur bois coupé et se trouvèrent démunis, l'archevêque Duhamel obtint pour eux, du gouvernement du Québec, des semences d'une valeur de 120 dollars. La même année, on ouvrit une école séparée, la troisième école du village, dans le sous-sol de l'église. En 1894, les quatre cantons compris dans la paroisse (Bonfield, Ferris, Chisolm et Boulter) contenaient 336 familles, « toutes... canadiennes excepté une trentaine qui sont irlandaises ». Il est donc facile de voir comment cette colonisation, dans un territoire relevant de l'archidiocèse d'Ottawa, prenait le relais de la colonisation catholique et canadienne-française de l'Est.

Plus à l'ouest, on accède au bassin hydrographique du lac Huron, dans le diocèse de Peterborough créé en 1882. Là, le clergé catholique joua un rôle moins actif dans la promotion de la colonisation française. Ce clergé du Nouvel-Ontario, toutefois, parlait français, parce que l'évêque avait confié cette région de missions aux jésuites. Actifs depuis le milieu du siècle chez les Amérindiens de l'île Manitouline, les jésuites fondèrent à Sudbury, en 1883, la résidence de Sainte-Anne-des-Pins d'où ils rayonnèrent, grâce au chemin de fer, autour du lac Supérieur, de North-Bay à Sault-Sainte-Marie, de Sudbury à Thunder Bay.

La ville de North-Bay fonda sa croissance sur le transport ferroviaire et sur l'activité gouvernementale. Après le passage du chemin de fer, en 1882, la ville chercha à devenir un centre ferroviaire, obtenant en 1889 un raccordement avec une ligne donnant accès à Gravenhurst et à Toronto. Quand le TNO fut construit en direction nord, la ville de North-Bay put se présenter comme le carrefour des transports dans le Nord-Est. En 1891, le village comptait 1 848 habitants, contre les 1 418 qui vivaient à Sturgeon-Falls. Qui, de North-Bay ou de Sturgeon-Falls, allait l'emporter? Beaucoup de contemporains misaient sur la seconde. Mais le choix de North-Bay comme siège de district, en 1895, en décida autrement. Comparativement aux régions rurales environnantes, North-Bay avait une faible population française et a longtemps conservé dans le Nord la réputation d'un milieu hostile aux Franco-Ontariens.

Au nord du lac Nipissing, la grande rivière des Esturgeons prend sa source dans le Témiscamingue. Les villages de River-Valley, de Field, de Crystal-Falls et de Sturgeon-Falls jalonnent ses rives. Dans la région du Nipissing, les terres agricoles entourent le lac, formant une couronne, et s'étendent à l'ouest vers le lac Huron dont elles couvrent la rive nord jusqu'à Sault-Sainte-Marie. Dans la région au nord et à l'ouest du lac, l'agriculture et le bois dominèrent toute l'activité économique. Le poste de traite de la Compagnie de la Baie d'Hudson, érigé près de la sortie de la rivière de l'Esturgeon, ferma ses portes en 1879, trois années avant l'arrivée du chemin de fer. L'industrie forestière prit aussitôt la relève, profitant des chutes pour actionner des scieries. L'industrie du bois explique donc la naissance de la ville, mais Sturgeon-Falls reçut aussi une vocation agricole pour les régions environnantes.

Dans cette région, plusieurs villages forestiers se développèrent (Field, Desaulniers, River-Valley, Cache-Bay), mais l'agriculture resta très marginale dans leurs alentours. À l'ouest du lac, quelques grandes paroisses agricoles se formèrent. La plus importante fut Verner, située le long du chemin de fer. Ses belles terres attirèrent beaucoup de colons et, au début du XXe siècle, intéressèrent Charles Paradis, ancien oblat devenu séculier, qui convainquit l'évêque de le laisser promouvoir la colonisation. Il recruta aux États-Unis plusieurs Canadiens français qu'il fit établir à Verner. Il voulut fonder son propre village, appelé Dom Rémy, à quelques kilomètres à l'ouest de Verner, mais finit par se brouiller avec l'évêque et dut partir. Le prêtre-colonisateur prit alors la route du Témiscamingue, où on le trouve comme prospecteur, entrepreneur, missionnaire. Plus proche du lac Nipissing, se trouve le village de Lavigne, une dépendance de Verner.

À l'extrémité ouest du Nipissing, le long du chemin de fer, le village de Warren se développa d'abord comme centre du bois. Au début, les fondateurs des premières scieries s'opposèrent au défrichement des terres, surtout par les Canadiens français. La bourgeoisie, ici, fut surtout de langue anglaise et Warren devint un centre de service pour les villages environnants. En même temps, la colonisation se poursuivait vers le sud, principalement autour du village de Saint-Charles, colonisé à partir des années 1890. À l'image de Verner et de Lavigne, Saint-Charles fut une autre paroisse très homogène, catholique et française, où on défricha des terres brûlées par des incendies de forêt. Mais une grande partie des cantons environnants était impropre à l'agriculture.

Encore plus au sud, dans une région qu'on n'atteignait, au début du siècle, que par le lac Nipissing, les paroisses de Monetville et de Noëlville s'organisèrent. Monetville, ayant accès au lac Nipissing, se développa la première. Mais la colonisation se répandit vers l'ouest, dans ce qui deviendra la paroisse Saint-David de Noëlville. Celle-ci recruta ses colons dans l'Est et finit par éclipser Monetville, surtout après la construction de la voie ferrée du Canadien-Nord en 1915 et la construction d'une route de terre vers Saint-Charles et Warren en 1922.

Les colons qui s'établirent dans le Nipissing, arrivant souvent par le chemin de fer, provenaient en grand nombre du diocèse d'Ottawa. Selon les villages, la population originale arrivait de diverses régions de l'Est ontarien, des environs de Montréal, ou de l'ouest du Québec. L'augmentation des effectifs canadiens-français et leurs demandes d'obtenir des paroisses réanimèrent ici les inquiétudes de la hiérarchie anglophone de l'Ontario. On parla même d'un nouveau diocèse dans le Nipissing. En 1896, l'archevêque Cleary, de Kingston, évoquant le conflit suscité par la création du diocèse d'Alexandria en 1890, écrivit à son collègue Walsh, de Toronto : « I apprehend a similar trouble will arise from the effort to create a French Diocese at Nipissing by the division of Peterborough's territory. It is an age of French aggression. May the Lord direct and assist us[58]. »

En 1901, la population totale du district de Nipissing s'élevait à 36 551 personnes, dont 15 484 de langue française, ce qui représentait 42,1 % de la population totale. Mais cette population ne se trouvait pas dans les centres urbains comme North-Bay, Sturgeon-Falls ou Sudbury : elle vivait plutôt dans les zones agricoles.

La région de Sudbury

Dans le Moyen-Nord, trois villes dominèrent politiquement et économiquement au début du XXe siècle : North-Bay à l'est, Sault-Sainte-Marie à l'ouest et Sudbury au centre. Le succès de Sudbury s'explique par la découverte, en 1884, d'importants gisements de cuivre. Centre forestier, village ferroviaire, ville minière, Sudbury se transforma en trente ans pour devenir la capitale mondiale du nickel. En plus, elle devint un centre commercial et économique pour tout le Nord-Est. Au début, le village de Copper-Cliff, où la Canadian Copper ouvrit ses fonderies en 1886, menaça brièvement la prééminence de Sudbury, au tournant des XIXe et XXe siècles, mais Sudbury l'emporta, sans doute à cause de son avantage comme centre de transport ferroviaire.

Dans le village de Sudbury, les premières familles canadiennes-françaises arrivèrent dès 1883. Cette population de langue française travaillait dans le commerce du bois, comme main-d'œuvre, et dans les services. Mais elle est relativement peu importante dans le grand commerce ou dans les postes de commande, surtout dans le secteur minier. La paroisse Sainte-Anne-des-Pins, bilingue jusqu'en 1917, fut la seule paroisse française de Sudbury jusqu'en 1930. Elle fut donc le noyau de la vie sociale et culturelle de la ville pendant plusieurs décennies. Le curé de Sainte-Anne, comme dans une paroisse rurale, organisait non seulement la vie religieuse, mais aussi la vie sociale de la paroisse. La première école de Sudbury ouvrit ses portes dès le printemps de 1884 dans la chapelle-presbytère de Sainte-Anne. Le curé s'occupa de la fondation de la commission des écoles séparées, en 1888. Quelques années plus tard, quand un hôpital public fut mis sur pied à Sudbury, le curé entreprit des démarches pour obtenir le service des sœurs Grises qui ouvrirent leur propre hôpital, Saint-Joseph, en 1896. Deux ans plus tard, elles prenaient aussi la direction de l'école catholique (séparée) de la ville[59]. Autour de la paroisse, de nombreuses activités sociales et culturelles se développèrent. Quand la commission scolaire publique créa un « high school », en 1909, plusieurs y virent une menace protestante et reprirent des démarches pour établir un collège classique, efforts qui aboutirent en 1913 à la fondation du Collège du Sacré-Coeur, collège classique dirigé par les jésuites.

Dans la ville de Sudbury, une petite bourgeoisie de langue française (des commerçants, quelques professionnels, des gens de métier) s'organisa. La population de langue française habita d'abord le quartier voisin de l'église Sainte-Anne, mais plus tard elle s'étendra au quartier ouvrier du Moulin-à-Fleur. En fait, même à la ville, la population franco-ontarienne vivait dans des milieux relativement homogènes sur le plan linguistique.

Les mines de la région de Sudbury forment une couronne, sur la crête de la montagne qui entoure la Cuvette de Sudbury, une importante formation géologique contenant les gisements de minerai. La Cuvette s'étend en direction nord-est/sud-ouest, sur une longueur d'environ 60 kilomètres et sur une largeur de 25. Le centre de cette Cuvette est plat, recouvert de dépôts glaciaires. Au début du siècle, une agriculture s'y développa, principalement autour des trois centres de Chelmsford, village situé le long du Canadien Pacifique, de Blezard-Valley et de Hanmer. Ces centres agricoles contenaient des populations à forte majorité de langue française. « La vallée », selon l'expression qui a cours dans la région, se développa à partir de 1883, date du passage du chemin de fer[60].

Les environs de Chelmsford furent les premiers occupés, tout près de la voie ferrée qui traversa la région de 1883. Mais au cours des décennies suivantes, les colons prirent des terres plus à l'est, dans les environs de Blezard-Valley, où des prospecteurs avaient exploité une mine dès 1887, et au nord, dans le canton de Hanmer. Le nombre de Canadiens français y augmenta sans cesse, les colons finlandais de la région choisissant plutôt les terres au sud de Sudbury. L'agriculture mixte et céréalière commença à se développer dans « La Vallée » au début du siècle, mais subit des dommages atmosphériques que les fermiers attribuèrent aux épais nuages de soufre qui s'échappaient des fonderies et des lits de frittage exploités par les sociétés minières. La Vallée resta cependant largement agricole jusqu'au lendemain de la Seconde Guerre mondiale.

La Rive-Nord

La troisième sous-région du Moyen-Nord est formée par les terres au nord du lac Huron. C'est la dernière région de peuplement franco-ontarien, dans la période avant 1910. Ici, l'agriculture se développa modestement à l'ombre de l'industrie forestière, importante le long des grandes rivières qui descendent du Nord, telles la rivière Aux Sables, la Spanish, la Borgne (Blind). Comme Sudbury à l'est, la Rive-Nord est riche en forêt et en minerai. Au début du siècle, on n'avait pas encore découvert l'uranium, mais on connaissait le cuivre dont il existe plusieurs gisements dans la région. L'exploitation des forêts commença dans le dernier tiers du XIXe siècle; un nombre important de ces sociétés forestières passa aux mains d'entrepreneurs américains. Le long du lac Huron, des communautés surgirent autour des scieries établies dans la région. Il existe plusieurs villages le long de la rive nord, mais la population de langue française, bien que présente partout, se concentra plutôt dans les environs de Blind-River, de Massey et d'Espanola. Ces populations restaient encore peu nombreuses au début du siècle.

La ville de Sault-Sainte-Marie, à l'extrémité ouest du Moyen-Nord, se développa au début du siècle, devenant un important centre industriel à la suite des efforts de Francis Clergue pour mettre en place une industrie sidérurgique. Des ouvriers de partout travaillèrent dans ces usines. Certains sont des Canadiens français que les jésuites visitaient au début du siècle, dans Steelton, une banlieue de la ville.

LA SOCIÉTÉ FRANCO-ONTARIENNE

Les chefs de file de l'Ontario français, réunis à Ottawa le 18 janvier 1910 pour un grand congrès d'éducation, se nomment eux-mêmes les « Canadiens français d'Ontario », expression qu'ils reprennent dans le nom même de l'association provinciale qu'ils créèrent à la fin de la rencontre. Leur identité culturelle n'a rien d'équivoque ou d'ambigu, ils appartiennent tous à la nation canadienne-française. Ainsi, la société franco-ontarienne, telle qu'on a pu l'observer au XIXe siècle, ne se comprend que comme une partie du Canada français auquel elle se rattache et s'identifie, avec lequel elle partage les mêmes valeurs, les mêmes traditions, les mêmes croyances, la même histoire.

Dans le cas de l'Ontario français au XIXe siècle, ce qu'il faut expliquer c'est comment les Canadiens français sont venus en Ontario, de quelle manière ils se sont organisés en communauté et quelles caractéristiques marquèrent leur société.

La population franco-ontarienne

En 1871, la population française de l'Ontario ne s'élevait encore qu'à 75 383 personnes, ce qui représentait 4,7 % de la population provinciale. Pour mieux étudier la répartition géographique de cette population franco-ontarienne, divisons la province en quatre régions : l'EST (Stormont, Glengarry, Renfrew-Nord, Renfrew-Sud, Prescott, Russell, Ottawa, Carleton), le NORD-EST (Algoma-Est, Algoma-Ouest, Algoma-Centre, Nipissing-Sud, Nipissing-Nord), le SUD-OUEST (Kent, Essex et Simcoe-Nord), et le « RESTE DE LA PROVINCE » (tout ce qui n'est pas compris dans les trois divisions précédentes). Le Tableau IV permet de voir la répartition de la population française selon ces régions. Dans les comtés de l'Est, les 30 956 Canadiens français constituaient 21,1 % de la population de l'Ontario français, mais dans l'extrême Sud-Ouest, les 16 730 Canadiens français, autrefois le plus grand groupe, ne formaient plus que 17,9 % de la population franco-ontarienne. Le Nord est alors peu peuplé. Le tiers de la population canadienne-française, soit 26 344 personnes, est alors dispersé dans le « reste de la province », où elle ne représente que 1,9 % de la population globale.

À cette époque, la population de langue française comprend une forte majorité rurale, comme c'est d'ailleurs le cas pour l'ensemble de l'Ontario. Légèrement moins toutefois. Dans le Sud-Ouest, les Canadiens français sont à 87,8 % des ruraux (contre seulement 74,9 % pour le reste de la population). Dans le Nord, il n'existe pas encore de communauté urbaine et toute la population vit en milieu dit « rural », aux termes des définitions du recensement de 1871. Ailleurs, la population française est légèrement plus urbanisée, reflet sans doute du travail en forêt et dans les scieries. Ainsi, dans le Sud-Est, les Franco-Ontariens

TABLEAU IV
Population urbaine et rurale en Ontario en 1871

	Population de l'Ontario			*Population franco-ontarienne*		
	Total	*Rural*	*Urbain*	*Total*	*Rural*	*Urbain*
Sud-Ouest (1)	93 252	71 981 (77,2 %)	21 271 (22,8 %)	16 730	14 696 (87,8 %)	2 034 (12,2 %)
Sud-Est (2)	146 763	117 212 (79,9 %)	29 551 (20,1 %)	30 956	21 718 (71,2 %)	9 238 (29,8 %)
Nord-Est (3)	6 798	6 798 (100 %)	—	1 353	1 353 (100 %)	—
Reste de la province (4)	1 374 038	1 070 980 (77,9 %)	303 058 (22,1 %)	26 344	19 496 (74 %)	6 848 (26 %)
TOTAUX	1 620 851	1 266 971 (78,2 %)	353 880 (21,8 %)	75 383	57 263 (76 %)	18 120 (24 %)

(1) Le Sud-Ouest: les comtés de Kent, Essex et Simcoe-Nord.
(2) Le Sud-Est: les comtés de Stormont, Glengarry, Renfrew-Nord, Renfrew-Sud, Prescott, Russell, Ottawa, Carleton.
(3) Le Nord-Est: les comtés d'Algoma-Est, Algoma-Ouest, Algoma-Centre, Nipissing-Sud, Nipissing-Nord.
(4) Reste de la province: tous les autres comtés non inclus dans les trois sections précédentes.
Source: Compilations effectuées à partir des données contenues dans les tableaux I et II du *Recensement du Canada 1871*, Vol. I.

sont urbains à 29,8 %, contre seulement 20,1 % pour la population non française. Dans le « reste de la province », les taux d'urbanisation sont de 26 % pour les Franco-Ontariens et de 22,1 % pour les autres.

Une grande transformation s'opérait à cette époque : en même temps que la société ontarienne globale, l'Ontario français avançait vers l'industrialisation, une évolution qui se manifesta par la spécialisation accrue d'une agriculture davantage tournée vers les marchés, par une urbanisation croissante de la population et par l'avènement, grâce à l'activité commerciale et manufacturière, d'un prolétariat concentré dans les centres urbains.

Sur le plan social, un siècle d'immigration avait modifié définitivement la composition ethnique, religieuse et sociale de l'Ontario, en diluant davantage son homogénéité. Cette diversification sociale et l'urbanisation minèrent les anciens postulats de la première société haut-canadienne. L'agrandissement des villes, en incorporant les prolétariats nouvellement mis au service du commerce et de l'industrie, transforma l'Ontario en profondeur. Car les centres urbains, qui accueillaient les immigrants de fraîche date, les ruraux récemment déracinés, les ouvriers et les artisans, abritèrent une classe ouvrière avec ses quartiers, ses problèmes de logement, ses difficultés de chômage, sa pauvreté, ses revendications sociales. Ces phénomènes inquiétèrent les élites anglo-ontariennes autant qu'elles effrayèrent les élites canadiennes-françaises. En Ontario, l'arrivée d'un nombre croissant de Franco-Ontariens, à la fin du XIXe siècle, coïncidait avec les vagues d'immigration qui, par leur ampleur et leur composition, menaçaient le caractère britannique et protestant de la province. La peur renforça la mentalité obsidionale d'une population redoutant déjà l'influence américaine, source de bien des craintes depuis 1791. Les autorités s'inquiétèrent beaucoup de ne pouvoir absorber ces immigrants.

Les Canadiens français ne se répartirent pas dans toutes les couches sociales. Toute proportion gardée, ils se concentrèrent davantage dans les rangs inférieurs où ils formèrent soit une main-d'œuvre non spécialisée, soit une paysannerie vouée à une agriculture souvent marginale. En outre, ils vivaient généralement dans les régions économiquement périphériques du Sud-Ouest, de l'Est et du Nord, travaillant principalement en agriculture, dans les chantiers forestiers, dans le transport, dans les mines.

Lors du recensement de 1911, on dénombrait 202 442 personnes d'origine française en Ontario, soit 8 % de la population totale. Quarante ans plus tôt, en 1871, les 75 383 Franco-Ontariens ne représentaient que 4,7 % du total. Cette population d'origine française avait presque triplé, mais surtout elle avait presque doublé *sa proportion* de la population totale. Ainsi s'explique l'inquiétude croissante de certains milieux, de plus en plus nombreux, qui craignaient une invasion démographique des Canadiens français. Pourtant, la proportion des Franco-Ontariens variait selon les régions. Dans les parties les plus peuplées de la province, dans les grandes villes du Sud surtout, la population française resta très faible, tant en termes de proportions qu'en chiffres absolus, alors que dans les régions périphériques de l'Est et du Nord, la proportion grimpait.

Reprenons la division de la province en quatre régions : l'Est, le Nord-Est, le Sud-Ouest et le « Reste de la province ». Ce partage du territoire nous permet d'abord de constater qu'en 1911, les comtés d'Essex (Est et Ouest), de Kent-Ouest et de Simcoe-Est contiennent, collectivement, 135 138 personnes, dont 32 007 sont d'origine française, soit 23,7 %. Les comtés de l'Est (Prescott, Russell, Carleton, Ottawa, Renfrew-Nord, Renfrew-Sud, Stormont et Glengarry) ont une population totale de 256 504 et une population française qui s'élève à 90 799, soit 35,4 % de la population de l'Est. Mais la proportion, dans le Nord-Est (Algoma-Est, Algoma-Ouest, Nipissing), baisse à 27,5 %, soit une population de 40 624 Franco-Ontariens sur un total de 147 150 personnes. C'est pourtant dans le « reste de la province », c'est-à-dire principalement les comtés du Centre, que vivait la forte majorité des habitants de la province, soit 1 980 122 personnes en 1911. Dans ces régions les plus peuplées de l'Ontario, à très forte majorité anglaise, on ne trouvait en tout et pour tout que 39 012 Franco-Ontariens qui ne représentaient que 2 % de la population totale dans ces parties de la province.

Le nombre de personnes, en chiffres absolus, vivant en milieu rural n'a pas beaucoup changé en Ontario entre 1871 et 1911 (voir Tableau V). Ainsi, l'Ontario avait en 1871 une population rurale de 1 266 971 personnes; en 1911, le chiffre correspondant avait légèrement décliné à 1 213 690. La population rurale, toujours en chiffres absolus, demeure donc très stable pendant ces quatre décennies. Ce qui change beaucoup, c'est la population urbaine, qui passe de 353 880 en 1871 à 1 305 584 en 1911. Bref, l'augmentation démographique, entre 1871 et 1911, n'a profité qu'aux centres urbains.

L'Ontario français participa aussi à ce mouvement d'urbanisation. Par contre, la population franco-ontarienne augmenta *aussi* dans les régions rurales. Ainsi, chez les Franco-Ontariens, la population rurale était de 57 263 en 1871 et de 110 268 en 1911. Elle a donc presque doublé. Par contre, la population franco-ontarienne dans les villes, durant la même période, passa de 18 120 à 92 174, c'est-à-dire qu'elle a quintuplé. Ainsi, la population urbaine augmentait beaucoup plus vite que la population rurale. Mais alors que, dans l'ensemble de l'Ontario, la population rurale était stable, elle doublait en Ontario français, grâce à la colonisation. Le bilan de ces différents mouvements, c'est que le taux d'urbanisation franco-ontarien augmente, passant de 24 % à 45,5 %, mais il s'accroît moins vite que le taux provincial qui passe, lui, de 21,8 % en 1871 à 51,8 % en 1911.

Il serait donc fautif de parler d'une « ruralisation » de l'Ontario français, alors qu'il s'urbanise comme le reste du pays, mais moins vite. Les vagues d'immigrants canadiens-français arrivant en Ontario vont plus, toute proportion gardée, vers les régions rurales que vers les centres urbains. On constate que dans le Sud-Ouest, en 1911, le taux d'urbanisation n'est que de 36,6 % chez les Franco-Ontariens, mais de 46,5 % dans l'ensemble de la population. Dans l'Est, le taux d'urbanisation franco-ontarien s'élève à 49,9 %, proportion très voisine du taux de 50,4 % pour l'ensemble de la population. Dans le Nord-Est, les Franco-Ontariens ont un taux d'urbanisation de 34,8 %, contre 40,0 % pour l'ensemble de la population. Ailleurs, dans le « reste de la pro-

TABLEAU V

Population urbaine et rurale en Ontario en 1911

	Population de l'Ontario			*Population franco-ontarienne*		
	Total	*Rural*	*Urbain*	*Total*	*Rural*	*Urbain*
Sud-Ouest (1)	135 138	72 344	627 794	32 007	20 298	11 709
		(53,4 %)	(46,5 %)		(63,4 %)	(36,6 %)
Sud-Est (2)	256 504	127 185	129 319	90 799	45 501	45 298
		(49,6 %)	(50,4 %)		(50,1 %)	(49,9 %)
Nord-Est (3)	147 150	88 509	59 001	40 624	26 492	14 132
		(60,0 %)	(40,0 %)		(65,2 %)	(34,8 %)
Reste de la	1 980 122	925 652	1 054 470		17 977	21 035
province (4)		(46,7 %)	(53,3 %)	39 012	(46,1 %)	(53,9 %)
TOTAUX	2 519 274	1 213 690	1 395 584	202 442	110 268	92 174
		(48,2 %)	(51,8 %)		(54,5 %)	(45,5 %)

(1) Le Sud-Ouest : Essex-Nord, Essex-Sud, Kent-Ouest, Simcoe-Est.

(2) Le Sud-Est : Prescott, Russell, Carleton, Ottawa, Renfrew-Sud, Renfrew-Nord, Stormont, Glengarry.

(3) Le Nord-Est : Algoma-Est, Algoma-Ouest, Nipissing.

(4) Reste de la province : tous les autres comtés et districts de la province non compris dans les divisions de (1), (2) et (3).

Source : Compilations effectuées à partir des données contenues dans les Tableaux I et II du *Recensement du Canada 1911*.

vince », le taux d'urbanisation des Franco-Ontariens est marginalement supérieur au taux général de la population, soit 53,9 % pour les Franco-Ontariens et 53,3 % pour l'ensemble.

On ne saurait donc parler d'une population massivement rurale, bien que cette société, par ses élites, nourrissait un idéal valorisant la terre et la vie à la campagne. Mais la société anglo-ontarienne aussi a longtemps soutenu cet idéal. L'image que renvoient ces chiffres, c'est celle d'une population assez semblable à la population ontarienne dans son ensemble. En outre, il faut encore préciser que la population vivant en milieu rural ne vit pas nécessairement d'agriculture.

La population franco-ontarienne n'est pas distribuée uniformément sur l'ensemble du territoire provincial (Tableau VI). En 1911, l'Est représentait la plus grande région de l'Ontario français (44,9 % de la population franco-ontarienne). Venait ensuite le Nord-Est où habitait le cinquième de la population franco-ontarienne. Quant au Sud-Ouest, même si sa population a doublé en quarante ans, il ne représentait plus

TABLEAU VI
Répartition géographique de la population franco-ontarienne (en 1871 et en 1911)

Région	*Populat. en 1871 (%)* *(1)*	*Populat. en 1911 (%)* *(2)*	*Augmentation* *(2/1 = 3)*
Sud-Ouest	16 730 (22,2 %)	32 007 (15,8 %)	1,9
Est	30 956 (41,1 %)	90 799 (44,9 %)	2,9
Nord-Est	1 353 (1,8 %)	40 624 (20,1 %)	30,0
Reste de la prov.	26 344 (34,9 %)	39 012 (19,3 %)	1,5
TOTAL	75 383 (100 %)	202 442 (100 %)	2,7

Source : Tableaux IV et V.

en 1911 que 15,8 % des effectifs démographiques de l'Ontario français. Enfin, la baisse la plus dramatique se produisit dans le « Reste de la province », où les Franco-Ontariens représentaient 34,9 % de l'Ontario français en 1871, mais seulement 19,3 % en 1911. Ces derniers chiffres indiquent que l'immigration canadienne-française de la fin du XIXe siècle a surtout profité aux zones périphériques du Sud-Ouest, de l'Est et du Nord-Est.

Les recensements de l'époque ne permettent pas de connaître le taux d'assimilation linguistique, mais il fut vraisemblablement faible parmi les immigrants récents, plus élevé chez les populations plus anciennes. Les statistiques des décennies subséquentes laissent croire que le taux d'assimilation varie inversement au niveau d'homogénéité linguistique où vivaient les Franco-Ontariens. Dans la partie du « reste de la province », où les communautés de langue française sont imperceptibles, le taux a dû être très élevé. On ne voit nulle part se former des institutions ou des organismes de langue française, ni émerger des porte-parole pour ces groupes d'origine française.

Dans le Sud-Ouest, l'assimilation avait ralenti à cause de l'immigration française vers les paroisses rurales au sud du lac Sainte-Claire à la fin du XIXe siècle. Mais une observatrice du début du XXe siècle écrivait au sujet du Sud-Ouest : « French sermons are preached on Sunday in many of the churches throughout the country, but in local life the language of the school playground is the language of the people, and that is English. » Un autre observateur, hostile aux Canadiens français, se réjouit de ce que l'immigration québécoise ait cessé et que les Franco-Ontariens du Sud-Ouest s'assimilent : « The outlook for the French nationality in Essex is gloomy. Unassisted by immigration, and evidently weakened by emigration, there is no way of making good the defection of those who are passing over to the English camp[61]. »

Aux yeux des contemporains, qu'ils fussent de langue française ou anglaise, les Franco-Ontariens représentaient un groupe qui refusait de s'assimiler. Certains, justement, redoutaient la survivance linguistique. J. Sait, qui voyait cette menace bien en noir, écrivait que « The French [...] have not dissipated their strength. Without making any effort to penetrate into the heart of the province, they have taken possession of the extremities and, increasing there, have not only preserved their character and institutions, but made their influence felt in political life[62]. » Le fanatisme de Sait est extrême, certes, mais beaucoup de personnes partageaient ses craintes de « French domination », un thème qui a une longue histoire en Ontario.

À l'encontre de ces vues pessimistes, le triomphalisme exprimé par des auteurs comme Alexis de Barbezieux, à la fin du XIXe siècle, montre que dans les régions de Prescott, de Russell, et dans le Nord-Est, les élites cléricales ne voyaient que l'accumulation de succès pour la « colonisation catholique ». En fait, de leur côté, certains porte-parole canadiens-français attisaient ces feux, par exemple lors du Congrès de la langue française au Canada, en 1912, quand l'invitation envoyée aux congressistes parlait des « Canadiens français de l'Ontario, conquérants pacifiques ». Ces textes révèlent l'état des esprits.

La question de l'assimilation, toutefois, soulève un problème plus critique encore : l'homogénéité des milieux où vivaient les Franco-Ontariens. Les témoignages sont nombreux, explicites, complémentaires. Pour que le peuplement réussisse, pour que les communautés franco-ontariennes se maintiennent, sur les plans confessionnel et linguistique, elles doivent jouir d'une grande homogénéité. Dans l'Est, le clergé a maintenu, avec succès, une politique délibérée de création de paroisses linguistiquement homogènes. Même dans les paroisses d'Essex, ou dans les paroisses du Nord-Est, on trouve de fait, même en l'absence de politiques officielles, le même résultat. Les milieux relativement homogènes réussissaient mieux à maintenir la vitalité culturelle des communautés de langue française. Tous les Canadiens français étant alors catholiques, il était facile de confondre langue et religion. Il devenait dès lors d'autant plus facile de voir dans la paroisse l'institution sociale la plus importante pour la protection non seulement de la religion, mais aussi de la culture.

Les autres caractéristiques démographiques de la population franco-ontarienne sont encore mal connues. À Sudbury[63], une étude récente de la paroisse Sainte-Anne-des-Pins laisse voir une population française qui non seulement n'est pas différente de l'ensemble de la population ontarienne, mais qui semble même plus semblable à la moyenne provinciale qu'aux catholiques anglophones de la même paroisse. Dans les milieux ruraux, il faudrait sans doute chercher des points de comparaison dans les taux démographiques qui ont alors cours au Québec et dans les autres régions françaises du Canada.

Les assises économiques

Dans le commerce de la fourrure et dans l'industrie forestière, les Canadiens français de l'Ontario ont généralement occupé des postes subalternes. On trouve avec peine quelques entrepreneurs de la fourrure, en dehors des célèbres Baby de Sandwich. Dans l'industrie du bois, les grands marchands furent tous anglophones, à une exception près, les Canadiens français occupant les rangs inférieurs des jobbeurs et des sous-traitants. Dans le secteur minier, la même situation a prévalu. Au XIXe siècle, les autres Canadiens français travaillant en Ontario devinrent des ouvriers dans les manufactures, ou cultivèrent des terres.

Un peu plus de la moitié de la population franco-ontarienne, en 1910, vivait de l'agriculture. Dans l'Est, l'épuisement des forêts avait forcé les fermiers à se spécialiser. L'industrie laitière, avec ses beurreries et ses fromageries, assura la commercialisation des produits de la ferme. Dans le Nord, toutefois, l'agriculture resta marginale. Les fermiers vendaient parfois du foin, des céréales et du bétail, mais ils pratiquaient en général une agriculture polyvalente, non spécialisée, peu axée sur les marchés. Aussi la dépendance de ces fermes vis-à-vis l'industrie forestière continua-t-elle longtemps. Dans le Sud-Ouest, la spécialisation fut mieux réussie et les fermes devinrent, au XXe siècle, prospères.

Dans les villes forestières de l'Est et du Nord, les Canadiens français travaillaient en grand nombre dans les industries du bois, notamment dans les scieries et les autres activités connexes. Ce phénomène se vérifia dans les villes comme Hawkesbury, Pembroke, Mattawa, Sturgeon-Falls, Espanola, Blind-River, plus tard Iroquois-Falls, Kapuskasing et Hearst. Ailleurs, comme à Cornwall ou à Toronto, les ouvriers franco-ontariens travaillèrent dans les manufactures ou dans les services.

Mais tous les Franco-Ontariens ne furent pas des ouvriers. Dans les villes ou les villages, il y avait des professionnels, des médecins, des avocats, des enseignants. Très souvent, ces professionnels venaient du Québec, situation qui persista longtemps en Ontario français. Ainsi, peu de spécialistes se recrutèrent sur place, beaucoup arrivant du Québec, voire de France ou d'Europe. Avec la petite bourgeoisie d'affaires et le clergé, lui aussi en partie recruté au Québec, ces professionnels prirent la direction de la communauté franco-ontarienne.

La bourgeoisie commerciale fut numériquement faible et fit peu sentir sa présence dans la communauté franco-ontarienne. Il existe un nombre élevé de marchands de toutes sortes, d'artisans, de petits entrepreneurs et de sous-traitants, mais ils s'élèvent rarement au rang des grands bourgeois. Certaines exceptions n'infirment pas la règle. Ici et là, à Pénétanguishene, à Ottawa, à Sudbury, travaillaient des entrepreneurs qui avaient réussi, mais leur envergure restait locale. Il n'y a pas d'exemples de grandes fortunes accumulées par des entrepreneurs franco-ontariens avant 1910, ce qui est peu étonnant parce que la même situation existait chez les Canadiens français vivant au Québec.

Les grandes entreprises économiques franco-ontariennes furent rares ou inexistantes au XIXe siècle. Une exception notable fut l'Union Saint-Joseph, fondée en 1863[64]. Cette société de bienfaisance s'organisa à l'ombre du clocher de la cathédrale Notre-Dame d'Ottawa pour procurer à ses membres une forme d'assurance, en cas de maladie ou de décès. Mais des sentiments patriotiques et religieux aussi animaient la Société. Au début du XXe siècle, elle figura parmi les organismes franco-ontariens qui opposèrent une résistance au Règlement 17 (1912–1927). Au fait, elle fut très active dans l'organisation du congrès de fondation de l'Association canadienne-française d'éducation de l'Ontario (ACFÉO). Cette société se transforma en 1906 en Union Saint-Joseph du Canada; en 1908, elle comptait 23 000 membres. C'est un cas unique de réussite économique en Ontario français, surtout à cette époque.

En 1910, on peut donc dire que l'Ontario français repose sur des bases économiques modestes. La majorité des Franco-Ontariens vivaient d'agriculture, gérant de petites propriétés. Les professionnels n'étaient pas nombreux et la bourgeoisie d'affaires ne franchissait guère les rangs inférieurs du système économique canadien. La plupart des Franco-Ontariens faisaient donc partie de la classe rurale ou du prolétariat ouvrier.

Le réseau institutionnel

La direction de cette communauté franco-ontarienne appartenait à une petite élite, professionnelle et cléricale, basée surtout à Ottawa et qui avait le sentiment d'appartenir au Canada français, défini dans les termes d'une idéologie ultramontaine unissant la langue française et la religion catholique dans un même creuset. L'élaboration de cette identité culturelle, appuyée sur un réseau d'institutions autonomes, assura la cohésion culturelle de la communauté franco-ontarienne, augmentant son sentiment de former un groupe culturel distinct.

Certains traits durables marquaient déjà, au début du XXe siècle, cette société franco-ontarienne. La première caractéristique qui frappe l'observateur, c'est la dispersion de la communauté. Cet éparpillement, bien rendu par le mot archipel, persiste encore aujourd'hui. Une deuxième donnée importante, c'est que l'élite franco-ontarienne était regroupée surtout à Ottawa. Il convient d'accorder une attention particulière à cette question pour découvrir comment la direction de la communauté franco-ontarienne s'est concentrée dans cette ville, malgré l'ambiguïté durable d'une élite outaouaise souvent incertaine de son enracinement en sol ontarien. Enfin, un troisième élément caractéristique, c'est la place considérable que le clergé catholique a occupé dans l'histoire de l'Ontario français, notamment dans la création des institutions franco-ontariennes.

La conscience que les Franco-Ontariens eurent de faire partie du Canada français ne put se développer et se maintenir sans un ensemble d'institutions favorables à ce projet. Pour durer, cette communauté devait forcément se doter d'institutions, s'organiser afin d'assurer le maintien de ses valeurs et de ses traditions, de promouvoir ses projets d'avenir. Toutefois, dans le cas de l'Ontario français, l'élaboration du réseau institutionnel a souffert d'une asymétrie : l'omniprésence des institutions culturelles et religieuses et l'absence d'institutions économiques.

En particulier, la paroisse servit d'institution de base pour la communauté franco-ontarienne, supportant non seulement la cellule familiale, fondamentale, mais aussi tout un train d'activités sociales. La plupart des autres institutions de la communauté (scolaires d'abord, mais aussi culturelles et même économiques) gravitèrent autour de l'église, tendance renforcée, au siècle dernier, par la colonisation rurale. Même dans les villes, cependant, les Franco-Ontariens se concentrèrent dans certains quartiers où la vie paroissiale prit souvent une allure tout à fait rurale. Ce regroupement des effectifs autour du clocher permit une grande cohésion sociale et la possibilité de maintenir des institutions propres à la communauté. L'église et l'école devinrent forcément les piliers de la vie communautaire. L'école fut le complément essentiel de la paroisse, au moment même où l'Ontario, dans la deuxième moitié du XIXe siècle, cherchait à établir un système scolaire unique, gratuit, universel et commun. L'Ontario français, lui, réclamait de plus en plus un système scolaire différent, séparé, de langue française.

La prise en main du système d'enseignement par l'État, à la fin du XIXe siècle, entraîna la laïcisation des structures et une fréquentation scolaire plus démocratique, tant au niveau secondaire que primaire. Mais les progrès, en éducation, se mesuraient par un train de mesures tendant à l'uniformisation, à la centralisation des contrôles, à l'élimination des différences[65]. Le système d'écoles séparées, mis en place pour la minorité religieuse après 1841, jouissait, sur le plan constitutionnel, d'une protection depuis la loi constitutionnelle de 1867, mais la situation des écoles de langue française suscita, avec le temps, des débats. Il faut bien dire qu'au XIXe siècle, les questions de religion préoccupaient davantage la population que les affaires de langue. En outre, le statut de la langue française dans la province suscita peu de débats avant la fin du siècle. Au fait, les autorités ontariennes ont d'abord montré une grande tolérance envers l'enseignement en français.

Une première école de langue française avait ouvert ses portes en 1786 à Sandwich, avec les demoiselles Papineau et Adhémar, mais la deuxième ne suivit qu'en 1845, quand les sœurs Grises, nouvellement arrivées à Ottawa, firent la classe à un groupe de fillettes. C'est le début du système des écoles séparées françaises de l'Ontario français. À l'époque, la loi ne défavorisait pas l'usage du français en classe, pas plus que l'anglais ou l'allemand. Les parents décidaient. Dans une lettre devenue célèbre, Egerton Ryerson affirmait en 1857 que « vu que le français est langue officielle en ce pays, à l'égal de l'anglais, il est absolument licite et légal que les syndics permettent l'enseignement des deux langues aux enfants qui fréquentent leurs écoles, conformément au désir des parents[66] ». En 1869, le ministère de l'Éducation de l'Ontario autorisait, pour usage dans les régions bilingues, neuf manuels de langue française, ce qui constituait une nouvelle reconnaissance des écoles françaises.

Des écoles « bilingues » se développèrent dans les régions à forte concentration de Canadiens : dans les comtés d'Essex et de Kent au Sud-Ouest, dans les comtés de Russell, de Prescott et de Carleton à l'Est, plus tard dans les districts du Nord. Ces écoles furent souvent publiques, établies par la majorité de langue française, même si l'enseignement s'y donnait souvent dans les deux langues. En 1882, il en existait une soixantaine dans Russell et Prescott seulement. Le rapport du ministre de l'Éducation, en 1891, indiquait l'existence de 83 écoles françaises en Ontario : 12 à Ottawa (avec 58 enseignants) et 71 dans le reste de la province (avec 94 professeurs). Ces chiffres donnent une moyenne de 1,8 maître ou maîtresse par école. Ainsi, on peut penser qu'il s'agit presque partout de petites écoles d'une ou de deux classes.

En 1891, l'inspecteur White rapportait que le nombre de ces « French schools » avait doublé en quatre ans. Dans Kent-Ouest, il y en avait sept[67].

En 1885, le ministère de l'Éducation de l'Ontario adopta un règlement obligeant toutes les écoles de la province à enseigner l'anglais. À la demande de certains députés, le ministre de l'Éducation, G.W. Ross, institua en 1889 une commission pour vérifier si les écoles de Prescott, Russell, Essex, Kent et Simcoe respectaient cette directive. Dans les écoles de Prescott et de Russell, on découvrit que la quasi-totalité des enseignants n'avaient pas eux-mêmes dépassé l'école primaire. Le gouvernement attribua cette situation navrante à l'enseignement en français et, dès 1890, il adopta une loi imposant l'anglais, non comme matière obligatoire, mais comme langue d'enseignement partout en Ontario, *sauf où les élèves ne comprendraient pas l'anglais*.

Grâce à cette échappatoire, les écoles françaises, ou « anglaises-françaises », continuèrent d'enseigner une bonne partie de leurs cours en français. Une nouvelle enquête, faite en 1893, démontra de grands progrès dans la compétence des enseignantes et enseignants. Cependant, l'opposition conservatrice pressa les gouvernements libéraux d'Oliver Mowat, d'A.S. Hardy et de G.W. Ross, de sévir contre les écoles françaises et d'imposer l'anglais. En 1905, J.P. Whitney, chef du parti conservateur depuis 1896, devint premier ministre de l'Ontario, appuyé d'une forte majorité.

C'est dans la ville d'Ottawa que le conflit s'envenima. Le Conseil des écoles séparées d'Ottawa, depuis 1886, dirigeait ses affaires par deux comités, l'un français, l'autre anglais, mais ce régime cessa au début du siècle. En 1906, le conflit reprit au conseil scolaire d'Ottawa, les membres anglophones du Conseil des écoles séparées blâmant l'archevêque Duhamel de prendre partie en faveur des conseillers franco-ontariens en érigeant « un cordon d'écoles françaises » autour de la ville. Les conseillers anglais s'inquiétaient de voir leurs taxes servir aux écoles françaises. Dans son étude sur le comté de Prescott, Chad Gaffield conclut, après avoir étudié les conflits scolaires de cette région, que la volonté d'interdire l'usage du français dans les écoles découlait d'un échec des politiques assimilationnistes du gouvernement provincial. L'assimilation souhaitée ne s'étant pas produite, on voulut l'imposer, ce qui conduisit au Règlement 17 de 1912.

Le financement des écoles publiques étant meilleur que celui des écoles séparées, même les régions catholiques préféraient souvent le premier type d'écoles. Mais beaucoup de paroisses comptaient à la fois des écoles séparées et des écoles publiques. Toutefois, à la fin du XIXe siècle, un important mouvement se dessina qui transforma beaucoup d'écoles publiques en écoles séparées. Par exemple à Clarence où, d'un seul coup, en 1891, la dizaine d'écoles publiques se transformèrent en écoles séparées[68]. Le clergé catholique souhaitait substituer, partout où la chose était possible, des écoles confessionnelles aux écoles publiques. L'application des politiques d'anglicisation de 1890 stimula ce mouvement des Canadiens français vers les écoles séparées, moins soumises à la tutelle gouvernementale, mais, par contre, plus pauvres.

C'est ainsi que le réseau des écoles séparées, à la fin du XIXe siècle, devint un refuge pour l'enseignement en français et, avec la paroisse, un important appui à la communauté franco-ontarienne. Beaucoup d'écoles publiques se convertirent en écoles séparées, à l'instigation du curé du lieu. Pour bonne mesure, quand il le pouvait, le curé faisait venir des religieuses à qui il confiait la direction de ces écoles catholiques. Au début, les commissions scolaires embauchèrent des laïcs, mais à la fin du siècle, les religieuses et les religieux prirent une place croissante dans l'enseignement, à tous les niveaux, surtout dans les villes et les villages. Le plus souvent, dans le cas des paroisses franco-ontariennes, on s'adressait aux sœurs Grises, de plus en plus nombreuses dans l'enseignement primaire de la province.

L'enseignement secondaire en français commença à Ottawa dans la deuxième moitié du XIXe siècle, très modestement. Outre le collège d'Ottawa mis sur pied par l'évêché en 1848, les sœurs Grises ouvrirent un pensionnat qui devint le couvent Notre-Dame du Sacré-Cœur (couvent de la rue Rideau) en 1863. Les oblats prirent en 1856 la direction du collège d'Ottawa (Bytown). D'autres institutions virent aussi le jour : le couvent Notre-Dame (1868) ouvert par la congrégation Notre-Dame, le juniorat du Sacré-Cœur (1895), fondé par les oblats, enfin l'académie De La Salle, dont les origines remontaient aux années 1860, mais qui fut établie en permanence en 1898, dirigée par les frères des Écoles chrétiennes.

Dans le Nord, région nouvelle, la première institution s'étendant au niveau secondaire ouvrit à Sturgeon-Falls en 1904 quand les Filles de la Sagesse y établirent le pensionnat Notre-Dame-de-Lourdes. En 1910, les sœurs de l'Assomption fondèrent l'académie Sainte-Marie à Haileybury et, enfin, le collège du Sacré-Cœur, offrant un cours classique complet, ouvrit à Sudbury en 1913, sous la direction des jésuites. Dans le Sud, le collège de l'Assomption devint une institution de langue anglaise peu après sa fondation en 1857. Pour un enseignement secondaire partiellement en français dans cette région, il fallut attendre soixante-dix ans l'ouverture de l'académie Sainte-Marie de Windsor (1928), fondée par les sœurs des Saints-Noms-de-Jésus-et-de-Marie.

Dans bien des cas, l'enseignement secondaire n'était que le prolongement de l'école primaire. Ainsi, à Hawkesbury, l'école primaire (académie Sacré-Cœur), bientôt complétée par une autre école, Notre-Dame-du-Bon-Secours, s'étendit en 1904 jusqu'à la neuvième année. En 1907, on ouvrit une classe où les Canadiens français reçurent en 9e année un enseignement bilingue.

Mais plus encore que l'école, surtout avant 1910, la paroisse se trouva au cœur du réseau institutionnel de l'Ontario français. D'ailleurs, l'érection des paroisses françaises posa souvent les mêmes problèmes que l'ouverture d'écoles françaises. L'homogénéité linguistique des paroisses a produit les mêmes conflits que la question scolaire. Les travaux de Donald Cartwright et de Robert Choquette ont grandement éclairé le détail de ces rivalités. Pour les évêques à court de prêtres, la meilleure solution est souvent d'installer un curé bilingue, préférablement avec un vicaire appartenant à l'autre groupe linguistique. Mais les curés ne sont pas des anges.

Quand Guigues rencontra, en 1849, le curé James Lynch, qui lui semblait exagérer le nombre d'Écossais et d'Irlandais à l'île des Allumettes, l'évêque nota que Lynch, « en bon Irlandais, se figure aisément que ses compatriotes occupent sur la terre le même rang qu'ils ont dans son cœur[69] ». À Détroit, à la fin du siècle, Télesphore Saint-Pierre notait que Mgr Lefebvre, un Belge qui était évêque de Détroit, avait été « peu en sympathie avec les Canadiens », mais que son successeur après 1868, Mgr Borgess, « un partisan avancé de l'idée américaine », ne voulait pas encourager les Canadiens à conserver leur langue. Après une visite qu'il fit dans le Sud-Ouest en 1891, un « étudiant en médecine » cita le cas du curé de Windsor, un Alsacien, qui ne prêchait qu'en anglais; par conséquent, le français « s'enseigne au bout de la fourche, à cause du curé Wagner ». Cette lutte contre le français « se trouve un peu partout dans les institutions d'éducation haut-canadiennes, catholiques ou protestantes[70] ». Le même débat se déroula aussi aux États-Unis, surtout en Nouvelle-Angleterre, où le clergé irlandais imposa l'usage de l'anglais aux immigrants canadiens-français.

Si les élites franco-ontariennes ont attaché tant d'importance à la paroisse, et à la paroisse de langue française, c'est qu'elle fut, partout au Canada français, l'organisation sociale de base après la famille. En Ontario, elle rassurait d'autant mieux les Franco-Ontariennes et les Franco-Ontariens qu'ils se sentaient aliénés des institutions politiques et économiques de la majorité. C'est pourquoi les élites nationalistes, le clergé canadien-français en tête, réclamèrent de tout temps des paroisses homogènes de langue française. Inspirée par l'idéologie ultramontaine, cette élite vit dans la langue et la religion des frères jumeaux, inséparables. Il s'ensuivit assez naturellement que la paroisse devint l'encadrement social pour l'école, l'hôpital, la caisse populaire et diverses autres activités sociales et culturelles. Henri Bourassa ne s'exprimait pas autrement : « C'est la paroisse qui a fait le Canada français, qui l'a conservé sous tous les régimes. Elle fut le regroupement naturel, la véritable cellule sociale, dont la multiplication a fait notre peuple. Elle fut et elle est restée chez nous la pierre angulaire de l'édifice national[71]. »

Au XIXe siècle, l'Église catholique fut d'abord missionnaire[72]. Envoyés par l'évêque de Montréal, les premiers prêtres remontèrent l'Outaouais durant les années 1830. Dans la décennie suivante, les missions furent confiées aux religieux, principalement aux jésuites (pour la région des Grands Lacs) et aux oblats (le Nord et l'Ouest), chargés de convertir les Amérindiens au catholicisme. Les premiers jésuites revinrent au Canada en 1842 : ils œuvrèrent après 1843 à Sandwich, brièvement à l'île Walpole, puis à l'île Manitouline et dans toute la région du lac Supérieur. Les oblats, arrivés en 1841, s'établirent à Ottawa en 1844, prenant charge des missions indiennes dans la vallée de l'Outaouais, dans le Grand-Nord et dans le Nord-Ouest, de même que la mission des chantiers et de la paroisse de Bytown. Dans le siècle suivant, ils s'étendirent à toutes les régions du continent. Les sœurs Grises d'Ottawa, établies à Ottawa en 1844, vinrent plus tard s'ajouter à ce monde missionnaire quand elles se rendirent dans le Grand-Nord et dans l'Ouest. Avec les progrès de la colonisation naquirent, auprès des colons blancs, des missions éventuellement transformées en paroisses régulières.

L'avantage de recourir aux communautés religieuses, c'est qu'elles pouvaient mettre sur les rangs des effectifs, parfois des ressources. Peu à peu, elles étendirent leurs activités aux domaines scolaire, social et hospitalier. Les sœurs Grises, par exemple, géraient, à Ottawa et ailleurs, des asiles, des orphelinats, des hôpitaux, des écoles. Beaucoup de communautés possédaient des institutions d'enseignement. Chez les communautés d'hommes, principalement les oblats et les jésuites, le travail porta d'abord sur les missions auprès des Amérindiens, mais ils s'occupèrent aussi des chantiers et des équipes de construction ferroviaire. Avec le temps, ils prirent même la direction de certaines paroisses, tant urbaines que rurales. Mais tant chez les communautés d'hommes comme de femmes, l'éducation fut une préoccupation constante.

Sur les plans économique et politique, l'encadrement et le réseau institutionnel restèrent faibles. En politique, la présence franco-ontarienne resta modeste. Dans l'Est, les Franco-Ontariens purent parfois maîtriser la machine électorale des comtés, surtout là où ils devinrent majoritaires à la fin du siècle dernier. Dans les régions à forte concentration de Canadiens français, il y avait des conseillers et des échevins municipaux, des commissaires d'écoles, des préfets de canton et même des maires. À Ottawa, à Sudbury et dans les autres villes, des politiciens locaux de langue française se firent élire, quoiqu'en nombre faible. Quand la localité fut homogène, les Franco-Ontariens contrôlèrent forcément les institutions politiques locales[73].

Avant 1910, la plupart des hommes politiques de l'Ontario français provenaient de l'Est et du Sud-Ouest. Dans le premier gouvernement colonial du Haut-Canada formé en 1792, le gouverneur John G. Simcoe nomma Jacques Baby membre du conseil exécutif. Son frère François Baby, candidat dans le comté de Kent, fut le premier Canadien (français) élu député. Ayant siégé de 1792 à 1796, il siégea de nouveau à titre de député durant les années 1820 à 1831. En 1808, Jean-Baptiste Baby se fit élire député dans Essex. Enfin, de 1831 à 1834, le comté d'Essex désigna Jean-Baptiste Maçon pour le représenter. Si l'on excepte Louis-Hippolyte Lafontaine, élu dans le Haut-Canada en 1842, on ne trouve aucun autre député de langue française dans la partie ontarienne du Canada-Uni entre 1841 et 1867.

Au fait, le premier Franco-Ontarien élu à la législature ontarienne fut Honoré Robillard, député conservateur dans Russell en 1883. Ses successeurs jusqu'à 1929 furent tous des libéraux. Dans le comté voisin de Prescott, on élut en 1886 Alfred Évanturel, un Libéral, qui devint en 1897 le premier, et le seul, Franco-Ontarien à occuper le siège de président de l'Assemblée législative de l'Ontario.

Parmi les vedettes politiques de la fin du siècle, on peut mentionner Joseph Tassé, élu député d'Ottawa et plus tard nommé sénateur, de même que Napoléon Belcourt, futur président de l'ACFÉO. Ce dernier devint par la suite président de la Chambre des communes en 1904 et fut à son tour nommé sénateur en 1907. La circonscription fédérale de Russell a élu plusieurs députés franco-ontariens à partir de 1878, des conservateurs au début, puis des libéraux après 1891. Des députés franco-ontariens furent aussi élus dans les circonscriptions du Nord au début de ce siècle (Azaire Aubin, Charles Lamarche, Joseph Michaud, Henri Morel). Dans le Sud-Ouest, la figure dominante à la fin du XIXe siècle fut le sénateur conservateur Charles-Eusèbe Casgrain. Au Sud-Ouest, on élut des députés provinciaux, dont Octave Rhéaume, qui sera ministre dans le cabinet de Whitney. Mais un autre sénateur, représentant le Québec, joua un grand rôle en Ontario : Philippe Landry, président du Sénat entre 1911 et 1916, poste qu'il abandonna pour se consacrer à la lutte contre le Règlement 17.

L'emprise du réseau institutionnel fut faible sur le plan politique, mais la situation fut meilleure sur les plans social et culturel. Les sociétés Saint-Jean-Baptiste, par exemple, illustraient ce type d'organisation sociale. On en vit naître à Ottawa (Institut canadien-français, Société Saint-Jean-Baptiste) au début des années 1850. En Ontario comme aux États-Unis, où ces organisations pullulèrent, ces sociétés visaient à défendre la langue et les traditions françaises. Après Ottawa, Sandwich vit la fondation d'une société Saint-Jean-Baptiste une dizaine d'années plus tard. Par la suite, elles se répandirent dans de nombreuses paroisses françaises de la province. En 1883, la section de Windsor, sous la direction du médecin et futur sénateur Charles-E. Casgrain, recevait des invités du reste du Canada pour une grande célébration.

Au début du XIXe siècle, les mouvements d'action catholique aussi se répandirent dans beaucoup de paroisses, telle l'Association catholique de la jeunesse canadienne (ACJC) qui visait à « opérer le regroupement des jeunes Canadiens français et de les préparer à une vie efficacement militante pour le bien de la religion et de la patrie ». Religion et patrie : des jumeaux pour les gens de l'époque. Un groupe de jeunes d'Ottawa participa aux réunions de Montréal en 1903 et 1904. Ils formèrent ensuite un cercle de cette association qu'ils nommèrent le Cercle Duhamel. Ces groupes d'action sociale catholique connurent une certaine diffusion dans les décennies suivantes, quand plusieurs sections furent fondées, y compris le Cercle Lamarche à Toronto, Saint-Louis-de-Gonzague à L'Orignal, Saint-Léon à Bourget, Philippe-Landry à Sudbury. Pour les plus jeunes, on fondait des sections appelées les avant-gardes. En 1912, les ACJC tinrent à Ottawa une grande manifestation contre le Règlement 17 et en 1915, ils participèrent à la campagne pour les « blessés de l'Ontario ».

Ces organisations annonçaient la naissance prochaine de l'Association canadienne-française d'éducation de l'Ontario (ACFÉO) en 1910. Quatre ans plus tôt, une grande réunion de la Saint-Jean-Baptiste eut lieu à Walkerville, en banlieue de Windsor, où les participants adoptèrent une résolution demandant la pleine reconnaissance des écoles bilingues et la création d'une école normale bilingue. En 1907, les deux associations franco-ontariennes, c'est-à-dire l'Association de l'enseignement catholique et bilingue de l'Ontario, présidée par

A. Bélanger, et l'Association des instituteurs des écoles bilingues de l'Ontario, présidée par T. Rochon, se fusionnèrent pour former l'Association de l'enseignement bilingue de l'Ontario. On envoya une délégation réclamer du ministre de l'Éducation, R.A. Pyne, la pleine reconnaissance des écoles bilingues.

En 1908, une autre réunion eut lieu dans les bureaux de l'Union Saint-Joseph, à Ottawa, après que l'accréditation des frères pour l'enseignement ne fut donnée que pour une seule année. L'idée d'une grande association provinciale faisait son chemin. On chargea le juge A. Constantineau et l'abbé A. Beausoleil de convoquer une réunion préparatoire qui eut lieu en janvier 1909. Une centaine de représentants discutèrent de la convocation d'un grand congrès national des Canadiens français de l'Ontario. Beaucoup de ces congrès s'étaient tenus durant les décennies précédentes, au Canada et aux États-Unis.

On mit sur pied un comité d'organisation, mais aussi un comité d'éducation chargé de préparer les résolutions à débattre au congrès de 1910. On fit circuler un questionnaire dans toutes les parties de la province pour connaître la situation et préparer le congrès. Entre-temps, le gouvernement provincial avait chargé F.W. Merchant, inspecteur en chef des écoles publiques et séparées, de faire enquête sur les écoles françaises de la vallée de l'Outaouais. Ce rapport, soumis au début de 1909, alimenta les discussions en préparation du congrès de 1910, car il critiquait sévèrement l'état des écoles françaises-anglaises. Le clergé apporta un appui complet au projet de congrès.

Le congrès, tenu du 18 au 20 janvier 1910, réunit non seulement les sommités religieuses mais toutes les personnalités de l'Ontario français. Il accueillit le premier ministre Wilfrid Laurier, le chef de l'opposition R. L. Borden, divers autres ministres, tant fédéraux que provinciaux, et plusieurs évêques. Les grands absents, c'étaient le premier ministre provincial J.P. Whitney et ses deux collègues R.A. Pyne (ministre de l'Éducation) et W.J. Hanna (secrétaire provincial) qui avaient refusé une invitation à participer.

Au terme de leur réunion, les délégués créèrent l'Association canadienne-française d'éducation de l'Ontario (ACFÉO), dont l'exécutif rencontra Whitney dès le mois suivant pour demander la reconnaissance de l'enseignement français en Ontario. Le gouvernement tergiversa et attendit six mois avant de répondre. Sa réponse fut négative. Il y avait alors 6 334 écoles en Ontario. Parmi les 250 écoles anglaises-françaises, il y en avait 195 séparées et 55 publiques.

*

* *

En 1910, au moment de la fondation de l'ACFÉO, l'Ontario français était devenu numériquement assez important pour constituer une communauté ethnique viable, dotée durant le siècle précédent d'un réseau institutionnel. Il lui restait à se faire reconnaître dans l'ensemble de la province. Les joueurs étaient en place pour le grand conflit qui s'annonçait autour du Règlement 17 (1912–1927).

NOTES

1 Fred Coyne Hamil, *The Valley of the Lower Thames 1640 to 1850* (Toronto, University of Toronto Press, c1951, xi-390 p.). Sur les origines de cette région, voir aussi Télesphore Saint-Pierre, *Histoire des Canadiens du Michigan et du comté d'Essex, Ontario* (Montréal, Typographie *La Gazette*, 1895, [ii]-348 p.), Ernest J. Lajeunesse, *The Windsor Border Region. Canada's Southernmost Frontier. A Collection of Documents* (Toronto, Champlain Society/ University of Toronto Press, 1960, cxxix-374 p.), Vincent Almazan, *Français et Canadiens dans la région du Détroit aux XVIIe et XVIIIe siècles* (Sudbury, Société historique du Nouvel-Ontario, *Documents historiques* 69, 1979, 67 p.). Voir aussi John Clarke, « Aspects of Land Acquisition in Essex County), Ontario, 1790-1900 » (dans *Histoire sociale/ Social History* XI (21), mai 1978, p. 98–119), John Clarke, « Geographical Aspects of Land Speculation in Essex County to 1825 : The Strategy of Particular Individuals » (dans K.G. Pryke et L.L. Kulisek (dir.), *The Western District. Papers from the Western District Conference*, s.l., Essex County Historical Society and The Western District Council, Essex County Historical Society Occasional Papers no. 2, p. 69–112). Sur l'agriculture dans cette région, voir Leo A. Johnson, « The State of Agricultural Development in the Western District to 1851 » (dans K.G. Pryke et L.L. Kulisek (dir.), *The Western District...* no. 2, p. 113–145). Sur le peuplement de la région, voir Leo A. Johnson, « The Settlement of Western District 1749–1850 » (dans F.H. Armstrong, H.A. Stevenson et J.D. Wilson (dir.), *Aspects of Nineteenth-Century Ontario, Essays Presented to James J. Talman* (Toronto, University of Toronto Press, c1974), p. 19–35.

2 Pierre Point a rédigé une « Histoire de Sandwich » dont le manuscrit se trouve dans les Archives des Jésuites à Saint-Jérôme (Québec); on en trouve un sommaire dans le chapitre qu'Édouard Lecompte a consacré à la mission de Sandwich dans *Les Jésuites du Canada au XIXe siècle. Tome premier : 1842–1871* (Montréal, Imprimerie du Messager, 1920) p. 79–103.

3 Sur les voyageurs, voir en particulier Grace Lee Nute, *The Voyageur* (Saint-Paul, Minnesota Historical Society, c.1931, x-289 p. Reprint 1955); Normand Lafleur, *La vie traditionnelle des coureurs de bois aux XIXe et XXe siècles* (Montréal, Leméac, c.1973, 305 p.); Allan Greer, *Peasant, Lord, and Merchant. Rural*

Society in Three Quebec Parishes 1740–1840 (Toronto, University of Toronto Press, c1985, xvi-304 p.), notamment le chapitre « The habitant-voyageurs », p. 177–193, Fernand Ouellet, *Histoire économique et sociale du Québec 1760–1850. Structures et conjonctures* (Montréal, Fides, « Histoire économique et sociale du Canada français », c1966, xxxii-639 p.), surtout p. 158–166. Pour le Fort-William, voir W. Stewart Wallace, *The peddlars from Quebec and Other Papers on the Nor'Western* (Toronto, Ryerson, c1954, xii-101 p.). Sur l'histoire des voyageurs de Pénétanguishene, voir A.C. Osborne, « The migration of voyageurs from Drummond Island to Penetanguishene in 1828 » (dans *Ontario Historical Society. Papers and Records III*, 1901, p. 123–166). On pourra aussi consulter, sur l'histoire de cette région, Daniel Marchildon, *La Huronie* (Ottawa, Centre de ressources pédagogiques, « Pro-F-Ont », 1984, xv-285 p.), John Bayfield et Carole Gerow, *Reflets d'hier. Un* [sic] *histoire en images de Pénétanguishene* (s.l., [Pénétanguishne], c1982, 191p.), Daniel Marchildon et Cécile Desrosiers, *De coureur de bois à quoi?* (s.l., 1988, 176 p.).

4 L'étude la plus récente sur la colonisation dans cette région est la thèse de Micheline Marchand, *Les voyageurs et la colonisation de Pénétanguishene (1825–1871)*. Sudbury, Société historique du Nouvel-Ontario, « Documents historiques » 87, 1989, 121 p.

5 Grace Lee Nute a posé carrément la question du voyageur comme colon : Grace Lee Nute, *The Voyageur* (Saint-Paul, Minnesota Historical Society, c.1931, ix-289 p. Reprint 1955).

6 Alexis de Barbezieux, *Histoire de la province ecclésiastique d'Ottawa et de la colonisation dans la vallée de l'Ottawa* (Ottawa, Cie d'Imprimerie d'Ottawa, 1897, 2 tomes), Tome I, p. 188.

7 Le commerce du bois a été souvent étudié. Voir Arthur Lower, *Great Britain's Woodyard. British America and the Timber Trade, 1763–1867* (Montréal, McGill-Queen's, 1973, xiv-271 p.), Fernand Ouellet, *Histoire économique et sociale du Québec*, déjà cité, W.T. Easterbrook et Hugh G. J. Aitken, *Canadian Economic History* (Toronto, Macmillan, c1956, xiii-606 p., réimpression 1968). Pour l'Ontario, Michael S. Cross, *The Dark Druidical Groves. The Lumber Community and the Commercial Frontier in British North American to 1854* (Thèse de Ph.D., Université de Toronto, 1968, 621 p.) et Michael S. Cross, « The lumber community of Upper Canada, 1815–1867 » (dans *Ontario History* 52(4), automne 1960, p. 213–233). Aussi, Louise Dechêne, « Les entreprises de William Price » (dans *Histoire sociale/ Social History* 1, avril 1968, p. 16–52). Sur le régime d'exploitation forestière, René Hardy et Normand Séguin, *Forêt et société en Mauricie. La formation de la région de Trois-Rivières 1830–1930* (Montréal, Boréal Express/ Musée national de l'Homme, 223 p.); cet ouvrage donne une très bonne vue d'ensemble de la vie en chantier, notamment aux pages 90 à 134. Voir aussi Normand Lafleur, *La Vie traditionnelle*, p. 195–231, où il est question du travail et de la vie dans les chantiers, ainsi que de la drave et des trains de bois.

8 Pour le travail en forêt, voir les descriptions très utiles dans Hardy et Séguin, *op. cit.*, p. 90–115. Une description intéressante du travail en forêt se trouve dans Joseph-Alphonse Desjardins, *Le bûcheron d'autrefois. Vie et travaux de l'ouvrier en forêt* (Sudbury, Société historique du Nouvel-Ontario, « Documents historiques » n° 72, 1980, 92 p.), étude publiée une première fois en 1923 sous le titre *Dans nos chantiers* (Brochures de l'École sociale populaire, numéros 116–117). Voir aussi Jacques Grimard et Gaëtan Vallières, *Travailleurs et gens d'affaires canadiens-français en Ontario* (Montréal, Éditions Études vivantes, « Collection L'Ontario français », c1986), p. 27–45 et Robert Choquette, *L'Ontario français, historique* (Montréal, Éditions Études vivantes, « Collection L'Ontario français », c1980), p. 53–72. Sur la vie des bûcherons, voir aussi Normand Lafleur, *op. cit.*, p. 195–206.

9 William N.T. Wylie, « Poverty, Distress, and Disease : Labour and the Construction of the Rideau Canal, 1826–32 » (dans *Labour/ Le Travailleur* 11, printemps 1983), p. 7–29.

10 Richard M. Reid, « Introduction » (dans Reid (dir.), *The Upper Ottawa Valley to 1855* ([Ottawa], Champlain Society/ Carleton University Press, 1990), p. xc-cv. Pour une analyse de la « guerre des shiners », dont tant d'auteurs ont parlé, voir Michael S. Cross, *The Dark Druidical Groves*, *op. cit.*, surtout le chapitre V : « The Day of the Shiners ». Plus récemment, Richard M. Reid, cité plus haut, a proposé une vue moins « ethnique » des rivalités franco-irlandaises. Sur Joseph Montferrand, voir Gérard Goyer et Jean Hamelin, « Montferrand », dans *Dictionnaire biographique du Canada* IX, p. 733.

11 La relation entre l'agriculture et l'industrie forestière a donné lieu à un débat sur l'existence d'un système « agro-forestier ». Voir Normand Séguin, « L'Économie agro-forestière : genèse du développement au Saguenay au 19e siècle » (dans Normand Séguin, *Agriculture et colonisation au Québec*, Montréal, Boréal-Express, c1980), p. 159–164 (et dans *Revue d'histoire de l'Amérique française* 29(4), mars 1976), p. 559–565. Voir surtout Normand Séguin, *La Conquête du sol au 19e siècle* (Montréal : Boréal-Express, c1977, 295 p.).

12 Lower, *Great Britain's Woodyard*, p. 184–185.

13 Cité dans Barbezieux, I, p. 257.

14 Sur l'histoire d'Ottawa, voir Lucien Brault, *Ottawa. Capitale du Canada de son origine à nos jours* (Ottawa, Éditions de l'Université d'Ottawa, 1942, 311 p.), Wilfrid Eggleston, *Choix de la Reine. Étude sur la capitale du Canada* (Ottawa, Imprimeur de la Reine, 1961, 342 p.), John H. Taylor, *Ottawa. An Illustrated History* (Toronto, James Lorimer/ Ottawa, National Museums of Canada, « The History of Canadian Series », 1986, 232 p.). Voir aussi de Richard M. Reid, « Urban growth in the Ottawa Valley and the rise of Bytown » (dans Richard M. Reid (dir.), *The Upper Ottawa Valley to 1855* ([Ottawa], Champlain Society/ Carleton University Press, 1990, p. xc-cv). On trouvera aussi beaucoup de renseignements sur Ottawa dans Barbezieux, *op. cit.*

15 Sur Guigues et sur l'histoire du diocèse d'Ottawa, voir Barbezieux, *op. cit.*, Hector Legros, *Le diocèse d'Ottawa : 1847–1948* (Ottawa, *Le Droit*, 1949, 905 p.), Gaston Carrière, *Histoire documentaire de la congrégation des missionnaires de Marie-Immaculée dans l'Est du Canada* (Ottawa, Éditions de l'Université d'Ottawa, 12 tomes, 1957 à 1975), Donald Cartwright, « Ecclesiastical Territorial Organization and Institutional Conflict in Eastern and Northern Ontario, 1840 to 1910 » (dans *Historical Papers/Communications historiques* 1978, p. 176–199). Voir également les deux ouvrages de Robert Choquette, *L'Église catholique dans l'Ontario français du dix-neuvième siècle* (Ottawa, Éditions de l'Université d'Ottawa, 1984, 365 p.) et *La foi gardienne de la langue en Ontario 1900–1959* (Montréal, Bellarmin, 1987, 282 p.)

16 Sur l'histoire des sœurs Grises, voir sœur Paul-Émile [Louise Guay], *Mère Élisabeth Bruyère et son œuvre. Les sœurs Grises de la Croix. Tome I : Mouvement général 1845–1876* (Ottawa, Éditions de l'Université d'Ottawa et sœurs Grises de la Croix, [1945], 409 p.), Sœur Paul-Émile, *Les sœurs Grises de la Croix d'Ottawa. Mouvement général de l'Institut 1876–1967* (Ottawa, Maison mère des Sœurs Grises de la Croix, 1967, 391 p.), Sœur Paul-Émile, *Mère d'Youville chez ses filles d'Ottawa, les sœurs Grises de la Croix* (Ottawa, Maison mère des sœurs Grises de la Croix, 1959, 199 p.), sœur Paul-Émile, « Les débuts d'une congrégation : les sœurs Grises de la Croix à Bytown, 1845–1850 » (dans *Rapport. Société canadienne d'histoire de l'Église catholique* 10, 1942–1943, p. 47–76). Sur le couvent de la rue Rideau, voir sœur Louise-Marguerite (dir.), *Un héritage. A Light Rekindled. Réminiscences du couvent de la rue Rideau et du Collège Bruyère. Reminiscences of Rideau Street Convent and of Bruyère College* (Ottawa, sœur de la Charité d'Ottawa, c1988, 285 p.).

17 Sur l'Institut canadien-français, Madeleine Charlebois-Dirschauer, « La naissance des sociétés sœurs : l'Institut canadien-français et la Société Saint-Jean-Baptiste de Bytown (1852–1856) » (dans Cécile Cloutier-Wojciechowska et Réjean Robidoux (dir.), *Solitude rompue* (Ottawa, Éditions de l'Université d'Ottawa, Cahier du CRCCF 23, p. 38–46). Pour la petite histoire des Canadiens français d'Ottawa, on consultera le travail touffu de Georgette Lamoureux, *Histoire d'Ottawa et de sa population canadienne-française* [le titre varie] (5 tomes, Ottawa : l'auteur, s.n., 1978–1989).

18 Reid, *The Upper Ottawa Valley to 1853*, p. lviii.

19 Sur l'ultramontisme, voir notamment l'étude de Nive Voisine et Jean Hamelin (dir.), *Les ultramontains canadiens-français. Études d'histoires religieuses présentées en hommage au professeur Philippe Sylvain* (Montréal, Boréal-Express, s.d. [1985], 349 p.). Sur la cléricalisation de la profession d'enseignant, voir André Labarrère-Paulé, *Les instituteurs laïques au Canada français 1836–1900* (Québec, Presses de l'Université Laval, 1965, xviii-471 p.).

20 Sur les journaux, voir F. J. Audet, *Historique des journaux d'Ottawa* (Ottawa, A. Bureau & Frères, 1896), Paul-François Sylvestre, *Les journaux de l'Ontario*

français 1858–1983 (Sudbury, Société historique du Nouvel-Ontario, « Documents historiques » 81, 1984, 55 p.), Duncan McLaren, *Ethno-cultural newspapers of Ontario, 1835–1972. An annotated checklist* (Toronto, University of Toronto Press, c1973, xviii-234 p.).

21 Sur Taché, Tassé et Sulte, voir le *Dictionnaire des œuvres littéraires du Québec* (DOLQ). Sur Sulte, voir aussi Gérard Malchelosse, *Cinquante-six ans de vie littéraire. Benjamin Sulte et son œuvre. Essai de bibliographie…* (Montréal, Les Pays laurentiens, 1916, 78 p.). Sur la question de la direction de la société franco-ontarienne, voir, pour une période plus récente, la thèse de Céline Corriveau, *Le leadership franco-ontarien de la région d'Ottawa-Carleton. Étude de sa structure et de son idéologie* (Thèse de maîtrise, Université d'Ottawa, 1981, [v]-121 p.).

22 Sur la croissance économique de cette période, voir Ian M. Drummond *et al.*, *Progress Without Planning. The Economic History of Ontario* (Toronto, Ontario Historical Studies Series, c1987, xvi-509 p.). Pour une vue plus générale, voir le classique W.T. Easterbrook et H.G.J. Aitken, *Canadian Economic History* (Toronto, Macmillan, [c1956], xiii-606 p.) et William L. Marr et Donald G. Paterson, *Canada : An Economic History* ([Toronto], Macmillan, [c1980], xx-539 p.).

23 Au sujet des terres, voir Richard S. Lambert, *Renewing Nature's Wealth. A Centennial History of the Public Management of Lands, Forests & Wildlife in Ontario, 1763–1967* (Toronto, Ontario Department of Lands and Forests, 1967, xvi-630 p.), Lilian Gates, *Land Policies of Upper Canada* (Toronto, University of Toronto Press, c1968, 378 p.), Florence B. Murray, « Agricultural Settlement on the Canadian Shield : Ottawa River to Georgian Bay » (dans Edith G. Firth (dir.), *Profiles of a Province. Studies in the History of Ontario*, Toronto, Ontario Historical Society, 1967, xiii-233 p.), p. 178–186. Les paragraphes qui suivent sont fortement redevables à l'étude de Lambert. Au sujet de l'exploitation des richesses naturelles et des rapports entre les entrepreneurs et le gouvernement, H.V. Nelles, *The Politics of Development. Forests, Mines, Hydro-Electric Power in Ontario, 1849–1941* (Toronto, Macmillan of Canada, c1974, xiii-514 p.).

24 Fernand Ouellet, *Histoire économique et sociale du Québec 1760–1850. Structures et conjonctures* (Montréal, Fides, Histoire économique et sociale du Canada français, c1966, xxxii-639 p.), p. 446. Dans cet ouvrage, voir en particulier les pages 441–483.

25 Quelques dizaines de milliers de Canadiens français émigrèrent aux États-Unis dans les années 1840, mais les chiffres augmentèrent à la fin du siècle. Le géographe Raoul Blanchard a estimé qu'entre 1840 et 1931, environ 700 000 Canadiens français auraient quitté le Québec; Gilles Paquet évalue le nombre d'émigrants à 500 000 pour la période 1851–1901, chiffre voisin de celui que proposent Hamelin et Yves Roby, soit 530 465. Tous ces chiffres sont cités dans Jean Hamelin et Yves Roby, *Histoire économique du Québec, 1851–1896* (Montréal : Fides, « Histoire économique et sociale du Canada français », c.1971,

xxxvii-436 p.), p. 68. Sur cette question, voir Yolande Lavoie, *L'émigration des Canadiens aux États-Unis avant 1930* (Montréal, Presses de l'Université de Montréal, 1972, 89 p.).

26 Citation de Louis Hamelin, dans Gabriel Dussault, *Le curé Labelle. Messianisme, utopie, et colonisation au Québec 1850–1900* (Montréal, Hurtubise HMH, c1983, 392 p.); Robert Lévesque et Robert Migner, *Le curé Labelle. Le colonisateur. Le politicien. La légende* (Montréal, La Presse, Collection Jadis et naguère, c1979, 203 p.). Aussi, Ernest Laforce, *Bâtisseurs de Pays* (Montréal, Éditions Édouard Garand, c1944, 263 p.) donne une série de biographies de « missionnaires-colonisateurs » du début du XXe siècle, dont quelques-uns dans le Grand-Nord ontarien. Le cas le plus pittoresque fut sans aucun doute l'abbé Charles Paradis. Voir à ce sujet Bruce W. Hodgins, *Paradis of Temagami* (Cobalt : Highway Book Shop, 1976, 57 p.). Sur l'ensemble de la question de la colonisation, voir Normand Séguin, « L'histoire de l'agriculture et de la colonisation au Québec depuis 1850 », dans Normand Séguin, *Agriculture et colonisation au Québec* (Montréal, Boréal Express, c1980, 22 p.), p. 9–37.

27 Alexis de Barbezieux, *Histoire de la province ecclésiastique d'Ottawa et de la colonisation dans la vallée de l'Ottawa* (Ottawa : Cie d'imprimerie d'Ottawa, 1897, 2 tomes), I, p. 263. Cet ouvrage a beaucoup servi pour tracer l'historique des paroisses de l'Est, pour lesquelles il contient souvent des chiffres sur la composition ethnique. Écrivant cette histoire à la demande de l'évêque Duhamel, de Barbezieux eut accès aux rapports des curés, témoins oculaires, et ses chiffres ont donc une grande autorité. Sur l'histoire générale de la colonisation, voir aussi l'importante thèse de Donald Gordon Cartwright, *French Canadian Colonization in Eastern Ontario to 1910 : A Study of Process and Pattern* (Thèse de Ph.D., Université Western 1973. CTM 16400), principalement, pour les débuts de la colonisation, le chapitre V. Sur la question générale de la colonisation, *Pour la colonisation* [Extraits des rapports présentés au Congrès de colonisation tenu à Montréal les 11 et 12 février 1932] (Montréal, École sociale populaire, n° 219, 1932, 32 p.), *Rapport du Congrès de la colonisation tenu à Montréal les 22, 23, et 24 novembre 1898* (Montréal, Société générale de colonisation et de rapatriement, 1900, 388 p.), *Le problème de la colonisation au Canada français* (Montréal, A.C.J.C., 1920, 300 p.).

28 Mandement de 1884, cité dans Barbezieux, II, p. 94.

29 Voir le roman de Antoine Gérin-Lajoie, *Jean Rivard, le défricheur*, paru dans les *Soirées canadiennes*, 1862, p. 65–319. Ce travail a inspiré plusieurs auteurs dans leur description du défrichement, comme Alexis de Barbezieux (I, p. 284–287). Voir aussi Jean Hamelin et Yves Roby, *Histoire économique du Québec, 1851–1896*, p. 180–184. Pour savoir quels conseils les colons recevaient, voir l'ouvrage publié au début du XXe siècle, *Le livre du colon ou comment s'installer sur une terre pour presque rien* (Réédité à Montréal, Éditions Univers, c1979, 103 p.).

30 Sur les débuts de la colonisation dans cette région, voir Richard M. Reid (dir.), *The Upper Ottawa Valley to 1855* (Ottawa, Champlain Society/Carleton University Press, 1990, p. xc-cv). Sur l'aspect plus particulier de la colonisation irlandaise, voir Bruce S. Elliot, *Irish Migrants in the Canadas. A New Approach* (Kingston/Montréal, McGill-Queen's University Press, c1988, xxviii-371 p.).

31 Ces commentaires sont rapportés dans Lucien Brault, *Histoire des comtés unis de Prescott et de Russell* (L'Orignal, Conseil des comtés unis, 1965, 377 p.), p. 26–27. Pour la colonisation dans Prescott et dans Russell, cette étude contient beaucoup de renseignements utilisés dans les paragraphes qui suivent.

32 Bruno Guigues à Ignace Bourget, 19 novembre 1851, Archives de l'archidiocèse d'Ottawa, Registre des lettres IV, 1851–1852. Voir aussi Cartwright, *op. cit.*, chapitre V.

33 Cité dans Jean Bruchési, « Rameau de Saint-Père et les Français d'Amérique », *Cahiers des Dix* 13, 1948, p. 245.

34 Sur la colonisation dans l'est de l'Ontario, voir d'abord Alexis de Barbezieux, *Histoire de la province ecclésiastique d'Ottawa et de la colonisation dans la vallée de l'Ottawa* (2 volumes. Ottawa, La Cie d'Imprimerie d'Ottawa, 1897, 609 p. + 507 p.), puis Hector Legros et sœur Paul-Émile, *Le Diocèse d'Ottawa 1847–1948* (Ottawa, s.é., 1949, 905 p.). Voir aussi Donald Gordon Cartwright, *French Canadian Colonization in Eastern Ontario to 1910 : A Study of Process and Pattern* (Thèse de Ph.D., Université Western 1973. CTM 16400), Lucien Brault, *Histoire des comtés unis de Prescott et de Russell* (L'Orignal, Conseil des comtés unis, 1965, 377 p.) et aussi les histoires locales du Centre de ressources pédagogiques, dans la « Collection Pro-F-Ont ». Sur les deux cantons d'Alfred et de Caledonia, voir l'étude de Chad Gaffield, *Language, Schooling, and Cultural Conflict. The Origins of the French-language Controversy in Ontario* (Kingston/Montréal, McGill-Queen's University Press, c1987, xviii-249 p.). Voir aussi Michel Prévost, *Caledonia Springs. Gloire et déclin de la plus importante ville d'eaux du Canada (1835–1915)* (Hull, Éditions Asticou, c1986, 142 p.).

35 Gaffield, *op. cit.*, passim.

36 Date de fondation des paroisses catholiques et françaises dans le comté de Prescott avant 1910 : Longueuil/L'Orignal (1836), Hawkesbury-Est (Saint-Eugène, 1851), Plantagenet-Nord (Curran) (1860), Plantagenet-Sud (Fournier, 1867), Alfred (1871), Plantagenet-Nord (Plantagenet, 1877), Hawkesbury-Ouest (Vankleek-Hill, 1878), Alfred (Lefaivre, 1879), Hawkesbury-Ouest (Hawkesbury, 1883), Plantagenet-Sud (Saint-Isidore, 1883), Hawkesbury-Est (Sainte-Anne, 1885), Plantagenet-Nord (Wendover, 1885), Hawkesbury-Est (Chute-à-Blondeau/Saint-Joachim, 1894) et Plantagenet-Sud (Lemieux, 1901).

37 Lucien Brault, *Histoire des comtés unis*, p. 241.

38 Date de fondation des principales paroisses catholiques et françaises du comté de Russell : Cumberland (Saint-Antoine, 1855, mais supprimée en 1861), Russell

(Embrun, 1864), Clarence (Clarence-Creek, 1866), Cambridge (Saint-Albert, 1878), Clarence (Bourget, 1885), Cumberland (Sarsfield, 1886), Cambridge (Casselman, 1886), Clarence (Rockland, 1889), Cambridge (Limoges/South-Indian, 1901), Russell (Marionville, 1903), Clarence (Saint-Pascal-Baylon, 1908).

39 Francine Bourgie et Jean-Pierre Proulx, *Histoire d'Embrun* (Embrun, s.n., 1980, 253 p.), p. 17. Voir aussi, sur Embrun, le travail ancien de J.-Urgel Forget et de Élie-J. Auclair, *Histoire de Saint-Jacques d'Embrun. Russell, Ontario* (Ottawa, Cie d'Imprimerie d'Ottawa, 1910, vii-658 p.).

40 Sur l'histoire du diocèse d'Alexandria, voir Rudolph Villeneuve, *Cent Mille Bienvenues. Ceud Mile Failte. Histoire du diocèse d'Alexandria-Cornwall 1890–1990* (Traduction de Charles-Émile Claude, Cornwall, Diocèse d'Alexandria-Cornwall, 1990, x-204 p.). Sur la question des conflits linguistiques dans ce diocèse, voir Robert Choquette, *De la controverse à la concorde. L'Église d'Alexandria-Cornwall* (Ottawa, Éditions L'Interligne, 1990, 126 p.). Voici les dates de fondation des principales paroisses catholiques et françaises dans l'Est en dehors de Prescott-Russell, avant 1910: Carleton (Ottawa, cathédrale Notre-Dame, 1827), Carleton (Ottawa, Saint-Joseph (1857)/Sacré-Cœur, 1889), Renfrew (Saint-Colombe, 1856), Renfrew (Lapasse, 1858), Carleton (Orléans, 1860), Carleton (Ottawa, paroisse Saint-Jean-Baptiste, 1872, paroisse Sainte-Anne, 1873, Notre-Dame-de-Cyrville, 1873), Stormont (Cornwall, 1887), Carleton (Eastview, paroisse Notre-Dame, 1887), Carleton (Ottawa, paroisse Saint-François-d'Assise, 1890), Carleton (Eastview, paroisse Saint-Charles, 1908). Sur le diocèse de Pembroke, voir Joseph C. Legree, *Lift up your Hearts. A History of the Roman Catholic Diocese of Pembroke* s.l. [Combermere?], s.n., [c1988], 448 p.

41 Alexander MacDonell, évêque d'Alexandria (1890–1905), cité dans Cartwright, *op. cit.*

42 Sur les conflits linguistiques dans ce diocèse, voir Robert Choquette, *De la controverse à la concorde. L'Église d'Alexandria-Cornwall* (Ottawa, L'Interligne, 1990, 126 p.).

43 Nicole Casterna, « Les stratégies agricoles du paysan canadien-français dans l'Est ontarien (1870) » (dans *Revue d'histoire de l'Amérique française* 41(1), été 1987, p. 23–51). Sur le développement de l'industrie laitière dans l'Est, voir la thèse de doctorat d'Earl A. Haslett, *Factors in the Growth and Decline of the Cheese Industry in Ontario, 1867–1924* C.T.M. 6313. Voir aussi E. Manion McInnis, « The Efficiency of French-Canadian Farmers in the Nineteenth-Century » (dans *Journal of Economic History* 40, 18 septembre 1980, p. 497–514).

44 La plus vieille paroisse de l'Ontario, l'Assomption du Détroit (Windsor), fut fondée en 1767. D'autres suivirent: Amherstberg (1844), Paincourt (1851), Raleigh (1850?), Tilbury (1855), Tecumseh (1856), Belle-Rivière (1860), Rivière-aux-Canards (1864), Pointe-aux-Roches (1867), MacGregor (1880), Saint-Joachim/

Ruscom (1883), Grande-Pointe (1886). Dans la région de la Huronie, au sud de la baie Georgienne, les paroisses qui nous intéressent sont celles de Pénétanguishene (Sainte-Anne, 1837), Lafontaine (1861), Perkinsfield (1908). Une paroisse française, Sacré-Cœur, fut aussi fondée à Toronto en 1887.

45 Télesphore Saint-Pierre, *Histoire des Canadiens du Michigan et du comté d'Essex, Ontario* (Montréal, Typographie de la Gazette, 1895, 348 p.), p. 221.

46 *Album souvenir de la paroisse de l'Immaculée Conception de Pain Court, Ont. 1851–1926* (s.l., s.d., s.n., 304 p.). Sur l'histoire de la colonisation française dans le Sud-Ouest, on consultera la série d'histoires de paroisses rédigées pour le projet de Pro-F-Ont., souvent les seules informations disponibles sur l'histoire des différents villages. Voir aussi *The Parish Family of St. Simon and St. Jude 1834–1984/ La Famille paroissiale de St. Simon et St. Jude* (s.l., [1984], s.n., 244 p.) et l'*Histoire de la paroisse St-Joachim 1882–1982* (s.l., s.d., s.n., 276 p.). Aussi, voir Télesphore St-Pierre, *op. cit.*

47 Sur les débuts du peuplement de Lafontaine, voir la première section de cet article. Pour l'histoire de la colonisation française dans la Huronie, voir le cahier Pro-f-Ont de Daniel Marchildon, *op. cit.* Voir aussi *Le Bon Dieu est bon. Histoire de la paroisse Saint-Patrick et du village de Perkinsfield* (s.l., s.n., [1984], 37 p.), Micheline Marchand, *op. cit.*

48 Narcisse-E. Dionne, *Les ecclésiastiques et les royalistes français réfugiés au Canada à l'époque de la Révolution — 1791–1802* (Québec, 1905), p. 127–160.

49 Clermont Trudelle et Pierre Fortier *et al.*, *Toronto se raconte. La paroisse du Sacré-Cœur* (Révisé par Thérèse Lior avec des contributions de David Welch, Hélène Giguère-Pilotte, François Urbain-Lambert, Roland Doyon, Maurice Filion, Claudette Roy-Gobeil, Toronto, Société d'histoire de Toronto, 1987, 128 p.). Aussi, Thomas R. Maxwell, *The Invisible French. The French in Metropolitan Toronto* (s.l., Wilfrid University Press, [c1977], xvii-174 p.), étude qui porte sur la période récente bien que le chapitre III retrace l'histoire de la communauté franco-torontoise.

50 Pour l'histoire du nord de l'Ontario, voir Gaétan Gervais, Matt Bray et Ernie Epp (dir.), *Un vaste et merveilleux pays. Histoire illustrée du nord de l'Ontario* (Sudbury, Université Laurentienne, 1984, 203 p.). Pour l'histoire des différentes régions, voir la bibliographie de Gaétan Gervais, Ashley Thomson et Gwenda Hallsworth, *Bibliographie : Histoire du nord-est de l'Ontario/ Bibliography : History of North-Eastern Ontario* (Sudbury, Société historique du Nouvel-Ontario, « Documents historiques » 82, 1985, iv-108 p.). Pour l'histoire des Franco-Ontariens, on peut aussi consulter les nombreuses publications de la Société historique du Nouvel-Ontario (la collection des « Documents historiques ») de même que les cahiers de la série Pro-F-Ont, publiée à l'intention des enseignants par le Centre franco-ontarien de ressources pédagogiques, à Ottawa. Sur la question particulière du lien entre la colonisation et les chemins de fer, voir

Gaétan Gervais, « Le réseau ferroviaire du nord-est de l'Ontario, 1881–1931 » (dans *Laurentian University Review/Revue de l'Université Laurentienne* XIII(2), février 1981, p. 35–63).

51 Sur l'histoire du Témiscamingue, voir Barbezieux, *Histoire de la province* ..., II, p. 430ss, Micheline Boucher *et al.*, *Our Timiskaming* (Cobalt, Highway Book Shop, 1977, 78 p.), O.T.G. Williamson, *The Northland Ontario* (Toronto, Ryerson, c1946, ix-110 p.), Michael Barnes, *Cochrane. The Polar Bear Town* (Cobalt, Highway Book Shop, c1976, 64 p.), Alice Marwick, *Northland Post. The Story of the Town of Cochrane* (Cochrane, s.n., c1950, [viii]-342 p.), Michael Barnes, *Kirkland Lake. The Town that Stands on Gold* (Cobalt, Highway Book Shop, c1978, [vi]-192 p.), Elaine Mitchell, *Fort Timiskaming and the Furt Trade* (Toronto, University of Toronto Press, c1977, 306 p.), Benoît Beaudry-Gourd, « La colonisation des Clay Belts du Nord-Ouest québécois et du Nord-Est ontarien. Étude de la propagande des gouvernements du Québec et de l'Ontario à travers leurs publications officielles » (dans *Abitibi-Témiscamingue. Quatre études sur le Nord-Ouest québécois*, Rouyn, Presses du CÉGEP de Rouyn-Noranda, 1974, p. 1–25), Alfred Tucker, *Steam into Wilderness. Ontario Northland Railway 1902–1962* (Toronto, Fitzhenry & Whiteside, c1978, viii-215 p.), G.L. Cassidy, *Arrow North. The Story of Temiskaming* (Cobalt, Highway Book Shop, c1976, 398 p.). Sur le Témiscamingue en général, voir aussi Arthur Buies, *L'Outaouais supérieur* (Québec, Imprimerie Darveau, 1889, 311 p.) et Augustin Chénier, *Notes historiques sur le Témiscamingue* (Ville-Marie, s.n., 1937, 137 p.).

52 Sur la carrière mouvementée et dépareillée de Charles Paradis, voir Bruce W. Hodgins, *Paradis of Temagami* (Cobalt, Highway Book Shop, 1976, 57 p.).

53 C.C. Farr, *The Lake Temiskaming District, Province of Ontario, Canada. A Description of its soil, climate, products, area, agricultural capabilities and other resources together with information pertaining to the sale of public lands* (Toronto, Warwick Bros., 1894, 16 p.). Il existe, pour la région de l'Algoma, de nombreuses brochures semblables.

54 Barbezieux, I., p. 256. Sur la région du Nipissing, voir Gaétan Gervais, *La colonisation française et canadienne du Nipissingue (1620–1920)* (North-Bay, Société historique du Nipissing, « Études historiques » 2, 1980, 99 p.) et René Guénette, *Histoire de Sturgeon-Falls* (Thèse M.A., Université Laval, 1966, xi-191 p.).

55 Voici la liste des paroisses du Nord-Est de l'Ontario : Mattawa (1878), Sudbury (Sainte-Anne, 1883), Sturgeon-Falls (Sacré-Cœur, 1885), Bonfield (1886), Massey (1889), Verner (1895), Blind-River (1898) Chelmsford (1898), Cache-Bay (1900), Warren (1901), Blezard-Valley (1901), Spanish (1902), Field (1902), Saint-Charles (1904), Hanmer (1905), Noëlville (1905).

56 Arthur Buies, *L'Outaouais supérieur* (Québec, C. Darveaux, 1889), p. 103.

57 Récit de Jean-Marie Nédelec, cité longuement par Barbezieux, II, p. 418.

58 Cité dans Cartwright, *op. cit.*, p. 132.

59 Gail Cuthbert Brandt, « *J'y suis, j'y reste » : The French Canadians of Sudbury, 1883–1913* (Thèse de Ph.D., Université York, 1976, xiv-827 p.), Gaétan Gervais, « Sudbury, 1883–1914 » (dans *À notre ville/To our City*, (Sudbury : 1983, p. 17–31), Gaétan Gervais, « La stratégie de développement institutionnel de l'élite canadienne-française de Sudbury ou le triomphe de la continuité » (dans *Revue du Nouvel-Ontario* n° 5, 1983, p. 67–92).

60 Sur l'histoire locale de cette région, Huguette Parent, *Le township de Hanmer* (Sudbury, Société historique du Nouvel-Ontario, « Documents historiques » 70, 1979, 53 p.), *Chelmsford 1883–1983* (Chelmsford, 1983, 455 p.). On pourra aussi consulter soit les brochures de la Société historique du Nouvel-Ontario, soit les cahiers de la série Pro-F-Ont du Centre franco-ontarien de ressources pédagogiques.

61 Pour la première citation, Margaret Claire Kilroy, « In the footsteps... », *Ontario Historical Society. Papers and Records* 1906, p. 30; pour la seconde, Sait. *Clerical Control in Québec*, 1911, p. 59.

62 Sait, p. 57.

63 Donald Dennie, *La paroisse Sainte-Anne-des-Pins de Sudbury (1883–1940). Étude de démographie historique* (Sudbury, Société historique du Nouvel-Ontario, « Documents historiques » 84, 1986, 115 p.).

64 Sur l'Union Saint-Joseph, voir Charles Leclerc, *L'Union Saint-Joseph du Canada. Son histoire. Son œuvre. Ses artisans* (Ottawa, 1939). Pour une brève histoire du mouvement coopératif en Ontario, *Histoire du mouvement coopératif en Ontario français* (Ottawa, Conseil de la coopération d'Ontario, [1986], 44 p.).

65 Sur l'histoire de l'enseignement en français en Ontario, voir frère Benoît, *Un siècle d'enseignement français en Ontario* (Thèse de M.A., Université de Montréal, 1945), Lucien Brault, *Bref exposé de l'enseignement bilingue au XXe siècle dans l'Ontario et les autres provinces* (s.l., 1966, 36 p.), Robert Choquette, *Langue et religion. Histoire des conflits anglais-français en Ontario* (Ottawa, Éditions de l'Université d'Ottawa, 1977, 268 p.), Gaétan Gervais, « L'enseignement supérieur en Ontario français (1848–1965) » (dans *Revue du Nouvel-Ontario* 7, 1985, p. 11–52), Arthur Godbout, *L'Origine des écoles françaises dans l'Ontario, 1791–1941* (Ottawa, Éditions de l'Université d'Ottawa, 1972, 183 p.), Arthur Godbout, *Nos écoles franco-ontariennes. Histoire des écoles de langue française dans l'Ontario, des origines du système scolaire (1841) jusqu'à nos jours* (Ottawa, Éditions de l'Université d'Ottawa 1980, 144 p.), Lionel Groulx, *L'Enseignement français au Canada* (Vol. II : *Les Écoles des minorités*, Montréal, Granger Frères, 1935, surtout le chapitre V, « Les écoles franco-ontariennes », p. 194–271), Albert Plante, *Les Écoles séparées d'Ontario* (Montréal, Collection Relations 3, 1952, 104 p.), David Welch, *The Social Construction of Franco-Ontarian Interests towards French Language Schooling. 19th Century to 1980s* (Thèse de Ph.D., Université de Toronto, c1988, viii-400 p.). Voir aussi *Congrès d'éduca-*

tion. Canadiens-français d'Ontario 1910. Rapport officiel des séances tenues à Ottawa du 18 au 20 janvier 1910 (Ottawa, Association canadienne-française d'éducation d'Ontario, 1910, 363 p.).

66 Ce texte fameux, tiré de J. Hodgins, *The Legislation and History of Separate Schools in Upper Canada*, est reproduit en beaucoup d'endroits, par exemple dans Lucien Brault, *Bref exposé...*, p. 10.

67 Rapport. Ministre de l'Éducation, 1891, p. 112 et p. 152.

68 Barbezieux, II, p. 101.

69 Bruno Guigues, 1849, cité dans Barbezieux, I, p. 400.

70 *Un étudiant en médecine*, 1892, p. 55.

71 Henri Bourassa, cité dans Esdras Minville, « La colonisation », dans *L'agriculture* (Montréal, Fides, 1944), p. 295. À ce sujet, voir aussi Adélard Dugré, *La Paroisse au Canada français* (Montréal, École Sociale Populaire, n° 183–184, 1929, 64 p.).

72 Sur les missions, Émile Saindon, *En missionnant. Essai sur les missions des pères oblats de Marie-Immaculée à la baie James* (Ottawa, Imprimerie Le Droit, 1928, 81 p.), Gaston Carrière, *Les Missions catholiques dans l'Est du Canada et l'honorable Compagnie de la baie d'Hudson (1844–1900)* (Ottawa, Éditions de l'Université d'Ottawa, 1957, 194 p.), Édouard Lecompte, *Les Jésuites au Canada au XIXe siècle. Tome premier 1842–1872* (Montréal, Imprimerie du Messager, 1920, 333 p.), Édouard Lecompte, *Les Missions modernes de la Compagnie de Jésus au Canada (1842–1924)* (Montréal, Imprimerie du Messager, 1925, 79 p.), Sœur Paul-Émile, *Amiskwaski. La terre du castor. La baie James. Trois cents ans d'histoire* (Ottawa, maison-mère des sœurs Grises, c1952, 315 p.).

73 Voir Victor Lapalme, *Les Franco-Ontariens et la politique provinciale* (Thèse de M.A., Université d'Ottawa, 1968, v-132 p.), Paul-François Sylvestre, *Nos parlementaires* (Ottawa, L'Interligne, 1986, ix-131 p.).

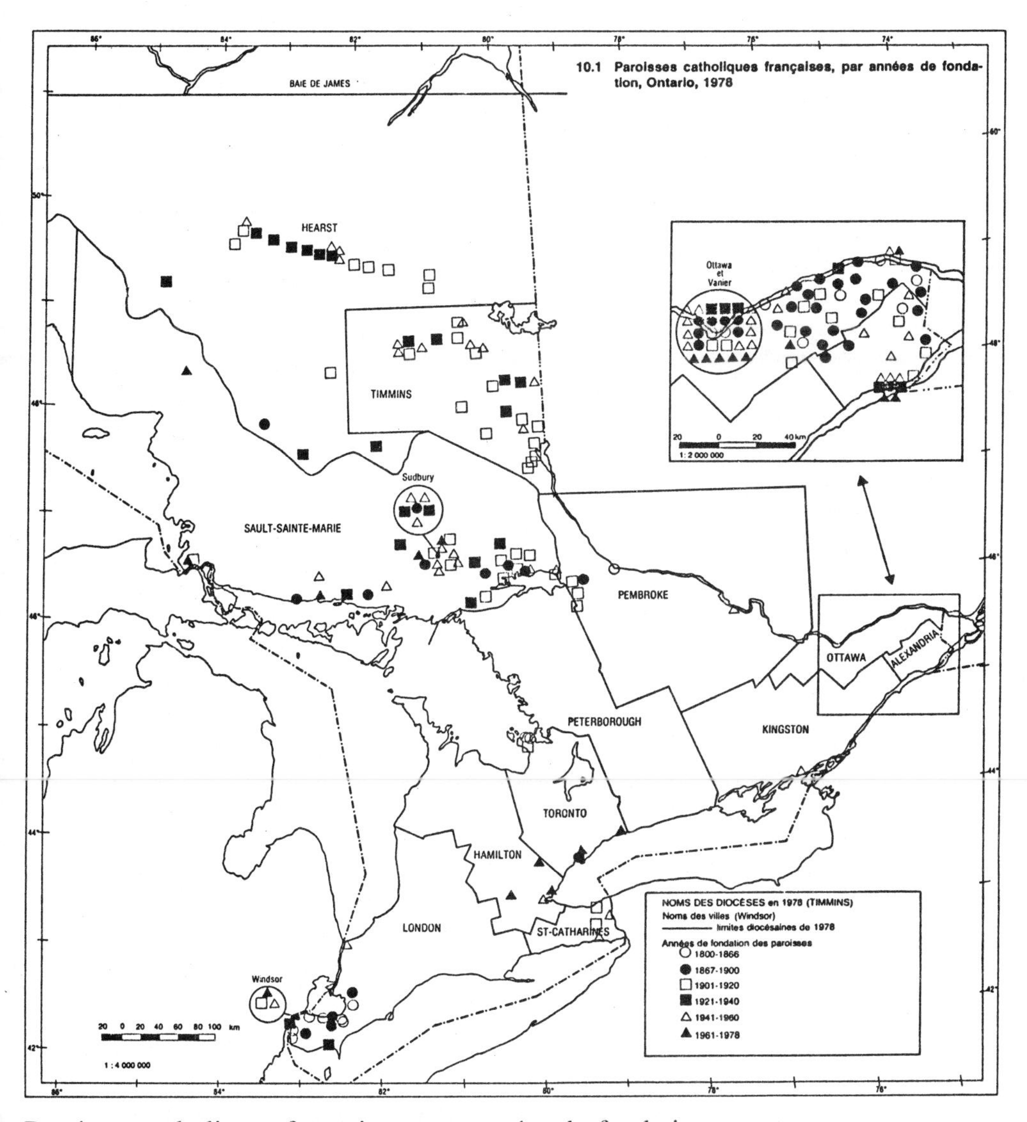

Paroisses catholiques françaises, par années de fondation.
(Source : *Atlas de l'Ontario français*, par Gaetan Vallières et Marcien Villemure, Montréal, Éditions Études vivantes, 1982. Avec leur aimable autorisation.)

4 *L'évolution de la présence francophone en Ontario : une perspective économique et sociale**

FERNAND OUELLET

Jusqu'à tout récemment, l'histoire des Franco-Ontariens fut écrite sous l'angle privilégié de la question des écoles[1]. Cette historiographie, qui est encore pratiquée aujourd'hui, traduisait d'abord les craintes des classes dirigeantes francophones québécoises et ontariennes au sujet du destin précaire de ce rameau transplanté en terre presque étrangère d'une nation catholique et française. Bien qu'axée sur l'idée réconfortante de la lutte pour la survivance culturelle d'une communauté restée, prétendit-on, rurale et agricole jusqu'au milieu du XXe siècle, cette vision des choses réduisait la représentation qu'on se faisait des francophones ontariens à celle de victimes des préjugés et des abus de pouvoir de la majorité anglophone protestante et même catholique. Il va sans dire que cette perspective limitée semble cadrer de moins en moins avec les idées et les sentiments des Franco-Ontariens ordinaires qui, eux aussi, ont réalisé à leur façon leur *révolution tranquille*. Car il ne fait pas de doute que la modernisation du Québec, en polarisant l'attention sur l'économique et le culturel, a suscité de nouvelles façons d'envisager l'avenir des minorités françaises hors Québec.

Ainsi, depuis une vingtaine d'années, à la suite de la montée du mouvement nationaliste québécois, tendu comme il le fut malgré toutes ses ambiguïtés vers l'objectif de l'indépendance, le sort des minorités francophones hors Québec parut aux indépendantistes vivant au Québec et en Ontario si fragile, qu'ils ne se gênèrent pas pour prédire l'inévitable disparition de ces groupes établis un peu partout hors du « territoire national[2] ». C'est ce contexte — autant que les réactions

* Mes remerciements à Phyllis Leblanc, Gérald Pelletier et Jean-Pierre Maisonneuve pour leur aide dans la constitution d'une bibliographie.

complexes des Franco-Ontariens eux-mêmes et les prises de conscience amorcées au niveau du gouvernement fédéral — qui rend le mieux compte du caractère passionné des débats linguistiques et de la grande concentration de la recherche sur le problème de l'assimilation[3].

Pas étonnant alors que l'histoire économique et sociale ait été lente à démarrer dans ce milieu où les classes dirigeantes étaient dominées par des préoccupations culturelles coupées de l'économique. Quand elle émergea, la sensibilité aux réalités économiques s'exprima à travers les divers courants portés par la *révolution tranquille* et à travers les besoins ressentis par les Franco-Ontariens dans leur propre milieu. Comme au Québec et à sa suite, c'est en grande partie par le biais de la question depuis si longtemps préoccupante de l'infériorité économique des Canadiens français que s'amorça la recherche.

Ces travaux suscités par le besoin de répondre à certaines préoccupations présentes à propos des Franco-Ontariens, ont leur équivalent dans toutes les communautés francophones du pays. Pourtant, il ne s'agit pas d'études remontant loin dans le passé et appuyées sur un large éventail de variables, mais de prises de vues quantitatives concentrées sur quelques années et limitées à quelques indicateurs : les revenus, les occupations, le niveau d'instruction et, parfois, la position parmi les chefs d'industrie (les propriétaires et les administrateurs). De telles analyses répondent peut-être aux besoins du moment mais elles ne sauraient constituer la base d'une histoire du rôle économique et social de tous les groupes francophones de cette province.

Car, en dehors de ces œuvres, les éléments indispensables à la rédaction de cette histoire, bien que peu nombreux et fragmentaires, existent quand même sous forme de monographies qui portent sur l'agriculture, sur des régions ou même des communautés rurales particulières. Le livre de Chad Gaffield, *Language, Schooling, and Cultural Conflict : The Origins of French Language Controversy in Ontario*, reflète l'émergence récente de cette historiographie aux perspectives un peu plus larges[5]. Fait important à souligner, la certitude existe que la rédaction de cette histoire s'impose pour mieux comprendre le passé et éclairer le présent. Certains historiens, tels Gaëtan Vallières[6], ont même entrepris d'en rassembler les morceaux épars afin d'en découvrir la cohérence. En travaillant à leur suite et dans cet esprit, nous espérons faire progresser ce dossier sur certains points; d'abord, en dégageant les paramètres principaux du développement socio-économique et surtout en signalant des directions de recherche. Car, il ne s'agit pas ici de trancher le débat relatif à l'existence ou à la non-existence d'une économie ou d'une sous-économie franco-ontarienne[7], mais d'essayer plus simplement de situer l'évolution des groupes franco-ontariens dans le contexte du développement économique et social de l'Ontario et, si possible, du Québec.

L'ACCROISSEMENT DE LA PRÉSENCE FRANCOPHONE AU CŒUR DE L'ONTARIO URBAIN ET INDUSTRIEL

Les étapes de l'occupation du territoire

Jusqu'en 1791, le territoire actuel de l'Ontario avait été une partie intégrante de la Nouvelle-France et, après 1760, du Québec dont les frontières s'étendaient indéfiniment dans la pratique vers l'ouest. À l'époque française, ces limites avaient été portées jusqu'à l'embouchure du Mississippi où une colonie séparée avait été créée. Cette vaste contrée presque à l'échelle d'un continent se développa en misant d'abord sur deux activités principales : l'agriculture et les pelleteries. Aussi longtemps que l'agriculture ne fut pas articulée au marché extérieur, la campagne où la famille était, avec la seigneurie et la paroisse, une des unités économiques de base, constitua un réservoir abondant de main-d'œuvre à bon marché où les traiteurs, les marchands-pêcheurs, les entrepreneurs forestiers, les constructeurs de navires et même, d'une certaine façon, les forges du Saint-Maurice purent sans trop de problèmes recruter les nombreux travailleurs saisonniers dont ils eurent besoin[8]. Combinant ainsi le métier d'agriculteur pratiqué à l'intérieur du cadre seigneurial et les tâches saisonnières associées aux différents secteurs de l'économie, les paysans et leurs fils furent, en outre, soumis selon les circonstances aux exigences de l'État en matière de service militaire et de corvées pour la construction des routes et des fortifications[9].

Mais, avec le temps, cette agriculture fondée sur la production du blé et destinée à assurer principalement la subsistance des producteurs eux-mêmes — qui étaient aussi obligés de payer les droits seigneuriaux et la dîme — commença à se commercialiser. Au cours des années 1730–1740 et surtout après 1760, les ventes de blé à l'extérieur de la colonie augmentèrent considérablement : d'environ 500 000 minots vers 1774 (33,2 minots par famille), elles s'élevèrent à 1 000 000 (40,1 minots par famille) en 1802. Dans ces conditions, on ne peut s'étonner que les paysans qui disposaient des surplus les plus substantiels aient eu tendance non seulement à résister toujours davantage aux demandes de l'État qui — par les corvées et le service militaire — prélevait forcément de la main-d'œuvre sur les fermes, mais à se montrer moins intéressés à participer à la traite[10]. C'est pourquoi les administrateurs coloniaux, d'accord avec les officiers militaires et les marchands de fourrures, ne se contentèrent pas de faire construire des forts dont les fonctions étaient liées à la protection du territoire et de la traite, mais ils encouragèrent aussez souvent en ces lieux l'éclosion de colonies agricoles. En plus de leur rôle dans le ravitaillement des forts, ces noyaux de peuplement constituaient des réservoirs supplémentaires de main-d'œuvre sur la route de l'Ouest. Cela était vrai du Fort Frontenac, de Niagara, peut-être du Fort Rouillé (Toronto), mais surtout du poste de Détroit[11]. Contrairement à l'établissement de Sainte-Marie-aux-Hurons, fondé par les jésuites en 1639 et qui disparut sous les coups des Iroquois après une dizaine d'années d'existence, la colonie de Détroit fut, de toutes ces initiatives, celle qui s'enracina le mieux. De 420 habitants en 1710, la population de ce centre commercial et militaire passa de 483 en 1750 à 2 012 en 1782 et à 3 000 en 1790. En 1782, le nombre des mâles âgés de 15 ans et plus atteignait 657. Il suffit de lire les noms des concessionnaires de terres de l'endroit pour comprendre la signification des liens qui existaient, entre autres, sur le plan de la main-d'œuvre, entre l'agriculture et la traite des pelleteries. À cette époque lointaine, le territoire ontarien faisait déjà et pour longtemps encore partie de l'*hinterland* de Montréal. Est-il besoin de rappeler que, depuis les débuts de la colonie, les marchands de cette ville avaient dominé le commerce des pelleteries malgré la forte concurrence des commerçants d'Albany et de la baie d'Hudson.

Cette hégémonie montréalaise et bas-canadienne ne disparut pas au moment de l'arrivée des loyalistes et lors de la création en 1791 d'une province séparée sous le nom de Haut-Canada. Longtemps après le déclin de l'économie des pelleteries et même après que l'Ontario fut devenu le centre principal de développement industriel du pays, Montréal continua pour sa part jusqu'au milieu du XXe siècle à jouer dans la plupart des domaines son rôle de métropole du Canada. C'est seulement à cette époque que se précisa la suprématie de Toronto (Graphique I). La canalisation du Saint-Laurent amorcée en 1825 par l'ouverture du canal Lachine, la construction des chemins de fer, les facilités nouvelles d'accès au marché américain et, pour tout dire, la multiplication des communications nord-sud furent à l'origine de ce renversement progressif des rôles. Il est évident cependant que, sans le déclin de la production du blé dans le Bas-Canada et sans la présence sur son territoire d'un secteur agricole vigoureux axé sur le marché extérieur, l'Ontario n'aurait pu se hisser aussi facilement et aussi vite au rang enviable qu'il occupa dès la seconde moitié du XIXe siècle[12].

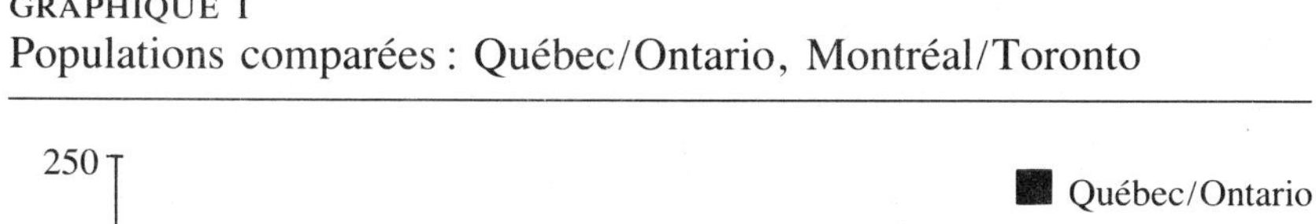

GRAPHIQUE I

Populations comparées : Québec/Ontario, Montréal/Toronto

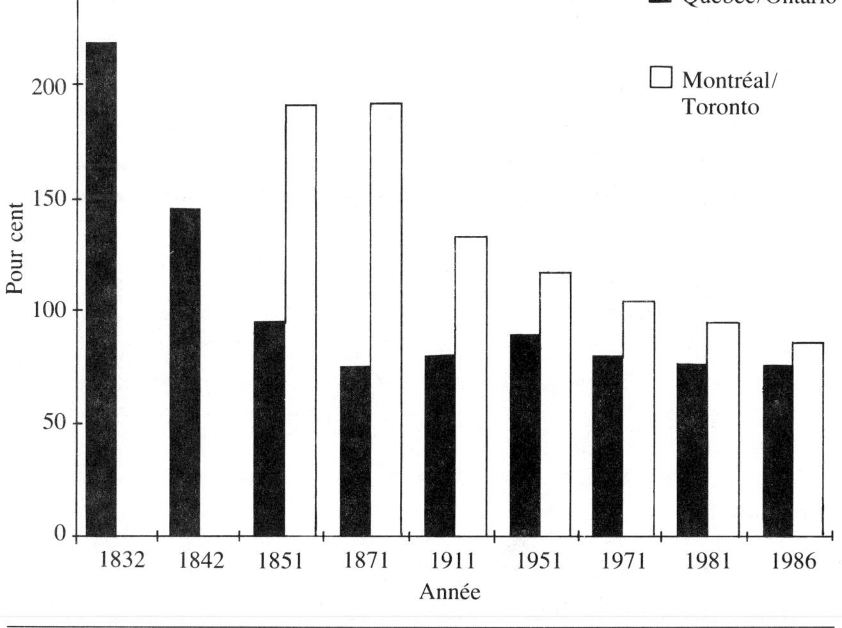

C'est dans cette perspective que se dégage le rôle moteur du Centre et du Sud-Ouest dans l'économie de cette province (voir Tableau I).

Car, ce n'est pas un hasard si les loyalistes et les immigrants qui, à leur suite, vinrent s'établir sur des terres dans le Haut-Canada, délaissèrent la route de l'Outaouais et reprirent les vieux sentiers tracés par les Français : ceux qui conduisaient vers Kingston, Toronto et Détroit. À l'exemple des immigrants qui étaient venus avant eux coloniser la Nouvelle-France, ils se laissèrent guider, lorsqu'il fut question de s'approprier le sol, par trois motifs aussi anciens que la colonisation elle-même : la qualité, l'accessibilité de la terre et les rapports avec l'extérieur[13]. C'est pour cette raison que, faisant fi après 1800 de certains objectifs stratégiques attachés au plan de colonisation de Simcoe, mais l'utilisant d'une façon générale à leur profit, les colons allèrent d'abord (mais se déplaçant plus vite vers l'ouest que les colons de la Nouvelle-France et du Québec ne l'avaient fait de Québec vers

TABLEAU I
Répartition par région de la population ontarienne, 1851–1971 (en pourcentage)

	1851	*1871*	*1911*	*1941*	*1971*
Sud-Ouest	20,9	30,4	23,0	18,7	15,5
Centre	48,3	44,3	47,2	52,7	60,9
Est	30,7	24,3	20,1	16,4	14,0
Nord	0	0,9	9,6	12,2	9,6
TOTAL	99,9	99,9	99,9	100,0	100,0

Sources : Recensements du Canada.

Montréal jusqu'en 1850) prendre possession des terres sur la voie qui menait rapidement au Centre-Sud et au Sud-Ouest ontariens. En effet, c'est presque exclusivement dans cette région que se trouvent les sols de haute qualité nécessaires à la poursuite d'activités agricoles hautement productives et rémunératrices[14].

C'est également dans cette partie de la province que les sols classés convenables sont de beaucoup les plus répandus. Dès lors, la croissance de la part du blé dans la production agricole devint inévitable puisqu'il existait maintenant un marché extérieur considérable pour cette denrée et qu'au milieu du siècle les moyens de transport avaient été améliorés de façon à réduire les coûts d'accès au marché international. Entre 1842 et 1860, cette proportion du blé dans la récolte passa de 19 à 35 %. En 1850, 80 % des exportations de blé haut-canadien provenaient de la région située entre Belleville et Hamilton. Les records de la production de blé se situent entre 1870 et 1880. Mais, à cette époque, des concurrents redoutables en ce domaine pointaient dans le Mid-Ouest américain[15]. Cette agriculture, que certains historiens décrivent comme peu avancée techniquement, commençait cependant à être mécanisée à tel point qu'on peut se demander quel pourcentage des producteurs agricoles pouvait être visé par ces remarques. En effet, en 1871, les agriculteurs ontariens possédaient 37 874 faucheuses et moissonneuses, soit au moins sept fois plus que les cultivateurs du Québec. La valeur des machines aratoires fabriquées en Ontario était elle-même cinq fois plus élevée que celle des mêmes produits usinés en territoire québécois[16].

Par suite de la montée de la compétition du Mid-Ouest américain et, plus tard, de l'Ouest canadien, les producteurs du Centre et du Sud-Ouest ontariens furent obligés de transformer leur agriculture en

GRAPHIQUE II
Pourcentage du même groupe dans le Centre

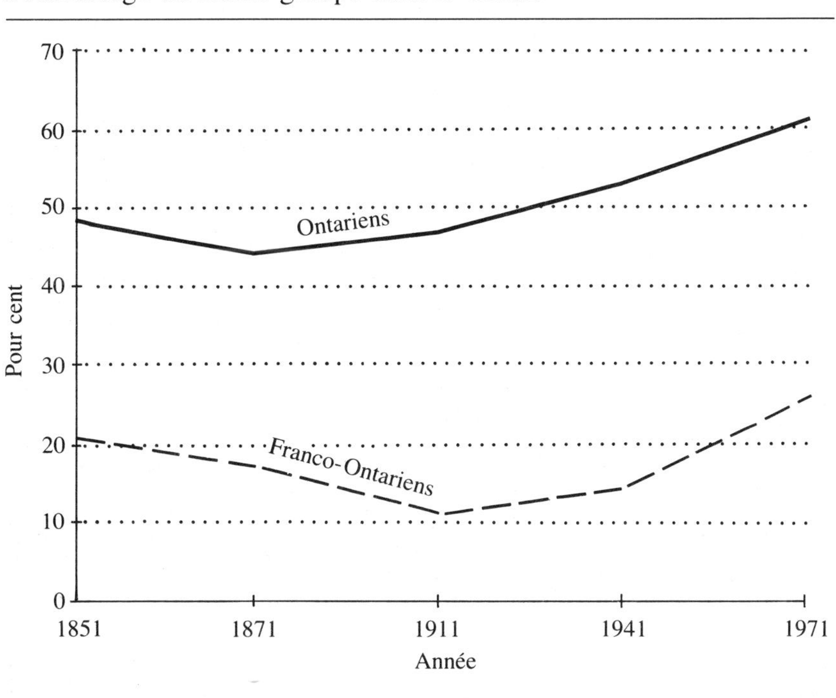

s'orientant vers les cultures maraîchères, vers celle du tabac et vers l'industrie laitière. Une telle évolution impliquait non seulement une mécanisation accrue du travail agricole, mais un regroupement de la propriété foncière qui provoqua une réduction considérable du nombre de fermes après 1891, de la population agricole et jusqu'à un certain point du terroir lui-même. Ce mouvement se poursuivit au XXe siècle pour s'accélérer entre 1951 et 1981 alors que, dans l'ensemble de l'Ontario, la population agricole et le nombre de fermes diminuèrent de 50 % pendant que la superficie réservée à la culture régressa de 20 % seulement[17].

Cet Ontario du Sud-Ouest et du Centre, où 70 % de la population de la province était concentrée en 1850, avait constitué jusqu'à cette date un pôle d'attraction presque aussi puissant pour les francophones que l'Est de la province. En 1851, 49,1 % des francophones de la province résidaient dans le Sud-Ouest et le Centre ontariens (Graphiques II et III). Bien que déclinant substantiellement à l'époque où s'accentua

GRAPHIQUE III
Pourcentage du même groupe dans le Sud-Ouest

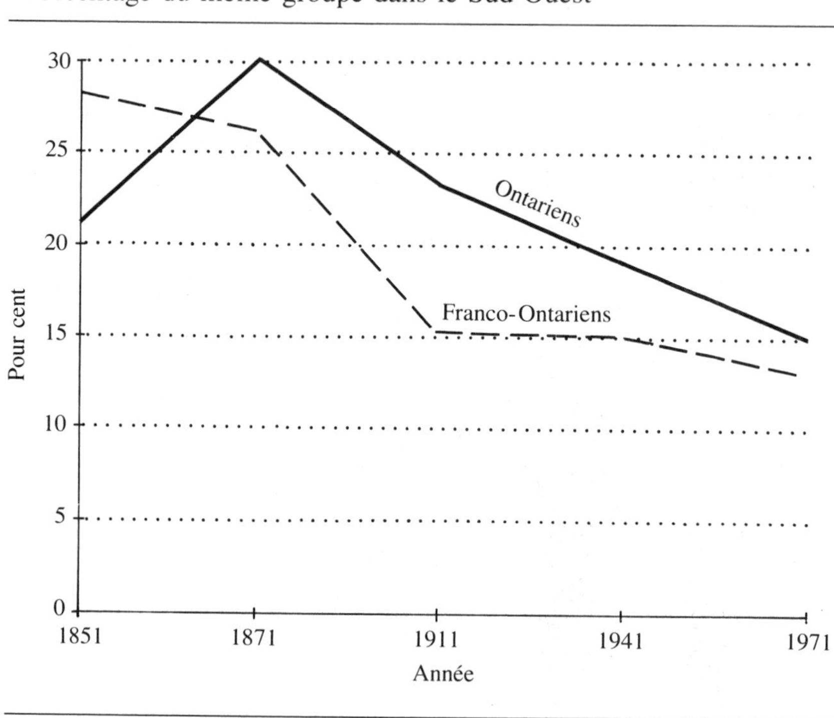

vers 1870 la colonisation de l'Est ontarien et, au tournant du siècle, celle du Nord de la province, cet attrait recommença à croître après 1911 pour s'accélérer vers 1940 à tel point qu'en 1971 le nombre d'individus habitant ce territoire et se disant de descendance française y était de 9 % plus élevé que dans l'Est de la province (Tableau II). Il va sans dire que cette polarisation joua pour tous les Ontariens en faveur du Centre et au détriment du Sud-Ouest (voir aussi Tableau I).

Naturellement, pour ceux qui se préoccupent surtout de survivance culturelle, cette attraction du Sud-Ouest et du Centre n'est pas visible, puisqu'ils envisagent ces équilibres à partir des données sur la langue maternelle et la langue d'usage, qui ne permettent ni de remonter loin dans le passé, ni de juger des orientations avant que ne se fassent les triages. Il n'en reste pas moins que c'est dans le Sud-Ouest et le Centre que, de 1941 à 1971, les effectifs de langue maternelle française augmentèrent le plus rapidement : 142 % contre 66 % dans l'Est et 62 % dans le Nord.

TABLEAU II

Répartition des francophones par régions en Ontario (selon l'origine ethnique)

	1851	*1871*	*1911*	*1941*	*1971*
Sud-Ouest	7 713	19 323	31 256	55 706	98 410
%	28,5	26,0	15,4	15,0	13,4
Centre	5 583	12 384	21 699	52 939	194 015
%	20,6	16,7	10,7	14,3	26,5
Ensemble	13 296	31 607	52 955	108 645	292 425
%	49,1	42,7	26,1	29,3	39,9
Nord	—	1 579	47 543	115 004	213 845
%		2,1	23,5	31,0	29,2
Est	13 803	40 993	101 889	146 793	226 630
%	50,9	55,2	50,3	39,6	30,9
Province	27 079	74 279	202 387	370 442	732 900
%	100	99,8	99,9	99,9	100

Sources : Recensements du Canada.

TABLEAU III

Répartition par régions des effectifs de langue maternelle française, 1941–1971 (en pourcentage)

	1941	*1971*	*1981*
Sud-ouest et Centre			
Sud-Ouest	13,6	8,7	7,5
Centre	5,5	18,1	19,6
Ensemble	19,1	26,8	27,1
Nord	38,9	36,6	34,1
Est	41,9	35,8	38,8
Province	99,9	99,2	100,0

Sources : Recensements du Canada; ACFO, *Les francophones tels qu'ils sont. Regards sur le monde du travail franco-ontarien*, (Ottawa, 1985).

Le fait demeure que, dans le Sud-Ouest et le Centre, ces groupes d'origine française étaient pratiquement noyés dans la masse anglophone (Graphique III). Car ils étaient devenus marginaux dès l'époque des migrations loyalistes et, tout en croissant plus vite que la population de la région, ils le restèrent par la suite : seulement 2,1 %

GRAPHIQUE IV
Taux d'urbanisation dans le Sud-Ouest ontarien

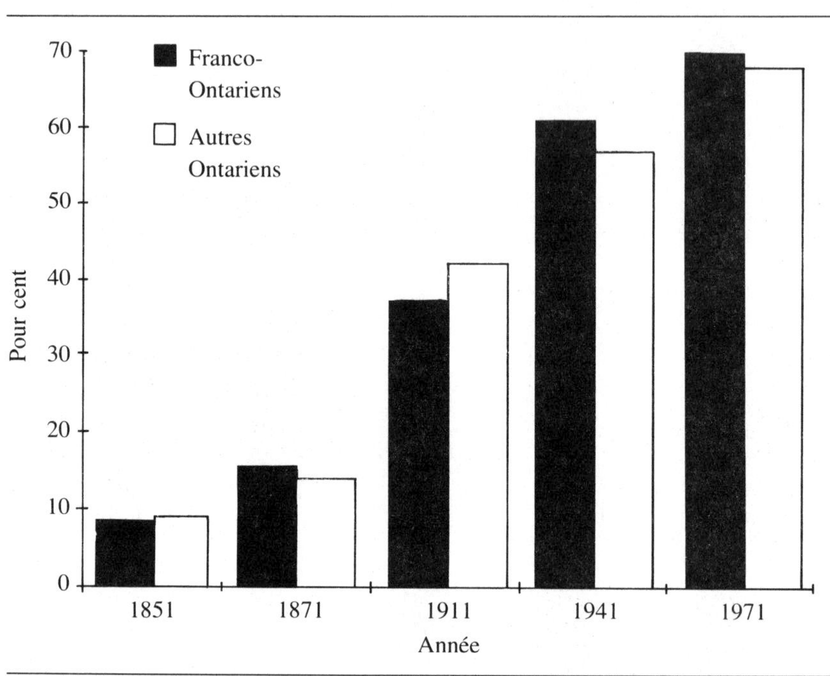

de la population de la région en 1851, 2,6 % en 1871, 4,1 % en 1941 et 5,0 % en 1971. Depuis ce temps, ce caractère marginal, loin de diminuer peu à peu comme dans le passé, s'est accentué. Car le pourcentage des francophones vivant dans les grandes agglomérations urbaines de cette partie de la province a décliné successivement, de 5 % qu'il était en 1971 par rapport à la population de ce territoire, à 3,6 % en 1981 et à 2,7 % cinq ans plus tard[18].

À l'origine, cette minorité francophone était d'abord rurale et agricole, puisqu'elle s'était recrutée parmi les éléments qui habitaient depuis longtemps la région, qui pratiquaient déjà l'agriculture ou qui étaient intéressés à s'établir sur des terres. Jusqu'en 1941 la francophonie du Sud-Ouest et du Centre de l'Ontario semble avoir mieux conservé ces caractéristiques que le reste de la population de la même région. Néanmoins, à l'exemple de l'ensemble des Ontariens de la région bien engagés dans le processus d'urbanisation, sa physionomie n'a cessé tout au long de ce siècle et demi de se modifier dans le même sens. Il est vrai que ses particularités rurales, plus évidentes à certains moments qu'à d'autres, furent plus lentes à disparaître que dans le

GRAPHIQUE V
Taux d'urbanisation dans le Centre ontarien

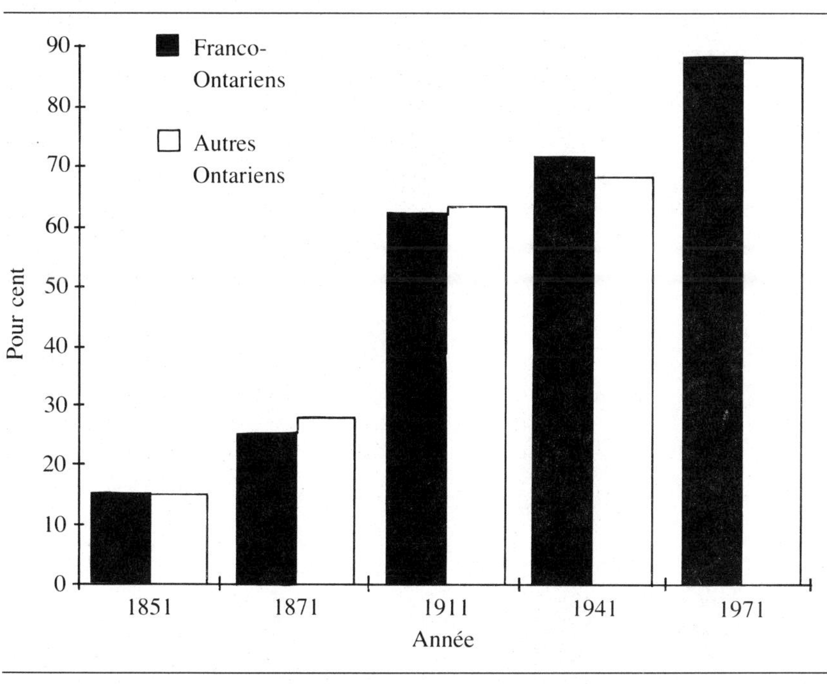

reste de la population de la région. En 1851, 29,1 % des francophones et 86,6 % des autres habitants de ce coin de pays vivaient à la campagne. En 1911, cet écart entre les uns et les autres s'étaient élargi mais cela n'avait pas empêché la déruralisation du groupe francophone de se poursuivre vigoureusement. À cette date, le taux de ruralité avait décliné jusqu'à 52,8 % chez les francophones et à 43,3 % parmi les autres. Poussée un peu plus loin, cette enquête dans les recensements démontre l'existence d'un mouvement universel d'urbanisation qui, néanmoins, se présente différemment d'un groupe ethnique à l'autre et d'une sous-région à une autre. Les contrastes entre le Sud-Ouest et le Centre et les disparités entre la majorité anglophone et la minorité française reflètent, à n'en pas douter, la diversité des conditions économiques, sociales et culturelles ainsi que les changements dans les circonstances (Graphiques IV et V).

Ainsi, les Canadiens français qui, avant 1941, avaient procédé plus lentement que les autres sur la voie de l'urbanisation, devinrent pour de bon à cette époque plus urbains que ces groupes ethniques avoisinants (voir Tableau IV).

TABLEAU IV
Évolution du taux d'urbanisation parmi les francophones et les autres Ontariens dans le Sud-Ouest et le Centre (selon l'origine ethnique)

	Francophones		*Non-francophones*	
	Sud-Ouest	*Centre*	*Sud-Ouest*	*Centre*
1851	8,2	14,9	8,7	15,3
1871	14,6	25,0	14,4	28,5
1911	37,1	61,7	41,9	63,5
1941	60,9	71,4	56,9	68,5
1971	69,8	88,5	68,0	87,7

Sources : Recensements du Canada. Dans tous nos tableaux, lorsqu'il est question d'urbanisation, la population urbaine inclut les cités, villes et villages de la province.

Colonisation agricole, urbanisation et industrialisation

Les premiers colons francophones de la région s'étaient donc recrutés à l'intérieur du territoire haut-canadien parmi ceux qui, jadis, avaient constitué la population de Détroit avant que ce poste ne passât, à la fin du XVIIIe siècle, aux mains des Américains. Ces colons qui habitaient les cantons de Sandwich-Ouest et ceux qui s'y étaient regroupés, ne ressentirent que plus tard la pression des immigrants anglophones en quête de terres. Car ceux-ci avaient d'abord choisi les cantons de Malden, d'Anderson et de Colchester-Sud comme lieux de résidence. Ce ne fut qu'après 1800, lorsque les Canadiens français eurent établi leur contrôle sur les lots riverains, que les anglophones commencèrent peu à peu à acheter des terres dans Sandwich-Ouest. En 1877, les Canadiens français représentaient encore 72 % de la population de l'endroit[19].

Le canton de Sandwich-Ouest apparut un peu dans les circonstances comme le centre de diffusion de la présence française dans les comtés d'Essex, de Kent et de Lambton où, en 1851, en 1871 et en 1911, se trouvaient 51,9 %, 46,8 % et 52,5 % respectivement de tous les francophones du Sud-Ouest et du Centre de l'Ontario. Dans ces trois comtés, grâce à la croissance naturelle des colons et à des arrivages successifs d'immigrants du Québec et des autres régions de l'Ontario, la population d'origine française augmenta plus rapidement que l'ensemble de la population locale : 13,6 % de la population totale de ces trois comtés en 1871 et 15 % en 1911. Il est évident que cette expansion qui se déroula différemment selon les lieux, ne fut jamais assez forte pour modifier l'équilibre des forces en présence. Car le caractère minoritaire du groupe francophone, solidement implanté à la suite de l'immigration britannique des années 1780–1840, n'avait fait que se préciser au cours des décennies suivantes sur cette portion du territoire[20].

Le développement de Maidstone est un bon exemple de cette mise en place de situations minoritaires. Car dans ce canton, où quelques colons d'origine française venus des environs de Détroit avaient jeté les bases d'une colonisation agricole, les premiers arrivages substantiels d'immigrants britanniques et francophones eurent lieu vers 1831. Mais, à cet endroit aussi bien que dans la plupart des nouveaux établissements, le mouvement démographique joua en faveur des éléments d'origine anglaise. En 1851, dans Maidstone, la proportion des francophones n'était plus que de 28 % et, vingt ans plus tard, elle était tombée à 24 %. Dans un grand nombre de comtés du Centre et du Sud-Ouest ontariens où, en 1871, la présence française oscillait autour de 1 % de la population, la tendance observée dans Maidstone avait aussi prévalu. Dans les 21 comtés dont il est ici question et qui incluaient Niagara, York et Toronto, la proportion des francophones avait aussi diminué d'une façon substantielle au cours des deux décennies qui se terminent en 1911[21]. Par contre, après cette date, le centre avec son industrie en pleine expansion, devint le foyer principal d'attraction.

Dans les cinq comtés qui s'échelonnent de Muskoka jusqu'à Peterborough, les francophones avaient quand même réalisé des gains significatifs. À cet égard, il faut noter que Muskoka est un comté voisin de Simcoe qui fut un peu, à l'exemple de Sandwich, un centre local de diffusion de la francophonie dans cette partie de l'Ontario. En effet, les premiers établissements faits à cet endroit remontaient à 1828 alors que 160 *voyageurs* et 30 soldats britanniques, tous membres du même régiment et vivant antérieurement à Drummond Island, reçurent des lots de 20 et 40 acres dans les cantons de Tiny et Tay. Ce courant migratoire, maintenant formé de Britanniques mais enrichi de Canadiens français du Québec, reprit après 1836. C'est à partir de ces groupuscules que se constitua la communauté de Pénétanguishene-Lafontaine. De 56 % qu'elle était en 1851 dans ces localités, la proportion des francophones y passa à 67 % en 1871. Toutefois, sur le territoire même du comté de Simcoe, cette population canadienne-française ne dépassait pas à cette date 5,3 % des effectifs démographiques du comté. Ce pourcentage continua cependant de s'élever pour atteindre 8,0 % en 1911[22].

Dans cette partie centrale et occidentale de l'Ontario au sol riche, fondement d'une agriculture prospère, l'activité agricole reposait, selon John McCallum, sur la production du blé. Ce fut grâce aux ventes substantielles et soutenues de blé sur les marchés extérieurs qu'apparurent, dit-il, les conditions propices à l'urbanisation et à l'industrialisation. À cet égard, il écrit :

> The wheat trade provided the growing farm incomes and sustained the expanding urban population that constituted the market for industrial goods[23].

Ce processus fut, ajoute-t-il, fort différent de celui qui présida à l'industrialisation du Québec. Sur ce point, il est non moins explicite que sur le précédent lorsqu'il prétend que :

> The Quebec non-metropolitan route to industrialization was through cheap labour, external markets, capital, transportation and raw materials[24].

Même si, comme nous le pensons, cette analyse du développement agricole et industriel de cette partie du territoire ontarien n'était pas entièrement fondée, il faudrait quand même se demander dans quelle mesure les producteurs agricoles francophones du Centre et du Sud-Ouest ontariens ont pu contribuer, par le biais de leur agriculture, à cette mutation fondamentale. La réponse exacte à cette question n'est pas facile, puisque la recherche sur les agriculteurs francophones hors Québec est à peine amorcée. Néanmoins, à partir des travaux faits par W.R. Crothall, il est possible de dégager pour le XIXe siècle au moins des éléments de réponse à cette interrogation.

Dans sa thèse, Crothall s'est intéressé dans une perspective comparative aux types d'agriculture pratiqués, entre autres, dans Sandwich-Ouest, Maidstone, Tiny et Tay par les francophones et les anglophones jusqu'en 1871. S'appuyant sur les données des recensements, l'auteur aboutit à des conclusions dont certaines ont un intérêt direct pour notre analyse[25]. Bien sûr, il note des différences entre les deux agricultures, mais il faut aussi observer que celles-ci ont eu, avec le temps, tendance à se modeler l'une sur l'autre même du point de vue des rendements et des façons culturales. Lorsqu'il identifie les contrastes entre ces deux groupes de producteurs, l'auteur insiste quand même sur le fait que les anglophones produisaient, d'une façon générale, beaucoup plus de pommes de terre, de maïs, de foin, élevaient plus d'animaux et fabriquaient plus de beurre. Ce qui, à notre avis, semble indiquer que, parmi ceux-ci, la majorité était davantage axée sur le marché alors que les autres, hors quelques exceptions, pratiquaient davantage une agriculture de subsistance. Pour rendre compte de ces écarts, l'auteur explique, en s'appuyant sur des chiffres, que les

TABLEAU V
Étendue moyenne des fermes francophones et anglophones (acres)

	Francophones	*Anglophones*
Sandwich-Ouest		
1861	82	86
1871	45	80
Maidstone		
1861	79	89
1871	45	78
Tinay et Tay		
1861	69	115
1871	72	117

Source : W.R. Crothall, *Op. cit.*

francophones s'étaient trouvés dans la nécessité de subdiviser leurs terres alors que les anglophones avaient le plus souvent préféré, dans des circonstances analogues, voir leurs fils quitter la région plutôt que d'amoindrir leur patrimoine (voir Tableau V).

À la suite d'un examen attentif de ce dossier, il nous a semblé que, dans ces quatre cantons, ni les francophones ni les anglophones ne pratiquaient, ainsi que le veut le schéma de McCallum, une agriculture axée en premier lieu sur la culture du blé et orientée, grâce à elle, vers les marchés extérieur ou intérieur. Chez les uns et les autres, les quantités de blé produites n'étaient pas suffisantes pour engendrer, une fois la subsistance et les semences assurées, des surplus négociables significatifs. Nous avons également l'impression que là aussi les francophones pratiquaient une agriculture qui les obligeait à combiner la culture du sol et le travail saisonnier en forêt, alors que les cultivateurs anglophones de ces cantons œuvraient davantage en fonction du ravitaillement du marché forestier en produits agricoles. Compte tenu de tout cela (leurs pratiques quant au partage de la terre, la nature et le niveau de leur production), on arrive facilement à la conclusion que ces groupes d'agriculteurs canadiens-français n'étaient pas intégrés au mouvement qui, à travers l'intensité de l'activité agricole, appelait, dit-on, l'édification d'une société urbaine appuyée sur l'industrie manufacturière. Leurs descendants et les immigrants qui vinrent plus tard, réussirent peut-être à jouer un tout autre rôle à cause d'eux. Mais rien, dans l'état actuel de la recherche, ne permet de vérifier le bien-fondé d'une telle hypothèse. En tout cas, il ne semble pas que, depuis le début du XXe siècle, le poids de ces cultivateurs francophones ait été bien considérable dans les cantons où se pratiquaient sur une grande échelle les cultures maraîchères ou celle du tabac. Peut-être ont-ils évolué, comme ils l'ont fait dans l'est de l'Ontario avant 1950, en se confinant progressivement dans la production laitière!

Tout cela est bien incertain et révélateur des problèmes que pose aujourd'hui la rédaction d'une histoire du rôle économique et social des Franco-Ontariens, surtout ceux de ces régions. Au fond, hors d'une connaissance plutôt superficielle des effectifs à travers les recensements fédéraux, nous savons assez peu de choses sur l'économie et la démographie de ces groupuscules et de ces communautés rurales établies au XIXe siècle dans le Sud-Ouest et le Centre de l'Ontario. Lorsqu'il s'agit des structures sociales, les informations sont encore plus clairsemées. Il est vrai que les circonstances de la fondation des paroisses sont connues ainsi que le nom des curés et de quelques notables; mais une telle analyse ne peut se limiter aux clercs et aux professionnels. Pour vraiment prendre ses distances à l'égard du discours idéologique des élites, l'enquête doit aussi porter sur les hommes d'affaires, les agriculteurs aussi bien que les ouvriers spécialisés et les journaliers.

Si ces Canadiens français d'origine rurale, pauvres et illettrés dans la plupart des cas, qui, au XIXe siècle, ont quitté le Québec, avaient eu le choix, ils seraient certainement restés dans leur milieu culturel d'origine[26]. Mais, comme les autres émigrants canadiens-français, ceux qui vinrent en Ontario avaient besoin de vivre ou de faire vivre leur famille et, de ce point de vue, ils entrevirent pendant longtemps leur avenir en fonction de la possession de la terre. Qu'ils aient cédé jusqu'à un certain point aux sollicitations des curés et des missionnaires colonisateurs, et qu'ils aient choisi leur lieu d'émigration en tenant compte de l'avis de leurs parents ou de leurs connaissances est un fait bien documenté en l'occurrence. Il ne fait pas de doute cependant qu'étant donné leur dénuement, ils virent pendant longtemps dans le Sud-Ouest ontarien et, parfois, dans le Mid-Ouest américain, des endroits où la terre était non seulement accessible mais assez riche pour les faire vivre. Pour réaliser cet objectif, ils acceptèrent d'aller s'établir seuls ou en joignant des groupes francophones déjà enracinés dans le milieu en des lieux où les anglophones, en plus d'être majoritaires, dominaient la vie économique, sociale et politique. Cet attrait pour le Sud-Ouest ontarien ne disparut pourtant pas lorsque la terre se fit plus rare dans cette région et ailleurs en Ontario. Car, à mesure que l'industrialisation et l'urbanisation y progressèrent, cette partie de l'Ontario acquit une nouvelle valeur pour les immigrants de toutes origines et provenances, y compris les Canadiens français.

Il ne fait pas de doute qu'après 1850 les processus d'urbanisation et d'industrialisation se sont diffusés vers l'ouest à partir de Montréal, la métropole des deux Canadas. Ceci dit, n'oublions pas que, depuis 1850, le taux d'urbanisation fut toujours plus élevé dans le centre de l'Ontario que dans l'est de cette province et qu'il s'accrut en général plus vite dans le Canada-Ouest que dans le Bas-Canada[27]. À tel point qu'en 1870 le pourcentage de ceux qui habitaient les villes et les villages de l'Ontario étaient déjà plus élevé qu'au Québec. Ce dynamisme de la périphérie ne fut pas attribuable à l'existence sur place au XIXe siècle d'une métropole capable de faire équilibre à Montréal. Il est vrai que, depuis 1850, Toronto s'est peu à peu donné les moyens d'accomplir cette tâche. De 1850 à 1911, la proportion des habitants de la province habitant Toronto s'accrût de 3,2 % à 17,8 % alors qu'à Montréal elle avait augmenté de 6,4 % à 27,4 %. Mais, en 1961, la métropole ontarienne avait distancé Montréal à cet égard : 35,1 % contre 33,2 %.

Le fait est que le développement urbain et industriel de l'Ontario s'est opéré autour d'un nombre croissant de petites villes dont l'émergence et l'expansion furent, au moins en partie, liées aux retombées d'un secteur agricole vigoureux et générateur de petites industries. Cette relation que McCallum met fortement en évidence à la suite de Spelt[28] peut jusqu'à un certain point rendre compte des contrastes entre le développement de l'Ontario et celui du Québec. Car la multiplication plus rapide de ces agglomérations urbaines en Ontario (38 contre 16 au Québec en 1850 et 81 contre 27 en 1870) correspond à peu près à la vision que McCallum se fait de la pesanteur respective de l'agriculture des deux provinces à cette époque. À cet égard, il affirme : « that agricultural cash income per farmer in Quebec averaged one-fifth to one quarter of the figure for Ontario[29] ». Il est vrai que l'exploitation directe des fermes régresse beaucoup plus vite en Ontario qu'au Québec et que l'écart entre les deux provinces quant à la valeur moyenne de la production agricole par exploitation se creuse continuellement après 1850. Mais cette différence ne fut jamais aussi considérable que le prétend McCallum. Ce rapport Québec/Ontario était de 71,5 % en 1861, de 61 % en 1911 et de 42,2 % en 1941. Notons aussi le déclin plus tardif au Québec du nombre de fermes, de la population rurale et agricole et, surtout, de la valeur relative de l'agriculture et de ses dérivés dans l'ensemble de la production.

TABLEAU VI
Répartition par régions des villes de 10 000 habitants et plus, 1851–1871

	Sud-Ouest		*Centre*		*Est*		*Nord*		*Total*	
	nbre	*%*	*nbre*	*%*	*nbre*	*%*	*nbre*	*%*	*nbre*	*%*
1851	0	0	2	66,6	1	33,3	0	0	3	99,9
1871	1	16,7	2	33,3	3	50,0	0	0	6	100,0
1911	6	40,0	2	13,3	4	26,7	3	20,0	15	100,0
1941	8	25,8	11	35,5	6	19,3	6	19,3	31	99,9
1971	9	13,4	42	62,7	8	11,9	8	11,9	67	99,9

Sources : Recensements du Canada.

Il est évident que l'interprétation de McCallum, supposant qu'elle soit en grande partie valable pour le XIXe siècle, ne peut expliquer toutes les différences qui existent au XXe siècle entre les économies québécoise et ontarienne. Attribuer la suprématie de l'Ontario dans le secteur manufacturier et l'industrie lourde à la vitalité du secteur agricole serait un peu simpliste. Toujours est-il qu'en 1966, ces centres urbains de toutes tailles étaient au nombre de 262 dont 84 de 5 000 habitants et plus et 9 de 100 000 et plus. Au Québec, à la même date, seulement trois villes appartenaient à cette dernière catégorie.

Cette décentralisation du réseau urbain et du développement économique est peut-être plus apparente au XIXe siècle. Mais, en y regardant de plus près, on doit quand même constater qu'au début du XXe siècle, en Ontario, les tendances à la concentration, actives depuis assez longtemps, l'emportent nettement sur les autres. Il ne fait pas de doute, si on en juge par l'augmentation du nombre des villes de 10 000 habitants et plus, que le réseau urbain ontarien devient de plus en plus centralisé au profit du Sud-Ouest et du Centre (voir Tableau VI).

Ainsi, de 1850 à aujourd'hui, l'Ontario et, en particulier, son Centre et son Sud-Ouest, appuyés sur Toronto, leur métropole prochaine, devinrent peu à peu les principaux foyers du développement du Canada industriel. Après avoir, tout en bénéficiant de ses rapports avec Montréal, subi pendant longtemps sa domination, Toronto parvint finalement, grâce aussi à ses rapports avec les villes américaines de la région des lacs, à secouer le joug et à surclasser sa rivale en tant que métropole du pays.

Un profil urbain original

Pas étonnant alors que les immigrants de toutes origines aient eu tendance à se diriger vers cette région où, à presque tous les égards, les possibilités étaient plus nombreuses que partout ailleurs dans la province. Sous l'influence de ces mouvements migratoires, le visage de cette partie de la province, plus particulièrement celui du Toronto, s'en est trouvé profondément transformé. Ce fut aussi, à long terme, la route suivie, surtout de 1940 à 1971, par les francophones d'où qu'ils vinrent : des autres régions de l'Ontario, du Québec ou d'ailleurs.

Il serait exagéré de prétendre que les motifs d'ordre culturel ne furent pour rien dans le choix que firent les francophones de leur lieu d'émigration. Leur longue marche vers l'Est et le Nord de l'Ontario, sorte de complément à leur progression dans les cantons de l'Est, vers l'Ouest et le Nord-Ouest du Québec, illustre pour une part ce genre de motivation. Il n'en reste pas moins qu'à plus long terme, ainsi que le démontre leur accroissement dans le Sud-Ouest et le Centre (de 3,9 % de la population du Sud-Ouest en 1850 à 8,3 % en 1971 ; de 1,2 % de la population du Centre en 1850 à 4,2 % en 1971), les considérations économiques, tellement importantes lorsqu'il s'agit d'expliquer la décision initiale de quitter le Québec ou les Maritimes, furent souvent également primordiales dans le choix du lieu d'établissement[30]. Parmi celles-ci, le besoin de terres et d'emplois les incitèent à aller de préférence vers les campagnes, les villages et les agglomérations urbaines modestes plutôt que vers les plus grandes villes[31].

Pour mieux comprendre le contexte économique et social qui a présidé à l'enracinement et à l'urbanisation des francophones dans cette partie de l'Ontario, il faut se rappeler que l'émigration des Canadiens français vers les territoires situés à l'ouest du Québec fut déclenchée et alimentée par les pressions démographiques dans les campagnes québécoises, par la fréquence des crises dans l'économie forestière et, au total, par un rythme de développement industriel qui ne concordait pas avec l'expansion de la population. Ces immigrants d'origine rurale, pour la plupart pauvres et peu instruits, vinrent d'abord en Ontario au moment de la construction des canaux et des chemins de fer avec l'idée de s'installer sur des terres. Puis, à mesure que la province s'industrialisait, ils furent davantage attirés en ces lieux par la nécessité où ils se trouvaient d'avoir des emplois.

Il y eut parmi ces immigrants une certaine proportion d'artisans venus seuls ou d'ouvriers qui, occasionnellement, s'étaient déplacés en petits groupes. Ce fut le cas d'un contingent d'ouvriers du cuir montréalais qui, en 1880, fut incité par une compagnie de Toronto à

TABLEAU VII
Les francophones du Sud-Ouest et du Centre dans les cités et villes de 10 000 habitants et plus (selon l'origine ethnique)

	Sud-Ouest				*Centre*			
	Francophones		*Autres Ontariens*		*Francophones*		*Autres Ontariens*	
	Nbre	*%*	*Nbre*	*%*	*Nbre*	*%*	*Nbre*	*%*
1851	0	0	0	0	504	9,0	43 783	9,9
1871	94	0,5	15 732	3,3	508	4,1	57 431	8,2
1911	6 064	19,4	118 967	21,6	7 081	32,6	482 809	41,3
1941	24 039	43,1	282 502	43,7	25 456	48,0	998 639	52,0
1971	58 645	59,4	641 120	59,2	158 098	81,5	3 628 807	81,5

Sources : Recensements du Canada.

transférer son lieu de travail dans cette ville. Ce fut également le cas d'une vingtaine de familles de Saint-Grégoire de Montmorency, dont les membres travaillaient à l'usine de textiles de l'endroit, qui, en 1918, quittèrent leur emploi pour aller s'établir à Welland au service de la firme *Empire Cotton*. Chaque fois qu'il y eut en Ontario un boom dans un secteur de l'industrie, que ce soit dans l'acier, l'automobile ou la pétrochimie, de semblables déplacements, sans doute dictés par l'attrait de salaires plus élevés et d'emplois plus stables, se produisirent[32]. Mais, dans l'ensemble, ces immigrants se recrutèrent parmi les fils de cultivateurs et les journaliers québécois, acadiens ou francophones de l'est ou du nord de l'Ontario. Il est également important de noter que, surtout depuis 1950, des membres de professions libérales, des administrateurs, des techniciens et, à l'occasion, des hommes d'affaires, qui auraient pu faire carrière au Québec, émigrèrent en Ontario parce qu'ils y voyaient un milieu plus propice à leur réussite. Sans oublier tous ceux qui, pour des périodes variables, furent transférés par leurs employeurs à Toronto ou ailleurs dans la province.

Les Franco-Ontariens du Sud-Ouest et du Centre de l'Ontario n'ont donc pas commencé, comme on l'a prétendu, à s'urbaniser en 1945. Il est vrai que, jusqu'en 1941, ils ont en général procédé moins rapidement que les autres Ontariens de la même région et qu'ils ont évité autant que possible les plus grandes villes; mais, depuis ce temps, tout en continuant à l'exemple des Québécois francophones d'être sous-représentés dans les villes de 100 000 habitants et plus, ils sont devenus plus urbains que leurs compatriotes québécois. Ce schéma, valable

GRAPHIQUE VI
Taux d'urbanisation en Ontario

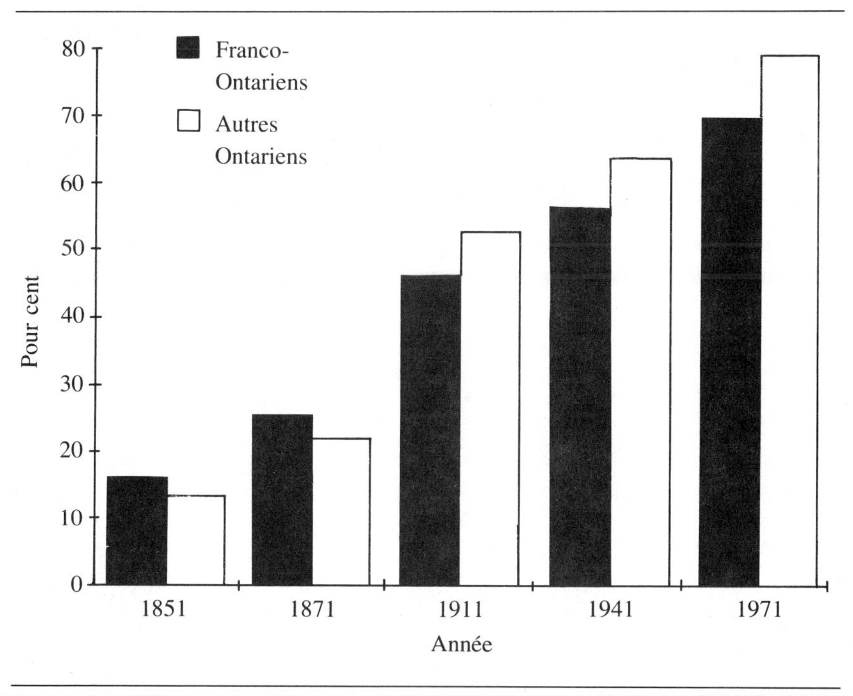

pour cette région, n'est pas entièrement représentatif de l'expérience urbaine de l'ensemble des Franco-Ontariens, puisque ceux-ci, en plus de surpasser jusqu'en 1941 les Québécois francophones quant au taux d'urbanisation, furent, jusqu'au début du XXe siècle, plus urbains que les autres Ontariens (Graphique VI). Toutefois, après le début du XXe siècle, ils s'urbanisèrent plus lentement (Tableau VIII) et, excepté en 1911, ils furent sous-représentés dans les villes de 10 000 habitants et plus, l'ayant toujours été dans celles de 100 000 et plus. En 1981, leur présence dans ces grandes agglomérations s'établissait à 45,9 % alors que ce pourcentage s'élevait à 50,8 % dans le cas des Québécois francophones et à 60,4 % dans celui des Ontariens.

Une fois ces faits établis, il paraît difficile de donner raison aux classes dirigeantes francophones, toujours disposées à projeter une vision rurale et agriculturiste de leur communauté, et aux intellectuels qui prétendirent que les Franco-Ontariens marquèrent une forte originalité en conservant leur double caractère paysan et campagnard jusqu'à la fin de la Seconde Guerre mondiale[33]. Parmi ces auteurs, il faut

TABLEAU VIII
Taux d'urbanisation des francophones et des non-francophones en Ontario, 1851–1871 (pourcentage selon l'origine ethnique)

	Francophones	*Non-francophones*	*Ontariens*
1851	16,1	12,9	12,9
1871	25,4	22,5	22,6
1911	45,8	52,9	52,4
1941	55,8	63,6	62,8
1971	69,6	79,2	78,3

Sources : Recensements du Canada. La population urbaine comprend les villages, les cités et les villes.

mentionner Gervais (1983), Breton (1985), Juteau-Lee (1985) ainsi que Lapointe et Thériault (1982). En 1982, ceux-ci décrivaient ainsi cette transition :

> La question économique se pose d'une façon radicalement nouvelle depuis les quarante dernières années. Les francophones ont été intégrés dans un processus rapide de transition sociétale où le système historique qui les définissait (la société paysanne, la « Folk Society », le mode de production du petit producteur, etc.) s'est vu supplanté par une logique industrielle capitaliste[34].

Un simple calcul des taux d'urbanisation démontre, au contraire, que les Franco-Ontariens et, à plus forte raison ceux du Sud-Ouest et du Centre avaient, depuis le XIXe siècle, de plus en plus vécu en des lieux où prédominaient les activités industrielles. À tel point qu'en 1971 la transition vers la société industrielle était pour eux comme pour les autres Ontariens un fait accompli. C'est pour cette raison que leur présence avait non seulement diminué peu à peu dans le secteur primaire, surtout dans l'agriculture, mais qu'elle s'était accrue dans les manufactures et les services. Le tableau IX qui concerne l'évolution du volume de la main-d'œuvre dans l'agriculture, prouve que leur progression dans ce domaine ne fut pas, en général, tellement différente de celle des Ontariens et des francophones québécois. À une nuance près, puisque les Franco-Ontariens étaient moins engagés dans l'agriculture que les autres Ontariens alors que les Québécois francophones l'étaient plus que les autres Québécois.

TABLEAU IX
Franco-Ontariens, Ontariens et Québécois francophones dans l'agriculture, 1911–1981 (en pourcentage)

	Ontariens	*Franco-Ontariens*	*Québécois francophones*
1911	28,9		29,3
1931	22,9		26,4
1951	12,1	11,8	15,3
1961	8,1	7,6	8,9
1971	4,6	3,1	4,2
1981	3,2	2,7	2,6

Sources: Recensements du Canada; *Rapport Saint-Denis. La vie culturelle des Franco-Ontariens* (Ottawa, 1969); Y. Allaire et J.-M. Toulouse, *Situation socio-économique et satisfaction des chefs de ménage franco-ontariens* (Ottawa, 1973), I, 25; ACFO, *Les francophones tels qu'ils sont. Regards sur le monde du travail franco-ontarien* (Ottawa, 1985), 20s.

La longue tradition de participation au travail industriel que suppose cette orientation, ne fut reconnue pour la première fois qu'en 1985 par l'ACFO dans son étude intitulée *Regards sur le monde du travail franco-ontarien*[34] où il est dit:

> Les Franco-Ontariens, tout au long de leur histoire, participèrent à l'essor industriel de la province. En 1885 déjà, ils sont ouvriers pour la Canadian Pacific dans le Sud-Ouest; au début du XXe siècle on les retrouve dans l'industrie automobile à Windsor et les usines de pétrochimie à Sarnia.

Leur place dans la structure des occupations

La surreprésentation en 1971 des francophones parmi les ouvriers des manufactures du Sud-Ouest et du Centre reflétait aussi bien la suprématie de cette région dans l'industrie manufacturière que la profondeur et l'ancienneté de leur enracinement dans ces activités. Leur sous-représentation dans le secteur agricole est en l'occurrence le reflet normal de leur présence intense dans les villes, dans les manufactures et même dans le secteur des services en pleine expansion depuis le milieu du siècle.

Le profil de ces groupes franco-ontariens dans la société industrielle serait peut-être encore plus rapproché de celui des autres Ontariens si les chiffres que nous utilisons ici, au lieu d'être limités aux seuls

TABLEAU X
Main-d'œuvre active expérimentée, ontarienne et de langue maternelle française par activités économiques, 1971
(en pourcentage)

	Sud-Ouest et Centre		*Ontario*	
	Fr.-Ont.	*Ontariens*	*Fr.-Ont.*	*Ontariens*
Agriculture	3,9	6,5	3,1	4,6
Forêts, pêche, chasse, mines	0,9	0,9	5,4	2,3
Manufactures	32,3	26,0	20,1	23,9
Bâtiments et travaux publics	7,9	6,1	8,5	6,6
Transports, communications, services publics	6,2	6,1	6,6	6,9
Commerce	13,2	14,5	13,1	14,9
Finances, assurances, immobilier	2,9	4,9	3,1	4,6
Services	20,1	22,9	20,1	22,4
Administration publique	4,1	5,2	10,8	6,9
Indéterminés	8,5	6,9	9,2	6,9
Total	100	100	100	100

Sources : G. Vallières et M. Villemure, *Atlas de l'Ontario français* (Montréal et Paris, Éditions Études vivantes, 1981), 57. Estimations à partir des tableaux.

francophones de « langue maternelle », incluaient tous ceux qui, lors des recensements, s'étaient déclarés « de descendance française ». En effet, les francophones ainsi exclus de ces données furent jusqu'en 1971 ceux qui, par leurs traits individuels, ressemblaient le plus, semble-t-il, au reste de la population ontarienne. En 1971, 53,5 % des francophones selon l'ethnicité, 51,9 % de ceux de langue maternelle française et 48,9 % des francophones par la langue d'usage habitaient dans les grandes agglomérations urbaines. Cette observation ne s'applique sans doute pas aux données tirées du recensement fédéral de 1981 et publiées par l'ACFO[35], puisqu'à cette date seulement 53,9 % des habitants de descendance française contre 54,5 % de ceux de langue maternelle française et 63 % des francophones par la langue d'usage résidaient dans les plus grandes villes. En 1986, cependant, la situation était redevenue normale puisque ces pourcentages respectifs étaient de 57,2, de 56,5 et 50,4 %. N'oulions pas que c'est dans le Sud-Ouest et le Centre où les écarts entre ces différentes catégories linguistiques étaient les plus considérables.

TABLEAU XI
Comparaison entre la main-d'œuvre franco-ontarienne (de langue usuelle) et québécoise en 1981 (en pourcentage)

	Franco-Ontariens		*Québécois**	
	hommes	*femmes*	*hommes*	*femmes*
Professionnels	9,8	21,4	13,3	21,7
Directeurs	8,2	4,3	11,3	5,4
Commerce	6,9	8,1	9,4	7,6
Services	25,3	55,3	25,2	51,3
Ouvriers du secondaire et du primaire	49,7	10,9	40,7	14,0
Total	99,9	100	99,8	100

Source : ACFO, *Regards sur le monde du travail*; Gérald Bernier et Robert Boily (éd.), *Le Québec en chiffres de 1850 à nos jours* (Montréal, ACFAS, 1986), 213.

* Francophones et les autres.

Ceci dit, les disparités entre les francophones de « langue maternelle » et les autres Ontariens dans les grandes catégories d'occupation ne sont pas celles qu'on s'attendrait à découvrir entre deux populations dont l'une n'aurait cessé de se moderniser depuis le XIXe siècle alors que l'autre aurait conservé son caractère ancien jusqu'au milieu du XXe siècle. En tout cas, les profils de ces deux communautés seraient certainement plus constrastés si seulement les Franco-Ontariennes s'étaient abstenues de participer à cette évolution. Mais, en 1971, leur pourcentage dans la main-d'œuvre active était comparable à celui des Ontariennes et supérieur à celui des Québécoises. Il est vrai que ces femmes étaient moins engagées que les autres Ontariennes dans les manufactures, le commerce et les finances; par contre, elles les surclassaient dans le domaine des transports et communications, des services socioculturels et de l'administration publique. Dix ans plus tard, elles étaient encore proportionnellement plus nombreuses dans la main-d'œuvre que les Québécoises (42,2 % contre 37,7 %), mais elles étaient beaucoup moins présentes qu'elles parmi les ouvrières du secondaire et du primaire et dans les activités qui exigeaient un niveau d'instruction plus élevé. Par contre, elles étaient surreprésentées parmi les travailleuses des services. Dans cette comparaison, le fait le plus frappant, peut-être, est la faiblesse de la présence des Franco-Ontariennes dans la classe ouvrière relativement à celle des hommes,

TABLEAU XII
Main-d'œuvre active expérimentée, ontarienne et de langue maternelle française par activités économiques, 1981 (en pourcentage)

	Fr. Ontariens	*Autres Ontariens*	*Ontariens*
Agriculture	2,7	3,2	3,2
Forêts, pêche, chasse, mines	5,7	1,2	1,4
Manufactures	18,6	24,2	23,9
Bâtiments	6,4	5,7	5,6
Transports, communications	7,2	7,2	7,2
Commerce	14,8	16,9	16,9
Finances, assurances	4,4	5,9	5,9
Services	27,9	28,9	28,9
Administration publique	12,3	6,7	7,0
Total	100	100	100

Sources : ACFO, *Regard sur le monde du travail franco-ontarien.*

et son exceptionnelle intensité dans les services. Ces écarts qui mettent en lumière la surreprésentation masculine parmi les ouvriers sont, à n'en pas douter, attribuables pour une large part aux disparités régionales.

Car, jusqu'en 1981, cette évolution s'était poursuivie dans une direction imposée non seulement par le poids énorme du secteur manufacturier mais aussi par la croissance spectaculaire depuis plusieurs décennies en Ontario et ailleurs du secteur tertiaire. C'est un fait que démontre le Tableau XII.

Il n'est pas douteux que cette expansion du tertiaire, dont les répercussions furent plus sensibles dans l'Est ontarien qu'ailleurs dans la province, ont contribué depuis 1971 à rendre le Sud-Ouest et le Centre moins attrayants pour les francophones. Cette conclusion est confirmée par les données des recensements relatives à l'évolution de la présence francophone dans les agglomérations métropolitaines de 1971 à 1986. En effet, si on excepte Toronto, le déclin relatif et absolu des effectifs, qu'il s'agisse de l'origine ethnique, de la langue maternelle ou de la langue d'usage, y est plus marqué qu'il ne l'est dans la province, les grandes agglomérations métropolitaines et dans l'Est.

Le regroupement et le reclassement radical de la population franco-ontarienne déclenchés par la progression de l'économie industrielle n'est nulle part plus évident que dans le Sud-Ouest et le Centre. C'est un fait bien documenté dans le Tableau IX et réaffirmé à la suite de

TABLEAU XIII
Francophones résidant dans les grandes agglomérations métropolitaines du Sud-Ouest et du Centre : nombre et pourcentage par rapport à ceux des agglomérations des autres régions 1971–1981

	1971		*1981*		*1986*	
	nombre	*%*	*nombre*	*%*	*nombre*	*%*
Origine ethnique	211 445	53,9	173 345	49,2	146 460	48,1
Langue maternelle	101 605	40,6	95 035	37,2	86 835	37,6
Langue usuelle	48 395	28,1	43 910	25,3	34 030	23,9

Sources : Recensements de 1971, 1981 et 1986.

TABLEAU XIV
Répartition des chefs de ménage franco-ontariens par occupations, 1972 (en pourcentage)

	Province	*Sud-Ouest et Nord-Ouest*
Hommes d'affaires	5,0	6,8
Vendeurs	4,8	6,8
Administrateurs	6,8	6,3
Professionnels	12,0	10,5
Ouvriers de métier	20,4	26,8
Manœuvres	8,7	6,8
Agriculteurs	3,4	5,7
Mineurs, bûcherons	9,7	1,5
Employés de bureau	9,3	7,8
Travailleurs des services	6,7	8,9
Ménagères	4,5	4,2
Retraités	7,1	7,9
Total	98,4	100

Source : Y. Allaire et J.-M. Toulouse, *Situation socio-économique et satisfaction des ménages franco-ontariens* (Ottawa, ACFO, 1973), 25, 60.

l'enquête menée en 1972 par Allaire et Toulouse sur la situation des ménages franco-ontariens (voir Tableau XIV). Il est vrai que les résultats de cette enquête, comparés à ceux du Tableau IX tirés du recensement de 1971, sous-estiment considérablement la présence francophone dans la force ouvrière (35,1 % dans le Tableau XIII contre 41,1 % dans le Tableau X) et les services (16,7 % contre 20,1 % respectivement).

Ceci dit, cette enquête insiste néanmoins sur la suprématie du Sud-Ouest et du Centre en ce qui regarde la présence des francophones dans la main-d'œuvre ouvrière, le commerce, l'agriculture et les services. Cette conclusion est en partie appuyée par les données du recensement de 1981 qui démontrent que les travailleurs francophones étaient alors rassemblés dans l'industrie manufacturière dans une proportion de 33,4 %, dans le commerce selon un pourcentage de 16,5 % et de 30,8 % dans les services[36]. C'est également dans cette région que les femmes étaient les plus présentes dans les manufactures. Pourtant, à cette date comme en 1971, les francophones de l'Est étaient davantage présents qu'eux dans les services, l'administration publique et dans les activités agricoles.

Ainsi, dictée en premier lieu par des considérations économiques (le besoin de terres, le surpeuplement des campagnes et le chômage), la décision prise par des francophones des provinces atlantiques et du Québec de s'établir en Ontario fut à long terme profitable à bien des égards. Car, envisagé du point de vue socioprofessionnel, leur développement suivit d'assez près celui de la population ontarienne en général. Il ne fait pas de doute que leurs revenus s'en sont trouvés accrus d'autant. En 1961, alors que le francophone du Nouveau-Brunswick et celui du Québec avaient un revenu global moyen de 3 002 $ et 3 876 $ respectivement, le Franco-Ontarien moyen disposait d'une somme de 4 094 $. Seul le francophone de l'Alberta se trouvait dans une situation plus favorable avec un revenu de 4 277 $. En 1961, le revenu per capita du Franco-Ontarien était de 50 % supérieur à celui du francophone du Nouveau-Brunswick et de 14 % plus élevé que celui du Québécois francophone et anglophone[37]. Naturellement, à l'intérieur de l'Ontario, les revenus variaient d'une région à l'autre et d'un groupe ethnique à l'autre. En 1972, ils étaient, selon Allaire et Toulouse, de beaucoup supérieurs dans le Nord, le Centre et le Sud-Ouest à ce qu'ils étaient dans l'Est[38]. En 1971, le revenu total moyen des anglophones surpassait de 349 $ celui des francophones et de 741 $ celui des autres Ontariens. Tout cela pour dire qu'une assez grande inégalité existait entre les Franco-Ontariens et entre ceux-ci et les autres habitants de la province.

Depuis toujours, les Franco-Ontariens avaient été surtout regroupés dans des occupations qui procuraient moins de revenus et de prestige. Ils n'étaient certes pas aussi défavorisés que les Italiens mais, en 1960, leur profil ressemblait encore à certains égards à celui de ce groupe qui se recrutait alors fortement parmi les immigrants pauvres et peu instruits[39]. Pour avoir été réduits, en 1971 ces écarts étaient encore bien réels : le pourcentage de ceux dont le revenu total moyen s'élevait alors à 10 000 $ et plus était de 16,5 % chez les anglophones, de 13,4 % chez les francophones et de 9,5 % chez les autres. La conséquence de cet état de choses fut que les Franco-Ontariens furent toujours proportionnellement moins nombreux parmi les propriétaires de grandes entreprises, les administrateurs des usines et des institutions bancaires. Par contre, ils devinrent de plus en plus actifs parmi les administrateurs dans les services, dans l'administration publique et parmi ceux qui œuvraient à leur compte dans l'exploitation forestière, les mines, la construction et les transports. Avec le temps, ces disparités avaient été réduites. En 1972, Allaire et Toulouse firent remarquer que le revenu moyen du ménage franco-ontarien qui, en 1961, était de 13 % inférieur à celui du ménage ontarien moyen s'en était rapproché de 6 %[40]. En 1981, ces inégalités avaient encore diminué d'une façon significative pour les hommes mais surtout pour les femmes.

Quelques conséquences culturelles

Le fait est qu'au moment de leur départ des régions atlantiques ou du Québec, la grande majorité des immigrants francophones n'étaient en bonne posture ni du point de vue des conditions socio-économiques ni du point de vue de l'instruction. D'ailleurs, à l'intérieur même de leur milieu d'origine, des disparités considérables déjà enracinées au XVIIIe siècle existaient en ces domaines entre les francophones et les anglophones. Il va sans dire que ces disparités se retrouvaient entre le Québec et l'Ontario. En 1941, 71,4 % de la population active québécoise contre 58,2 % des Ontariens du même groupe avaient moins de neuf années de scolarité. Au Canada, en 1961, les francophones n'étaient surreprésentés que dans la catégorie des ouvriers qualifiés, des manœuvres, des travailleurs du secteur primaire, des employés de bureau et des services. À l'exception des Italiens, ils constituaient à cette date le groupe ethnique dont le niveau d'instruction se limitait le plus fréquemment à l'élémentaire et dont l'accès à l'université était le plus rare. En ce domaine, les Franco-Ontariens avaient progressé plus lentement que les autres francophones du pays puisque 79 % d'entre eux contre 53 % de l'ensemble des francophones avaient une scolarité inférieure à un début de secondaire. Fait encore plus significatif pour la promotion sociale, seulement 3 % d'entre eux contre 6 % des autres Ontariens avaient en 1961 fait des études universitaires. Mais, en une décennie, ce pourcentage s'abaissa à 56 % dans le premier cas et s'éleva à 11 % dans le second. En 1981, la proportion de ceux qui n'avaient fait que des études primaires avait été réduite à 30 % chez les Franco-Ontariens et à 16 % chez les autres[41]. Pour obtenir du travail et

TABLEAU XV
Francophones par la langue d'usage et la langue maternelle par rapport aux francophones selon l'origine ethnique, 1971–1981 (en pourcentage)

	Langue d'usage			*Langue maternelle*		
	1971	*1981*	*1986*	*1971*	*1981*	*1986*
Grandes agglomérations						
Sud-Ouest et Centre	22,9	25,3	23,2	48,0	54,8	59,3
Est	70,7	76,3	70,8	83,7	98,9	98,6
Nord	64,3	63,7	62,1	79,8	63,7	90,4
Total	43,9	49,1	52,9	63,8	72,4	79,5
Province	48,1	42,1	52,9	65,8	71,7	79,5

Sources : Recensements de 1971, 1981, 1986.

un salaire ou un revenu plus élevés, le Franco-Ontarien fut peut-être avantagé par son bilinguisme; néanmoins, il fut toujours handicapé par son retard éducationnel. Ajoutons à cela le fait que ceux qui, aujourd'hui, font des études universitaires ont encore tendance à préférer les carrières les moins prometteuses en ce qui concerne l'accès au pouvoir économique et au progrès technologique.

Il ne fait pas de doute, en ce qui regarde la culture, que les francophones du Sud-Ouest et du Centre vécurent plus dangereusement que les autres. Bien qu'il y eut, de 1971 à 1986, des améliorations dans les grandes agglomérations métropolitaines du Sud-Ouest, du Centre, de l'Est et même du Nord en ce qui concerne la relation entre l'origine ethnique et les langues maternelle et usuelle, c'est, bien entendu, dans le Sud-Ouest et le Centre où ces taux étaient, par une marge énorme, les plus bas.

À vrai dire, ce sont les francophones de cette région qui participaient le moins aux activités des institutions introduites et animées fort souvent par leurs compatriotes des autres régions : les caisses populaires, l'Union Saint-Joseph, la société Saint-Jean-Baptiste, les syndicats, les écoles confessionnelles françaises et même les organisations paroissiales[42]. Aux yeux des francophones de l'extérieur qui, souvent, les comptaient et les regardaient agir à la lumière de critères purement linguistiques (langue maternelle, langue d'usage), ils constituaient des candidats de choix à l'assimilation. Car, en plus d'être attirés plus que

TABLEAU XVI
Revenus d'emploi par région chez les Franco-Ontariens hommes et femmes, 1981 (en pourcentage)

	Hommes	*Femmes*	*Total*
10 000 $ et moins			
Sud-Ouest et Centre	25,1	57,8	39,6
Est	31,0	52,0	40,3
Nord	27,5	70,0	43,6
30 000 $ et plus			
Sud-Ouest et Centre	11,4	1,6	7,1
Est	10,2	2,1	6,6
Nord	9,0	0,9	6,0

Source : ACFO, *Les francophones tels qu'ils sont. Regards sur le monde du travail franco-ontarien* (Ottawa, 1985), 27.

les autres par la société et la culture dominantes, ils n'étaient pas les mieux armés à tous les égards du point de vue instruction. En 1972, bien qu'ils aient été les mieux partagés dans la catégorie de ceux qui avaient moins de cinq années de scolarité, ils étaient nettement en position d'infériorité par rapport aux Franco-Ontariens de l'Est en ce qui concerne les diplômés universitaires[43]. Aussi, en 1961, étaient-ils les moins nombreux parmi les Franco-Ontariens qui gagnaient moins de 4 000 dollars par an et les chefs de ménage dont le revenu se situait au-dessus de 18 000 dollars annuellement. En 1981, ils avaient amélioré substantiellement leur performance puisqu'ils étaient les mieux partagés dans la catégorie de ceux dont le revenu était inférieur à 10 000 dollars et supérieur à 30 000 dollars. Notons qu'à cet égard la situation des femmes était alors plus favorable dans l'Est.

Il n'est donc pas étonnant que, dans un milieu aussi diversifié que le Sud-Ouest et le Centre, la vie des Franco-Ontariens ait été compliquée et complexe.

Les francophones à Toronto

Thomas Maxwell qui a analysé[44] la situation des francophones torontois dont les effectifs avaient triplé en vingt ans pour atteindre 61 421 en 1961, a bien mis ce fait en lumière. Si le milieu torontois lui sembla à cette époque d'une grande diversité sur le plan ethnique, il n'en tira pas, pour autant, la conclusion que le groupe francophone était d'une parfaite homogénéité même sur le plan culturel. Constitués d'éléments venus de milieux divers, de France et d'autres pays, des provinces atlantiques, du Québec, des autres régions de l'Ontario et de l'Ouest canadien, ces groupes avaient éprouvé d'autant plus de difficultés à former une communauté qu'ils vivaient dispersés sur le territoire métropolitain.

Sans compter les différences de classes à l'intérieur même du milieu francophone : car, si au niveau des propriétaires d'entreprises, des gérants et des administrateurs, les francophones étaient peut-être moins sous-représentés qu'ailleurs dans la province, ils étaient, par contre, surreprésentés à l'extrême parmi les ouvriers spécialisés et non spécialisés. Aussi leur niveau de scolarisation était-il plutôt bas, souvent même parmi les individus d'un niveau social plutôt élevé[45]. Il existait donc à Toronto une classe moyenne supérieure francophone qui, sans être l'équivalent en richesse de la grande bourgeoisie anglophone, menait fort souvent une existence séparée de celle des autres francophones.

Restait donc pour encadrer cette population et lui servir d'élite une fraction assez limitée de cette classe moyenne supérieure. Comme à l'accoutumée, des professionnels, des hommes d'affaires de petite ou moyenne taille, des enseignants, des clercs et d'autres prirent en charge avec des succès mitigés le soin d'animer les ferments communautaires qui pouvaient exister dans ce groupe. Ainsi que le laisse entrevoir Maxwell, cette population se développait sous l'effet de l'immigration mais aussi en conséquence des changements qui s'accomplissaient en son sein. Sur ce point en particulier, il note un processus assez vigoureux de promotion sociale d'une génération à l'autre qui se traduisait par des transformations substantielles dans la hiérarchie des occupations et des revenus[46]. L'étude de Maxwell révèle l'existence d'une population qui croissait en nombre et qui continuera de le faire jusqu'en 1971 alors qu'elle se chiffrera à 91 975. Mais, depuis 1971, s'est amorcé un déclin qui porta les effectifs de descendance française à 74 800 en 1981 et à 65 140 en 1986. Notons toutefois, pour compliquer davantage les questions de mesure et montrer la complexité croissante de l'environnement culturel, qu'en 1986 il y eut, en plus des 65 140 individus qui déclarèrent une origine française unique, 202 635 personnes qui, parmi leurs multiples origines ethniques, signalèrent une origine française. Notons qu'à part Ottawa l'agglomération métropolitaine de Toronto fut celle où, de 1971 à 1986, les effectifs de langue maternelle et de langue d'usage furent les moins touchés par le recul substantiel de toutes les catégories de francophones à l'échelle de la province. C'est d'ailleurs le moment où se produit, au Québec comme en Ontario, l'acclimatation des francophones à la grande ville.

L'EST OU L'ÉMERGENCE D'UN PAYS FRANCO-ONTARIEN

S'il existe, comme on l'a prétendu, un pays franco-ontarien, dont les traits pourraient correspondre à ceux diffusés par l'imagerie traditionnelle, c'est d'abord dans l'Est de l'Ontario qu'on devrait pouvoir le reconnaître. Car, dans cette partie de la province adjacente au Québec, les Franco-Ontariens ont pu, avec le temps, sur une portion de ce territoire où le caractère catholique de l'ensemble de la population n'a cessé de se renforcer, jouir d'une certaine suprématie numérique. Cette supériorité est donc relativement récente et limitée à une portion de l'Est.

Avant 1800, il est vrai, les marchands de pelleteries et les engagés pour la traite avaient par centaines d'abord et par milliers ensuite, fréquenté avec une remarquable régularité la route du Saint-Laurent et celle de l'Outaouais qui les menaient vers les Grands Lacs et le Nord-Ouest. Mais tous ces mouvements de personnes et de biens n'avaient jamais suscité la création d'établissements permanents dans la vallée de l'Outaouais. Néanmoins, vers la fin du XVIIIe siècle, des immigrants de la Nouvelle-Angleterre vinrent dans les Canadas à la recherche de terres.

Si, d'une façon générale, les sols de l'Outaouais étaient plutôt moyens et médiocres, les terres s'y trouvaient en abondance et y étaient plus accessibles qu'à bien des endroits[47]. Parmi ces premiers groupes d'immigrants, une minorité s'intéressa à la colonisation de l'Outaouais. Une première poussée de peuplement amorcée par Philemon Wright[48] et ses compagnons dans le *township* de Hull et, plus tard, par les Papineau et Fletcher dans la seigneurie de la Petite-Nation[49], se poursuivit désormais sur les deux rives de l'Outaouais. Ce mouvement réussit surtout grâce à l'expansion de l'économie forestière dont le fonctionnement était lié à l'abondance des ressources, à la mise en place d'une protection tarifaire impériale, à la disponibilité de capitaux et à l'existence dans les campagnes prochaines ou éloignées d'un large réservoir de main-d'œuvre à bon marché[50]. Ainsi, à cause de ce mariage progressif entre le travail et la terre et le travail en forêt, le contexte dans lequel se développa finalement l'Est ontarien est fort différent de celui qui présida à la croissance du Sud-Ouest et du Centre de la province, où l'agriculture fondée sur le blé en vint à exercer pendant longtemps quelque suprématie. Même de ce point de vue, il existe des différences substantielles entre le côté québécois et le côté ontarien de la vallée, puisque les ressources forestières les plus considérables et les plus durables se trouvaient au nord plutôt qu'au sud de la rivière.

Ainsi, après le début du XIXe siècle, les circonstances devinrent peu à peu favorables à la mise en valeur de l'Est de l'Ontario. Des événements aussi importants que la construction du canal Rideau y contribuèrent sans doute mais pas autant, peut-être, que les changements démographiques.

Une immigration d'abord anglophone

Après 1815, le courant migratoire d'origine américaine fut relayé par un mouvement massif en provenance des îles britanniques et par les conséquences du surpeuplement des seigneuries bas-canadiennes, phénomènes qui se répercutèrent successivement dans la vallée de l'Outaouais. Il ne fait pas de doute que les premières vagues d'immigrants qui vinrent s'établir dans la partie ontarienne de l'Outaouais étaient composées de colons anglophones. Ce fait a été bien établi par W.R. Crothall à propos du canton de Clarence et de la seigneurie de Pointe-à-l'Orignal située en Ontario et convertie en franc et commun soccage par son nouveau propriétaire N.H. Treadwell. Dans ces localités, conclut-il, les premiers immigrants francophones n'arrivèrent qu'en 1828 et 1849 respectivement[51].

De son côté, Chad Gaffield[52] soutient que ce ne fut qu'après 1840 que l'impact de l'immigration canadienne-française se fit réellement sentir dans les cantons de Caledonia et d'Alfred. Tout porte à croire cependant que la grande majorité de ces colons des années 1800 à 1830 se recrutèrent parmi les protestants d'origine anglaise, écossaise et irlandaise. Ce furent eux qui au départ s'emparèrent des meilleures terres et de celles qui étaient les mieux situées, influant ainsi sur les directions du peuplement. Il faut ajouter qu'assez vite les entrepreneurs forestiers, soit qu'ils aient voulu ravitailler leurs chantiers en produits agricoles, soit qu'ils aient voulu se constituer des domaines forestiers stables, commencèrent à regrouper la terre à leur profit. En 1861, six d'entre eux possédaient dans le seul canton de Clarence plus d'une centaine de parcelles de terres d'une étendue d'environ 20 000 acres[53]. Cette hégémonie anglophone et protestante ne se maintint pas intégralement, puisqu'à la suite d'arrivages massifs après 1828 d'immigrants irlandais catholiques dans le Bas-Canada, le caractère de la population anglophone fut nécessairement appelé à se transformer dans la partie est de l'Est ontarien[54]. Ce qui veut dire qu'à l'intérieur même de ce territoire, des forces qui, au départ, avaient favorisé les protestants, jouèrent peu à peu au profit des catholiques

TABLEAU XVII
Évolution de la population selon l'origine ethnique et la religion à Alfred, Caledonia et Prescott (comté), 1861–1901

	1861		*1901*		*Solde*	
	nombre	*%*	*nombre*	*%*	*nombre*	*%*
Alfred (canton)						
1. Population	1 359	100	3 327	100	1 968	—
2. Francophones	1 000	73,6	3 054	91,8	2 054	18,2
3. Anglophones	359	26,4	273	8,2	(86)	(19,2)
4. Catholiques	1 174	86,4	3 189	95,8	2 015	9,4
5. Protestants	185	13,6	138	4,2	(47)	(9,4)
Caledonia (canton)						
1. Population	1 081	100	2 201	100	1 120	—
2. Francophones	125	11,6	1 405	63,8	1 280	52,2
3. Anglophones	956	88,4	796	36,2	(160)	(52,2)
4. Catholiques	365	33,8	1 541	70,0	1 176	36,2
5. Protestants	716	66,2	660	30,0	(56)	(36,2)
Prescott (comté)						
1. Population	15 499	100	27 035	100	11 536	—
2. Francophones	6 558	42,3	19 190	70,9	12 632	28,6
3. Anglophones	8 941	57,7	7 845	29,1	(1 096)	(28,6)
4. Catholiques	9 621	62,1	21 201	78,4	11 580)	16,3
5. Protestants	5 878	37,9	5 834	21,6	(44)	(16,3)

Sources : Recensements de 1861 et 1901.

francophones et anglophones entre lesquels, soit dit en passant, l'harmonie était loin d'être la règle, ainsi que le démontrent les éternels conflits scolaires. Le tableau suivant, bien que limité au comté de Prescott, prouve que ce renversement de situation s'était amorcé dès 1860 dans le comté de Prescott. Notons en particulier que, contrairement à ce qu'affirme Chad Gaffield, le déclin des anglophones et des protestants n'est pas seulement relatif mais absolu. Dans Alfred et Caledonia, la baisse de la population anglophone surpasse de 7,3 % celle du comté de Prescott qui s'élève à 11,4 %. Chez les protestants, la chute, bien que moins prononcée, se situe quand même à 12,2 % dans Alfred et Caledonia et 0,7 % au niveau du comté.

Analysant cette évolution dans ce contexte, le géographe D.G. Cartwright[55] a vu le peuplement de l'Est ontarien comme le fruit d'une stratégie élaborée par l'épiscopat québécois en vue de la reconquête de ces territoires aux dépens des protestants et au profit des catholiques canadiens-français et irlandais. Il affirme aussi que le clergé avait même prévu une sorte de partage de la région entre les francophones et les Irlandais : les premiers étant appelés à occuper la partie orientale et les seconds devant être concentrés dans la partie occidentale.

Il est vrai que l'évolution s'est à peu près déroulée comme si l'idéologie et les projets cléricaux, aussi bien que les affinités culturelles, avaient déterminé avec assez d'exactitude l'ordre des choses en ce qui concerne l'est de l'Est ontarien. Notons toutefois que la progression des habitants d'origine française ne fut jamais aussi spectaculaire que la croissance des catholiques. En 1851–52, le pourcentage des catholiques y atteignait déjà 42,6 % de la population des comtés situés à l'est d'Ottawa; en 1971, cette proportion avait augmenté à 75,1 %. Ceci dit, il faut néanmoins préciser que les colons francophones n'avaient pas quitté leur milieu d'origine pour aller en croisade, poussés qu'ils étaient avant tout par le besoin de terres et d'emplois. Il serait cependant ridicule, sous prétexte de justifier un divorce entre l'idéologie et le réel, de ne pas voir les liens subtils qui existent entre tous ces éléments.

Par contre, dans les comtés occidentaux de l'Est ontarien, en dépit du fait que les Irlandais et, à certains endroits, les Écossais catholiques avaient constitué un pourcentage assez significatif de la population, les catholiques restèrent minoritaires. De 1851 à 1971, le pourcentage des catholiques ne s'y accrut que de 18,2 % à 25,8 % de la population de ce territoire. Tout juste assez pour absorber la croissance des éléments francophones. Ce qui veut dire que les catholiques anglophones qui quittèrent la portion orientale de l'Est ontarien, n'émigrèrent pas vers sa partie occidentale. De cette façon, la partie ouest de l'Est ontarien fut et demeura une contrée à grande majorité protestante et anglophone, alors que le comté d'Ottawa-Carleton fut toujours sur ce plan un lieu de transition : les catholiques y représentant 41,5 % de la population en 1851 et 47,2 % en 1971[56]. En somme, un milieu plutôt favorable à l'épanouissement d'une culture catholique et française.

Ainsi, colonisée au début par des immigrants anglophones d'origines diverses, protestants pour la plupart, la portion orientale de l'Est ontarien fut progressivement conquise par les immigrants francophones venus surtout du Québec. Son évolution, comme le démontre le Tableau XVIII, reflète donc dans une certaine mesure un mouvement plus large, certainement encouragé par le clergé, qui englobe aussi bien les cantons de l'Est que ceux de l'Ouest québécois[57].

TABLEAU XVIII
Les francophones de l'Est et de ses sous-régions par rapport à la population totale de l'Est et de ses sous-régions, 1851–1971 (en pourcentage)

	1851	*1871*	*1911*	*1941*	*1971*
Est*	4,8	10,5	20,0	23,9	21,2
Partie orientale**	14,3	27,9	51,9	61,7	59,1
Ottawa-Carleton	9,5	18,5	25,9	30,1	24,9
Partie occidentale	2,1	4,9	5,9	6,6	7,6

Sources : Recensements du Canada pour les années en question
* Francophones selon l'origine ethnique.
** Ces comtés sont Glengarry, Prescott, Russell et Stormont.

Vue en termes relatifs et absolus, la progression des francophones dans l'Est est un phénomène universel et constant jusqu'en 1950 au moins. De 4,8 % de la population de l'Est en 1851, leur part s'éleva à 20 % en 1911 et à 23,9 % en 1941, pour ensuite s'abaisser à 21,2 % en 1971. Cette progression ne s'est toutefois pas opérée d'une façon uniforme sur le territoire, comme le démontre le Tableau XVII. Non seulement les pourcentages furent-ils à cet égard fort différents d'une sous-région à une autre, mais des changements majeurs se produisirent dans la répartition des effectifs des deux groupes sur les trois portions du territoire.

En 1851, les francophones étaient surtout rassemblés, mais inégalement, dans les comtés orientaux et occidentaux : 47,2 % et 31,2 % respectivement. Bien que moins nombreux dans Ottawa-Carleton, ils y avaient néanmoins plus du cinquième de leurs effectifs. Mais, en 1911, ils avaient accentué leur avance dans les comtés orientaux et régressé dans la partie occidentale. À cette date, 57,1 % d'entre eux se trouvaient à l'est d'Ottawa et seulement 17,1 % à l'ouest. Pendant ce temps, ils avaient progressé dans Ottawa-Carleton où 25,8 % de leurs effectifs étaient regroupés. Plus tard, ils avaient continué à se déplacer si vigoureusement vers Ottawa-Carleton, qu'en 1971, 45,5 % d'entre eux résidaient dans cette agglomération. Dans les comtés situés à l'est et à l'ouest de la capitale, leur présence était tombée à 36,5 % et 17,9 % de leurs effectifs.

GRAPHIQUE VII
Pourcentage du même groupe dans l'Est

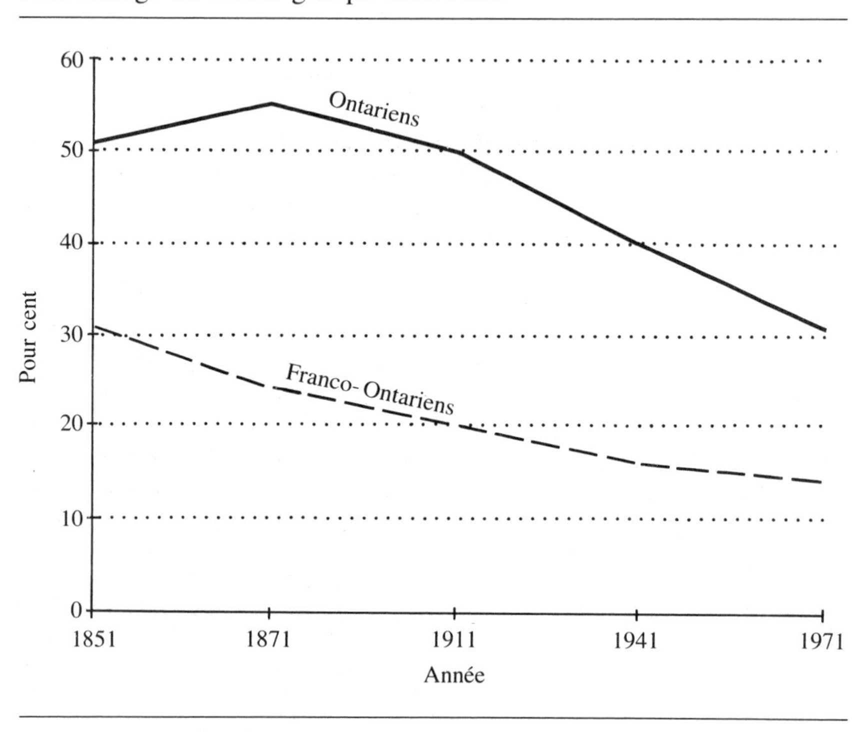

De leur côté, les anglophones ne cessèrent pendant tout ce temps de perdre du terrain dans les deux sous-régions les plus rurales pour se regrouper progressivement dans Ottawa-Carleton. En 1851, les trois quarts des effectifs étaient concentrés dans la zone occidentale. Ce qui laissait de minces pourcentages dans les deux autres sous-régions : 10,5 % dans Ottawa-Carleton et 14,5 % dans les comtés situés à l'est. En 1971, la part d'Ottawa-Carleton avait augmenté à 43,7 %. Ces gains avaient été réalisés, surtout après 1945, aux dépens de la partie occidentale de la région où leur pourcentage était tombé à 50,4 %, et, après 1911, de la partie orientale qu'ils avaient plus ou moins abandonnée aux Franco-Ontariens. En effet, de 1911 à 1941, les effectifs non-francophones avaient décliné de 27,6 % dans cette partie de la région. Bien qu'ils aient récupéré après 1941, seulement 5,8 % d'entre eux habitaient alors ce coin de la région (Graphique VII).

GRAPHIQUE VIII
Taux d'urbanisation dans Ottawa-Carleton

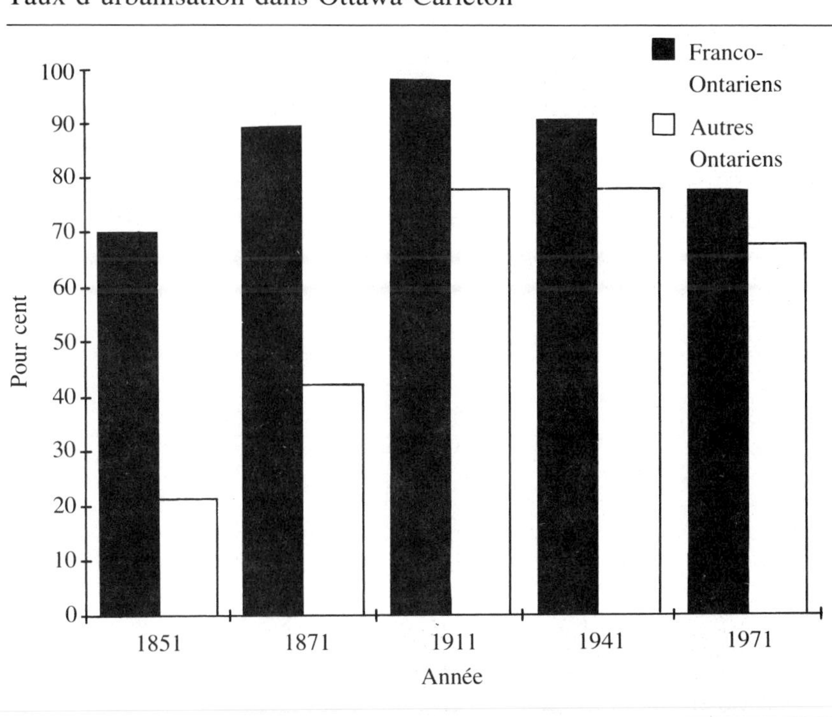

Ainsi, à partir de 1911, les deux groupes, mais plus particulièrement les francophones, eurent tendance à se déplacer vers Ottawa-Carleton, foyer principal du développement urbain de l'Est de la province (Graphique VIII). Après 1941, ce mouvement qui s'accélère alors parmi les non-francophones, paraît d'une certaine façon plus prononcé chez les Franco-Ontariens, si les pourcentages sont calculés à partir des effectifs de langue maternelle. Ainsi, en 1941, 51,2 % des francophones de langue maternelle étaient rassemblés dans la partie orientale de l'Est, contre 41,6 % dans Ottawa-Carleton et 7,2 % dans la partie occidentale. Mais en 1971, ils avaient non seulement perdu du terrain dans les comtés situés à l'est d'Ottawa (de 51,2 % à 36,2 %), mais ils avaient accru leur présence dans Ottawa-Carleton à 56,8 %. Étant donné l'importance de la ville d'Ottawa dans le réseau urbain de l'est, on ne saurait prétendre que, jusqu'à tout récemment, les francophones de l'Est ont marqué leur originalité en se tenant à l'écart du mouvement d'urbanisation.

TABLEAU XIX
L'urbanisation des Ontariens de l'Est, 1851–1971 (en pourcentage)

	1851	*1871*	*1911*	*1941*	*1971*
Est (région)					
Francophones*	21,1	31,5	49,2	57,8	68,3
Autres	11,8	21,9	42,4	54,7	56,6
Partie orientale**					
Francophones	2,0	9,2	28,0	28,9	59,1
Autres	3,9	13,6	22,3	29,9	57,9
Ottawa-Carleton (comté)					
Francophones	70,0	90,1	98,4	88,7	77,7
Autres	21,5	41,9	77,9	78,2	67,7
Partie occidentale***					
Francophones	15,9	40,0	43,2	54,9	56,3
Autres	12,1	22,3	36,8	55,1	52,8

Sources : Recensements du Canada pour les années en question.
* Francophones selon l'origine ethnique.
** Glengarry, Prescott, Russell, Stormont.
*** Tous les autres comtés de l'Est à l'exception d'Ottawa-Carleton.

Un taux d'urbanisation supérieur dans une région réputée très rurale

Pourtant, en lisant la documentation relative aux Franco-Ontariens de l'Est, on peut aisément avoir l'impression, ne serait-ce que parce que la recherche des terres fut si souvent à l'origine de leur décision de s'établir en Ontario, qu'ils eurent en tant que groupe un caractère nettement plus rural que celui du reste de la population. Ce sentiment n'est pas tout à fait fondé, puisque ces immigrants avaient été soumis, avant même de quitter le Québec, à un processus de prolétarisation qui les avait entraînés, comme l'ensemble de la main-d'œuvre forestière le faisait sur une base saisonnière, à se déplacer, fort souvent au loin, pour obtenir du travail. Pour toutes sortes de raisons, l'accès à la propriété foncière ne leur fut pas toujours facile. Avant d'avoir une terre, ils furent pour la plupart, parfois pendant plusieurs années, obligés de travailler en tant que journaliers. C'est un fait qui peut même être dégagé des données accumulées par Chad Gaffield[58] au sujet du statut des colons francophones et anglophones du canton d'Alfred. Ainsi limités dans leurs ambitions, les immigrants récents furent bien forcés

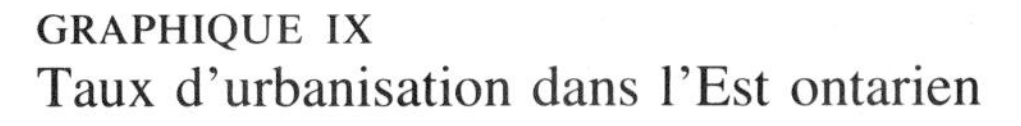

GRAPHIQUE IX
Taux d'urbanisation dans l'Est ontarien

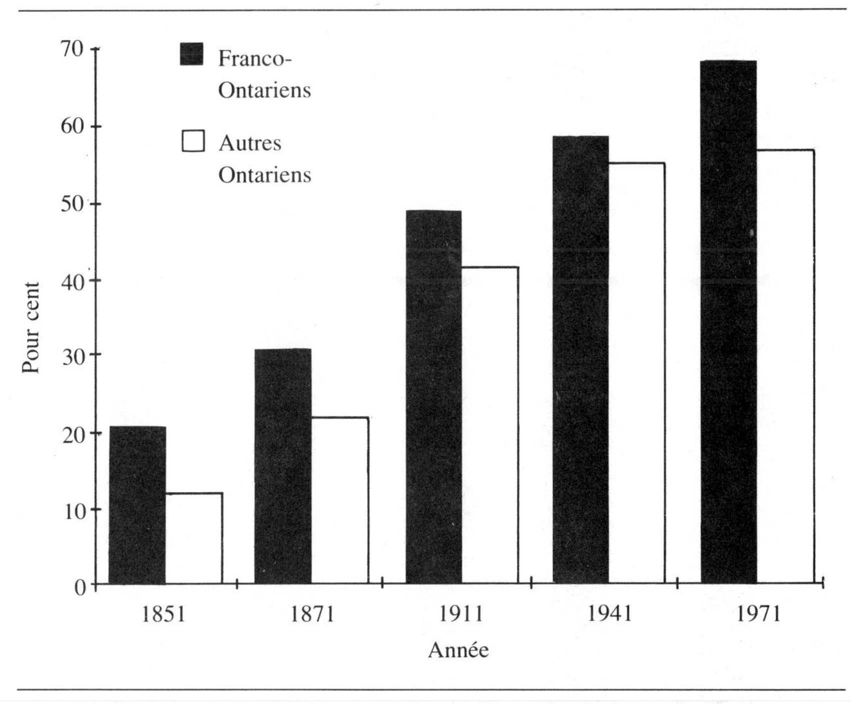

de postuler, en plus des emplois forestiers, des tâches en milieu urbain ou ailleurs. C'est une situation que démontrent les taux relativement élevés d'urbanisation pour les francophones par rapport aux autres dans la partie occidentale de l'Est (Tableau XIX) et dans Ottawa-Carleton (Graphique IX). En abordant les choses sous cet angle, on n'est pas tellement surpris de constater que, depuis 1851, les Franco-Ontariens de l'Est ont été engagés dans un processus continu d'urbanisation et qu'ils eurent toujours, au niveau de la région, un caractère nettement plus urbain que les autres habitants de la même région[59]. C'est d'ailleurs le seul endroit dans la province où, depuis 1871, ils furent constamment surreprésentés dans les villes de 10 000 habitants et plus.

Mais, en regardant les choses de plus près, on ne peut qu'être frappé à la fois par l'énormité des écarts qui existaient entre les sous-régions et par l'originalité des profils d'urbanisation dans les quatre comtés situés à l'est d'Ottawa. Dans cette partie orientale, jusqu'en 1941,

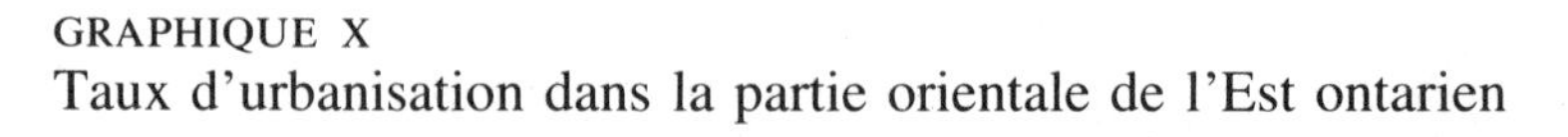

GRAPHIQUE X
Taux d'urbanisation dans la partie orientale de l'Est ontarien

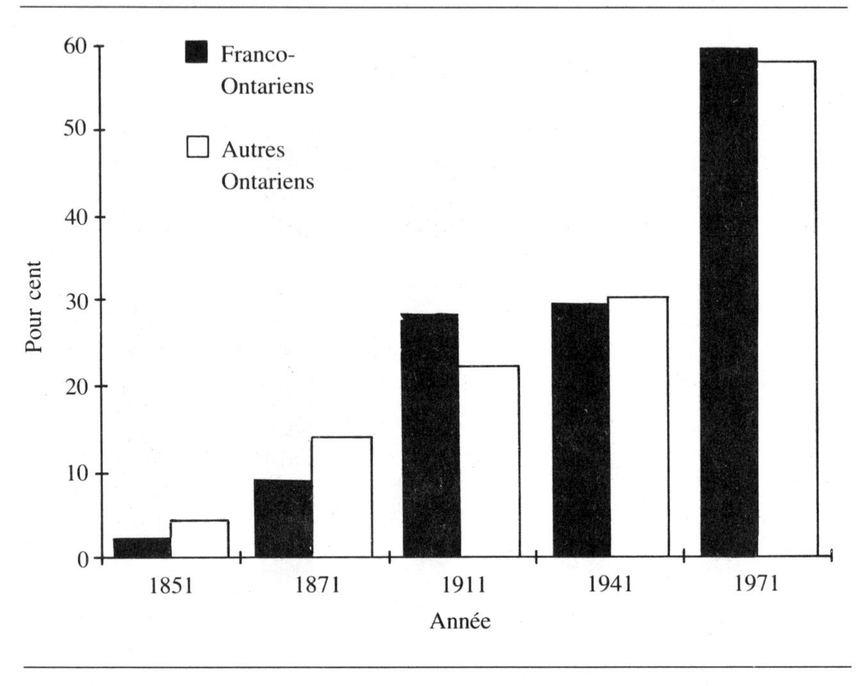

non seulement les taux restèrent les plus bas relativement aux autres régions et sous-régions de la province, mais les francophones de cette sous-région conservèrent presque toujours un caractère plus rural et agricole que les autres habitants du même lieu (Graphiques X et XI).

Ceci dit, on ne doit pas oublier qu'en 1900 la majorité des Ontariens et des Franco-Ontariens vivaient encore à la campagne et étaient largement associés à la pratique de l'agriculture. En 1911, au moment où plus de la moitié des habitants de la province étaient urbains, seuls le Centre et Ottawa-Carleton renfermaient de fortes majorités urbaines. Au contraire, dans la partie orientale de l'Est, la zone la plus francophone de la région, 72 % des francophones et 77,7 % des autres habitants étaient ruraux. Trois décennies plus tard, ces pourcentages avaient à peine bougé, surtout pour les premiers.

Vu à l'échelle de l'Est, le profil des francophones de l'Est ontarien n'est ni uniforme ni essentiellement différent de celui des autres habitants du lieu. Non seulement ces Franco-Ontariens en sont-ils arrivés

GRAPHIQUE XI
Taux d'urbanisation dans la partie occidentale de l'Est ontarien

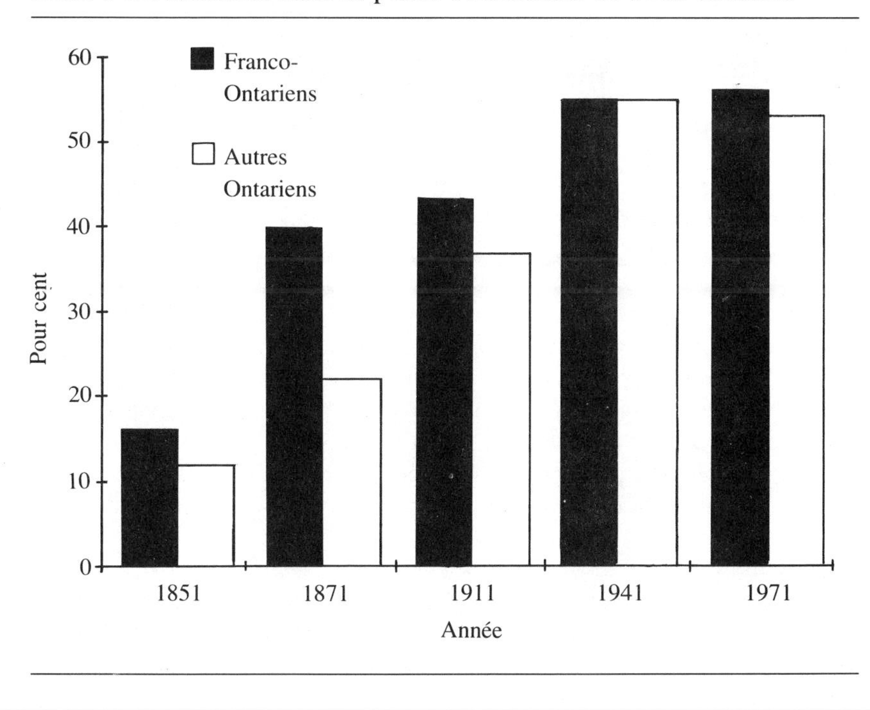

à constituer un des groupes les plus stables de leur région mais, à toutes les époques, ils ont été engagés à leur façon dans son développement économique. Au début, ils s'insérèrent dans le système agro-forestier; puis, progressivement, ils en émergèrent pour finalement prendre place dans une économie plus complexe et plus moderne.

Si on en croit Cartwright qui s'est intéressé à la prise de possession du sol par les immigrants canadiens-français, ceux-ci auraient préféré les sols humides aux autres[60], suivant en cela l'exemple de leurs ancêtres. Cette thèse reprise par Chad Gaffield, qui raconte que la *qualité des sols est une construction sociale*[61], ne se défend certainement pas dans le cas des Québécois qui, lorsqu'ils le purent, s'installèrent depuis le XVIIe siècle en premier lieu sur les meilleures terres, celles qui étaient les plus accessibles et les mieux situées en bordure du fleuve, n'occupant les autres que plus tard. Quant aux Franco-Ontariens, arrivés les seconds dans la région, ils furent obligés de se plier aux orientations du peuplement imposées par les premiers colons.

Cette conclusion se dégage aussi des données accumulées par Crothall sur l'évolution de la propriété foncière et de l'agriculture dans Longueuil et Clarence de 1850 à 1871[62]. Établis près des anglophones, les colons francophones qui constituaient déjà 70 % de la population de ces localités vers 1870, accusèrent des délais dans leurs efforts pour accéder à la terre et élargir leur domaine. Même si, selon les chiffres de Crothall, la structure de leur production agricole, commandée qu'elle était par les rapports agriculture-forêt, était assez semblable à celle des anglophones, elle en différait cependant quant aux quantités et aux surplus disponibles pour le marché.

Il n'est pas aisé, à la lecture des travaux de Chad Gaffield, toujours fasciné par les perspectives homogénéisantes, de se rendre compte de ces contrastes qui, pourtant, sont essentiels pour situer les groupes dans le système de production et préciser leur degré de dépendance à l'égard de l'exploitation forestière, aussi bien en ce qui concerne la vente des produits agricoles que l'offre de main-d'œuvre. C'est aussi afin de dégager, à partir de ces rapports, la capacité de survie des uns et des autres dans la région, que nous avons construit le tableau suivant.

Pour rendre compte de certaines disparités minimes qu'il a observées entre les francophones et les autres groupes au niveau de la production, Gaffield fait état de la jeunesse du peuplement francophone et, par conséquent, du délai qu'il leur fallut combler quant à l'aménagement de l'espace agricole[63]. Mais cela n'explique, ainsi que le démontre le Tableau XXI, qu'une mince part de l'écart énorme qui existe entre les deux groupes. Afin de pondérer les données du Tableau XX de façon à répondre aux objections de Gaffield, nous avons tenté d'éliminer les variations attribuables aux différences entre les étendues de terre cultivée.

Car, de ces données des Tableaux XX et XXI, certaines conclusions peuvent être dégagées concernant la nature et l'évolution de l'agriculture canadienne-française. Ainsi, bien que l'occupant de terre d'Alfred ait produit en 1861 un peu plus de blé en moyenne que ceux du canton de Caledonia et du comté de Prescott, ce qui tenait à une longue tradition, son agriculture n'était pas substantiellement différente, quant à l'équilibre des productions, de celle des producteurs voisins. Seule la production du beurre et du fromage fait exception à la règle. Tous ces cultivateurs exerçaient leur activité en fonction d'un marché forestier qui favorisait la culture de l'avoine, de la pomme de terre, du foin et l'élevage des animaux. La différence essentielle entre les localités à majorité francophone et celles à majorité anglophone se situe alors

TABLEAU XX
Agriculture à Alfred, Caledonia et Prescott, 1861–1891
(par occupant)

	1861	*1891*
Alfred (canton)		
1. % des francophones	73,6	89,1
2. Espace cultivé (acres)	18,9	42,7
3. Grains et autres (boisseaux)	273,3	315,7
4. Troupeaux :		
a) animaux (nombre)	11,0	13,7
b) valeur (dollars)	138,28	—
c) beurre et fromage (lb)	78,7	100,6
5. Foin (tonnes)	2,9	18,4
6. Valeur totale (dollars)	510,88	—
Caledonia (canton)		
1. % des francophones	11,1	58,4
2. Espace cultivé (acres)	19,7	42,7
3. Grains et autres (boisseaux)	562,9	435,8
4. Troupeaux :		
a) animaux (nombre)	22,2	17,6
b) valeur (dollars)	245,56	—
c) beurre et fromage (lb)	220,3	159,1
5. Foin (tonnes)	9,6	10,9
6. Valeur totale (dollars)	1 357,85	—
Prescott (comté)		
1. % des francophones	42,3	67,2
2. Espace cultivé (acres)	23,6	50,6
3. Grains et autres (boisseaux)	465,6	346,3
4. Troupeaux :		
a) animaux (nombre)	19,6	14,9
b) valeur (dollars)	251,16	—
c) beurre et fromage (lb)	243,0	148,6
5. Foin (tonnes)	8,7	14,7
6. Valeur totale (dollars)	1 375,50	—

Sources : Recensements du Canada, 1861, 1891.

TABLEAU XXI
Comparaison entre Alfred, Caledonia et Prescott en 1860 et 1890 (en pourcentage)

	Alfred/Caledonia		*Alfred/Prescott*	
	1860	*1890*	*1860*	*1890*
Espace cultivé (acres)	100	100	100	100
Grains (boisseaux)	50,6	72,4	73,4	108,0
Animaux (nombre)	51,6	77,8	71,4	108,7
Animaux (valeur)	58,7		68,8	
Beurre et fromage (lb)	37,2	63,2	40,5	80,2
Foin (tonnes)	31,5	168,8	42,0	148,4
Production totale (valeur)	39,2		44,8	

Source : Tableau XX.

dans le volume et dans la valeur de la production et, par conséquent, sur le plan des surplus disponibles pour le marché.

Même pondérés comme au Tableau XXI, ces écarts sont encore si considérables qu'il faut nécessairement insister sur l'exceptionnelle dépendance de la majorité des francophones, relativement aux autres, à l'égard du travail saisonnier en forêt en tant que source supplémentaire de revenus. C'est d'ailleurs pour cette raison que les francophones continuèrent à progresser numériquement dans la partie orientale de l'Est ontarien, même lorsque s'engagea à cet endroit le déclin de l'économie forestière qui fit perdre aux producteurs agricoles, en majorité aux anglophones, une bonne partie de leur marché. Car, même si la main-d'œuvre forestière devait, selon les saisons, se déplacer de plus en plus vers le nord de l'Outaouais sur des espaces considérables, elle n'en conserva pas moins dans la grande majorité des cas ses attaches terriennes. Pour les anglophones, au contraire, la perte de ce marché fut si catastrophique que leur attrait pour cette région disparut assez vite. De 1871 à 1911, alors que les effectifs francophones triplèrent dans les comtés situés à l'est d'Ottawa, la population anglophone ne s'y accrut que de 9,7 %. Ce qui signifie que celle-ci n'absorba qu'une mince portion du surplus des naissances sur les décès.

Ainsi, de 1861 à 1891, la diminution des écarts entre les producteurs de ces localités (Tableau XX), aussi bien que la baisse du niveau de la production par occupant dans Caledonia et Prescott, furent surtout attribuables à la progression des francophones dans Caledonia et dans l'ensemble du comté de Prescott où ils devinrent fortement majoritaires. La chute de la production moyenne dans les endroits où les anglophones étaient autrefois majoritaires, ne signifie pas que l'agriculture canadienne-française s'est détériorée au cours de ces années. Car ce qui se passe à Alfred, où la production moyenne par occupant augmenta sensiblement, semble refléter, en ce qui a trait aux francophones, ce qui s'est passé à l'échelle du comté et, sans doute, de la partie orientale de l'Est ontarien.

Il serait intéressant de pouvoir suivre de plus près l'évolution de cette agriculture de l'Est ontarien à toutes les étapes de l'urbanisation et de l'industrialisation[64]. Seule l'étude de Gilles Boileau, parue en 1964, permet de se former une idée de cette transition au cours de laquelle la dépendance à l'égard de l'économie forestière diminue sans que cela implique un chambardement complet de la structure de la production agricole[65]. En effet, l'auteur démontre que cette agriculture reposait d'abord sur l'élevage, une activité qui avait été importante au XIXe siècle sur les fermes de l'Est ontarien. Comme de raison, il insiste sur le fait qu'une telle spécialisation n'avait été possible qu'à la suite d'un double processus de démembrement et de regroupement de la propriété foncière. De 1951 à 1961, dit-il, le nombre de fermes déclina de 20,5 % dans les quatre comtés situés à l'est d'Ottawa, alors que l'étendue moyenne des fermes y augmenta de 126 à 148 acres. Dans la partie occidentale, les abandons se chiffrèrent à 16,3 % alors que l'étendue moyenne de la ferme s'élevait à 190 acres en 1961.

Cette concentration inégale de la propriété foncière est reliée à la fois à l'expansion de l'élevage et à ses orientations spécifiques dans chaque région. Dans la partie orientale, l'industrie laitière prédomine au point qu'en 1961 86 % des fermes étaient affectées à cette production. À l'ouest de la capitale, où l'élevage des animaux de boucherie était plus important, cette proportion ne dépassait pas les 60 %. À cette date, le revenu moyen était certes plus élevé dans la sous-région à majorité française, mais cet avantage se trouvait annulé du fait que le nombre de personnes à charge y était de 12 % plus considérable qu'à l'ouest d'Ottawa. Faute d'études, il est impossible d'analyser les conséquences des achats de terres faits depuis 1961 par les immigrants d'origine allemande et hollandaise sur le développement rapide des cultures maraîchères[66]. Il semble toutefois que cette poussée se soit précisée après 1940, lorsque s'accélère pendant deux décennies la croissance de petites villes comme Hawkesbury, Cornwall, Brockville, Kingston, Smith Falls, Perth et Pembroke. C'est d'ailleurs le moment où se dessine un vigoureux mouvement de concentration de la population de l'Est autour d'Ottawa. De 1941 à 1986, à la suite de l'expansion des services du gouvernement fédéral et des deux universités locales, la population de cette agglomération métropolitaine ontarienne triple, pour atteindre les 619 045 habitants en 1986. À cette date, les effectifs de l'agglomération Ottawa-Hull dépassaient les 800 000 habitants.

Intégration dans la société industrielle

Tel est, en gros, le processus par lequel la population franco-ontarienne de l'Est s'est progressivement insérée dans la société urbaine et industrielle de cette région. Ceci dit, il n'est pas surprenant de constater qu'en 1971, sa répartition par secteurs d'activités économiques n'était pas si différente de celle d'autres régions caractérisées par le faible poids de l'industrie manufacturière et la pesanteur de la fonction publique.

On comprendra aisément que le Franco-Ontarien de l'Est se soit davantage adonné à l'agriculture que ceux des autres régions. Il n'en reste pas moins qu'il s'y adonnait moins que l'Ontarien de sa région. Il était également moins actif dans les activités primaires, telles la pêche, la chasse, l'exploitation forestière et minière. Sa sous-représentation au niveau des patrons et des ouvriers dans le secteur manufacturier était aussi moins marquée que sa surreprésentation parmi les ouvriers de la construction, les travailleurs dans les services et les employés de la fonction publique. Au total, cependant, il était en position d'infériorité dans les occupations et les professions qui procuraient de l'autorité, des hauts revenus et du prestige. Ces tendances pour les hommes et les femmes furent confirmées par l'enquête menée en 1972 par Yvon Allaire et Jean-Marie Toulouse sur les ménages franco-ontariens, et par l'étude de l'ACFO réalisée à la suite de la publication du recensement de 1981.

On ne peut se tromper en affirmant que l'Est, plus particulièrement sa partie orientale, fut d'une façon le berceau de la francophonie ontarienne et de l'idée qu'on s'en fit. Cette population, bien que n'ayant pas comblé tous ses retards, surtout ceux qui ont trait au niveau d'instruction et aux rôles de direction dans les entreprises et la fonction publique, doit l'essentiel de son originalité moins à son profil économique qu'à son caractère français et catholique.

C'est sans doute dans les campagnes que s'est constituée en partie la classe dirigeante de cette communauté qu'on a tellement décrite comme rurale et paysanne. Mais, étant donné la forte représentation — sans cesse croissante — des francophones dans les villages, les petites villes et à Ottawa, la métropole de l'Est ontarien, il faut surtout

TABLEAU XXII
Population active et expérimentée de langue maternelle française et ontarienne de l'Est par activités économiques, 1971 (en pourcentage)

	Franco-Ontarien	*Ontarien*
Agriculture	4,4	4,5
Forêt, pêche, chasse, mines	0,4	0,7
Industrie manufacturière	10,9	12,7
Bâtiments et travaux publics	7,3	5,4
Transport, communications et autres	7,3	7,1
Commerce	12,4	12,2
Finances, assurances, affaires immobilières	4,2	4,3
Services	22,1	24,5
Administration publique et défense	21,1	21,4
Indéterminés	9,1	7,2

Source : G. Vallières et M. Villemure, *Atlas de l'Ontario français* (Montréal et Paris, 1981), 57.

insister sur le rôle décisif des agglomérations urbaines dans l'émergence de cette élite. Celle qui, tout en s'appuyant sur les classes dominantes québécoises, sut ce qu'était un Franco-Ontarien, fut capable de définir ses objectifs, d'élaborer ses stratégies, de fonder ses institutions — dont l'Union Saint-Joseph, l'ACFO et l'Ordre Jacques-Cartier furent les plus actives — et de diffuser dans toute la province ses mots d'ordre. L'idéologie franco-ontarienne fut avant tout l'œuvre de cette classe dirigeante aux ramifications urbaines, rurales et interprovinciales qui la proposèrent avec assez de succès aux milieux populaires. Si cette idéologie, comme ce fut le cas du Québec, se transforma plutôt lentement au XXe siècle, c'est que les classes dominantes laïques et cléricales l'utilisèrent moins pour refléter que pour tempérer la marche inéluctable vers la société urbaine et industrielle. N'empêche qu'avec le temps ces éléments dirigeants se diversifièrent et que parmi eux, un certain renouvellement de l'idéologie se produisit, qui devait conduire, surtout au cours des dernières décennies, à une certaine prise en charge des impératifs de la société nouvelle.

LE NORD : CROISSANCE ET DÉCLIN

Jusqu'ici, sans pourtant sous-estimer les contrastes entre les uns et les autres, nous avons surtout insisté sur les similarités entre la minorité franco-ontarienne et la population ontarienne, aussi bien en ce qui concerne la marche vers la ville que celle vers la société industrielle. Mais, comme l'urbanisation des francophones s'est surtout opérée vers les villes de petite et moyenne tailles, des différences importantes remontant à l'époque des premières migrations subsistèrent entre ces groupes. Ainsi, partout, nous avons noté des contrastes et la persistance tenace de certaines disparités, surtout en ce qui a trait au degré d'instruction et au pouvoir économique. À cet égard, il est évident que les francophones, moins souvent que d'autres groupes moins favorisés, mais plus souvent que les anglophones, se sont trouvés dans des postes subalternes. Notons toutefois que, lorsque les patrons étaient francophones, les rapports de dépendance et d'exploitation qui en résultaient, n'étaient pas différents.

Pour nombre d'historiens, ces inégalités étaient la conséquence inévitable d'un système de discrimination pratiqué par une minorité ethnique contre un groupe ethnique particulier. Ce type d'interprétation est devenu plus raffiné et percutant à la suite de la diffusion au Québec, après 1970, des théories du développement et du sous-développement qui, tout en faisant la part très large à l'ethnicité, mirent l'accent sur les déterminismes économiques, surtout sur les rapports entre agriculture et exploitation forestière[68]. Sur ce point, il est intéressant de constater que ces modèles d'analyse ont surtout trouvé un écho chez les auteurs qui écrivaient sur le Nord. Cette tendance qui remonte à une quinzaine d'années tient certainement au fait que les francophones du Nord étaient beaucoup plus présents dans les endroits où les rapports agriculture-forêt étaient les plus intenses que dans la région minière.

Chemin de fer, agriculture, forêt et mines

Pour comprendre l'émergence de ces relations, il faut quand même rappeler qu'au départ le Nord n'était avantagé ni par son climat, ni par la qualité et l'accessibilité de ses sols. En effet, dit L.G. Reeds, dans le sud de la province, seulement 21,6 % des sols sont impropres à la culture alors que, dans le nord, cette proportion varie entre 55,6 à 81,6 %[69]. C'est d'ailleurs sur la partie du territoire la plus au nord que se trouve, en dehors de la zone minière, la ceinture d'argile. Le climat y est aussi beaucoup plus rigoureux qu'ailleurs. À Kapuskasing, la température annuelle moyenne des années 1921–1950 y fut de 32,4° F contre 41,6° F à Ottawa[70]. Les difficultés d'accès à la région se trouvèrent tout autant accrues par l'orientation défavorable du réseau hydrographique que par l'inégale répartition des sols agricoles sur le territoire. Ainsi, la marche du peuplement vers le nord de l'Ontario

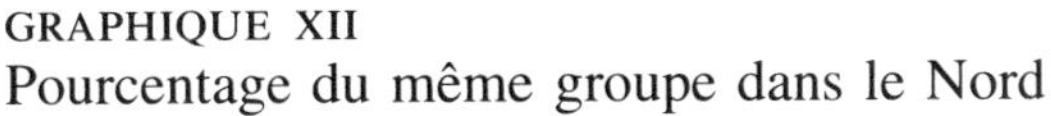

GRAPHIQUE XII
Pourcentage du même groupe dans le Nord

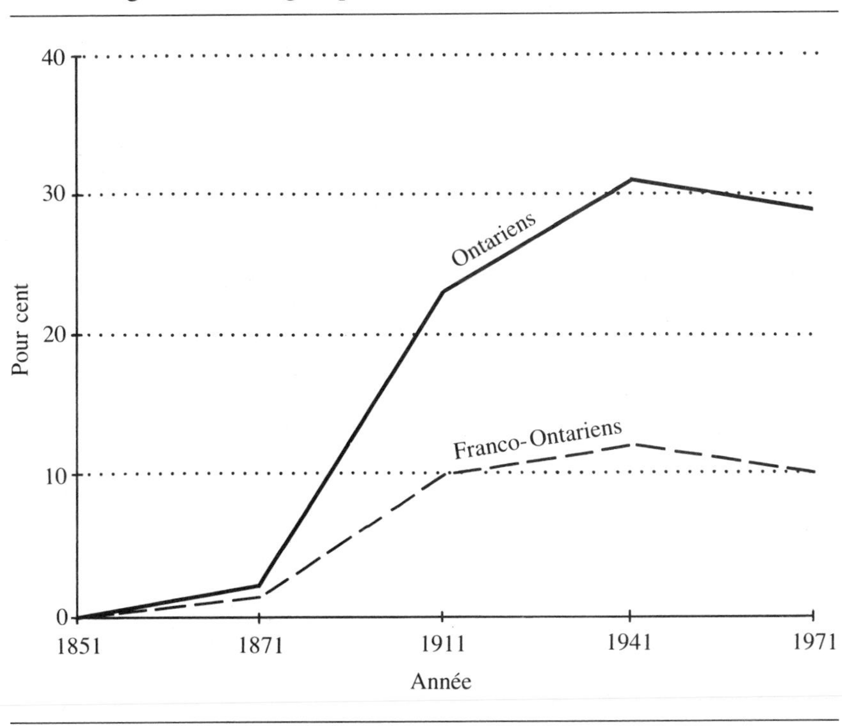

n'allait pas de soi. En 1859, le gouvernement ontarien avait voulu encourager la colonisation des comtés de Muskoka et d'Haliburton qui n'étaient quand même pas si éloignés que cela des centres de peuplement. Mais ses efforts furent vains. Plus accessible, Sault-Saint-Marie attira davantage les colons. En 1871, sa population se chiffrait à 880 habitants. À vrai dire, ce fut l'ère des chemins de fer qui déclencha la colonisation du Nord (Graphique XII).

Naturellement, les facteurs qui incitèrent à la construction des grands réseaux ferroviaires sont si bien connus qu'il n'est pas besoin d'insister longuement sur ce point. Soulignons néanmoins que le problème de l'accès aux terres de l'Ouest canadien et, plus spécifiquement, aux ressources forestières et minières du nord de l'Ontario, devint plus aigu après 1880. Déjà, en 1875, le projet d'une voie ferrée reliant Toronto à North Bay était en voie de réalisation. Cette ligne fut complétée en 1890 mais il fallut attendre une douzaine d'années avant que le gouvernement ontarien n'autorisât la construction du *Temiskaming and Northern Ontario Railway*, qui prolongeait cette voie en direction de Cochrane. Finalement, en 1908, il fut possible, à partir de Toronto, de franchir la région minière pour atteindre la zone argileuse du Nord[71]. Dans l'autre direction, en provenance du Québec où les pressions démographiques étaient très fortes, en passant par Ottawa et en suivant la vallée de l'Outaouais, les entrepreneurs forestiers exerçaient des pressions pour que le *Canadien Pacifique* suive un tracé orienté vers le nord-ouest. En 1880, l'étape d'Ottawa avait été complétée et, trois ans plus tard, le rail avait été posé jusqu'à Sudbury. À cet endroit, la voie ferrée fut divisée en deux tronçons : l'un allant vers Thunder Bay et Winnipeg et l'autre vers Sault-Sainte-Marie. Dès lors, la diversification du réseau fut fonction de la prise de possession des territoires miniers[72].

La dernière étape de la mise en place de cette infrastructure que le gouvernement fédéral lui-même prit à sa charge, fut le *Transcontinental*. Cette ligne devait traverser le Québec, franchir le nord de l'Ontario à travers la grande ceinture d'argile à la hauteur de Cochrane, Kapuskasing et Hearst, pour ensuite se diriger vers Winnipeg. En 1913, le travail avait été complété jusqu'à Hearst où l'*Algoma Central Railway* fit son entrée l'année suivante[73].

Ainsi, de 1883 à 1914, les principaux obstacles au développement du Nord avaient été si bien éliminés que les colons de toutes origines et provenances avaient commencé à affluer en grand nombre (Tableaux I et II). Ce mouvement de population fut d'ailleurs plus marqué parmi les francophones que chez les autres Ontariens. En effet, leur pourcentage dans la population du Nord passa de 10 % en 1871 à 19,7 % en 1911, à 25,2 % en 1941 et à 29,1 % en 1971. Déclenchée par les surplus démographiques croissants au Québec et dans l'Est ontarien, la marche des francophones vers le Nord fut accélérée par la construction des chemins de fer et par l'occasion qui leur était offerte d'accéder à la terre tout en s'impliquant dans l'économie forestière. Car, un peu partout, l'arrivée du rail donna un nouvel élan à la production du bois d'œuvre, bientôt supplantée par la pulpe et le papier. De 1898 à 1920, à Sturgeon Falls, Espanola, Sault-Sainte-Marie, Smooth Rock Falls et à Kapuskasing, les compagnies de papier, constituées par le capital étranger, construisirent des moulins de grandes dimensions[74]. Bien que ces entreprises aient contribué à faire émerger des centres urbains où elles recrutèrent une partie de leur personnel, elles faisaient surtout appel, selon les saisons, pour certaines tâches à l'usine ainsi que pour la coupe et le flottage du bois, à une abondante main-d'œuvre composée d'individus qui vivaient dans les villages et sur les fermes. En plus de ces grandes compagnies, des scieries de toutes tailles avaient été aménagées un peu partout sur le territoire. Entre 1885 et 1913, Gail Cuthbert-Brandt signale l'existence à Sudbury d'une cinquantaine d'entreprises de ce genre, dont seulement quelques-unes appartenaient à des francophones[75].

Grâce aux recherches de cette historienne, nous connaissons un peu mieux les antécédents et les préférences de ces colons francophones qui vinrent dans le Nord. Au début, c'est-à-dire de 1883 à 1892, ceux-ci venaient du Québec dans une proportion de 79 %. Puis, deux décennies plus tard, cet équilibre avait été transformé au profit des colons d'origine ontarienne qui composaient alors 45 % des effectifs contre 37 % pour les Québécois[76]. Il ne fait pas de doute que ces recrues ontariennes étaient surtout originaires des paroisses rurales échelonnées le long de l'Outaouais depuis Hawkesbury jusqu'à Pembroke. Pauvres et moins instruits que les autres groupes d'immigrants, les colons francophones se recrutaient plus encore que les autres migrants parmi les éléments non-spécialisés : 61 % contre 39 %. À ce sujet, Cuthbert-Brandt rapporte les propos d'un personnage bien au fait de cette situation : « Si le Canadien français s'exile, c'est qu'il a besoin de gagner sa pitance et celle de sa famille[77]. » Ces commentaires sont confirmés par ceux de Michel D'Amours sur les colons de Moonbeam[78].

Étant donné les caractéristiques de ces immigrants, leurs liens avec l'agriculture et l'exploitation forestière et les conditions prévalant dans le Nord, il n'est pas surprenant de constater que les Franco-Ontariens du lieu, tout en s'urbanisant progressivement comme les autres Ontariens de la région, aient toujours été plus ruraux qu'eux (Graphique XIII).

Ces rapports complexes entre les francophones et l'économie forestière ont été mis en lumière par Michel D'Amours dans son étude sur Moonbeam, paroisse située dans le voisinage de Kapuskasing[79]. L'auteur ne se contente pas de montrer dans quelle mesure les marchés forestiers et urbains ont conditionné le développement de l'agriculture, il explique aussi comment l'activité forestière, d'abord confinée sur les lots des colons, s'est déplacée vers les réserves de la Spruce Falls et celles des autres entrepreneurs. Adoptant le point de vue du recrutement de la main-d'œuvre forestière dans la campagne, il insiste sur les différents degrés de dépendance des colons vis-à-vis le travail en forêt. Parce qu'il accepte le fait de l'harmonie entre les cycles agricoles et forestiers, il en arrive à bien catégoriser les colons à qui la forêt procure un revenu d'appoint et ceux pour qui la culture du sol est secondaire.

GRAPHIQUE XIII
Taux d'urbanisation dans le Nord ontarien

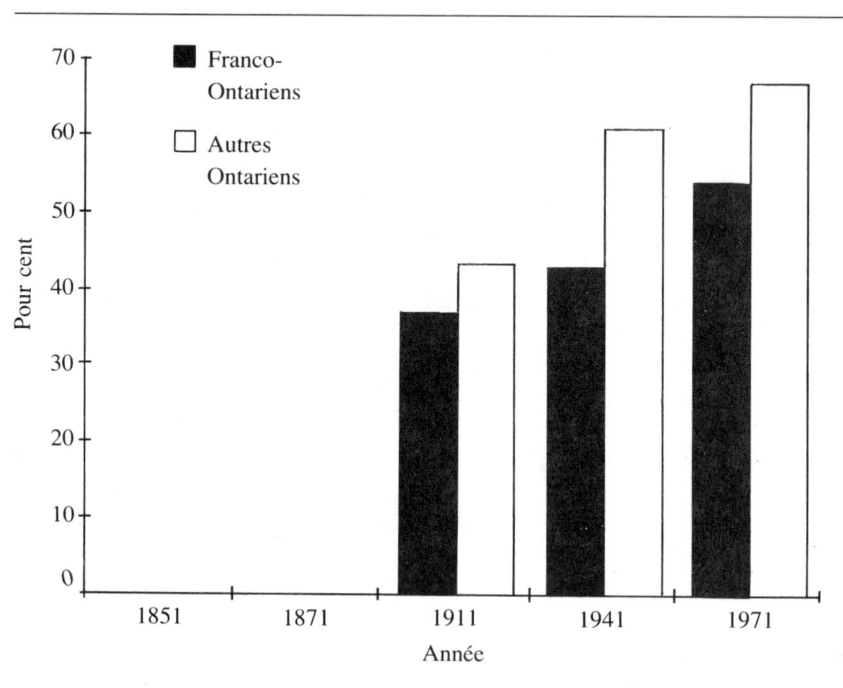

Donc, à Moonbeam comme ailleurs, l'agriculture fut pratiquée à la fois pour rencontrer les fins de subsistance du colon et les besoins du marché forestier. C'est pourquoi les cultivateurs récoltaient surtout de l'avoine, de la pomme de terre et du foin. Ils élevaient aussi des chevaux, des porcs et des bœufs. Mais, à mesure que la mécanisation se diffusa dans le travail en forêt, la demande d'animaux de trait se relâcha. Aussi, avec le temps, le marché urbain prit de l'ampleur et, dès lors, contribua à polariser davantage l'activité agricole vers l'industrie laitière.

Ces rapports agriculture-forêt avaient aussi, en 1942, fait l'objet d'une analyse par l'agronome Roméo Leroux, qui non seulement s'était intéressé aux transformations de la production, mais aussi à la lenteur de l'évolution des pratiques agricoles. Ses observations sur le caractère déficient des techniques rejoignaient celles des agronomes

TABLEAU XXIII
L'urbanisation des habitants du Nord, 1851–1971 (en pourcentage)

	Francophones	*Non-francophones*	*Ontariens*
1911	36,7	42,7	41,5
1941	43,1	60,6	56,3
1971	53,8	66,6	62,9

Sources : Recensements du Canada.

Pomerleau de Moonbeam, cités par D'Amours, et celles de Bélanger de Sudbury. À propos des pratiques relatives à l'élevage, ce dernier écrivait en 1949 :

> En 1942, à titre d'expérience et d'enrichissement de la valeur du bétail, l'agronome obtint de l'État quelques mâles pur sang pour la région. Malheureusement, il se heurta à une indifférence presque complète de la part des éleveurs. On garde l'ancienne méthode du renouvellement des troupeaux par les rejetons des meilleures vaches laitières[81].

Il serait instructif de suivre l'évolution de cette agriculture jusqu'à aujourd'hui, de façon à établir dans quelle mesure la mécanisation du travail agricole et le regroupement de la terre ont modifié les rapports anciens sur le plan de la main-d'œuvre. Il est certain, en tout cas, que la main-d'œuvre familiale ainsi libérée n'a pas trouvé un refuge dans l'exploitation forestière. Car, en s'engageant toujours davantage dans le changement technologique, dont la mécanisation du travail en forêt n'était qu'un aspect, les grandes entreprises furent en mesure de réduire leur demande de main-d'œuvre d'une façon radicale. Il va sans dire que ces mutations contribuèrent aussi bien à accentuer l'émigration des francophones vers d'autres régions qu'à les associer davantage aux activités minières.

Dans les mines

Cette reconversion fut d'autant plus aisée que les francophones avaient toujours travaillé jusqu'à un certain point dans le secteur minier et que les contrastes entre les villes minières et les centres forestiers n'étaient pas toujours aussi tranchés qu'on pourrait le croire. Sault-Saint-Marie est sans doute le meilleur exemple de cette diversité des fonctions urbaines. En effet, vers la fin du XIXe siècle, F.H. Clergue[82] avait commencé à mettre sur pied un groupe d'entreprises incluant le transport par rail et par eau, le pouvoir hydro-électrique, la pulpe et le papier, la propriété foncière, le sulphite, le nickel, le fer et même l'acier. Cette complexité de la vie urbaine s'est d'ailleurs maintenue dans cette ville dont la population se chiffrait à 86 395 habitants en 1981. Même dans les villes où les activités minières avaient dominé presque sans contrepoids l'existence des habitants, comme ce fut le cas à Cobalt, Porcupine, Kirkland Lake, Elliott Lake et Timmins, une certaine diversité avait quand même pointé. Sudbury, la métropole du Nord, constitue certainement un bon exemple à cet égard.

À l'origine de la ville, il y eut le *Canadien Pacifique* pour lequel 8 000 hommes, en grande majorité d'origine québécoise, travaillaient sur les divers tronçons de son réseau à l'est et à l'ouest de Sudbury. La majorité des 1 500 habitants, qui formèrent le premier noyau de la population de la ville, dépendaient de la compagnie. Au début, celle-ci était non seulement le plus gros employeur, puisqu'elle possédait, en plus de ses activités ferroviaires, les maisons de commerce et les habitations qu'elle avait construites pour ses employés, mais elle contrôlait jusqu'à un certain point les institutions sociales. Cette domination de la compagnie fut de courte durée, car elle fut progressivement remise en question par des commerçants et des entrepreneurs qui prirent en charge le commerce de détail et l'exploitation de la forêt. Après 1885, cette dernière devint l'activité principale des habitants de la ville. Entre 1901 et 1907, la production annuelle de bois d'œuvre se maintint autour de 100 millions de pieds. En 1913, la population s'élevait à 6 000 habitants[83].

Bientôt, le *Canadien Pacifique* ne fut plus le plus gros employeur de l'endroit. D'autant plus que, loin d'accroître son rôle dans le domaine du logement, la compagnie se débarrassa peu à peu des habitations qu'elle avait aménagées. En agissant ainsi, elle facilita l'avènement d'un autre pouvoir économique représenté par les compagnies minières. D'ailleurs celles-ci étaient apparues peu après la découverte accidentelle, à l'époque de la construction du chemin de fer, de gisements de nickel et de cuivre. Comme cela se produit parfois en pareilles circonstances, ce ne furent pas ceux qui découvrirent les minéraux qui furent les principaux artisans de l'exploitation de ces richesses nouvelles. Celui qui en profita davantage et qui, en l'occurrence, contribua le plus à faire de Sudbury une ville minière, fut Samuel Ritchie, un Américain, qui, dans le passé, s'était intéressé à l'exploitation forestière, aux dépôts ferrugineux du comté de Hastings et à un chemin de fer local, le *Central Ontario*. En 1885, Ritchie acheta des terrains qui recouvraient ces gisements de cuivre. Dès l'année suivante, il procéda à l'incorporation en Ohio et au Canada d'une compagnie appelée la *Canadian Copper Company*. À la suite de plusieurs transactions, y compris une alliance avec le groupe new-yorkais dirigé par J.P. Morgan, cette compagnie devint en 1902 l'*International Nickel Company (INCO)*. Naturellement, un concurrent sérieux parut à l'horizon dès 1899. Ainsi naquit une entreprise appelée à rivaliser avec celle de Ritchie et connue après 1926 sous le nom de *Falconbridge*[84].

Ce ne fut qu'en 1912–1913 que les activités minières commencèrent à prendre le pas sur l'exploitation forestière. À cette date, 3 512 travailleurs, dont la masse salariale se montait à 3 271 956 $, œuvraient dans les opérations minières. De 1900 à 1910, la quantité de minerai extraite fut multipliée par six, s'élevant alors à 600 000 tonnes. Six ans plus tard, ce volume avait été porté à un million et demi de tonnes. Dès lors, en dépit de crises parfois fort sévères, la production de nickel et de cuivre, dont Sudbury demeura le centre principal, continua à croître jusqu'à la crise de 1975. En 1974, la production de ces deux métaux, dont le niveau se chiffrait en 1939 à 200 millions de livres pour le nickel et à 300 millions pour le cuivre, avait presque doublé[85].

Cette expansion entraîna non seulement une diversification progressive de l'économie mais aussi une prolifération, sous l'égide de la municipalité et des instances gouvernementales, des réseaux institutionnels. Parmi ces institutions, il faut mentionner le rôle capital dans la région de l'Université laurentienne. Dans ces conditions, on ne peut s'étonner de constater que la population de Sudbury n'a cessé d'augmenter jusqu'en 1971. De 1901 à 1971, le taux annuel moyen de la croissance fut de 3,92 % pour la population dans son ensemble et de 3,74 % pour les habitants d'origine française.

Une croissance aussi vigoureuse n'a pu se faire sans apport extérieur. Au début Sudbury s'alimenta en immigrants aussi bien à l'extérieur de la région que dans les campagnes environnantes. Jusqu'en 1951, le taux moyen de croissance des francophones était supérieur à celui des autres habitants de la ville : 5,46 % par an de 1911 à 1951 contre 4,99 %. Puis, après 1951, Sudbury les recruta de plus en plus à même les surplus de population des campagnes environnantes. Ce mouvement fut d'ailleurs plus marqué parmi les francophones que dans l'ensemble de la population. En 1901, 3,5 % des francophones de la région vivaient à Sudbury alors que 4,5 % de la population totale se

TABLEAU XXIV
La population de Sudbury au XXe siècle

	Francophones (par origine)		*Population totale*	
	Effectifs	*Pourcentage*	*Effectifs*	*Pourcentage*
1901	702	34,6	2 027	100
1911	1 518	36,6	10 772	100
1941	10 772	37,9	32 203	100
1951	16 060	37,9	42 410	100
1971	28 940	31,9	90 520	100

Source : Recensements du Canada. Population de la ville et non de l'agglomération métropolitaine.

trouvait dans la même situation. En 1971, ces pourcentages respectifs étaient de 13,5 % et 12,3 %.

Naturellement, ce qui se passa à Sudbury s'était produit à des degrés divers dans les autres villes minières du Nord qui s'étaient développées par la découverte de nouveaux gisements et par l'expansion assez soutenue de la production. À l'exception de l'or, métal pour lequel la production avait régressé depuis 1939 en raison de l'épuisement de certaines réserves, la tendance de la production fut à la hausse en ce qui concerne l'argent, le cobalt, le zinc, le fer et, depuis 1955, l'uranium[86]. Il va sans dire que les francophones furent attirés par ces endroits où ils pouvaient trouver du travail et, en bien des cas, la population crût plus rapidement qu'à Sudbury. Sauf à Thunder Bay, où de 1911 à 1971 le taux de croissance des francophones fut plus faible que celui des autres habitants et que celui des francophones de plusieurs autres agglomérations du nord, à North Bay, Sault-Sainte-Marie et Timmins, par exemple, ces taux furent beaucoup plus élevés à tous égards qu'à Sudbury.

Au cours du siècle, des changements importants se sont produits en ce qui concerne l'affectation de la main-d'œuvre francophone du Nord. Au début, lorsque celle-ci était associée aux mines, elle s'occupait à des travaux qui, le plus souvent, ne l'obligeait pas à descendre dans les galeries[87]. En 1931, à Sudbury, le pourcentage de ceux qui allaient dans la mine ne dépassait pas 11,5 % mais, en 1941, ce pourcentage avait presque triplé. Il ne fait pas de doute qu'il a continué d'augmenter depuis, malgré la croissance du tertiaire.

Le déclin du Nord

Comme la conjoncture démographique s'est modifiée depuis 1971, la situation du Nord est fort différente aujourd'hui. En effet, bien avant 1971, en dépit de la baisse de la natalité dans les campagnes et dans les villes, le mouvement d'urbanisation n'avait pas eu la force nécessaire pour absorber tout l'exode rural[87]. D'autant plus que, chez les francophones et chez les autres Ontariens, le Nord avait déjà commencé à perdre du terrain relativement aux deux autres grandes régions de la province (Tableaux I et II) et à relâcher ses surplus démographiques vers le reste de la province et du pays. Depuis 1971, non seulement ce déclin s'est-il poursuivi mais, dans le cas des francophones, il a même abouti à des pertes absolues d'effectifs plus considérables dans cette région que dans le reste de la province.

Ce renversement de situation constitue sans doute un événement d'une grande portée dans l'histoire des Franco-Ontariens. Car, jusqu'en 1971, la population d'origine française de chaque région avait augmenté plus vite que la population environnante. Depuis ce temps, et jusqu'en 1986, elle n'a cessé au contraire de perdre du terrain dans toutes les régions. Simultanément, la population ontarienne s'est accrue de 18,3 % alors que celle des grandes agglomérations métropolitaines a augmenté de seulement 12,1 %. Les gains les plus remarquables ont été réalisés à Ottawa (36,6 %) et dans les grandes agglomérations du Sud-Ouest et du Centre (10,5 %). Dans le Nord, la croissance fut presque nulle (1,3 %). Le Tableau XXV qui met en parallèle les populations d'origine, de langue maternelle et usuelle française, rend compte de l'ampleur de ce renversement de la tendance.

La francophonie ontarienne serait donc engagée (à moins que les questions et les réponses servant de base aux recensements aient pris une signification nouvelle depuis 1971) dans une sévère crise démographique dont il est impossible de prédire la durée et l'issue. Il n'est pas question d'analyser ici toutes les implications des données de ce tableau. Qu'il suffise de dire ici que c'est dans le Nord que cette crise semble la plus profonde. Non seulement les baisses y sont-elles plus marquées qu'ailleurs dans la province mais, entre 1971 et 1981, le déclin des effectifs de langue maternelle française s'y effectue par une marge plus considérable à l'intérieur qu'à l'extérieur des grandes agglomérations urbaines. Dans le Sud-Ouest et le Centre, la situation contraire prévaut[89] alors que, dans l'Est, la population de langue maternelle française augmente davantage dans Ottawa que dans le reste de la région. Même si l'Est semble mieux protégé contre la crise,

TABLEAU XXV
Évolution de la population francophone de l'Ontario, 1971–1986

	Population	*Accroissement (%)*		
	(1971)	*(1971–1981)*	*(1981–1986)*	*(1971–1986)*
Province				
1. origine ethnique	733 229	−10,9	−18,6	−27,5
2. l. maternelle	482 611	−3,0	−9,6	−12,4
3. l. usuelle	352 605	−22,0	2,5	−20,1
Grandes agglomérations métropolitaines (50 000 et plus)				
a) Province				
1. origine ethnique	392 275	−10,2	−13,6	−22,4
2. l. maternelle	250 475	1,9	−9,5	−7,8
3. l. usuelle	172 375	0,5	−18,0	−17,7
b) Nord				
1. origine ethnique	65 135	−10,5	−21,2	−29,7
2. l. maternelle	51 970	−7,2	−13,8	−20,1
3. l. usuelle	41 865	−11,2	−23,2	−31,8
c) Sud-Ouest et Centre				
1. origine ethnique	211 445	−18,0	−15,5	−30,7
2. l. maternelle	101 605	−6,5	−8,6	−14,5
3. l. usuelle	48 395	−9,3	−22,5	−29,7
d) Est				
1. origine ethnique	115 695	4,3	−7,1	−3,2
2. l. maternelle	96 900	15,5	−0,9	14,1
3. l. usuelle	82 115	12,2	−13,6	−3,1

Source : Recensements du Canada.

sans doute à cause de l'énorme concentration francophone de la région Ottawa-Hull, celle-ci paraît quand même intense.

Occupations et industrialisation

Tout compte fait, jusqu'en 1971, l'exode vers les villes et la saignée vers l'extérieur de la région n'avait pas empêché les francophones du Nord d'acquérir un profil occupationnel qui s'apparentait à celui de l'ensemble de la population. Bien qu'ils fussent moins urbains que leurs compatriotes de la région (Graphique XII), ils étaient néanmoins,

TABLEAU XXVI
Population active et expérimentée totale de langue maternelle française par activités économiques dans le nord de l'Ontario en 1971 (en pourcentage)

	Franco-Ontariens	*Ontariens*
Agriculture	0,6	1,4
Forêt, chasse, pêche, mines	19,0	11,4
Industries manufacturières	20,8	15,9
Bâtiments, travaux publics	6,4	5,2
Transport, communications	7,8	9,9
Commerce	11,7	14,4
Finances, assurances, immeuble	1,9	2,4
Services	15,5	23,9
Administration publique et défense	6,1	6,9
Indéterminés	10,2	8,6

Source : G. Vallières et M. Villemure, *Atlas de l'Ontario français* (Montréal et Paris, Éditions Études vivantes, 1971), 57.

en 1971, moins présents qu'eux dans le secteur agricole. Cette conclusion peut sembler étonnante si on oublie que la catégorie « agriculture » s'applique à ceux qui sont agriculteurs à plein temps. Il faut se rappeler que les francophones ont toujours été surconcentrés dans des activités comme l'exploitation forestière, la chasse et la pêche, souvent associées à une certaine pratique de l'agriculture. Le caractère dominant de leur présence dans ces secteurs marque assez bien le contraste qui existe toujours entre eux et le reste de la population de la région mieux représentée dans les activités plus rémunératrices et prestigieuses. Avec le temps, cependant, ces Franco-Ontariens ont gagné du terrain parmi les ouvriers des manufactures et de la construction si bien qu'en 1971 ils étaient surreprésentés dans ces secteurs. À cette date, 54 % d'entre eux se trouvaient dans ces occupations primaires et secondaires alors que les habitants de la région n'y étaient que dans une proportion de 33,9 %.

Cette association exceptionnelle du Franco-Ontarien du Nord, comparé aux francophones des autres régions, avec le secteur primaire et le travail dans les manufactures, est confirmée par l'enquête de Allaire et Toulouse qui estiment à 51,2 % leur présence en ces domaines contre 28,8 % chez les Franco-Ontariens de l'Est et 35,1 % chez ceux du Sud-Ouest et du Centre. Le dossier publié par l'ACFO à partir du recensement de 1981 éclaire une autre facette de ce profil puisqu'il met en évidence l'extraordinaire sous-représentation des femmes dans l'ensemble de la main-d'œuvre. Celle-ci était plus marquée chez les francophones que chez les autres habitants de la région et que chez les Franco-Ontariens des autres régions. Il est vrai qu'avec le temps ce contraste qui était en grande partie lié à la pesanteur des industries primaires (secteurs à faible présence féminine) dans l'économie locale, avait eu tendance à s'adoucir. N'empêche que, tout récemment encore, cette transformation était si modeste que la situation des femmes du Nord a pu susciter des propos fort pessimistes, peut-être un peu exagérés, de la part de certaines historiennes. « Vivre en français dans le Nord, disait Danielle Coulombe, correspond donc à un statut doublement minoritaire et même triplement minoritaire, lorsqu'il s'agit des femmes[90]. »

Conclusion

De tout ce que nous avons dit, se dégage l'idée que la société franco-ontarienne fut aussi une société de classes dans laquelle l'équilibre des forces n'a cessé de varier aussi bien d'une région à une autre qu'à l'intérieur de chacune d'elles. Ainsi, lorsqu'on parle de la structure sociale de l'Est relativement à celle du Nord, on se réfère non seulement à des groupes qui, tels les clercs, les professionnels, la petite et moyenne bourgeoisies d'affaires et même les instituteurs, dominèrent dans toutes les régions, mais à des groupes numériquement importants, comme les cols blancs, les vendeurs et les ouvriers de métier, qui étaient proportionnellement plus nombreux dans cette région que dans les autres.

Cette texture particulière des classes dirigeantes, alliée à l'intensité croissante de la présence catholique et française dans cette partie de la province, a contribué à la fermentation d'une culture mi-rurale, mi-urbaine et centrée sur la religion et la langue. Celle-ci ne pouvait, en conséquence, que véhiculer une conception de l'école en tant qu'instrument privilégié de défense et de promotion de ces valeurs. Bien que certaines institutions spécifiquement franco-ontariennes de l'Est aient été partiellement engagées, il y a quelque temps à peine, dans un processus qui tendrait à leur conférer un caractère laïque et à assurer à la langue la priorité sur la religion, cette évolution est en marche mais loin d'être achevée.

Il n'en reste pas moins que certains domaines de l'existence de ces groupes semblent avoir échappé à peu près constamment au contrôle de ces classes dirigeantes. Ainsi — comme ce fut le cas à Montréal où la classe ouvrière était hétérogène et ne fut attirée que modérément par le syndicalisme catholique — les travailleurs de l'Est ontarien, à l'exemple de ceux des autres régions, n'ont pas jugé que le syndicalisme présenté sous sa forme française et catholique était un instrument adéquat pour la défense et la promotion de leurs intérêts. Les quelques expériences tentées dans cette direction ne furent pas tellement concluantes[91]. D'autant plus que l'harmonie qui, à l'époque pré-industrielle, avait existé, semble-t-il, entre les classes dirigeantes francophones et les milieux populaires, disparut peu à peu à mesure que progressa l'industrialisation. Ainsi, lorsque les travailleurs d'Hawkesbury, de Cornwall ou d'ailleurs se lièrent à des syndicats, ils marquèrent leur préférence pour des unions qui, à l'exemple des entreprises qui les employaient, ne portaient ni l'étiquette catholique ni l'étiquette française.

Cette autonomie de la classe ouvrière est un fait maintenant reconnu par les dirigeants de l'ACFO. Pourtant, il y a quelques années, ceux-ci ne semblaient pas avoir perdu tout espoir de « combler le fossé qui s'est creusé, disaient-ils, entre les convictions culturelles et linguistiques d'une partie de la population franco-ontarienne et les préoccupations ouvrières qui accaparent l'attention de la majorité des Franco-Ontariens et des Franco-Ontariennes[92]. » Cet écart entre les priorités des dirigeants et celles des dirigés, devenu assez vite évident en ce qui regarde le syndicalisme, est quand même apparu en bien d'autres domaines où il était moins facile de secouer le joug. Car il ne fait pas de doute que de tout temps, il a existé des éléments qui savaient que, dans une province où le concept d'école publique avait de solides racines, la promotion de la confessionnalité pour défendre la culture française servait davantage les intérêts des dirigeants franco-ontariens que ceux de leurs subordonnés.

Ceci dit, il n'est pas facile de décider dans quelle mesure les différences de classes, de régions et de religion ont pu inciter les francophones vivant en Ontario à se rapprocher ou à s'éloigner du groupe qui se proclamait d'une façon exclusive franco-ontarien par la religion et la langue. Cependant, c'est de toute évidence dans le Sud-Ouest et le Centre que la situation a évolué dans une direction qui ne correspondait pas aux attentes des définisseurs de l'idéologie, toujours préoccupés par le péril de l'assimilation. Ainsi, depuis 1950, les hommes d'affaires aisés avaient été plus nombreux dans cette partie de la province qu'ailleurs. Pourtant, il ne semble pas que les plus importants d'entre eux aient tenu à exercer un leadership parmi les Franco-Ontariens. C'est pour cette raison que les animateurs de la communauté franco-ontarienne du lieu eurent pendant si longtemps une physionomie qui s'apparentait jusqu'à un certain point à celle des élites du Nord. Quant aux individus constituant les milieux populaires, ils étaient, dans des proportions beaucoup plus élevées qu'ailleurs, des travailleurs mâles et femelles liés au secteur manufacturier. Vivant dans une région où ils ne représentaient qu'un infime pourcentage de la population, ces Franco-Ontariens ne pouvaient qu'être conditionnés par le milieu hétérogène dans lequel ils se trouvaient. À l'école, au travail, dans les rapports sociaux et dans les loisirs, ils furent nécessairement amenés à prendre conscience des écarts qui existaient entre leurs propres priorités et les attentes des classes dirigeantes francophones à leur endroit. Il va de soi que la participation à la vie syndicale y était chez les hommes et les femmes plus ancienne et répandue que dans l'Est. Mais cette situation ne favorisa aucunement l'éclosion de syndicats catholiques et français. Car, à cet égard comme à bien d'autres, l'ouvrier francophone du Sud-Ouest et du Centre, toujours soumis à des sollicitations contradictoires, avait appris à trouver sa voie entre les impératifs économiques et sociaux, d'une part, et le culturel, de l'autre.

Une fois ce tour d'horizon accompli, il est plus facile de situer le Franco-Ontarien du Nord dans cet ensemble. Par l'intensité de sa présence dans sa région et par l'allure de ses classes dirigeantes, il fut, jusqu'à tout récemment, assez près des Franco-Ontariens de l'Est. D'autant plus qu'avec ceux de la partie orientale de l'Est, il partageait une longue tradition de ruralité. Ces affinités avec l'Est furent telles que le Franco-Ontarien du Nord fut même enclin à lui disputer son hégémonie idéologique. Cette propension à vouloir parler au nom de la francophonie ontarienne tient également au fait que le Nord, par le poids assez considérable de son secteur industriel et de ses effectifs ouvriers, a aussi nourri, en plus d'une forte conscience de soi, des traditions syndicales qui le rapprochaient du Sud-Ouest et du Centre dont il se trouvait pourtant à dépendre sur le plan économique. Ainsi, pour certains, le Nouvel-Ontario serait, en ce qui concerne l'élaboration d'une pensée et d'une stratégie franco-ontariennes, doublement privilégié.

Pour conclure cet exposé sur la place des francophones dans le développement économique et social de l'Ontario, il nous faut d'abord admettre qu'au départ cette histoire constituait pour nous une énigme et que, jusqu'à un certain point, elle reste telle. Car, tant dans les documents qualitatifs et les recensements que dans la pensée de ceux qui prétendent savoir et ne disent pas tout, les nuances entre les différentes catégories de francophones habitant cette province ne sont pas aisées à saisir : *Franco-Ontarien*, *Ontarois*, *francophone selon l'origine eth-*

nique, selon la langue maternelle, selon la langue d'usage et *francophone aux origines multiples*. Pour en décider, compte tenu aussi de l'origine diverse des immigrants francophones venus du Canada et d'ailleurs dans cette province, nous aurions pu nous en remettre à ce que dit Gaétan Gervais au sujet de la culture des Franco-Sudburois : « Quand les Franco-Ontariens disent "nous", ils n'éprouvent aucune difficulté à se reconnaître. Ils appartiennent à un groupe historique : le Canada français... cette conscience de former un groupe distinct, c'est la culture... n'est que la manifestation régionale du Canada français... la langue a toujours joué dans le processus d'identification un rôle déterminant...[93] » Mais, en adoptant cette démarche, nous aurions peut-être été obligés d'emprunter à Gervais une terminologie qui consiste à parler d'*assimilés*, d'*hybrides* et de *déviants*. Le fait est que Gervais s'intéresse essentiellement aux Franco-Ontariens en tant que membres d'une communauté homogène de langue française. C'est pourquoi il insiste tellement dans ses analyses sur le caractère représentatif des élites dans l'aménagement des institutions sociales, et sur le primat de l'harmonie et de la continuité dans les rapports entre les gouvernants et les gouvernés. Pourtant, toutes ces catégories que nous avons mentionnées, celles qui apparaissent dans les recensements et ailleurs, y compris le concept de *culture*, recouvrent des réalités complexes qui débordent la question linguistique et l'appartenance religieuse. Ainsi, le rôle des classes sociales n'est pas seulement d'être ce qu'elles prétendent être : c'est-à-dire de refléter, de traduire ou d'agir en porte-parole fidèle des milieux populaires qui, cela se comprend, prennent moins souvent la parole que leurs mentors. Car il ne faut pas oublier que les élites travaillent aussi à leur propre compte.

Évidemment, cette documentation franco-ontarienne que nous avons utilisée est sans doute bien affirmée sur le plan idéologique, mais elle est jeune et, par conséquent, relativement modeste quant au nombre et à la diversité des travaux. Malgré ces lacunes, si sérieuses soient-elles, nous avons quand même pu, grâce surtout à des études plus récentes et aux recensements décennaux, suivre d'assez près pendant un siècle et demi la transformation incessante de cette communauté franco-ontarienne qu'on a décrite comme statique. N'oublions pas que ces immigrants venus du Québec ou des Maritimes étaient pauvres, sans instruction, à la recherche de terres et d'emplois. Il est intéressant de constater que, dans l'ensemble, ces colons, loin de se constituer pour de bon, comme on l'a soutenu, en îlots ruraux et paysans inexpugnables, ont suivi à leur façon le mouvement qui, à long terme, appelait la construction d'une société urbaine et industrielle. À certaines époques, au niveau provincial et dans certaines régions et, de tout temps, dans l'Est de la province, ces francophones eurent même des taux d'urbanisation supérieurs à ceux de la population ontarienne environnante. De tout temps, leur profil occupationnel a eu, malgré certains constrastes, tendance à se rapprocher de celui des autres Ontariens.

Ce n'est pas qu'il faille rejeter tout à fait l'idée de « retard » à leur endroit. Mais ces retards, aussi bien que ceux des Québécois francophones et des francophones des autres provinces canadiennes, doivent être qualifiés. Ainsi, de tout temps et en tout lieu, les Franco-Ontariens furent sous-représentés dans les plus grandes agglomérations urbaines, c'est-à-dire dans les endroits où les occasions étaient les plus nombreuses, autant dans le domaine de l'éducation que dans les activités économiques et culturelles. À plus forte raison dans le Nord, où ils s'étaient urbanisés et industrialisés plus lentement que les autres habitants de la même région. Étant donné ces circonstances et bien d'autres, il n'est pas étonnant que les retards des Franco-Ontariens en ce qui concerne la scolarisation n'aient pas encore été résorbés. Dans son document officiel de 1985, l'ACFO insiste sur le fait qu'il y a encore deux fois plus de Franco-Ontariens qui ont moins de neuf années de scolarité que d'Ontariens. D'ailleurs, le recensement de 1981 d'où ces chiffres furent tirés, indique que, depuis 1961, les habitants d'origine italienne ont progressé plus rapidement que les francophones dans toutes les tranches d'âge de 15 à 25 ans.

De telles disparités, bien qu'en général elles aient tendance à diminuer avec le temps, ont leur équivalent à d'autres niveaux de la vie sociale. La surreprésentation des francophones parmi les ouvriers qualifiés, semi-qualifiés et non qualifiés est encore la contrepartie d'une sous-représentation dans les catégories d'occupations et les professions les plus rémunératrices et prestigieuses. C'est un niveau où se prennent les décisions les plus importantes pour le développement économique et scientifique. Cette situation avait été soulignée et dénoncée en 1971 par le sociologue S.D. Clark à propos du Nord[94]. Décrivant en termes forts l'état de dépendance des francophones de cette région, il relia leur problème à leur statut socio-économique, à la texture de leur main-d'œuvre, au rôle négatif du clergé et à la suprématie des grandes corporations minières et forestières. Néanmoins, en considérant les changements récents, il mit l'accent sur l'émergence de nouveaux équilibres sociaux et d'une vigoureuse bourgeoisie commerciale et industrielle francophone. Ce diagnostic allait à l'encontre de celui émis par Gaétan Gervais qui écrivait en 1983 en songeant aux multinationales opérant dans le Nord : « Le fait significatif, c'est l'absence d'une bourgeoisie d'affaires capable d'assumer le leadership écono-

GRAPHIQUE XIV
Francophones en Ontario (origine ethnique)

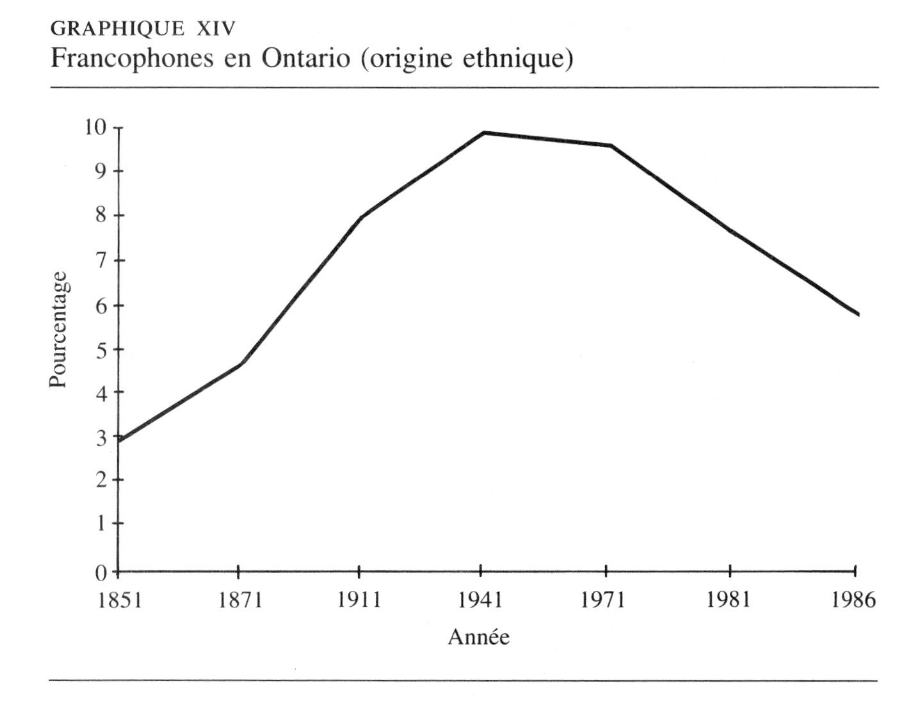

mique dans la communauté franco-sudburoise[95]. » À propos de Paul Desmarais et Robert Campeau, deux capitalistes d'envergure internationale nés dans le Nord et transigeant sur un vaste espace économique, incluant certainement le Nord, Gervais déclare qu'ils « ne vivent plus à Sudbury depuis longtemps ». Il est bien possible, si tout cela n'est pas accidentel et sans lendemain, que Clark ait raison. En tout cas, nombre de travaux récents sur la propriété et la direction des grandes entreprises industrielles et financières mettent l'accent non seulement sur la bonne santé de la bourgeoisie canadienne anglophone, mais également sur la montée accélérée d'un groupe similaire parmi les francophones et les habitants d'origine juive. Une telle conclusion ne va certainement pas à l'encontre du processus évolutif de longue durée dans lequel les Franco-Ontariens se sont trouvés engagés. Ce qui ne veut pas dire que tous ces changements seront, dans leur cas, acquis en une ou deux générations, même si les circonstances étaient vraiment favorables.

D'autant plus que la réalisation des projets collectifs dépend de l'évolution des effectifs démographiques. S'il est vrai que, dès avant 1971 au niveau de la province, la croissance des francophones avait

GRAPHIQUE XV
Francophones dans la population ontarienne par régions (en pourcentage)

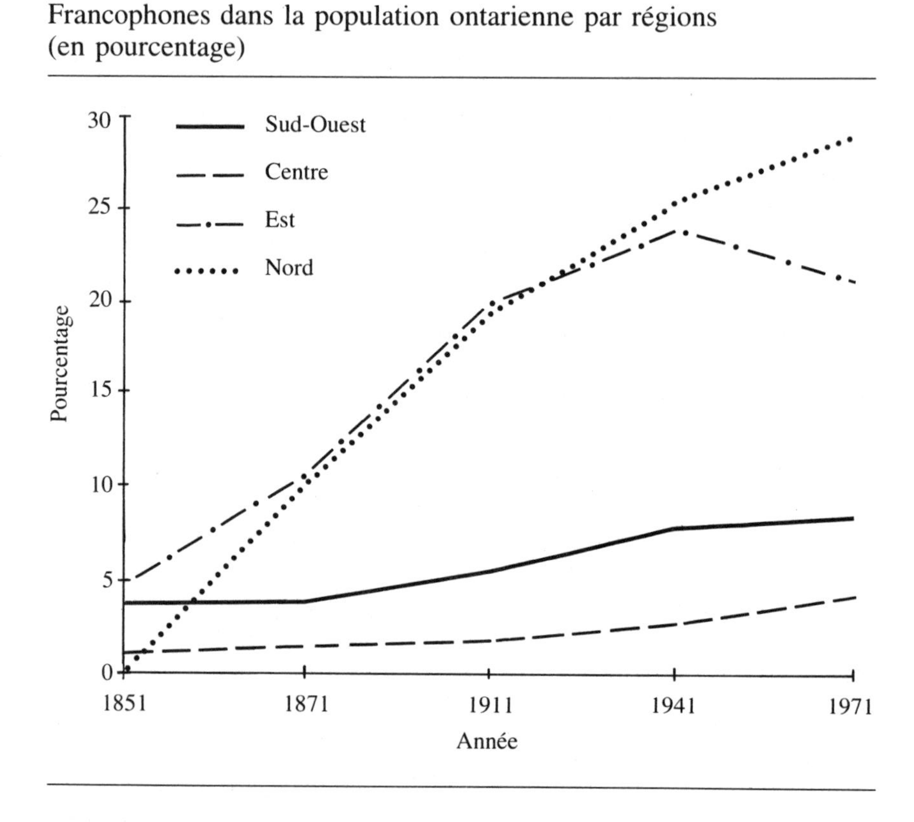

cessé de suivre celle de la population ontarienne (Graphiques XIV et XV) et que, de 1971 à 1986, le nombre des francophones a décliné d'une façon substantielle dans toutes les catégories et que ce mouvement s'est poursuivi depuis, comment se fait-il qu'un grand silence règne à propos de l'éventualité d'une crise démographique dont les conséquences pourraient être très graves pour l'avenir de la communauté? En effet, en 1986, il y avait 201 649 individus de descendance française en moins (27,5 %) dans la province qu'en 1971. Pendant ce temps, le nombre de francophones par la langue maternelle et par la langue d'usage avait décliné de 59 841 (12,4 %) dans le premier cas et de 70 990 (20,1 %) dans le second. Ces pertes nous semblent énormes. Mais il est possible que les recensements ne soient pas fiables ou que les choses aient tourné au mieux depuis 1986. Alors, pourquoi dramatiser?

NOTES

1 Robert Choquette est certes le plus important à cet égard. Voir en particulier : *Language and Religion. A History of English-French Conflict in Ontario* (Ottawa, EUO, 1975), 264 p.; *L'Église catholique dans l'Ontario français du* XIXe *siècle* (Ottawa, EUO, 1984), 365 p.

2 M. Arnopoulos, *Hors du Québec. Point de salut* (Montréal, Libre Expression, 1982), 288 p.

3 J. Lapointe et J.-Y. Thériault, « D'une question linguistique à un problème sociétal. Revue de la littérature sur la francophonie hors Québec », (Ottawa, UO, Département de sociologie, 1982), suivi d'une bibliographie exhaustive. Sur la question de l'assimilation, ici abordée seulement incidemment, voir en particulier les travaux de Charles Castonguay.

4 Nous avons analysé le caractère central de cette préoccupation dans le développement de l'histoire économique au Québec : F. Ouellet, « La modernisation de l'historiographie et l'émergnce de l'histoire sociale », *Recherches sociographiques*, XXVI (1985), 11–83. À cet égard, il faut lire les travaux de M. Séguin, J. Hamelin, N. Taylor, M. Brunet, P.-A. Linteau, A. Raynauld, P. Bernard, J. Porter, Y. Allaire et J.-M. Toulouse, G. Pelletier, A. Sales, T. Naylor, J. Niosi.

5 (Montreal et Kingston, McGill-Queen's University Press, 1987), 249 p. Voir notre discussion de ce livre dans *Ontario History*, (1989), 59–68.

6 G. Vallières, *L'Ontario français par les documents* (Montréal et Paris, Éditions Études vivantes, 1980), 280 p.; *Explorations et enracinements français en Ontario, 1610–1978. Esquisse historique et ressources documentaires* (Toronto, 1981), 160 p.

7 À ce sujet, voir Roland Parenteau à propos des Canadiens français. Voir « La situation économique » dans L. Lamontagne (éd.), *Le Canada français d'aujourd'hui* (Québec, PUL, 1970), 124 ss.; R. Breton parle pour sa part d'une *sous-économie franco-ontarienne* dans son texte « L'intégration des francophones hors Québec dans des communautés de langue française », *Revue de l'université d'Ottawa*, LV (1985), 77–89; R. Bernard, « L'Ontario français : pratiques ethniques et théories sociologiques », *Ibid.*, 137–150. C'est une question également discutée par D. Juteau-Lee.

8 F. Ouellet, *Economy, Class, and Nation in Quebec* (Toronto, Copp Clark Pitman, 1991), 5–233; B. Murphy, « The Size of the Labour Force in the Montreal Fur Trade, 1675–1790. A Critical Evaluation », M.A. Thesis, University of Ottawa, 1986, 177 p.; M. Filion, « Les marchands de fourrures canadiens au XVIIIe siècle à travers les congés de traite, les licences de commerce et les engagements pour l'Ouest, thèse de M.A., Université d'Ottawa, 1985, 133 p.

9 Y. Desloges, « La corvée militaire au XVIIIe siècle », *HS/SH*, XV (1982), 333–356.

10 F. Ouellet, « Libéré ou exploité! Le paysan québécois d'avant 1850 », *HS/SH*,

XIII (1980), 339–368; *Le Bas-Canada, 1791–1840. Changements structuraux et crise* (Ottawa, EUO, 1976), 541 p.

11 E. Lajeunesse (éd.), *The Windsor Border Region. Canada Southern Frontier. A Collection of Documents* (Toronto, UTP, 1960), 374 p.

12 F. Ouellet, *Le Bas-Canada*..., 82–93; J. McCallum, *Unequal Beginnings. Agriculture and Economic Development in Quebec and Ontario until 1870* (Toronto, UTP, 1980), 149 p.

13 C'est une interprétation que L. Gentilcore n'accepte pas puisqu'il affirme: « Occupance was indiscriminate of physical conditions. » Voir aussi « Settlements », L. Gentilcore (éd.), *Studies in Canadian Geography* (Toronto, UTP, 1972), 24.

14 L.G. Reeds, « The Environment », dans L. Gentilcore (éd.), *op. cit.*, 9–11 (voir n. 12); F. Ouellet, *Economy, Class and Nation*, 132.

15 John McCallum, *Unequal Beginnings*..., 66; L. Gentilcore (éd.), *op. cit.*, 37.

16 McCallum, *Ibid.*, 88.

17 Gentilcore (éd.), *op. cit.*, 16 (voir n. 12).

18 Recensements du Canada. Peut aussi être calculé d'après les données reproduites par G. Vallières, *L'Ontario français*, 93s., 155s.; *Explorations*..., 37.

19 W.R. Crothall, « French Canadian Agriculture in Ontario, 1861–1871 », M.A. Thesis, University of Toronto, 1968, 139 p.

20 *Ibid.*, 21s.; voir aussi Vallières, *L'Ontario français*, 93ss., 155s.

21 *Ibid.*, 23s. Voir les recensements du Canada.

22 Recensements du Canada, 1911.

23 McCallum, *Unequal Beginnings*..., 91.

24 *Ibid.*, 91.

25 Crothall, *op. cit.*, 27–49.

26 Albert Faucher, « L'émigration des Canadiens français au XIXe siècle: position du problème et perspectives », *Recherches sociographiques* V (1964), 277–317; Gilles Paquet, « L'émigration des Canadiens français vers la Nouvelle-Angleterre, 1870–1910: prises de vue quantitatives », *RS*, V (1964), 319–370; G. Paquet et W.R. Smith, « L'émigration des Canadiens français vers les États-Unis avant 1930 », *Actualité économique* LIX (1983), 423–455.

27 F. Ouellet, « La révolution tranquille. Un tournant révolutionnaire » dans T. Axworthy et P.E. Trudeau (éd.), *Les années Trudeau. La recherche d'une société juste* (Montréal, Le Jour, 1990), 342. Voir aussi R. Armstrong, *Structure and Change. An Economic History of Quebec* (Toronto, Gage, 1984), 160, 251; Gentilcore, « Settlement », dans Gentilcore (éd.), *op. cit.*, 32–34, 38; D.M. Ray, « The Economy », *Ibid.*, 48s.; J.U. Marshall, « Urban Network », *Ibid.*, 64–78.

28 J. Spelt, *Urban Development in South Central Ontario* (Toronto, McClelland and Stewart, 1972), 241 p.

29 McCallum, *op. cit.*, 87, 91.

30 André Lapierre, *L'Ontario français du Sud-Ouest. Témoignages oraux, Cahiers du CRCCF*, (Ottawa, EUO, 1982), 628 p.

31 F. Ouellet, « Économie et société minoritaires. Propos incertains sur l'économie et la minorité francophone en Ontario : vers un nouveau regard sur le passé et le présent franco-ontariens », *Revue du Nouvel-Ontario*, nº 8 (1986), 110.
32 D. Juteau-Lee, « The Evolution of an Ethnic Urban Parish », M.A. Thesis, Toronto, 1967; T.R. Maxwell, *The Invisible French. The French in Metropolitan Toronto* (Waterloo, WLUP, 1977), 174 p.
33 F. Ouellet, « Économie et société minoritaires... », *Revue du Nouvel-Ontario*, nº 8 (1986), 104–108.
34 Cité dans *Ibid.*, 107.
35 *Les francophones tels qu'ils sont. Regards sur le monde du travail franco-ontarien* (Ottawa, 1985), 40 p.
36 ACFO, *Ibid.*, 14–17.
37 Lapointe et Thériault, « D'une question linguistique à un problème sociétal », 17–29, 71s., 79s.
38 Allaire et Toulouse, *op. cit.*, 61–65; ACFO, « Les francophones tels qu'ils sont... », 25–27.
39 Lapointe et Thériault, *op. cit.*, 71s.
40 Allaire et Toulouse, *op. cit.*, 33 (Voir n. 34); ACFO, « Les francophones tels qu'ils sont... », 26.
41 Allaire et Toulouse, *Ibid.*, 80; ACFO, *op. cit.*, 30.
42 Vallières et Villemure, *L'Atlas de l'Ontario français* (Montréal/Paris, 1981), 50.
43 Allaire et Toulouse, *op. cit.*, 57.
44 Thomas Maxwell, « La population d'origine française de l'agglomération métropolitaine de Toronto », *Recherches sociographiques*, XII (1971), 319–344.
45 Maxwell, *Ibid.*, 327.
46 Maxwell, *Ibid.*, 331.
47 L.G. Reeds, « The Environment », dans L. Gentilcore (éd.), *op. cit.*, 15 (voir n. 12).
48 F. Ouellet et Benoit Thériault, « Philemon Wright », DBC, VII, 1003–1007.
49 Claude Baribeau, *La seigneurie de la Petite-Nation. Le rôle économique et social du seigneur* (Hull, Asticou, 1983), 166 p.
50 F. Ouellet, *Le Bas-Canada, 1791–1840*..., 196–202, 422–432; *Histoire économique et sociale du Québec, 1760–1850*..., 169–641.
51 Crothall, *op. cit.*, 24 (voir n. 18).
52 Chad Gaffield, « Boom and Bust : The Demography and Economy of the Lower Ottawa Valley in the Nineteenth Century », *Historical Papers*, 1982, 177.
53 Crothall, *op. cit.*, 106ss.
54 E. Podolsky and I. Pringle, *Historical Source Book for the Ottawa Valley* (Ottawa, Carleton University, 1981), 506 p. Permet de suivre cette évolution dans le détail dans tout l'Est ontarien.
55 D.G. Cartwright, « Institutions of the Frontier : French Canadian Settlement in Eastern Ontario in the Nineteenth Century », *Canadian Geographer*, XXI (1977), 1–8.

56 Podolsky et Pringle, *op. cit.*, 1–164.
57 J. Little, « The Peacable Conquest : French Canadian Colonization in the Eastern Townships during the Nineteenth Century », Ph.D. Thesis, University of Ottawa, 1976.
58 Gaffield, « Canadian Families in Cultural Context. Hypotheses from the Mid-Nineteenth Century », *Historical Papers*, 1979, 54; *Language, Schooling, and Cultural Conflict : The Origins of the French Language Controversy in Ontario* (Montreal and Kingston, McGill-Queen's University Press, 1987), 249 p.
59 F. Ouellet, « La question sociale au Québec : 1880–1930. Perspectives historiographiques et critiques », dans G. Kurgan-Van Henteryk (éd.), *La question sociale en Belgique et au Canada* (Bruxelles, 1988), 54.
60 Cartwright, *op. cit.*, 8–19, voir n. 55.
61 Gaffield, *Language, Schooling and Cultural Conflict*..., 68s., voir n. 58.
62 Crothall, *French Canadian Agriculture*..., 80–90, voir n. 19.
63 Gaffield, « Canadian Families in Cultural Context... », 61–65, voir n. 58.
64 Lucien Brault, *Histoire des comtés de Prescott et de Russell* (L'Orignal, Conseil des comtés unis, 1965), 377 p.
65 Gilles Boileau, *Les Canadiens français de l'Est ontarien. La terre et les hommes* (Montréal, 1964), 74 p.
66 Boileau, *Ibid.*, 59–74.
67 G. Vallières et M. Villemure, *Atlas de l'Ontario français* (Montréal et Paris, Éditions Études vivantes, 1981), 19; Recensements de 1971, 1981 et 1986.
68 Par exemple, voir Normand Séguin, *La conquête du sol au XIXe siècle* (Québec, Boréal Express, 1977), 295 p.; moins affirmée mais présente, cette perspective se retrouve dans René Hardy et Normand Séguin, *Forêt et société en Mauricie* (Montréal, Boréal Express, 1984), 222 p.
69 Reeds, « The Environment... », dans Gentilcore (éd.), *Studies*..., 9–10, voir n. 13, 14.
70 Michel D'Amours, « Étude socio-économique d'une communauté francophone du Nord-Est ontarien, 1912–1950 », Thèse de M.A., Université d'Ottawa, 1985, 43.
71 Ministère de l'Éducation de l'Ontario, *Explorations et enracinements. Esquisse historique et ressources documentaires*, 96, 101.
72 M. Van Emery, « Francis H. Clergue and the Rise of Sault-Sainte-Marie as an Industrial Centre », *Ontario History*, LVI, (1964), 191–210.
73 D'Amours, « Étude socio-économique... », 6–27, voir n. 70.
74 G. Lévesque, « Une fondation qui dure », dans *Documents historiques* (Société historique, Nouvel-Ontario).
75 Gail Cuthbert-Brandt, « "J'y suis, j'y reste". The French Canadian of Sudbury, 1883–1913 », Ph.D. Thesis, 1976, York University.
76 Cuthbert-Brandt, *Ibid.*, 45–49.
77 Cuthbert-Brandt, *Ibid.*, 45; voir aussi 41, 123, 133.
78 D'Amours, « Étude socio-économique... », 28–46; voir n. 70.

79 D'Amours, *Ibid.*, 46–113.
80 Roméo Leroux, « Le sol et l'agriculture du comté de Sudbury », dans *Documents historiques*, (Société historique du Nouvel-Ontario, 1942), 42 p.
81 Roger Bélanger, « L'économie rurale dans le comté de Sudbury », dans *Documents historiques*, (Société historique du Nouvel-Ontario, 1949), 47 p.
82 Van Emery, « Francis A. Clergue... », *Ontario History*, LVI (1964), 191–202, voir. n. 72.
83 Cuthbert-Brandt, « J'y suis, j'y reste »..., 1–16, voir n. 75; Gilbert A. Stelter, « Origins of a Company Town; Sudbury in the 19th Century », *Laurentian University Review*, III (1971), 3–37.
84 Cuthbert-Brandt, *Ibid.*, 19; Stelter, *Ibid.*, 24–30.
85 K.J. Rea, *The Prosperous Years. The Economic History of Ontario, 1939–1975* (Toronto, UTP, 1985), 162–192.
86 Rea, *Ibid.*, 162–192.
87 Vallières, *L'Ontario français par les documents* (Paris et Montréal, Éditions Études vivantes, 1980), 136–138.
88 Vallières, « The Franco-Ontarian Experience », dans Raymond Breton et Pierre Savard (éd.), *The Quebec and Acadian Diaspora in North America* (Toronto, The Multicultural Society of Ontario, 1982), 188–193.
89 Dans treize villes du Sud-Ouest et du Centre, excluant Toronto, la population d'origine française augmente de 15,8 % entre 1971 et 1981.
90 Danielle Coulombe, « Doublement et triplement minoritaires », *Revue de l'Université d'Ottawa*, LV (1985), 131–136.
91 D. Dennie, « Le mouvement syndical en Ontario et les Franco-Ontariens », *Revue du Nouvel-Ontario*, (1979), 41–58; F. Ouellet, *Economy, Class and Nation in Quebec* (Toronto, Copp Clark Pitman Ltd.), 260–262.
92 ACFO, « Les francophones tels qu'ils sont... », 38, 33–39, voir n. 35.
93 Gaétan Gervais, « La stratégie de développement institutionnel de l'élite canadienne-française de Sudbury ou le triomphe de la continuité », *Revue du Nouvel-Ontario*, V (1983), 66–73.
94 S.D. Clark, « The Position of French-Speaking Population in the Northern Industrial Community », dans *Change and Conflict* (Scarborough, Prentice-Hall, 1971), 76.
95 Gervais, *Ibid.*, voir n. 93.

5 *L'Église de l'Ontario français*

ROBERT CHOQUETTE

Les 35 % d'Ontariens qui sont catholiques sont encadrés dans 14 diocèses. En 1993, 6 des 14 évêques qui les dirigent sont francophones; ce sont Eugène Larocque à Alexandria-Cornwall, Roger Despatie à Hearst, Vincent Cadieux à Moosonee, Marcel Gervais à Ottawa, Jean-Louis Plouffe à Sault-Sainte-Marie dont le siège épiscopal est à North Bay, et Gilles Cazabon à Timmins. Ces prélats partagent la direction d'une Église catholique ontarienne dont 16 % des fidèles sont de langue maternelle française (voir Tableaux 1 à 3). Quelque 24 % du clergé ontarien est d'origine française et plusieurs congrégations religieuses, tant masculines que féminines, sont de cette même appartenance culturelle.

L'Église catholique romaine a joué un rôle fondamental dans l'Ontario d'antan, surtout de 1850 à 1950. Pendant la première moitié du XXe siècle, l'Église sera même l'institution sociale franco-ontarienne la plus importante. Les pages qui suivent cherchent à expliquer ce phénomène, car tout en ressemblant à l'Église canadienne-française en général, l'Église des Franco-Ontariens a des traits qui lui sont propres, et ainsi des différences sensibles avec la première. L'histoire de l'Église de l'Ontario français est celle d'une Église réussie.

L'Église et la marginalité des Franco-Ontariens

Le rôle primordial de l'Église dans l'histoire de l'Ontario français s'explique par trois facteurs : l'initiative de certains hommes d'Église, l'idéologie catholique romaine dite ultramontaine et la conjoncture de survivance qui est celle de la minorité franco-ontarienne.

La première implantation de l'Église catholique dans l'Ontario français d'avant 1850 est due à l'initiative des évêques. Exception faite des indigènes et de la poignée de blancs qui, à la fin du régime français, se

TABLEAU I

La population catholique, les diocèses et les paroisses (1984)*

Diocèses et année de fondation	*Population catholique totale*	*Nombre total de paroisses*	*Nombre de paroisses françaises***	*Nombre de communautés religieuses (h et f)*
Alexandria-Cornwall (1890)	43 805	32	20	13
Hamilton (1856)	305 000	120	2	35
Hearst (1838)	34 645	31	27	15
Kingston (1826)	62 651	51	1	8
London (1856)	337 806	145	5	34
Moosonee (1967)	2 500	10	5	2
Ottawa (1847)	293 936	115	65	42
Pembroke (1898) (partie ontarienne)	41 064	37	5	13
Peterborough (1882)	54 085	36	0	4
St. Catharines (1958)	100 000	45	4	18
Sault-Sainte-Marie (1904)	175 000	104	37	19
Thunder Bay (1952)	57 000	48	2	14
Timmins (1938)	59 000	33	22	13
Toronto (1841)	1 100 000	193	5	85

* Compilé de ONTARIO CONFERENCE OF CATHOLIC BISHOPS, *ONTARIO CATHOLIC YEARBOOK/L'ANNUAIRE CATHOLIQUE DE L'ONTARIO 1983–84*, Toronto, Ontario Conference of Catholic Bishops, 1984, 185p.

** Les chiffres dans le tableau ne sont qu'approximatifs, puisqu'ils sont établis en partie à partir de la consonance française des mots.

L'auteur a publié ce tableau dans *La Foi gardienne de la langue en Ontario, 1900–1950*, Montréal, Bellarmin, p. 25.

chiffrent à quelques centaines de personnes au Détroit[1], au fort Frontenac[2] et en certains petits postes de traite, la collectivité franco-ontarienne se constitue surtout à partir du XIXe siècle. Aux voyageurs et Amérindiens qui ne sont que de passage avant 1800, vont succéder les forestiers du XIXe siècle qui, dans le sillage de Philémon Wright (1800ss) et des frères Hamilton (1805ss)[3], entreprennent l'exploitation des forêts de la vallée de l'Outaouais. Au fil des ans, cette nouvelle industrie donne naissance à un nombre croissant de hameaux, villages et villes. C'est le cas de Hull, Hawkesbury, Buckingham, Bytown/Ottawa, Pembroke, Fort Coulonge, etc. Des milliers de forestiers œuvrent dans le bassin de l'Outaouais quand Mgr Lartigue suivi de

TABLEAU II
Population catholique et française de l'Ontario*

Année	*Population totale de l'Ontario*	*Population catholique de l'Ontario*	*%*	*Population d'origine française*	*%*
1842	487 053	65 203	13,39	13 969	2,87
1848	725 879	118 810	16,37	20 490	2,82
1851	952 004	167 695	17,61	26 417	2,77
1861	1 396 091	258 151	18,49	33 287	2,38
1871	1 620 851	—	—	75 383	4,65
1881	1 923 228	320 839	16,68	102 743	5,34
1891	2 182 947	390 304	17,88	158 671	7,27
1911	2 523 274	484 997	19,22	202 457	8,02
1921	2 933 662	576 178	19,64	248 275	8,46
1931	3 431 683	744 740	21,70	299 732	8,73
1951	4 597 542	1 142 140	24,84	438 939	9,55
1961	6 236 092	1 873 110	30,04	647 941	10,39
1971	7 703 106	2 568 695	33,35	737 360	9,57
1981	8 625 105	3 036 245	35,20	475 605**	5,51

* Compilé et calculé d'après les *Recensements du Canada.*
** Langue maternelle.
L'auteur a publié ce tableau dans *La Foi gardienne de la langue en Ontario 1900–1950, op. cit*, p. 24.

Mgr Bourget à Montréal prennent conscience de l'urgence d'évangéliser ces rudes ouvriers ainsi que les indigènes du pays. De là les missions des sulpiciens Jean-Baptiste Roupe (1815ss) et Charles de Bellefeuille (1836ss) et des abbés Jean-François Cannon (1836ss), Hippolyte Moreau (1839ss) et John Brady (1837ss) entre autres[4].

Après dix ans de missions sur la Grande Rivière (des Outaouais), Roupe déclare à son évêque en 1826 :

> Le nombre de catholiques augmente extraordinairement dans tous les différents postes de cette mission des Outaouais et prouve de plus en plus le besoin urgent d'un prêtre résidant en cette place[5].

Les évêques donneront suite à la recommandation; ils chercheront à dompter une population qui semblait n'avoir pour dieu que le pin blanc.

> Le pin blanc est en effet (...) le dieu de cette communauté démoralisée. Au temple de cette idole adorée si généralement par ici, les hommes sacrifient tout ce qu'ils possèdent. Bien-être, santé, confort, piété, réputation, épouse, enfants, ciel, Dieu, Christ, tout est délibérément offert dans une hécatombe épouvantable dans les sombres et mystérieuses baies de l'Outaouais[6].

Le clergé canadien appuyé par Mgr Alexander Macdonell, évêque de Kingston, cherche donc à évangéliser une population reconnue, surtout avant 1850, pour son indiscipline. On désigne communément Bytown de « cachot de Calcutta » ou de « petite Babylone[7] ». Son premier évêque[8] note lors de son arrivée en 1848 :

> Cette ville a été formée en grande partie de personnes pauvres, endettées et souvent abandonnant leurs paroisses qu'elles avaient affligées par leur scandale. De là les désordres affreux dont cette ville était témoin[9].

Ainsi au début du XIXe siècle, les francophones de l'Ontario (Haut-Canada/Canada-Ouest) ne sont pas plus soumis qu'il faut à la direction du clergé. Mgr J.-O. Plessis, qui fait la visite épiscopale du Haut-Canada en 1816, note à propos de Malden près du Détroit : « Tout est ici en miniature, excepté l'irréligion et le libertinage qui s'y montrent en grand[10]. » En 1835, Mgr Rémi Gaulin, évêque coadjuteur du diocèse de Kingston, qualifie les catholiques de Penetanguishene d'incivilisés : « L'ignorance et par suite nécessaire les vices grossiers y règnent universellement[11]. » Le clergé ne fait pas nécessairement plus belle figure, plusieurs curés de Bytown devant disparaître ou être renvoyés avant 1835 pour cause de scandales, et Mgr Gaulin de commenter en 1838 : « Quatre prêtres ont laissé le diocèse cet été (...) Plusieurs autres ne sont presque bons à rien. Bon Dieu quelle misère[12]. » Nous sommes loin de ce clergé dressé, rangé et muselé de l'époque dite « ultramontaine », car au milieu du XIXe siècle en Ontario, ce genre de prêtre était difficilement imaginable. Ces clercs qui font problème sont le plus souvent des prêtres séculiers immigrés de pays comme l'Irlande ou la France; exceptionnellement, il s'agit d'anciens religieux qui ont quitté leur communauté.

Pendant les trois premiers quarts du XIXe siècle, l'épiscopat canadien-français dirige à toute fin pratique l'Église catholique de l'Ontario. Même si le premier évêque du Haut-Canada (Alexander Macdonell) est d'origine écossaise, il dépend en grande partie des ressources de l'Église du Bas-Canada. Cherchant à se doter d'un coadjuteur depuis 1825, Macdonell pourra se réjouir, en 1833, de la nomination du

Canadien Rémi Gaulin qui lui succédera sur le siège de Kingston en 1840. Cependant, la maladie mentale guette Gaulin qui se voit obligé de céder ses pouvoirs à Patrick Phelan dès 1843. L'année précédente on avait sacré Michael Power premier évêque de Toronto, mais son décès inattendu en 1847 sera suivi en 1850 de la nomination de Armand-François-Marie de Charbonnel comme deuxième évêque de Toronto. Quant à la vallée de la rivière des Outaouais et aux vastes régions incultes du nord-est de l'Ontario et du nord-ouest du Québec, elles sont encadrées dans le nouveau diocèse de Bytown (Ottawa) en 1847. C'est l'oblat français Joseph-Eugène-Bruno Guigues qui est nommé premier évêque. Enfin, notons que les deux diocèses de London et de Hamilton, érigés en 1856, auront respectivement à leur tête le Canadien Pierre-Adolphe Pinsoneault et l'Irlandais John Farrell.

C'est dire qu'au milieu du XIXe siècle quatre des cinq titulaires épiscopaux du Canada-Ouest sont francophones, soit Gaulin, de Charbonnel, Guigues et Pinsoneault. Même si Phelan est l'administrateur du diocèse de Kingston, il reste que l'épiscopat francophone est prépondérant. Les Canadiens français de l'Ontario peuvent donc se réjouir d'être dotés d'une Église à leur image, dirigée par des clercs issus du même milieu, souvent québécois, et soucieux des mêmes valeurs, entre autres celle de la défense de la « race ». Au cours des prochaines décennies la direction de l'Église franco-ontarienne continuera de s'appuyer sur celle du Québec pendant que la population catholique de l'Ontario devient plus massivement anglophone. Ainsi une Église ontarienne dont les fidèles sont surtout d'origine irlandaise est dirigée par des évêques surtout francophones, tant canadiens (NN. SS Gaulin et Pinsoneault) que français (NN. SS de Charbonnel et Guigues).

Nous devons ajouter cependant que l'épiscopat du Bas-Canada n'avait pas planifié un tel déséquilibre ethno-linguistique. En effet Gaulin n'est nommé à Kingston que par suite de l'élévation au cardinalat de l'évêque coadjuteur de Kingston, l'Anglais Thomas Weld, lequel ne foula jamais le sol canadien.

Le décès de Power en 1847 laisse la hiérarchie désemparée car le défunt lui-même a déclaré qu'aucun de ses prêtres n'est apte à l'épiscopat. Les évêques canadiens cherchent donc par tous les moyens à obtenir la nomination de Thomas Larkin, s.j., en poste à New York, mais la Compagnie de Jésus réussit à faire échec à toutes les démarches, y inclus les bulles du pape émises pour forcer la main de l'intéressé. Apprenant que le vicaire général Angus Macdonell refuse tout aussi carrément de laisser poser sa candidature, les évêques canadiens obtiennent la nomination du Français de Charbonnel. Compte tenu de la nomination de Mgr Guigues en 1847, en 1850 le Canada-Ouest compte trois évêques titulaires francophones dans trois diocèses. La nomination de Pinsoneault en 1856 s'explique en partie par le bilinguisme exigé d'un évêque dans le sud-ouest de l'Ontario. Bon nombre de clercs anglophones seront portés à voir cette hégémonie francophone comme résultant d'un complot ourdi par la hiérarchie du Bas-Canada. Ils s'emploieront pendant les décennies suivantes à assurer le visage anglophone de l'Église de l'Ontario.

C'est donc grâce à l'initiative des missionnaires et des évêques que les premières églises sont érigées dans l'Ontario français du XIXe siècle. Pourtant, le zèle apostolique n'explique pas à lui seul le rôle de toute première importance que devait jouer l'Église au cours du siècle suivant. Un deuxième facteur qui entre en ligne de compte est celui de l'idéologie dite ultramontaine du catholicisme romain de l'époque. Cette idéologie qui prend de l'ampleur dans l'Église catholique après 1850[13] est élitiste, absolutiste, défensive et méfiante à l'égard du monde moderne issu des révolutions américaine et française. Développé dans le contexte européen des premières décennies du XIXe siècle, le mouvement ultramontain valorise le pouvoir du pape et de Rome contre l'érastianisme omniprésent en Europe. Le catholique ultramontain se méfie des « libéraux » de tout acabit qui selon lui cherchent à saisir les pouvoirs qui doivent appartenir à l'Église, en éducation par exemple. C'est avec fougue et brio qu'il condamne le monde de son temps, lieu pervers s'il en est un, où Satan tend ses pièges sous le couvert de la démocratie, de la franc-maçonnerie ou de l'école publique.

L'ultramontanisme est la réaction de peur d'un nombre progressivement plus important de clercs devant la désagrégation du pouvoir ecclésiastique aux XIXe et XXe siècles. Le monde de plus en plus industrialisé et urbanisé de l'époque accepte de moins en moins un pouvoir clérical à caractère sociopolitique. Des catholiques n'acceptent pas ce retrait de la place publique de la part de leur Église, et réagissent en condamnant tout le monde moderne et en fabriquant un modèle idéal du pouvoir ecclésiastique.

L'Église canadienne-française de l'Ontario, à l'instar de celle du Québec, reflète cette idéologie des barricades surtout sous l'épiscopat de Mgr J.-T. Duhamel (1874–1909) et de ses successeurs. Dans une encyclique publiée en décembre 1874, le pape Pie IX écrit :

> Nous avons considéré tous les maux qui affligent l'Église, les efforts employés par ses ennemis pour arracher des cœurs la foi de Jésus-Christ, pour corrompre la saine doctrine et propager le poison de l'impiété, tant de scandales qui sont offerts partout à ceux qui croient en Jésus-Christ, la corrup-

> tion des mœurs qui s'étend au loin, et le honteux renversement général des droits divins et humains qui est si fécond en ruines[14].

Son successeur Léon XIII (1878–1903) y va à son tour de nombreuses condamnations des socialistes, des communistes, des nihilistes qui « souillent toute chair, méprisent toute domination et blasphèment toute majesté (Jude v,8)[15] ». Ce sont des « scélérats » qui « attaquent le droit de propriété (...) et la majesté respectable et le pouvoir des rois[16] ». De plus il faut contrer le complot perfide des franc-maçons.

Fidèle à la consigne, Mgr Duhamel d'Ottawa publie pas moins de deux mandements et six lettres pastorales en dix-huit mois contre la franc-maçonnerie. Il profite de l'occasion pour exposer son ecclésiologie militaire qui ne se dément pas au cours de son long épiscopat.

> Jésus-Christ est le roi de l'armée de Dieu; Satan gouverne dans l'autre camp. Les évêques sont les généraux, avec le pape pour général en chef; les autres pasteurs sont les officiers, et les fidèles les soldats[17] (...)
>
> La négation d'un seul dogme mène à les nier tous; le doute sur un dogme conduit au même abîme. Celui qui persiste à douter, quand Dieu parle et que l'Église enseigne, repousse par ce doute l'autorité de Dieu et celle de l'Église, et détruit également par sa base la foi et la religion[18] (...)
>
> L'Église a prééminence sur l'État par son origine de même qu'elle lui est supérieure par sa nature, ses moyens et sa fin.
>
> L'État, n'ayant pour fin spéciale que les intérêts temporels des sujets, doit être soumis sous certains rapports au pouvoir spirituel (...)
>
> L'Église a donc le droit de juger, comme les autres, les actes publics et administratifs des dépositaires du pouvoir civil, car ces actes ont leur moralité.
>
> Il est impossible que l'Église abuse jamais de son autorité si considérable qu'elle soit, pour empiéter sur les droits de l'État[19].

À l'instar de ses collègues dans l'épiscopat du Canada français, le deuxième évêque d'Ottawa est convaincu que « la foi diminue vite[20] » au Canada,

> dans ces temps mauvais où l'enfer, le monde, une fausse science, l'esprit de révolte, le relâchement des mœurs, l'amour des richesses et d'un luxe effréné et la licence des mœurs, se coalisent pour entraver l'Église dans son action salutaire[21].

Cette ecclésiologie rigoriste et absolutiste est de rigueur dans l'Église catholique romaine de la fin du XIXe siècle. Les ultramontains sont d'avis qu'ils baignent dans un monde hostile à tous les égards. Ce sont des catholiques apeurés par une société qui ne veut rien savoir d'une Église puissante et nantie. Les catholiques dirigés par les ultramontains se replient donc dans un fortin aux murs progressivement plus étanches; ils sont hostiles à tout accommodement avec le monde moderne.

Tel que noté ci-dessus, les évêques de l'Ontario français, Mgr Duhamel surtout, tiennent le même discours théologique et doctrinal que leurs collègues du Québec ou même de Rome. En ce pays de l'Ontario, la réalité vécue ne semble pourtant pas cadrer avec ce discours apocalyptique. Nous trouvons dans le quotidien peu de traces de ces grands adversaires de l'Église dénoncés dans les encycliques et les lettres pastorales; les francs-maçons, les socialistes, etc., sont absents de l'expérience quotidienne de l'évêque franco-ontarien. De plus, la vaste documentation préservée par l'Église de l'Ontario français, à Ottawa surtout, est muette sur ces « méchants » qu'on croirait devoir retrouver dans tous les coins du paysage ontarien de l'époque. C'est dire que ces évêques dénonçaient des ombrages et ce, pour se conformer aux directives romaines.

Il en est de même dans la question des relations Église-État. Mgr Duhamel, le plus doctrinaire de ces évêques franco-ontariens, prêche dans ses lettres pastorales la doctrine romaine de la religion d'État, mais il ne cherche nullement à mettre cette doctrine en pratique dans ses relations avec les gouvernements du Canada ou de l'Ontario. Il sait que de telles tentatives seraient anachroniques. Bref, les menaces idéologiques comme la franc-maçonnerie, le socialisme, etc., sont fictives en Ontario français.

Les véritables ennemis de l'Église franco-ontarienne, à la fin du XIXe et au début du XXe siècles, sont surtout la marginalité des Franco-Ontariens eux-mêmes, la fragilité de leurs institutions, leur éloignement du pouvoir politique, et l'assimilation linguistique et culturelle qui guette ces francophones dans la mesure où ils participent au développement de l'industrie et de la ville. Un autre ennemi, et celui qui sera le plus visible aux yeux des Franco-Ontariens, est le coreligionnaire d'origine irlandaise qui concurrence le Franco-Ontarien pour le contrôle de l'Église et de l'école catholiques.

À compter de la fin du XIXe siècle et jusqu'au milieu du XXe siècle, l'Église prend de plus en plus de relief en Ontario français et augmente son emprise sur la conscience de ses fidèles. La proportion de clercs d'origine française dans les rangs du clergé catholique de l'Ontario, soit 24 % en 1984, témoigne de cette emprise.

Nous croyons que l'importance accordée à l'Église par les Franco-Ontariens avant 1960, s'explique surtout par la conjoncture de survivance de ces derniers, ou par le fait qu'ils se percevaient comme une minorité menacée. Néanmoins les Franco-Ontariens commencent à s'afficher nombreux après 1880, alors que comptant plus de 100 000 personnes, ils dépassent 5 % de la population de la province. Le nombre de Franco-Ontariens aura doublé trente ans plus tard (voir Tableau II), de sorte que l'Ontario anglo-protestant ne pourra plus ignorer la présence de ces « étrangers ».

Pour le Franco-Ontarien, la survivance linguistique et culturelle signifie l'obtention d'un statut d'égalité des langues française et anglaise dans la loi de l'Ontario. Le pays de l'Ontario, auparavant tout français, était devenu unilingue anglais dans ses lois, son administration et, plus tardivement, dans ses écoles. L'arrivée d'un nombre croissant de francophones dans la deuxième moitié du XIXe siècle, redonne espoir aux Franco-Ontariens; ils rêvent d'égalité. Aux yeux du francophone, l'égalité signifie la restauration des droits du français étiolés depuis quelques décennies. Il s'agit de faire survivre une langue et une culture menacées d'extinction. Un tel projet équivaut à renverser la vapeur du mouvement assimilateur, c'est-à-dire qu'il implique une action concertée et militante des Franco-Ontariens. Ces efforts de restauration seront perçus par la grande majorité des anglophones, catholiques et protestants, comme synonymes de conquête et d'invasion françaises. C'est l'agressivité qu'affichent ces « restaurateurs » des droits du français qui retient l'attention de la majorité ontarienne de langue anglaise. Ainsi ce qui est « survivance » pour les Franco-Ontariens devient « invasion française » aux yeux des anglophones. Le changement social en question n'a pas la même signification pour les uns et les autres.

Dès les premières années de sa présence au pays, mais surtout depuis l'arrivée du premier évêque de Bytown (Ottawa) dans sa ville épiscopale en 1848, le clergé s'intéresse de près à la vie quotidienne des gens. La mission aux chantiers, pratiquée par un prêtre ou l'autre depuis plusieurs années déjà, est confiée aux oblats par Mgr Bourget en 1845. Ils s'en acquitteront encore au XXe siècle. Les prêtres renseignent leurs évêques sur tous les aspects de la vie du pays, et ces derniers, Guigues surtout, s'occupent de trouver des prêtres pour les nouvelles missions et paroisses qui apparaîtront sur la carte. La colonisation dans tout le bassin de la rivière des Outaouais s'échelonne sur tout le XIXe siècle, et le nombre de clercs augmente au rythme des fidèles. Lors de son décès en 1874, Guigues laisse cinq fois plus de prêtres que lors de la fondation du diocèse en 1847 (de 16 à 80), pour desservir une population catholique qui a plus que doublé (de 40 000 à 100 000). Plus de la moitié de ces fidèles sont francophones. Son successeur laissera en 1909, 142 paroisses et missions, 250 prêtres et 150 000 fidèles, dont les trois quarts sont francophones. Rappelons que jusqu'à l'érection du vicariat apostolique de Pontiac (Pembroke) en 1882, le nord-est de l'Ontario et le nord-ouest du Québec jusqu'à la baie James font partie du diocèse d'Ottawa. Après cette date les nouvelles circonscriptions ecclésiastiques de cette région[22] septentrionale deviendront suffragantes de la nouvelle province ecclésiastique d'Ottawa, regroupant ainsi la grande majorité des Franco-Ontariens catholiques sous l'autorité de l'archevêque (depuis 1886) d'Ottawa.

Ne relèvent pas d'un évêque francophone les fidèles franco-ontariens de tous les diocèses du sud et de l'ouest de l'Ontario, exception faite du diocèse d'Alexandria-Cornwall qui aura un titulaire francophone à compter de 1921. Ces catholiques francophones du sud et de l'ouest de l'Ontario seront traités avec équité par la majorité des prélats anglophones de l'Ontario, surtout les archevêques de Toronto F.P. McEvay (1908–1911), Neil McNeil (1912–1934) et James C. McGuigan (1934–1971). Par ailleurs, les diocèses à titulaires anglophones où les francophones sont le plus nombreux, soit ceux de London et de Sault-Sainte-Marie, devront composer avec quelques évêques qui feront preuve d'une bigoterie consommée. Il s'agit surtout de Mgr M.F. Fallon (1909–1931) de London, et de NN. SS. D.J. Scollard (1904–1934) et R.H. Dignan (1934–1958) de Sault-Sainte-Marie. En revanche, ces deux diocèses pourront s'enorgueillir de deux titulaires anglophones qui se révéleront de grands amis de leurs ouailles de langue française, en l'occurrence Mgr J.T. Kidd (1931–1950) de London et Mgr A. Carter (1958–1985) de Sault-Sainte-Marie. Ce dernier sera tenu en si haute estime par les chefs « nationalistes » franco-ontariens, qu'ils le traiteront comme un des leurs.

La période de colonisation dans l'est et le nord-est de l'Ontario verra les curés et l'évêque d'Ottawa s'occuper directement du bien-être des colons. De concert avec des évêques du Québec, les évêques d'Ottawa mettent sur pied, en 1848 et 1884, des sociétés de colonisation vouées à la promotion de la colonisation des terres de la province ecclésiastique par des catholiques et des Canadiens français. En plus de pressions continuelles sur les gouvernements, les évêques Guigues et Duhamel sont soucieux de diriger les colons canadiens-français vers les comtés unis de Prescott et Russell : « Mieux vaut commencer par ceux-là car les Canadiens s'effraient quand ils sont seuls[23]. » L'évêque sert d'intercesseur pour les colons auprès des gouvernements pour obtenir des routes, des ponts, des subventions, etc. La société diocésaine de colonisation, fondée le 4 mai 1884[24], est accompagnée de la nomination d'un prédicateur diocésain de la colonisation et d'un nouvel élan pour une prédication et une quête annuelle en faveur de l'œuvre, accompagnées de prières et même d'une « loterie nationale[25] ». Tout un réseau de paroisses du Québec sont le lieu de cette promotion des terres de la vallée de l'Outaouais. Désormais, les Québécois qui se proposent de quitter leur province natale songeront de plus en plus à se diriger du côté de l'Ontario.

En cette même année 1884, l'oblat Charles-Alfred-Marie Paradis incite les évêques J.-T. Duhamel et N.-Z. Lorrain (Pontiac) à fonder à Ottawa la « Société de colonisation du Lac Témiskaming ». La Société veut promouvoir la colonisation du haut de la région du Lac Témiscamingue[26]. Présidée par le père Gendreau, o.m.i., elle veille à la construction de deux bateaux à vapeur et de quatre tronçons de voie ferrée pour contourner les rapides sur la rivière des Outaouais[27]. Elle favorise en 1887 la création d'une compagnie de chemin de fer au Témiscamingue, présidée elle aussi par un oblat[28]. Bref, le clergé de la deuxième moitié du XIXe siècle est sans gêne dans son engagement social. L'histoire des œuvres sociales (hôpitaux, écoles, etc.) des diverses congrégations féminines et masculines nous amène à la même conclusion (voir plus bas).

La minorité française de l'Ontario est ainsi dotée d'un clergé zélé, d'idéologie ultramontaine, et résolument engagé sur la voie des œuvres sociales et économiques favorables à son peuple. Aux cas du chemin de fer et des bateaux à vapeur du Témiscamingue, ajoutons celui d'un moulin à farine érigé par les oblats à Maniwaki dans les années 1850. Toutes ces entreprises seront par la suite vendues à des particuliers qui continueront à les exploiter.

Cet engagement socio-économique ne semble pas créer des difficultés pour qui que ce soit. Mais voilà qu'après 1880 une hostilité croissante se manifeste à l'égard des Franco-Ontariens en général. En effet, les quarante années entre 1880 et 1920 sont une période d'animosité de la part de beaucoup d'anglophones de l'Ontario à l'endroit des Ontariens francophones. Les grands conflits nationaux y contribuent. Ainsi la rébellion de Louis Riel et sa pendaison à Régina en 1885, la loi des biens des jésuites au Québec en 1888, la loi scolaire du Manitoba qui abolit ses écoles confessionnelles en 1890 et la loi de la même province en la même année abolissant le français comme langue officielle devant son assemblée législative et ses tribunaux, sont toutes des mesures qui servent à empoisonner l'opinion publique du Canada en la divisant en deux camps, celui des Canadiens français et celui des anglophones.

En Ontario cette polarisation devient manifeste après 1880. La méfiance, la rivalité et l'incompréhension mutuelle entre Canadiens français et Canadiens irlandais existaient au Canada depuis l'arrivée de ces derniers au pays après 1820. Bon nombre des immigrants d'Irlande iront travailler dans l'industrie forestière de la vallée de l'Outaouais où ils feront concurrence à la main-d'œuvre canadienne-française. Les batailles, souvent sanglantes, qui en résulteront, sont un chapitre bien connu de notre histoire[29]. À l'instar de plusieurs immigrants de l'époque, l'Irlandais qui débarque au Canada est souvent la lie d'une société déjà dépourvue de justice et de paix. L'Irlandais protestant formera le noyau des loges orangistes au Canada[30], lesquelles se voudront en Ontario l'âme de la résistance à l'« invasion française ». L'Irlandais catholique encadré par son clergé sera appelé à côtoyer ses coreligionnaires canadiens-français sur une base quotidienne. Les deux ethnies se comprendront difficilement.

Une autre manifestation de cette méfiance entre catholiques irlandais et canadiens-français est celle des évêques anglophones de l'Ontario qui cherchent, depuis 1868, à annexer à la province ecclésiastique de Toronto (érigée en 1870) le territoire ontarien du diocèse d'Ottawa; ce dernier faisait partie depuis toujours de la province ecclésiastique de Québec. Guigues s'oppose de pied ferme à cette agression dirigée par Mgr John Lynch de Toronto, et son successeur Duhamel fera de même. Cette controverse qui s'amorce en 1868 devient une campagne soutenue d'annexion à compter de 1874, alors que les évêques anglophones de l'Ontario feront des pieds et des mains pour s'emparer du siège épiscopal d'Ottawa. Cette campagne annexionniste dirigée par Toronto, repose en réalité sur la méfiance des évêques d'origine irlandaise à l'égard de l'épiscopat canadien-français d'Ottawa. L'épiscopat canadien-français en devient convaincu, car même la majorité croissante (deux pour un) de fidèles francophones dans le diocèse d'Ottawa ne réussit pas à faire lâcher prise à Lynch et ses collègues. Les évêques canadiens-français leur remettent donc la monnaie de la pièce, Mgr Duhamel déclarant à ce sujet :

> Je ne puis me résigner à devenir suffragant dans une province (Toronto) qui (...) est gouvernée par des évêques qui traitent les Canadiens français de race inférieure[31] (...)
>
> Il suffit de relire les injures gratuites que les prélats susdits (Lynch et ses suffragants en 1882) ont lancé contre les Canadiens français et les prétentions qu'ils ont au siège d'Ottawa pour savoir que les évêques de langue anglaise seront prêts, à la première occasion, à demander au Saint-Siège qu'un évêque irlandais soit promu au siège d'Ottawa[32].

Ainsi à la fin du XIXe siècle les Franco-Ontariens doivent côtoyer dans leur Église des Irlandais catholiques qui se sentent davantage concurrents que frères. La rivalité dans les rangs des haut et bas clergés va se continuer jusqu'après 1960, à l'occasion de nominations et de successions épiscopales et curiales. Il y aura même un diocèse, celui d'Alexandria, qui sera érigé en 1890 surtout pour contrer des prétentions supposées de l'archevêque d'Ottawa[33].

C'est dans une telle conjoncture de méfiance et d'animosité internes à l'Église catholique que la majorité anglo-protestante de l'Ontario entreprend de faire rentrer les Franco-Ontariens dans le rang. En 1885, le ministère de l'Éducation impose la connaissance de l'anglais comme qualification pour tous les maîtres d'école, ainsi que l'enseignement de l'anglais comme sujet d'étude dans toute école ontarienne. En 1889, le même ministère retire l'autorisation d'utiliser des manuels scolaires en langue française tandis que les journaux de Toronto battent les tambours de la francophobie[34]. Ce sont surtout les écoles françaises des comtés de Prescott et de Russell qui deviennent la cible préférée des chauvins anglophones.

Ainsi harcelée par le clergé irlando-catholique, par les agents du ministère de l'Éducation et par certains journaux de Toronto, la population franco-ontarienne se replie sur elle-même, colmate les brèches dans sa façade franco-catholique et accepte l'encadrement et la direction du clergé qui devient l'état-major d'un peuple sur la défensive. La tension augmente rapidement jusqu'à l'explosion que constitue la crise du règlement 17 qui a cours entre 1912 et 1927[35]. C'est dans cette crise que le clergé de l'Ontario français assoit solidement son pouvoir en assumant la direction de son peuple dans son projet scolaire et indirectement sociopolitique. Le besoin de survivance consacre tant le leadership et le pouvoir du clergé franco-ontarien que l'identité franco-ontarienne.

Une Église de survivance

Le rôle primordial de l'Église dans l'Ontario français s'explique donc par les trois raisons que sont en ordre ascendant d'importance, le leadership des hommes d'Églises, l'idéologie ultramontaine de l'Église de l'époque (1850–1950) et la conjoncture de survivance des Franco-Ontariens surtout après 1880. Cette Église de « survivance » aux visages défensif et agressif, développera une physionomie assez particulière dont nous tenterons maintenant de dégager les traits.

L'Église catholique romaine fut jusqu'à tout récemment la seule institution indigène à l'Ontario français et majoritairement solidaire de ses aspirations, car son clergé, d'origines québécoise, ontarienne et française, se trouvait, a titre de francophone, majoritaire dans l'Église canadienne. Tant le haut que le bas clergé se sentaient non seulement chefs sociaux mais aussi représentants des aspirations d'un peuple qui était le leur. Quand le temps viendra d'encadrer et de diriger la résistance aux assauts venus tant de l'intérieur que de l'extérieur, qui d'autre pourra être investi de ces fonctions et en mesure de les assumer? Ce clergé gardera le haut du pavé dans la direction de la collectivité franco-ontarienne jusqu'au milieu du XXe siècle. À compter de 1910, un nombre croissant de chefs laïques sauront s'illustrer, Napoléon Belcourt, J.-Raoul Hurtubise, Gustave Lacasse et Samuel Genest entre autres. Cependant, ces derniers restent à l'ombre des clercs comme J.-T. Duhamel et Charles Charlebois pendant toute la première moitié du XXe siècle.

Tout en faisant siennes les aspirations des Franco-Ontariens, le clergé verra aussi à les infléchir. Ne pensons pas ici en termes de complots ourdis dans les coulisses des palais épiscopaux. Songeons plutôt à une forte équipe quasi unanime dans ses convictions, bien encadrée par le haut, et ayant ses coudées financières relativement franches avant le début du XXe siècle. Ce clergé canadien-français jouit de solides appuis parmi le clergé québécois. Il s'occupe des dossiers qui sont prioritaires pour ses ouailles, quitte à les infléchir et orienter selon les vœux de l'Église. Ainsi ce n'est pas le clergé qui invente ou cause le mouvement de colonisation. Il assumera pourtant ce mouvement en dirigeant les colons canadiens-français vers les régions où ils pourront être solidaires et ainsi plus aptes à vivre des directives de l'Église. Des prêtres et des évêques servent les intérêts des colons auprès des gouvernements, augmentant ainsi le prestige et la crédibilité des clercs. Ainsi, dès août 1848, moins de deux mois après son arrivée à Bytown, Mgr Guigues veille à l'organisation de ses ouailles en faveur du mouvement de colonisation. L'évêque oblat ne cessera de se renseigner et d'intervenir en faveur de ses colons au cours des décennies 1850 et 1860[36].

Il en est de même dans la question scolaire. Lors de la mise en place du système de l'Ontario après 1841, un réseau d'écoles confessionnelles est prévu à côté du nouveau réseau d'écoles publiques (*common schools*); c'est l'école séparée, devant permettre à la minorité confessionnelle d'une section scolaire donnée de se doter, aux frais de l'État, d'une école parallèle à celle de la majorité. Puisque la grande majorité des citoyens anglo-protestants se satisfont de l'école publique, l'école séparée devient le plus souvent l'école des catholiques[37].

Jusqu'en 1850, la hiérarchie catholique accepte tant l'école publique que l'école séparée, le nombre de ces dernières allant même en diminuant. La croissance rapide du nombre d'écoles publiques après 1850 (voir Tableaux V et VI), ainsi que l'entrée en scène du deuxième évêque de Toronto à l'automne de la même année, auront tôt fait de renverser la vapeur. Le nombre d'écoles séparées catholiques passe de 16 en 1851 à 115 en 1860. La hiérarchie catholique de l'Ontario entraînée par Mgr Armand-François-Marie de Charbonnel, s'engage sur la voie de la séparation totale pour les écoliers catholiques. Un nouveau péché mortel est inventé par Mgr de Charbonnel en 1856; c'est celui des parents catholiques qui inscrivent leurs enfants à l'école publique.

Le clergé canadien-français ne suit pourtant pas nécessairement la consigne épiscopale. Même Mgr Guigues, tout en appuyant verbalement la croisade de Mgr de Charbonnel, encourage ses ouailles à rester dans l'école publique quand c'est dans leur intérêt. Le premier évêque d'Ottawa ne prône l'école séparée pour ses ouailles qu'à compter de 1856, quand le Conseil scolaire d'Ottawa (public) se montre hostile aux intérêts des Franco-catholiques. Guigues déclare en 1856 :

> Les motifs qui ont porté à demander la séparation des écoles, l'année dernière, subsistent encore (...) Je vous ai toujours portés à vivre en bonne harmonie avec les protestants, je vous ai même détournés de demander des écoles séparées, aussi longtemps que les commissaires ont rendu justice aux catholiques[38].

C'est dans le même esprit que Jean-Marie Bruyère, vicaire général du diocèse de Sandwich, écrit en 1866 au surintendant adjoint de l'Éducation de l'Ontario à propos d'une école à Maidstone et Rochester :

> Personne ne veut transformer cette école en école séparée. Tous les habitants de l'endroit ainsi que les écoliers sont catholiques romains; les conseillers scolaires sont également catholiques. Les parents et les enfants sont tous Canadiens français. Les manuels utilisés dans l'école sont français[39].

Cinq ans plus tard (1871) c'est le curé A. Brunet de L'Orignal qui déclare à Egerton Ryerson :

> La population francophone de cette section scolaire (...) s'est vue obligée en 1867 d'établir une école séparée pour *la seule et unique raison* d'y faire enseigner leur langue, les conseillers scolaires des écoles communes publiques ayant constamment négligé d'embaucher un instituteur compétent pour enseigner le français[40].

Ainsi, entraînés par leur clergé, les Franco-Ontariens transforment l'école séparée en refuge linguistique et culturel. Cependant, l'école séparée avait été créee dans la décennie 1840 comme une institution confessionnelle, par définition; le geste est renforcé par la loi Taché de 1855 qui réserve ces écoles séparées aux catholiques surtout, excluant, sauf de très rares exceptions, toutes les autres confessions religieuses. L'Église innove donc en utilisant l'école confessionnelle comme refuge linguistique. Il faut à tout prix assurer la survie des Canadiens français.

Une correspondance soutenue entre divers Franco-Ontariens et Mgr Duhamel d'Ottawa montre le même souci de placer les écoles des Franco-Ontariens dans le réseau scolaire qui leur est le plus avantageux sur le plan financier, c'est-à-dire le réseau public. Jusqu'en 1885 les écoles franco-ontariennes se logent surtout à l'enseigne de l'école publique, car les communautés franco-ontariennes sont suffisamment homogènes pour assurer une école publique à caractère catholique et français.

Cependant, quand l'urbanisation et la dilution de l'homogénéité franco-catholique des communautés menacent l'homogénéité française et catholique de l'école, on a tendance à chercher refuge dans l'école séparée qui peut au moins servir à écarter les écoliers protestants et partant, un grand nombre d'anglophones. C'est le moment choisi par la direction de l'Église franco-ontarienne pour battre le fer de l'école séparée. Pendant les deux dernières décennies du XIXe siècle, Mgr Duhamel se montre progressivement plus menaçant et intransigeant à l'égard des parents catholiques qui favorisent l'école publique. Il brandit la menace de l'excommunication devant tout parent franco-catholique qui continue de préférer l'école publique. En 1900 sa stratégie a réussi. Une majorité croissante d'écoles franco-ontariennes se retrouvent dans le réseau d'écoles séparées. L'Église de l'Ontario français a fait sien le besoin de survivance linguistique et culturelle pour amener les fidèles, finalement par les grands moyens, à préférer l'école catholique. Le pouvoir de l'Église s'est accru d'autant, le clergé s'étant assuré en fait, sinon en droit, la direction des écoles.

On retrouve le même processus dans la mise en place des organismes de défense de la collectivité franco-ontarienne. Depuis le milieu du XIXe siècle, le clergé catholique a le haut du pavé dans des associations comme la Société Saint-Jean-Baptiste ou l'Institut canadien-français d'Ottawa; en 1878, ce dernier refuse de permettre à des personnages féminins, même joués par des garçons, d'évoluer sur sa scène, car l'évêque d'Ottawa l'interdit[41]. Quand vient le moment de fonder l'Association canadienne-française d'éducation de l'Ontario

(ACFÉO) en 1910, le clergé y occupe plusieurs postes, et ce sont les paroisses qui servent souvent de points de ralliement pour les Franco-Ontariens à la grandeur de la province. La hiérarchie catholique influence le choix tant du président de l'ACFÉO que de ses officiers, lesquels seront souvent des religieux[42]. Encore une fois l'Église a fait sienne les aspirations de son peuple pour les orienter à sa guise. Le clergé canadien-français se fit le porte-parole de son troupeau franco-ontarien; c'était sauvegarder tant ses propres intérêts apostoliques que son contrôle sur ses fidèles.

Faut-il enfin rappeler le rôle capital du clergé dans la mise sur pied de l'Ordre des commandeurs de Jacques-Cartier, organisme secret fondé à Ottawa en 1926, non seulement avec le consentement, mais avec la participation active de plusieurs clercs et religieux. La constitution officielle de l'Ordre est approuvée en 1927 par Mgr Joseph Charbonneau, vicaire capitulaire du diocèse d'Ottawa[43]. L'Ordre publie la revue *L'Émerillon*[44] et provoque la naissance de toute une série d'associations et de campagnes à caractère social et nationaliste au Canada français. L'Ordre de Jacques-Cartier

> est une association à caractère national qui vise à former et grouper une élite militante, en vue d'atteindre dans la discrétion, le bien commun spirituel et temporel des catholiques de langue française[45].

Dès 1930, la majorité des membres de l'Ordre sont québécois, mais sa direction sera toujours franco-ontarienne, et ses commanderies ontariennes, fondées dans tous les centres franco-ontariens, seront toujours l'œuvre préférée des dirigeants. Ces commanderies se pencheront surtout sur le dossier scolaire, tout en portant un intérêt certain à la création de paroisses de langue française, surtout dans les centres où les francophones sont isolés, à Toronto et à Oshawa par exemple. Les archevêques J.-G.-L. Forbes, A. Vachon et M.-J. Lemieux d'Ottawa servent de grands aumôniers d'honneur à l'Ordre qui jouit de l'appui, actif ou passif, de tous les évêques francophones de l'Ontario. Les grands chanceliers de l'Ordre de Jacques-Cartier veillent à maintenir d'excellentes relations avec la hiérarchie catholique, les délégués apostoliques inclus[46]. L'Ordre se désagrège en 1965, victime d'une nouvelle mentalité au Canada français. Pendant près de quarante années d'existence, l'Ordre sera surtout dirigé par des hommes de la région d'Ottawa dont Mgr F.-X. Barrette, curé de paroisse[47].

L'Église a donc gagné sa place dominante en Ontario français tant par son leadership que par son empressement à faire siens et à orienter les projets collectifs des Franco-Ontariens. C'est surtout en devenant le chef de la survivance franco-ontarienne qu'elle gagne ses lettres de noblesse. Puisque la foi catholique n'est pas liée à une langue ou à une culture particulière, cet engagement sociopolitique par les clercs franco-catholiques provoque inévitablement une confrontation avec les clercs irlando-catholiques. Ces derniers ont également lié leur sort à leur groupe ethnique, devenu anglophone. Cette hostilité s'insère dans un climat analogue dans l'Ontario du début du siècle. Le conflit sera long et pénible.

La religion de l'Ontario français avant 1960 n'en est pas une d'accueil et de célébration du monde. Elle est plutôt une religion de rejet et de condamnation du monde et de la société, qui se révèle être une société de perdition, lieu de péché et de souffrance; cet héritage est le châtiment de Dieu qui punit ses enfants pour leurs méfaits. Comme le reste du monde catholique, les Franco-Ontariens sont « le reste d'Israël », le « peuple de Yahweh », la nation sainte qui doit subir les épreuves actuelles pour accéder à la gloire promise aux enfants de Dieu, car comme le déclare Mgr Béliveau de Saint-Boniface en pleine crise scolaire en 1916 : « Les femmes qui défendent l'École Guigues écrivent (...) l'une des pages les plus sublimes que peuvent léguer les annales des peuples[48]. »

La théologie qui a cours dans l'Église catholique de l'époque est fondée sur la peur et la méfiance face à l'homme et à la société.

Le rigorisme moral s'impose dans une telle situation, car la forteresse assiégée ne saurait tolérer la dissidence, ni même la joie ou le plaisir. La danse est interdite dans tout immeuble ecclésiastique, la musique « légère » est tenue pour dangereuse car « elle corrompt l'âme et les sentiments purs ». Les promenades « mixtes » en raquettes et en traîne sauvage sont à réprimer, de l'avis de l'archevêque d'Ottawa.

> Que les parents répriment aussi cette licence funeste croissante chaque année qui, en hiver, sous prétexte de récréation, pousse les jeunes filles oublieuses de leur sexe, au mépris de la pudeur, changeant presque complètement leur vêtement de femme en vêtement d'homme, à faire durant la nuit avec les jeunes gens des promenades en raquettes, soit ce qui est pire, à s'étendre avec eux sur des traînes d'écorce pour se précipiter le long des glissoires. Qu'elles songent à ce grave avertissement de l'Esprit Saint : « Qui aime le danger y périra[49]. »

L'idéologie des barricades est donc de rigueur dans la religion franco-ontarienne d'antan. Les gens y trouvent pourtant une certaine satisfaction, car il va de soi à l'époque qu'il est plus vertueux d'être un minoritaire persécuté qu'un majoritaire assuré.

Ce portrait plutôt sombre de la religion franco-ontarienne d'antan est pourtant allégé par l'engagement social, le dynamisme, la solidarité et l'espérance certaine véhiculées par cette même Église, que ce soit par la colonisation, l'école, les missions ou l'Ordre des commandeurs de Jacques-Cartier. Le dynamisme du clergé y est tout aussi évident. L'espérance certaine de cette religion est le revers de la médaille qui condamne le monde d'ici-bas. On croit dans un avenir meilleur parce qu'on croit à la justice de ses causes et parce qu'on est confiant que le droit finira par triompher. C'est ainsi que s'exprime Mgr Latulippe de Haileybury au congrès de l'ACFÉO de 1916:

> Si on nous enlève notre langue, que ce soit seulement quand elle sera glacée à notre palais quand nous serons tombés tous jusqu'au dernier. Frères, le droit ne meurt pas et c'est quelques fois sur les tombeaux que les palmes s'étalent et que les fleurs s'entrouvrent[50].

Ainsi cette Église sévère et disciplinée donne à ses ouailles leur raison d'être collective. Elle nourrit, fonde et consacre leur espérance de posséder le sol, de gérer leurs écoles françaises et de se regrouper en associations « nationales ». Quand le besoin s'en fait sentir, elle assume même des responsabilités économiques telles l'érection de moulins, la construction de navires ou de voies ferrées, ou la fondation de journaux comme *Le Droit* (1913). En plus d'être strictement encadré par son Église, surtout après 1900, le Franco-Ontarien est porté par la même Église vers une confiance certaine en un monde meilleur.

La femme joue un rôle capital dans cette histoire religieuse, sans pour autant occuper les postes de commande. Nombreuses sont les congrégations religieuses féminines (voir Tableau III) qui s'occupent surtout d'œuvres sociales; elles sont toujours sous la surveillance « paternelle » de l'évêque du lieu ou d'un religieux-homme, comme il se doit dans la société de l'époque[51].

Quelque 26 congrégations religieuses de femmes ont œuvré en Ontario français depuis 1845, année de l'arrivée à Bytown (Ottawa) des sœurs de la Charité de l'Hôpital général de Montréal, devenues par la suite sœurs Grises de la Croix d'Ottawa et, plus récemment, les sœurs de la Charité d'Ottawa. Environ 23 congrégations d'hommes sont venues en Ontario depuis l'arrivée des premiers récollets en 1615.

La taille de ces congrégations de femmes va de minuscule à très grande. Dans cette dernière catégorie se trouve la congrégation des

TABLEAU III
Les congrégations religieuses de femmes de l'Ontario français*

Noms	*Lieux d'origine immédiate*	*Année d'arrivée*
Sœurs de la Charité (sœurs Grises)	Montréal, Québec	1845
Religieuses hospitalières de Saint-Joseph	Montréal, Québec	1845
Ursulines de Chatham	France	1860
Sœurs des Saints Noms de Jésus et de Marie	Longueuil, Québec	1864
Sœurs de la Congrégation de Notre-Dame	Montréal, Québec	1865
Sœurs du Bon-Pasteur d'Angers	France	1866
Sœurs de Saint-Joseph de London	France	1868
Sœurs de la Miséricorde	Montréal, Québec	1879
Sœurs de Sainte-Croix	Saint-Laurent, Québec	1885
Sœurs de Sainte-Marie de Namur	Elmira, New York	1886
Sœurs adoratrices du Précieux Sang	Saint-Hyacinthe, Qué.	1887
Filles de la Sagesse	Poitiers, France	1891
Petites sœurs de la Sainte-Famille	Sherbrooke, Québec	1896
Sœurs du Sacré-Cœur-de-Jésus	France	1902
Sœurs de l'Assomption de la Sainte Vierge	Nicolet, Québec	1910
Sœurs de la Providence	Montréal, Québec	1910
Institut Jeanne-d'Arc	Ottawa, Ontario	1919
Sœurs de Notre-Dame-du-perpétuel-secours	Bellechasse, Québec	1920
Sœurs de Sainte-Anne	Vaudreuil, Québec	1921
Sœurs blanches d'Afrique	Québec, Québec	1928
Servantes de Notre-Dame, Reine du Clergé	Matapédia, Québec	1934
Servantes du Bon-Pasteur de Québec	Québec, québec	1937
Sœurs de Notre-Dame-Auxiliatrice	Mont-Laurier, Québec	1937
Sœurs de Sainte Marthe	Saint-Hyacinthe, Qué.	1942
Petites sœurs de l'Assomption	Montréal, Québec	1959
Religieuses de Jésus-Marie	Lyon, France	1959

* Tableau compilé à partir des sources suivantes :
Paul-François SYLVESTRE, *Les Communautés religieuses en Ontario français*, Montréal, Éditions Bellarmin, 1984 144 p.
Robert CHOQUETTE, *L'Église catholique dans l'Ontario français du dix-neuvième siècle*, Ottawa, Éditions de l'Université d'Ottawa, 1984, 365 p.

sœurs de la Charité d'Ottawa. Elle est non seulement la première congrégation de femmes à œuvrer en Ontario français, mais aussi celle qui développera les effectifs les plus importants. Le nombre de religieuses venues de Montréal en 1845 — elles étaient quatre — aura décuplé à plusieurs reprises pendant le premier siècle d'existence de la communauté outaouaise. Deux ans après leur arrivée à Bytown, leur couvent compte déjà 21 religieuses. Au fil des ans et à partir d'Ottawa, ces femmes fonderont de nombreuses écoles élémentaires, quelques écoles secondaires et collégiales et une série d'hôpitaux. Ainsi leur fondation initiale, celle de l'Hôpital général d'Ottawa (1845) plusieurs fois agrandi, est suivie en 1879 de l'Hôpital Sainte-Anne pour les maladies contagieuses et en 1925 de l'Hôpital Saint-Vincent pour les malades incurables. Entre-temps, ces mêmes femmes dynamiques avaient essaimé à Buffalo (1857), Plattsburg (1860), Ogdensburg (1863), Témiskaming (1866), Aylmer (1867), Montebello (1867), Pembroke (1868), Buckingham (1869), Hull (1869), Maniwaki (1870), Pointe-Gatineau (1872), Eganville (1873) et Saint-François-du-Lac (1875). Les maisons se multipliaient à un rythme effréné, dotant le vaste paysage du Canada central et du nord de la Nouvelle-Angleterre de tout un chapelet de couvents, d'écoles et parfois d'hôpitaux[52].

Les sœurs grises s'occupent surtout des écoles élémentaires et des soins hospitaliers. Il en sera de même pour la majorité des deux douzaines de congrégations religieuses de femmes qui ont œuvré en Ontario français, que ce soit les Filles de la Sagesse, les ursulines de Chatham ou les sœurs des Saints Noms de Jésus et de Marie. Quelques congrégations s'adonneront au service du clergé; c'est le cas des sœurs de Sainte-Marthe, des servantes de Notre-Dame, Reine du Clergé et des Petites sœurs de la Sainte-Famille. Bref, entre 1850 et 1950, en Ontario français comme au Québec, le service social et l'enseignement est surtout l'apanage des religieuses. Celles-ci se mériteront leurs lettres de noblesse et le respect de tous par leur dévouement et leur service désintéressé. De plus, le chemin du couvent était un des seuls ouverts aux jeunes femmes soucieuses d'une carrière à l'extérieur du foyer. Durant cette centaine d'années, la promotion de la femme passait par le couvent.

La transformation de l'Église franco-ontarienne

Le congrès marial international qui eut lieu à Ottawa du 18 au 22 juin 1947 fut à la fois le plus grand geste d'éclat et le chant du cygne de cette Église franco-ontarienne d'antan. À l'occasion du centenaire de l'érection du diocèse d'Ottawa et en prévision de la proclamation du dogme de l'Assomption de Marie (1950), une procession de personnages à réputation nationale et internationale y font acte de présence, dont le premier ministre Mackenzie King. Au nombre des chefs ecclésiastiques on trouve le légat pontifical et archevêque de Toronto, le cardinal James Charles McGuigan, le délégué apostolique Mgr Ildebrand Antoniutti, une dizaine de cardinaux et une centaine d'évêques. Les clercs, religieux et religieuses s'y retrouvent par milliers, tandis que les fidèles y accourent par dizaines de milliers; le défilé de clôture du 22 juin a lieu devant quelque 200 000 personnes[53].

Ce congrès marial organisé par Mgr Vachon à l'été de 1947 marque l'apogée du triomphe et de la gloire de l'Église franco-ontarienne. Le pauvre diocèse de Mgr Guigues avait atteint le sommet des grandeurs.

La désagrégation de cette Église franco-ontarienne devenue triomphaliste s'amorce au lendemain du congrès marial. Sans cesse marquée par des tensions, telles les rivalités ethniques, et par son particularisme, elle doit vivre au point de jonction des Canadas français et anglais. Avant 1950, ces tensions ont toujours été maîtrisées, car le clergé collait de près aux aspirations de ses ouailles, disposées à pardonner plusieurs offenses parce que c'était « leur » Église.

Le nouveau monde engendré par la Seconde Guerre mondiale se reconnaît pourtant de moins en moins dans l'Église franco-ontarienne, laquelle ressemble à plusieurs égards à l'Église du Québec. Les mêmes conflits de valeurs et d'aspirations s'y retrouvent, quoique à un degré moindre. Aux yeux des Franco-Ontariens, leur Église franco-ontarienne, centrée sur Ottawa, s'était hissée au sommet du pouvoir social en faisant sienne la lutte pour la survivance et la reconnaissance des droits du français en Ontario. La conjoncture change tout à fait d'allure après 1960, quand les gouvernements du Canada et de l'Ontario découvrent leurs responsabilités à l'égard de la minorité franco-ontarienne. C'est pendant cette même décennie des années 1960 qu'a lieu le concile Vatican II (1962–1965), qui propose de transformer l'Église-pouvoir en Église-service.

La nouvelle Église postconciliaire allait naviguer pendant une décennie (1965–1975) dans le désert de la confusion bruyante et du silence incertain. Un monde s'était éteint, illustré par la fin de l'Action Catholique, la fin des commandeurs de l'Ordre de Jacques-Cartier, et la désaffectation du clergé qui devenait une débandade. Par ailleurs, de nouvelles théologies comme celles de la mort de Dieu, de la sécularisation, des réalités terrestres, de l'espérance, de la libération, etc., n'indiquaient que confusément les chemins d'avenir. Les Franco-Ontariens ne semblent pas abandonner leur Église avec la même furie

TABLEAU IV

Le clergé et les écoles catholiques en Ontario 1984*

	Total	*Francophones ou bilingues*
Nombre total de clercs (séculiers et réguliers)	2 871	689
Nombre de conseils scolaires catholiques romains	59	24
Nombre de collèges et d'universités catholiques	8	2
Nombre d'écoles secondaires catholiques	102	5**

* Compilé de ONTARIO CONFERENCE OF CATHOLIC BISHOPS, *ONTARIO CATHOLIC YEARBOOK/L'ANNUAIRE CATHOLIQUE DE L'ONTARIO 1983–84*.

** Notons que la grande majorité des écoles secondaires francophones se sont intégrées au réseau d'écoles publiques en 1968.

que plusieurs Québécois. La baisse dans la pratique religieuse est pourtant manifeste après 1965[54].

L'Église franco-ontarienne est aujourd'hui analogue à celle du Québec et évolue à un rythme semblable mais non identique. C'est dans le but de s'affranchir de la tutelle tant québécoise que torontoise, que Mgr Duhamel œuvra pour l'obtention de l'érection de la province ecclésiastique d'Ottawa (1886). Ce siège archiépiscopal est devenu le siège social de l'Église des Franco-Ontariens, quoique les francophones des provinces ecclésiastiques de Toronto (1870) et de Kingston (1889) resteront rattachés à ces métropoles ecclésiastiques. Le droit civil du Québec n'existant pas en Ontario, on n'y retrouve dans la loi civile aucune obligation de payer la dîme. Les propriétés ecclésiastiques sont inscrites au nom de diverses corporations épiscopales diocésaines, c'est-à-dire au nom de l'évêque.

L'Église de l'Ontario français est aujourd'hui dotée d'un clergé surtout indigène, quoique dans le passé bon nombre de prêtres, de religieux et de religieuses québécois s'y retrouvaient. Aujourd'hui, 24 % du clergé catholique ontarien est d'origine française. C'est une Église qui s'est donné un réseau important d'universités, de collèges, d'hôpitaux, d'hospices, de couvents et d'écoles. Ce fut là l'armature de la survivance franco-ontarienne jusqu'en 1960, sans oublier l'importance capitale de certains diocèses et des paroisses françaises.

En Ontario, les catholiques se chiffrent à plus du tiers (35 %) de la population, et les Ontariens de langue maternelle française composent 16 % des catholiques.

TABLEAU V

L'école ontarienne au XIXe siècle*

Année	*1831*	*1842*	*1851*	*1860*	*1872*	*1882*	*1892*
	236 702	487 043	952 004	1 396 091	1 620 851	1 926 922	2 114 300
Population de l'Ontario	11	45	—	86	104	104	128
Nombre d'écoles secondaires	400	—	2 985	3 854	4 490	5 013	5 577
Nombre d'écoles publiques	—	—	16	115	171	190	312
Nombre d'écoles séparées catholiques	—	—	—	4 400	7 968	12 348	22 837
Nombre d'élèves dans les écoles secondaires	10 000	90 000	168 159	301 104	433 256	445 364	448 204
Nombre d'élèves dans les écoles séparées catholiques	—	—	—	14 708	21 406	26 148	37 466
Nombre des enseignants (hommes)	—	—	—	—	2 626	3 062	2 770
Nombre des enseignants (femmes)	—	—	—	—	2 850	3 795	5 710

* Pour la première moitié du XIXe siècle les chiffres sont tirés de diverses sources dont John Andrew HOPE *et al. Report of the Royal Commission on Education in Ontario 1950*, Toronto, Baptist Johnston, 1950, J. George HODGINS, *Documentary History of Education in Upper Canada*, Vol. XXV, 1871–1874, Toronto, L.K. Cameron, 1908, pp. 35–38. ONTARIO, *Sessional Papers*, 62 Victoria, A. 1899., table P., p. 66, J.D. WILSON, R. STAMP, L.-P. AUDET, *Canadian Education : A History*, Scarborough, Prentice-Hall, 1970.

TABLEAU VI

L'école ontarienne au XXe siècle*

	1911	*1921*	*1931*	*1951*	*1961*	*1971*	*1981*
Pop. totale de l'Ontario	2 523 274	2 933 662	3 431 683	4 597 542	6 236 092	7 703 106	8 625 105
Pop. d'origine française de l'Ontario	202 457	248 275	299 732	438 939	647 941	737 360	475 605**
Pop. catholique de l'Ontario	484 997	576 178	744 740	1 142 740	1 873 110	2 568 695	3 036 245
Nombre d'écoles élém. publiques	6 400	6 289	6 403	5 863	5 521	2 862	
Nombre d'écoles élém. publiques bilingues	122				52		
Nombre d'écoles élém. séparées	482	656	761	965	1 412	1 345	
Nombre d'écoles élém. séparées bilingues/franc.	223				505	323	293
Nombre d'écoles secondaires		310	490	400	447	588	
Nombre d'écoles secondaires françaises	aucune	aucune	aucune	aucune	aucune	20	33
Nombre d'écoliers dans les écoles élém. publiques	242 977	515 202	472 564	508 364	851 703	1 034 703	
Nombre d'écoliers dans les écoles élém. séparées	57 263	88 546	91 925	127 253	286 615	422 137	
Nombre d'écoliers dans les écoles élém. bilingues/françaises				54 545	83 000	87 496	67 576
Nombre d'écoliers dans les écoles secondaires		98 000	151 000	132 690	265 148	574 520	
Nombre d'écoliers dans les écoles secondaires françaises						28 018	26 686

* Données tirées des Recensements du Canada et des rapports du ministre de l'Éducation de l'Ontario, pour les années en question.

** Langue maternelle.

Aujourd'hui l'Église de l'Ontario français semble avoir réussi à surmonter les pires avatars de la crise récente. Elle s'est redéfinie et réorientée. Elle abandonne le monopole de la cause scolaire qu'elle avait gardé pendant près d'un siècle; elle abandonne les chapelles secrètes comme moyen d'infléchir le courant des choses; surtout elle abandonne le rôle de « puissance » politico-sociale, se rendant compte que l'évangile l'interdit, car le gage d'un véritable pouvoir sur les consciences est la pauvreté et le service. C'est d'ailleurs ainsi que l'Église de l'Ontario français était devenue si forte. C'est également le gage de son avenir.

La nouvelle Église franco-ontarienne se veut simple plutôt qu'enguirlandée, chaleureuse plutôt que formelle, joyeuse plutôt que lugubre et surtout œcuménique plutôt qu'exclusivement catholique romaine.

NOTES

1 Voir à ce sujet Ernest J. LAJEUNESSE, *The Windsor Border Region* Toronto, The University of Toronto Press, 1960, CXXIX–374 p.

2 Voir Léopold LAMONTAGNE et Richard A. PRESTON, *Royal Fort Frontenac*, Toronto, The Champlain Society for the Government of Ontario, 1958, 503 p. Léopold LAMONTAGNE, « Kingston's French Heritage », in *Transactions of the Kingston Historical Society* n° 2, 1953, 39 p.

3 Pour un aperçu de cette première colonisation voir R. CHOQUETTE, *L'Ontario français historique*, Montréal, Éditions Études vivantes, 1980, 272 p.

4 L'Auteur a publié un livre intitulé *L'Église catholique dans l'Ontario français du dix-neuvième siècle*, Ottawa, Éditions de l'Université d'Ottawa, 1984. Les aspects de cet article qui touchent le XIXe siècle y sont généreusement documentés. Pour le XXe siècle, voir notre *La Foi gardienne de la langue en Ontario, 1900–1950*, Montréal, Éditions Bellarmin, 1987, 282 p.

5 J.-B. Roupe à Bernard-Claude Panet, lac des Deux-Montagnes, le 14 août 1826, A.A.O.

6 G. Boucher à Egerton Ryerson, Pembroke, le 20 septembre 1849, cité in Michael S. CROSS, *The Frontier Thesis and the Canadas : The Debate on the Impact of the Canadian Environment*, Toronto, Copp Clark, 1970, p. 93; aussi cité in A.R.M. LOWER, *Great Britain's Woodyard. British America and the Timber Trade, 1763–1867*, Montréal et London, McGill-Queen's University Press, 1977, p. 165.

7 A. Neyron à I. Bourget, Bytown, le 12 septembre 1842, fonds Ottawa, 255.110, 842–7, A.C.A.M.

8 Le diocèse de Bytown est érigé en 1847.

9 J.-E.-B. Guigues, « Notes sur l'état du diocèse en 1848 », Bytown, octobre, 1848, *R.G.2*, p. 38, A.A.O.

10 Cité de H. TÊTU, *Journal*, Québec, 1903, repris par Hugh Joseph SOMERS, *The Life and Times of the Hon. and Rt. Rev. Alexander Macdonell, D.D., First Bishop of Upper Canada*, Washington, D.C., The Catholic University of America, 1931, p. 68.

11 R. Gaulin à J.-J. Lartigue, St. Raphael, le 2 octobre 1835, fonds Kingston, A.C.A.M. J.-J. Lartigue à Alexander Macdonell, Montréal, le 10 octobre 1835, fonds Macdonell, A.A.K.

12 R. Gaulin à J.-J. Lartigue, Toronto, le 8 janvier 1838, fonds Kingston, A.C.A.M.

13 Voir entre autres Nadia FAHMY-EID, *Le Clergé et le pouvoir politique au Québec*, Montréal, HMH, 1978. Nive VOISINE et Jean HAMELIN, *Les Ultramontains canadiens-français*, Montréal, Éditions du Boréal Express, 1985, 347 p. Philippe Sylvain et Nive Voisine, *Histoire du catholicisme québécois*, Vol. II, tome 2 « Réveil et consolidation, 1840–1898 », Montréal, Boréal, 1991.

14 Pie IX, Lettre encyclique, Rome le 24 décembre 1874, in Mandements et circulaires Duhamel (désormais *M.C.D.*) 1, p. 25–38, A.A.O.

15 Léon XIII, Lettre encyclique, Rome, le 28 décembre 1878, *M.C.D.*, 1, p. 57–69, A.A.O.

16 *Ibid.*, p. 58–60.

17 J.-T. Duhamel, Lettre pastorale, Ottawa, le 15 décembre 1884, *M.C.D.* 3, p. 124–129, A.A.O.

18 J.-T. Duhamel, Lettre pastorale, Ottawa, le 16 novembre 1885, *M.C.D.* 3, p. 144–149, A.A.O.

19 J.-T. Duhamel, Lettre pastorale, janvier 1886, *M.C.D.* 3, p. 150–160, A.A.O.

20 J.-T. Duhamel à C.-A. Marois, Ottawa, le 30 août 1896, Registre de Lettres Duhamel (désormais *R.L.D.*) 6, p. 866–867, A.A.O.

21 J.-T. Duhamel, Circulaire, Ottawa, le 7 mai 1885, *M.C.D.* 3, p. 167, A.A.O.

22 Voir le Tableau I.

23 J.-E.-B. Guigues à I. Bourget, Bytown, le 16 novembre 1851, 255.110, 851–4, A.C.A.M.

24 J.-T. Duhamel, Circulaire, Ottawa, le 4 mai 1884, *M.C.D.* 3, p. 77–80, A.A.O.

25 X.-A. Labelle à J.-T. Duhamel, Saint-Jérôme, les 21, 24, 28 juillet 1884, A.A.O. S.-E. Lefebvre, Circulaire, Montréal, le 26 décembre 1884, A.A.O., J.-T. Duhamel, Circulaire, Ottawa, le 8 avril 1885, *M.C.D.* 3, p. 163–165, A.A.O.

26 « Société de colonisation du Lac Témiskaming », Constitution et règlements, Ottawa, 1884, A.A.O.

27 Gaston CARRIÈRE, *Histoire documentaire de la Congrégation des missionnaires oblats de Marie-Immaculée dans l'est du Canada*, Ottawa, Éditions de l'Université d'Ottawa, 1957–1975, tome VII, p. 216–218.

28 J.-T. Duhamel à Honoré Mercier, Ottawa, le 14 mai 1888, *R.L.D.* 4, p. 28–29, A.A.O. Nous documentons cette question dans notre *L'Église catholique*..., p. 237–250.

29 Pour un aperçu de cette question, voir notre *L'Ontario*..., chapitre 3, « La forêt ontarienne », pp. 53–72. M.S. CROSS, « The Shiner's War: Social Violence in

the Ottawa Valley in the 1830's », in *Canadian Historical Review*, Vol LIX, n° 1, mars 1973, p. 1–26.

30 Voir Hereward SENIOR, *Orangeism; The Canadian Phase*, Toronto, McGraw-Hill-Ryerson, 1972, 107 p. Cecil J. HOUSTON and William J. SMITH, *The Sash Canada Wore. A Historical Geography of the Orange Order in Canada*, Toronto, U.T.P., 1980, 215 p.

31 J.-T. Duhamel à E.-A. Taschereau, Rome, février 1882, 25 CP, 1: 10, A.A.Q.

32 J.-T. Duhamel à Jean Simeoni, Rome le 25 octobre 1890, 30 p., fonds Lorrain, 321 CN 2, A.A.Q.

33 Nous documentons toute cette question dans notre *L'Église catholique...*, chapitre 9, « Duhamel vs. Lynch: les conflits de frontières ecclésiastiques ».

34 Voir par exemple « The Rome of the French. A trip in Russell County », in *The Evening Telegram*, Toronto, le samedi, 8 juin 1889.

35 Voir R. CHOQUETTE, *Langue et Religion*, Ottawa, Éditions de l'Université d'Ottawa, 1977, 268 p. R. CHOQUETTE, *La Foi gardienne de la langue en Ontario, 1900–1950.*

36 Nous documentons cette question dans notre *L'Église catholique...*, p. 237–250.

37 Une documentation volumineuse existe sur l'histoire des écoles ontariennes. Voir entre autres Franklin A. WALKER, *Catholic Education and Politics in Upper Canada*, Toronto, Thomas Nelson and Sons Ltd, 1955, 331 p. Franklin A. WALKER, *Catholic Education and Politics in Ontario*, J.D. WILSON, R.M. STAMP, L.-P. AUDET, *Canadian Education...: A History*, Scarborough, Prentice-Hall, 1970, XIX – 528 p. L'auteur consacre un chapitre à cette question de « L'Église et l'école » chez les Franco-Ontariens du XIXe siècle dans son *L'Église catholique...*, trois chapitres y sont consacrés dans son *La foi gardienne de la langue en Ontario, 1900–1950.*

38 « Un assistant », Procès-verbal de l'assemblée, Ottawa, le 30 novembre 1856, brouillon, *R.G.* 7, p. 379–383, A.A.O.

39 J.-M. Bruyère à J.G. Hodgins, Sandwich, le 21 décembre 1866, cité in ONTARIO, *Sessional Papers*, 53 Vic., A. 1890, p. 38.

40 A. Brunet à E. Ryerson, L'Orignal, le 29 novembre 1871, reproduite in ONTARIO, *Sessional Papers*, 53 Vic., A. 1890, p. 38.

41 Voir notre *L'Église catholique...*

42 Voir notre *Langue et religion*, p. 77–86.

43 Voir G. Raymond LALIBERTÉ, *L'Ordre de Jacques-Cartier*, thèse inédite de doctorat, Université Laval, 1980, p. 38, note 1. R. CHOQUETTE, *La Foi gardienne de la langue en Ontario, 1900–1950*, chapitre 8.

44 *L'Émerillon* est publié de janvier 1930 à janvier 1965.

45 Conseil de la CX, « Statistiques des C.O.J.C. », Ottawa, le 20 septembre 1952, fonds C.O.J.C., MG 28 I98, A.P.C.

46 Dans *La Foi gardienne de la langue en Ontario, 1900–1950*, nous avons un chapitre sur l'Ordre. Le lecteur y trouvera une riche documentation sur le sujet.

47 G.R. LALIBERTÉ, p. 120.

48 R. CHOQUETTE, *Langue et religion*, p. 201.

49 J.-T. Duhamel, Lettre pastorale et mandement, Ottawa, le 28 octobre 1889, *M.C.D.* 4, p. 85–104, A.A.O.

50 Cité dans notre *Langue et religion*, p. 201.

51 Au sujet des congrégations religieuses féminines de France au XIXe siècle, voir Claude LANGLOIS, *Le Catholicisme au féminin. Les congrégations française à supérieure générale au XIXe siècle*, Paris, Éditions du Cerf, 1984, 776 p. Pour le Québec, voir Bernard DENAULT et Benoit LÉVESQUE, *Éléments pour une sociologie des communautés religieuses au Québec*, Montréal et Sherbrooke, PUM, 1975, 220 p., avec bibliographie; Martha DANYLEWYCZ, « Taking the Veil in Montreal, 1840–1920: An Alternative to Marriage, Motherhood and Spinsterhood », thèse de doctorat, The University of Toronto, Department of Educational Theory, 1981. Pour un inventaire des communautés religieuses et de leurs œuvres en Ontario français, voir Paul-François SYLVESTRE, *Les Communautés religieuses en Ontario français*, Montréal, Éditions Bellamin, 1984, 141 p.

52 Robert CHOQUETTE, *L'Église catholique*..., p. 163–168.

53 s.a., *Livre d'or du Congrès marial*, microfilm A.A.O.

54 Nous ne connaissons pas d'étude qui documente ce phénomène en Ontario français.

LISTE DES ABRÉVIATIONS

1 A.A.O. Archives de l'archevêché d'Ottawa
2 A.C.A.M. Archives de la chancellerie de l'archevêché de Montréal
3 A.D.P. Archives du diocèse de Pembroke
4 M.C.D., A.A.O. Mandements et circulaires « Duhamel »
5 R.G., A.A.O. Registre Guigues
6 R.L.D., A.A.O. Registre des lettres « Duhamel »

6 *Relations avec le Québec*

PIERRE SAVARD

Les Franco-Ontariens ont une histoire indissociable de celle du Québec, province d'origine de l'immense majorité d'entre eux[1]. Encore aujourd'hui, près d'un Franco-Ontarien sur quatre est né au Québec. Dans la lutte pour la défense de leur langue et de leur culture, ils ont toujours pu compter sur l'appui des Franco-Québécois. Les efforts des Franco-Québécois pour un Canada bilingue n'ont pas été, non plus, sans conséquences importantes pour la survivance et l'épanouissement du groupe franco-ontarien. Enfin, la proximité géographique et culturelle rend les rapports entre Franco-Ontariens et Franco-Québécois plus aisés que ceux entre les autres groupes francophones du pays.

À la création de la province d'Ontario en 1867, la présence canadienne-française est déjà assurée depuis longtemps dans cette partie du Canada. Aux explorateurs, missionnaires et traiteurs français ont succédé des colons venus au début directement de France (comme dans la région du Détroit au XVIIIe siècle), ou bien passés dans les années 1840 du Canada Est au Canada Ouest, comme les cultivateurs de l'Est ontarien ou ceux de la région de Midland[2].

Une première période des rapports entre Franco-Ontariens et le Québec se déroule de 1867 à 1910 environ, et peut se caractériser comme « l'invasion silencieuse » de l'Ontario par les Québécois. En effet, en même temps que le Québec déverse le trop-plein de sa population rurale à Montréal et dans les villes manufacturières de la Nouvelle-Angleterre, voire dans les mines et les forêts du Minnesota, il envoie de nombreux Canadiens français dans l'Est, le Nord et le Sud de l'Ontario.

Les luttes scolaires attirent l'attention sur la minorité franco-ontarienne à partir de 1912 surtout, tant dans la province d'Ontario que dans le Québec, où leur cause suscite une large sympathie dans les milieux patriotiques et chez les politiciens. Cette époque est sans doute celle où la solidarité canadienne-française s'affiche le plus bruyamment des deux côtés de la frontière provinciale.

Les décennies qui suivent voient les Franco-Ontariens continuer de s'organiser dans divers secteurs, tels celui des agriculteurs. Ils le font le plus souvent avec l'aide du Québec. On assiste en même temps à l'affermissement de la conscience d'une collectivité distincte.

Les années 1960 sont des années de mutations profondes pour la société franco-ontarienne. La montée du séparatisme québécois force les leaders franco-ontariens à réviser leurs stratégies politiques et culturelles. Viennent une quinzaine d'années de redéfinition du Franco-Ontarien, années qui ne sont pas exemptes de frictions avec le Québec. C'est aussi l'époque où les Franco-Ontariens attendent beaucoup des politiques fédérales pour la défense de leur identité.

Depuis le milieu des années 1970, les Franco-Ontariens affirment avec plus d'assurance leur façon propre de vivre la francité dans l'espace canadien. Ils marquent des points sur le plan provincial et définissent peu à peu avec le Québec des rapports libres de toute forme de sujétion.

Aux origines d'une communauté franco-ontarienne

À la veille de la Confédération, les Canadiens d'origine française ne constituent que 2,4 pour cent de la population du Canada Ouest, jadis le Haut-Canada. On les trouve dans la région de Windsor où leur importance a relativement baissé depuis le début du siècle. Par contre, les Canadiens français comptent pour près de la moitié de la population des comtés de Russell et de Prescott dans l'Est de la province, et du comté de Nipissing dans le Nord. Le quart de la ville d'Ottawa est formé de francophones. La nature décentralisée de la société du temps permet aux Canadiens français de conserver leur identité culturelle là où ils se retrouvent en nombre suffisant et où existent des institutions comme la paroisse et l'école.

Les vagues d'immigration qui déferlent du Québec sur l'Ontario actuel à partir du milieu du siècle, viennent renforcer les établissements francophones. En vingt ans, la population des comtés de Essex et de Kent double grâce à l'apport démographique du Québec. Les comtés ontariens limitrophes du Québec voient aussi leur population francophone augmenter par la natalité, mais plus encore par l'immigration québécoise. Les structures favorisent ici la rétention de la culture. Ainsi, le diocèse d'Ottawa, qui chevauche la rivière des Outaouais, fait partie de la province ecclésiastique de Québec. Les évêques d'Ottawa ne manqueront jamais de trouver des curés francophones pour les fidèles canadiens-français de leur diocèse, ce qui n'est pas le cas dans les diocèses dirigés par les évêques anglophones ailleurs en Ontario.

Cependant, apparaît vite la faiblesse politique du groupe franco-ontarien. Aucun des Pères de la Confédération n'est francophone d'Ontario, et personne ne défend les droits de ce groupe lors de l'élaboration du pacte confédératif. On peut dire que l'Union avait mieux servi les Franco-Ontariens que ne le fera le nouveau régime[3].

Les trois premières décennies de la Confédération font prendre conscience aux Acadiens et aux Canadiens français hors Québec de la fragilité de leur statut sur les plans linguistique et culturel, en particulier lors de l'affaire des écoles du Nouveau-Brunswick, l'exécution de Riel, et l'affaire des écoles du Manitoba. L'agitation autour des biens des jésuites réveille les antagonismes entre les deux « races ». Vers 1900, un nombre croissant de Canadiens français sont convaincus que la Confédération doit être repensée dans un esprit plus équitable aux francophones hors Québec. Les « nationalistes » québécois, issus souvent du merciérisme et qui se rallient autour de Henri Bourassa, défendent les droits des Canadiens français d'un océan à l'autre. Ceci n'est pas sans inquiéter la majorité anglaise, en particulier en Ontario. L'« invasion silencieuse » de l'Ontario de l'Est et du Nord par les Canadiens français du Québec amènera des affrontements qui culmineront avec l'agitation autour du Règlement 17.

Ces trente premières années de la Confédération voient, à l'occasion, des manifestations de solidarité entre les Canadiens français du Québec et ceux de l'Ontario. Ce sont le plus souvent les sociétés Saint-Jean-Baptiste qui organisent des célébrations lors de la fête nationale des Canadiens français, le 24 juin. La plus mémorable de ces fêtes dans le sud-ouest de l'Ontario est celle de Windsor en 1883. Des Québécois éminents viennent alors s'associer aux Canadiens français de l'endroit : hommes politiques comme Hector Langevin et Adolphe Caron, écrivains comme Benjamin Sulte et Henri-Raymond Casgrain[4]. Aux côtés des sociétés Saint-Jean-Baptiste, l'Union Saint-Joseph d'Ottawa crée une mutuelle d'assurances, réseau de solidarité entre Canadiens français des deux provinces. L'Union joue un rôle capital dans la fondation de l'Association canadienne-française d'éducation de l'Ontario (ACFÉO). Peu à peu, les membres de l'élite canadienne-française du Québec prennent conscience de l'existence des Franco-Ontariens.

En 1885, Benjamin Sulte attire l'attention sur le fait que les Franco-Ontariens sont alors aussi nombreux que les Acadiens. L'Association catholique de la jeunesse canadienne-française tient son congrès de 1910 à Ottawa. De telles activités permettent aux Québécois de découvrir le fait français en Ontario *in situ*. En 1912, lors du premier congrès de la Survivance française en Amérique, tenu à l'Université Laval, les Franco-Ontariens occupent une place de choix.

Le choc du Règlement 17

C'est la question des écoles franco-ontariennes qui va provoquer le plus spectaculaire mouvement de solidarité entre Franco-Québécois et Franco-Ontariens. Page obligée de l'historiographie franco-ontarienne, épisode relevant même de la grande histoire du Canada (à cause de ses incidences sur la conscription), l'histoire du Règlement 17 mérite l'attention dans une histoire des rapports entre Franco-Ontariens et Québécois. Traditionnellement, cette lutte constitue l'événement fondateur de l'identité franco-ontarienne, et elle a accrédité au Québec francophone l'image d'un Ontario où Orangistes et Irlandais se donnent la main pour écraser toute trace de langue et de culture françaises. Image qui a fait oublier que durant toute la période, l'Ontario — province industrialisée en même temps que terre de colonisation — attire néanmoins par milliers les Franco-Québécois, forcés de s'exiler pour améliorer leur sort, sinon pour survivre.

La crise dite du Règlement 17 porte essentiellement sur la langue d'enseignement à l'école primaire publique, et elle a des prodromes au XIXe siècle[5]. En 1885, l'anglais est décrété langue obligatoire en Ontario. En 1890, l'anglais doit être la langue d'enseignement sauf là où la chose est impossible.

Après 1900, des voix de plus en plus nombreuses s'élèvent qui exigent que l'anglais soit la seule langue d'enseignement. Ce mouvement regroupe à la fois les adeptes de l'Ordre d'Orange et les catholiques anglophones le plus souvent d'origine irlandaise. Des Franco-Québécois suivent déjà avec inquiétude la situation ontarienne. Familiers des questions scolaires du Manitoba et du Nord-Ouest, ils craignent un nouveau recul du français, cette fois dans la province voisine. D'ailleurs, des Franco-Ontariens ne manquent pas de solliciter l'appui des Canadiens français du Québec. L'Association catholique de la jeunesse canadienne-française et les nationalistes autour de Henri Bourassa suivent particulièrement la situation. C'est surtout lors du Congrès eucharistique de Montréal en septembre 1910 que les Franco-Ontariens découvrent en Bourassa un allié de choix[6]. Le leader nationaliste, député de Labelle, connaît bien l'Est ontarien et Ottawa et il ne ménage pas son appui aux Franco-Ontariens. Son journal, *Le*

Devoir, fondé en 1910, épouse aussitôt la cause de l'Association d'éducation française de l'Ontario, présidée par le sénateur Napoléon Belcourt. Bourassa intervient aussi volontiers dans les affaires franco-ontariennes : il lutte, par exemple, contre le projet de nommer un évêque anglophone à Ottawa. Cependant, l'action de Bourassa et du *Devoir* reste limitée.

Encore en 1912, lors du congrès de la langue française tenu à l'Université Laval à Québec, la cause du français en Ontario est évoquée, mais avec prudence. Les délégués franco-ontariens eux-mêmes craignent de jeter de l'huile sur le feu dans les controverses qui font déjà rage en Ontario autour du français à l'école. Certains, d'allégeance conservatrice, ne veulent pas embarrasser leur gouvernement provincial au moment même où court le bruit que ce gouvernement s'apprête à restreindre la place du français dans l'école.

L'adoption en 1912 du Règlement 17, qui limite l'usage du français comme langue d'enseignement et de communication aux deux premières années du primaire, va créer un mouvement de solidarité sans précédent entre Franco-Ontariens et Franco-Québécois durant les cinq années qui suivent. La question de la résistance au Règlement 17 devient un problème « national » qui envenimera la crise de la conscription de 1917 et qui accroîtra l'éloignement des Canadiens français du parti conservateur fédéral.

Les « Prussiens » d'Ontario

Dès l'adoption du Règlement 17, les journaux québécois *Le Devoir* de Montréal, *L'Action Sociale* et *Le Soleil* de Québec soutiennent bruyamment les Franco-Ontariens. Le premier le fait pour des raisons surtout nationalistes; le deuxième pour des motifs d'abord religieux; et le troisième, organe du parti libéral, en profite pour embarrasser le gouvernement conservateur de Borden. Le 27 mars 1913 est fondé à Ottawa *Le Droit*. Ce journal s'inspire étroitement du *Devoir* et de *L'Action Sociale*, et son objectif est de défendre les Franco-Ontariens sans ménager les partis politiques. La Société Saint-Jean-Baptiste de Montréal (présidée par le fougueux Olivar Asselin), la Société Saint-Jean-Baptiste de Québec et la Société du parler français de Québec y vont de collectes pour financer le nouvel organe des Franco-Ontariens. Le 22 juin 1913, à Ottawa, a lieu une réunion de 7 000 personnes en faveur de la cause franco-ontarienne : les ténors québécois du nationalisme comme Olivar Asselin et Armand Lavergne viennent promettre l'appui de leur province. En même temps, le sénateur conservateur Landry demande en vain l'intervention de Borden, tandis que le sénateur Thomas Chapais se fait dire par le premier ministre de l'Ontario que le Règlement 17, règlement provincial ontarien, ne regarde pas les Québécois. Le cardinal Bégin, archevêque de Québec, cherche des appuis à Rome contre les Ontariens d'origine irlandaise qui ont pris résolument parti pour le Règlement 17 à l'instar de l'évêque de London, Mgr Fallon. Bourassa devient de plus en plus le grand porte-parole des Franco-Ontariens, tant sur les tribunes du Québec qu'à l'extérieur. C'est lui qui, en pleine guerre mondiale, va jusqu'à parler des « Prussiens de l'Ontario ». Omer Héroux, son fidèle lieutenant, n'a de cesse de commenter la question scolaire franco-ontarienne dans *Le Devoir*. L'Association catholique de la jeunesse canadienne-française, alors le plus puissant mouvement de jeunesse au Québec (et qui possède des cercles dans presque tous les collèges classiques) s'est déjà lancée avec ardeur dans la mêlée. L'Association, qui compte 77 cercles d'Edmonton en Alberta à Church Point en Nouvelle-Écosse, recueille en 1914 plus de 50 000 $ pour la défense de l'école française en Ontario. L'historien Mason Wade observe : « Au moment où le Québec entrait dans l'année 1915, son attention et sa sympathie étaient beaucoup plus concentrées sur l'Ontario que sur l'Europe[7]. » Bourassa a alors rallié la presque totalité du Québec à la cause franco-ontarienne. Les évêques québécois et l'Université Laval de Québec appuient ouvertement la campagne contre le Règlement 17. Par exemple, dans le diocèse de Sherbrooke, l'appel pressant de Mgr Paul LaRocque en faveur des « blessés d'Ontario » le 19 février 1916 remporte un résultat exceptionnel : 2 132,08 $, soit la plus grosse somme recueillie jusque-là par une quête spéciale dans l'histoire du diocèse[8].

Le 11 janvier 1915, le premier ministre du Québec, Lomer Gouin, lance un appel historique à la population ontarienne pour qu'elle fasse preuve de générosité envers les Franco-Ontariens[9]. Les conseils de modération d'un Thomas Chase Casgrain, ministre fédéral conservateur qui s'inquiète des réactions de l'Ontario aux accusations de « prussianisme » en pleine Guerre mondiale, tombent à plat. L'*Action Catholique* et Mgr Bruchési ne réussissent pas mieux à calmer l'ardeur patriotique des Franco-Québécois, qui voient l'Ontario français comme un avant-poste menacé dans la lutte pour la survivance linguistique et culturelle. Il faut dire que les passions sont à ce moment exacerbées par la querelle autour de la conscription et les maladresses du ministre Sam Hughes. En mars et avril 1916, le sénateur Landry (alors âgé de 70 ans), fait la navette entre Ottawa et les centres québécois pour plaider la cause des Franco-Ontariens. L'historien Robert Rumilly, dans une page haute en couleur, décrit le « président du Sénat [qui] patauge dans la neige fondue pour porter la bonne parole à Québec, Sherbrooke, Ottawa, Rimouski, Saint-Hyacinthe, Trois-Rivières, Ottawa, et Nicolet[10]. » Quand, le 22 mai 1916, le sénateur conservateur démissionne de son poste de président du Sénat pour consacrer tout son temps à la cause franco-ontarienne, le leader nationaliste Bourassa loue hautement son geste. *Le Soleil*, libéral, ne manque pas d'exploiter politiquement cet acte. Le 19 juin, 10 000 personnes acclament, au parc Lafontaine de Montréal, les sénateurs Landry et Belcourt. Les deux hommes sont à la veille de partir pour Londres, dans le but de paraître devant le Conseil privé, où le Règlement 17 a été porté en appel. Les commissions scolaires du Québec multiplient les dons en faveur des écoles franco-ontariennes, tandis que des écoliers renoncent à leurs prix de fin d'année pour que l'argent soit envoyé à la même cause. Le 15 octobre a lieu à Ottawa une grande soirée pour recueillir des fonds pour payer les maîtres franco-ontariens et chauffer les écoles « parallèles » ouvertes par l'ACFÉO. L'abbé Groulx de Montréal est l'orateur invité. Présenté par le sénateur Landry, il est remercié par Wilfrid Laurier, chef de l'opposition au parlement fédéral. Le fait que le jeune abbé nationaliste était appuyé par les doyens des deux grands partis politiques « symbolise l'unanimité du Québec sur la question », observe justement Mason Wade[11].

Vers l'apaisement

En octobre 1916, un groupe important formé surtout d'hommes d'affaires anglo-ontariens va visiter le Québec dans un geste de « bonne entente ». Le commentaire suivant d'Arthur Saint-Pierre, nationaliste montréalais, décrit bien l'état d'esprit de ses congénères face à cette initiative : « Il n'y a pas, il n'y aura jamais d'amitié, d'entente ou de paix possible entre la province de Québec et celle d'Ontario tant que dans cette dernière province, l'enseignement du français sera considéré comme un crime punissable par l'amende et par la prison; tant que la minorité de langue française ne jouira pas de l'autre côté de l'Ottawa (sic) de la même mesure de liberté que nous accordons, nous, à la minorité anglaise de notre province. Les causes de la division que l'on déplore existent dans l'Ontario, uniquement dans l'Ontario, et c'est à l'Ontario qu'il appartient de les faire disparaître[12]. »

Le 27 octobre 1916, la lettre encyclique *Commissio divinitus* de Benoît XV sur la question scolaire franco-ontarienne est publiée au Canada. Appelant tous les catholiques au calme et à l'unité, le document a pour effet de diviser les Franco-Québécois, face à la cause franco-ontarienne. Landry, Belcourt et le père oblat Charles Charlebois, qui ont mené le gros du combat du côté ontarien, acceptent les directives du pape. Par contre, bien des jeunes nationalistes du Québec récusent le jugement du pape dans des questions politiques. Le théologien Louis-Adolphe Paquet de l'Université Laval propose une interprétation nuancée de l'encyclique : le pape décourage la discorde entre catholiques mais ne condamne pas la défense de la langue française. À tout prendre, l'encyclique crée une brèche dans le front commun. Des orateurs à l'Assemblée législative de Québec comme Athanase David, ainsi que des nationalistes comme l'abbé Groulx et ses amis de la Société Saint-Jean-Baptiste de Montréal, continuent d'attirer l'attention sur la cause franco-ontarienne. La question scolaire envahit même le théâtre populaire. Une pièce en quatre actes, « Le Petit Maître d'école », créée à la salle Sainte-Anne d'Ottawa le 6 juin 1916 — au lendemain de la démission du sénateur Landry comme président du Sénat —, est présentée d'abord dans l'Outaouais et ensuite à Montréal, au Théâtre canadien-français, le 2 avril 1917. L'action se passe dans un village de l'Ontario et met en scène un instituteur franco-ontarien qui résiste à un inspecteur défenseur du Règlement 17. Un allié du maître est un élève d'origine montréalaise dont la présence rappelle le rôle de la province de Québec[13].

Une seconde lettre du pape, datée du 7 juin et publiée au Canada le 24 octobre 1918, revient avec plus d'insistance sur le devoir des catholiques de s'en remettre à leurs évêques sur la question scolaire et d'éviter les divisions de langue ou de race. Les théologiens les plus écoutés au Québec — tel Mgr Paquet par exemple — commentent l'encyclique dans le sens de la modération.

Si la plupart des Franco-Québécois sont favorables à la cause franco-ontarienne, des divergences se font jour en ce qui a trait aux stratégies. Elles sont aussi le résultat de fidélités aux partis politiques opposés : des conservateurs comme Thomas Chapais, par exemple, hésitent à embarrasser le gouvernement Borden. Si Mgr Bégin, archevêque de Québec, défend avec vigueur les Franco-Ontariens, Mgr Bruchési, archevêque de Montréal, fait preuve de plus de retenue et ne veut pas être taxé de manque de loyauté envers la Grande-Bretagne en pleine crise de la conscription[13a]. On est divisé à l'intérieur même des communautés religieuses. Chez les oblats, le virulent père Charles Charlebois, directeur du *Droit*, fait contraste avec les manières diplomatiques d'un père Georges Simard. Quant à la presse, elle retombe vite dans la discipline de parti : ainsi, *L'Événement*, organe conservateur du Québec, ne défend les Franco-Ontariens que dans les situations extrêmes. Rappelons que parmi les Franco-Ontariens eux-mêmes, l'unanimité est loin de régner : malgré la crise du Règlement 17, le quart de l'électorat franco-ontarien reste fidèle au parti conservateur provincial[14]. Des Franco-Québécois se montrent carrément critiques à l'endroit des Franco-Ontariens. C'est le cas de Georges-Élie Amyot, l'industriel le plus en vue de la ville de Québec d'alors. En 1923, Amyot, alors président de la Banque Nationale (dont une succursale se trouve à Ottawa), se plaint du manque d'encouragement des Franco-Ontariens. Ceux-ci répondent qu'ils n'ont pas de leçons de patriotisme à recevoir et que les déboires de la succursale proviennent d'une gestion maladroite. Amyot répond vertement au secrétaire du Cercle Lamarche de l'ACJC en décembre 1923 : si les Canadiens français veulent s'installer en Ontario, qu'ils ne s'attendent pas d'y vivre en français et qu'ils abandonnent le rêve d'y créer de « petites Frances ». Il en profite pour dénoncer la poignée de patriotes franco-ontariens fauteurs de troubles et qui posent aux martyrs. En somme, Amyot représente bien la bourgeoisie d'affaires du Québec qui, liée au Canada anglais, est ennuyée par l'agitation continue autour de la question scolaire franco-ontarienne[15].

Pourtant le second appel du pape et le refus du Conseil privé de Londres d'invalider le Règlement 17 ne marquent point la fin de la lutte. L'abbé Groulx (dans *L'Action française*), Omer Héroux (dans *Le Devoir*), et Albert Foisy (dans *L'Action catholique*) continuent d'entretenir les Franco-Québécois des malheurs scolaires des Franco-Ontariens. En avril 1923, par exemple, l'ACFÉO a tenu un grand congrès à Ottawa, auquel assiste une imposante délégation du Québec. On y retrouve la Société Saint-Jean-Baptiste de Montréal, l'ACJC, et l'Association catholique des voyageurs de commerce.

Les incidents de Pembroke à l'automne de 1923, alors que Jeanne Lajoie est congédiée par le conseil scolaire local pour avoir voulu défendre l'enseignement en français, ravive la solidarité entre Franco-Québécois et Franco-Ontariens. Le nom de Jeanne Lajoie fait le tour du Québec. L'ACJC lance une nouvelle souscription en faveur de l'ACFÉO et remporte un bon succès.

En 1924, l'Action française de Montréal présente au sénateur N.-A. Belcourt, président de l'Association canadienne française d'éducation de l'Ontario, son « Grand Prix ». Elle entend honorer par là la minorité franco-ontarienne qui résiste au Règlement 17 et qui, au dire de Lionel Groulx, se bat en même temps pour le Québec et pour la justice[16].

Cependant, dans les années 1920, la bonne entente fait son chemin. Un groupe d'intellectuels anglo-protestants fonde la *Unity League* avec l'aide du sénateur Belcourt. La *Unity League* se mérite la confiance de patriotes franco-ontariens comme Mgr Hallé, qui fait l'éloge de son parti-pris d'union par la justice. Le Règlement 17 est rendu inopérant à la fin des années 1920.

Dans les années 1930, les Franco-Ontariens font bien moins parler d'eux au Québec. Pourtant, les nationalistes ne les oublient pas. Dans *L'enseignement français au Canada*, par exemple, (publié par l'abbé Groulx en 1933), les Franco-Ontariens occupent une grande place dans le tome consacré aux francophones hors Québec.

Organismes de solidarité

L'agitation autour du Règlement 17 ne doit pas faire oublier les liens durables et profonds créés entre Franco-Ontariens et Franco-Québécois au cours des ans. Les décennies 1920 à 1960 ne connaissent pas d'événements spectaculaires, mais constituent néanmoins une période de solidarité intense, tant chez les élites que dans une partie des couches populaires restées en contact avec le Québec. Cette solidarité se traduit par la floraison d'organismes qui unissent les Canadiens français des deux provinces, par l'expansion des communautés religieuses d'origine québécoise, et par des contacts personnels étroits entre des représentants des élites des deux groupes.

Parmi les organismes canadiens-français qui transcendent la frontière provinciale, les Sociétés Saint-Jean-Baptiste du Québec et de l'Ontario entretiennent des rapports étroits qui remontent au XIXe siècle. L'Union du Canada, fondée à Ottawa sous le nom d'Union Saint-Joseph d'Ottawa, s'étend au Québec; peu après 1900, la majorité de ses membres sont Québécois francophones. L'Union joue un rôle décisif dans la création de l'Association d'éducation française de l'Ontario (ACFÉO), et elle reste longtemps un lieu d'échanges privilégiés entre francophones des deux provinces[17]. En 1929 est fondée l'Union catholique des cultivateurs franco-ontariens, qui peut compter dès ses débuts sur la sympathie active de l'Union catholique des cultivateurs du Québec[18]. Un autre organisme, l'Association catholique de la jeunesse canadienne, entretient des liens entre francophones de l'Ontario et du Québec depuis sa fondation au début du siècle jusqu'aux années 1940. L'ACJC regroupe alors surtout des étudiants de collèges et d'universités, ainsi que des jeunes professionnels[19].

L'Ordre de Jacques-Cartier constitue un bon exemple des liens étroits qui unissent les deux élites. C'est en octobre 1926, au presbytère du curé F.-X. Barette de Eastview (aujourd'hui Vanier), qu'est fondée cette société secrète. Vouée d'abord à la défense des intérêts des Canadiens français œuvrant dans la fonction publique, elle élargit graduellement son action, travaille éventuellement dans tous les domaines, et s'étend même à travers le pays. Dès 1931, l'Ordre compte plus de sections locales au Québec qu'en Ontario. Par cette société, les Franco-Ontariens — qui contrôlent l'organisme des origines à sa fin — font connaître leur cause et leurs combats à des générations de Québécois francophones. Trois premiers ministres du Québec, Antonio Barette, Jean-Jacques Bertrand et Daniel Johnson, en ont été membres, de même que certains ministres influents comme Pierre Laporte. Lors de la disparition de l'Ordre au milieu des années 1960, bien des canaux de communication disparaissent entre francophones des deux provinces[20].

Un autre organisme fondé à Ottawa, les Clubs Richelieu, fait beaucoup pour cimenter les liens francophones de l'Ontario et du Québec. Le premier de ces clubs sociaux, dits « de service », et regroupant des Canadiens français, est fondé à Ottawa en 1945. Son siège y restera jusqu'à ce jour. Très tôt, les Clubs Richelieu essaiment dans l'Est de l'Ontario, au Québec et au Nouveau-Brunswick, pour s'étendre en Nouvelle-Angleterre et dans l'Ouest du Canada. Par ces groupements, les Franco-Ontariens entretiennent des rapports avec une élite québécoise tant des professions libérales que du monde des affaires[21].

L'Association canadienne d'éducation de langue française a été fondée en 1948, à Ottawa, par des éducateurs canadiens-français qui voulaient se donner un organisme de coordination et de concertation sur le plan canadien. La présence des leaders franco-ontariens de l'éducation est déterminante dans l'ACÉLF et ce, dès l'origine. Elle y reste toujours importante. Ainsi, en 1967, on célèbre le vingtième anniversaire de fondation de l'ACÉLF à Ottawa. C'est à cette occasion que le gouvernement de l'Ontario annonce l'octroi d'un système d'écoles secondaires publiques de langue française. Durant ses premières années, l'ACÉLF s'affirme comme la voix de l'enseignement en français dans l'ensemble du *Dominion*. Le monde de l'enseignement se donnant des structures professionnelles plus étoffées et plus axées sur la défense des intérêts des enseignants, l'Association élargit son rôle et s'oriente vers la défense de l'identité canadienne-française dans un sens plus large. À partir de 1968, en particulier, elle s'intéresse à toutes les sphères de l'activité des francophones canadiens par le biais d'actions communautaires qui comportent une dimension éducative, devenant alors un lieu de rassemblement par excellence des francophones du Québec et des autres provinces. En 1976, l'Association regroupe 230 organismes dans toutes les parties du Canada, et elle intervient dans les grands dossiers qui intéressent les francophones. Le 23 juillet 1973, par exemple, l'association adresse un mémoire au premier ministre Trudeau demandant de l'aide pour les associations provinciales vouées à la défense du fait français. C'est la première fois que ces associations font front commun avec l'ACÉLF. Un des signataires du document est Omer Deslauriers, alors président de l'Association canadienne-française de l'Ontario (ACFO), anciennement l'Association canadienne-française des enseignants en Ontario (ACFÉO). Le 9 février 1976, l'ACÉLF présente un mémoire au comité parlementaire de la Commission de la capitale nationale. Ce document comporte un volet sur les francophones de la ville et de la région d'Ottawa, dans lequel les auteurs rappellent les effets désastreux de la rénovation urbaine sur le tissu socioculturel franco-ontarien. Cependant, la création de la Fédération des francophones hors Québec (puissant groupe de pression auprès du gouvernement fédéral) amène l'ACÉLF à se cantonner de plus en plus sur le plan culturel et dans le secteur de l'éducation après 1976[22].

Enfin, les Franco-Ontariens peuvent, depuis 1937, compter sur l'appui du Conseil de la vie française en Amérique. L'idée d'un organisme voué à la défense largement entendue des intérêts des Canadiens français et des Franco-Américains avait été lancée dès le premier Congrès de la langue française en Amérique, tenu à l'Université Laval en 1912. Ce n'est qu'à l'occasion du deuxième congrès, tenu à Québec en 1937, que l'idée peut se réaliser. On crée alors le Comité permanent des congrès de la langue française en Amérique, dont le secrétariat est logé à l'Université Laval. Ce comité devient le Conseil de la vie française, voué à l'aide des minorités tant aux États-Unis qu'au Canada. Ainsi les francophones reçoivent du Conseil des fonds pour les écoles séparées et des bourses qui permettent à leurs jeunes étudiants de poursuivre des études au Québec. De plus, par les voyages dits de « liaison française », le Conseil amène des délégations de Québécois en Ontario pour leur faire prendre conscience de la situation des Franco-Ontariens. Il intervient aussi à maintes reprises auprès des autorités fédérales pour défendre le bilinguisme dans les services publics et la fonction publique. Enfin, il décerne chaque année le Prix Champlain à un écrivain hors Québec. Plusieurs Franco-Ontariens, dont le regretté écrivain et professeur d'Ottawa, Jean Ménard, se méritent cette distinction[23].

Des différences d'intérêts et de points de vue apparaissent tôt, entre les communautés québécoises et franco-ontariennes, sans jamais cependant entamer leur solidarité fondamentale. Par exemple, l'Ordre de

Jacques-Cartier est dominé par des Franco-Ontariens d'Ottawa durant toute son existence. Pourtant, le pouvoir des gens d'Ottawa n'est sérieusement contesté qu'à la fin des années 1950. Ce sera une cause de la disparition de l'Ordre au milieu des années 1960. L'Union catholique des cultivateurs franco-ontariens, fondée en 1929, s'affilie dès 1931 à l'Union catholique des cultivateurs du Québec. Cependant, les Franco-Ontariens parlent d'abandonner l'affiliation en 1933, du fait de la divergence des intérêts provinciaux et parce que le journal *La Terre de chez nous* ne fait pas assez de place à la réalité ontarienne. Malgré tout, l'unité demeure. Enfin, lorsqu'une autre fondation d'Ottawa, les Clubs Richelieu, cherchent à s'étendre au Québec, certains acceptent mal que l'autorité centrale reste entre les mains des membres d'Ottawa. Ces résistances aussi sont surmontées.

Un clergé venu du Québec

On ne saurait exagérer l'influence des congrégations religieuses originaires du Québec dans la conservation des liens étroits entre les Franco-Ontariens et le Québec. En effet, la plupart des communautés qui ont œuvré en Ontario étaient d'origine québécoise : on ne compte qu'un petit nombre de fondations ontariennes, belges ou françaises.

Parmi les congrégations de femmes venues du Québec, une, en particulier, d'origine montréalaise, a joué et joue encore un rôle capital dans la vie des franco-ontariens : celle des Sœurs de la Charité d'Ottawa. La plus abondante et la plus connue des communautés de femmes, on la trouve dans l'éducation et le domaine hospitalier aux quatre coins de la province. Très tôt, elle a pris ses distances vis-à-vis la communauté mère de Montréal, tout en continuant de recruter dans la partie québécoise du diocèse d'Ottawa.

Parmi les autres communautés de femmes venues du Québec, signalons les Sœurs des Saints Noms de Jésus et de Marie, arrivées à Windsor dès 1864; les Sœurs de la Congrégation Notre-Dame, venues dès 1865 en Ontario et dont le couvent d'Ottawa a laissé un souvenir durable; les Sœurs de la Miséricorde, venues de Montréal œuvrer entre 1879 et 1971 à Ottawa et à Haileybury; et les Sœurs de Sainte-Croix, de Saint-Laurent, près de Montréal, envoyées en Ontario dès la fin des années 1850. Ces dernières ont dirigé de nombreuses écoles primaires et secondaires, de Lafontaine à Alexandria. Enfin, une congrégation d'origine québécoise fait tellement partie du paysage culturel franco-ontarien qu'on est porté à oublier ses origines : fondée en 1853 à Saint-Grégoire-de-Nicolet, les Sœurs de l'Assomption de la Sainte Vierge se sont répandues abondamment dans le Nord ontarien, alors en cours de peuplement, à partir de 1910.

Toutes ces congrégations venues du Québec ont connu tôt ou tard une acculturation ontarienne. Restant profondément attachées à la culture canadienne-française, elles ont appris à offrir des services bilingues dans les hôpitaux et à enseigner dans les deux langues quand les lois scolaires l'exigeaient. Certes, des études révéleraient que l'esprit de l'enseignement pouvait souvent être plus proche — les manuels et les maîtres aidant — de celui du Québec que de celui de l'Ontario. Cependant, des enseignants religieux et laïcs ont su créer des manuels franco-ontariens en langue et en histoire, pour ne citer que ces deux domaines.

Parmi les congrégations d'hommes venues du Québec qui marquèrent l'Ontario français, signalons surtout les Frères des écoles chrétiennes et les Pères oblats de Marie-Immaculée. Les premiers dirigent plusieurs écoles primaires et secondaires à Ottawa et dans l'Est ontarien à partir de 1864. Les seconds sont connus avant tout par l'œuvre qu'ils ont accomplie à l'Université d'Ottawa, issue du collège de Bytown en 1848. Les deux ont toujours pu compter sur une abondante recrue québécoise. Les jésuites aussi, avec un personnel essentiellement québécois, ont accompli un travail unique d'animation culturelle et religieuse à Sudbury depuis plus d'un siècle.

D'autres congrégations religieuses venues du Québec — dont le souvenir commence à s'estomper — ont aussi travaillé à l'éducation des jeunes Franco-Ontariens : Clercs de St-Viateur; Frères de l'Instruction chrétienne; Frères de Saint-Gabriel; et Frères du Sacré-Coeur.

L'importance civile et religieuse d'Ottawa et l'accueil de certains archevêques expliquent la présence de congrégations qui ont marqué la région, surtout à travers le ministère paroissial : capucins, dominicains, montfortains (à Vanier), rédemptoristes, et religieux de Saint-Vincent-de-Paul (patro d'Ottawa). Deux autres communautés ont beaucoup servi les Franco-Ontariens à partir de leurs bases en terre québécoise : les spiritains, avec leur collège de Limbour près de Hull et aux portes d'Ottawa; et les Clercs de St-Viateur, avec leur collège Bourget à Rigaud. Ces deux établissements ont reçu nombre de jeunes Franco-Ontariens de l'Est et d'Ottawa. Ainsi se sont créés des liens durables entre francophones des deux côtés de la frontière interprovinciale.

En somme, les communautés religieuses de femmes et d'hommes ont joué un rôle double : elles ont gardé vivaces les liens avec le Québec francophone et en même temps ont contribué à développer un système d'éducation franco-ontarien. On peut ajouter que dans le secteur hospitalier, elles ont fait la preuve, pendant des décennies, qu'on pouvait assurer des services en français en Ontario[24].

Des liens personnels

Les liens institutionnels sont souvent raffermis par des liens personnels. En effet, nombreux sont les Franco-Québécois qui comptent des proches ou des amis sûrs en Ontario français, et nombreux les Franco-Ontariens qui peuvent considérer le Québec comme une seconde patrie.

Le cas de l'abbé Joseph-Alfred Myrand, curé de la paroisse de Sainte-Anne d'Ottawa de 1904 à 1949, illustre bien cette situation. Né à Ottawa en 1866 d'un père qui fut maître de poste au Sénat, il fait ses études à Québec, où il est compagnon de classe de Cyrille Delage, futur surintendant du Département de l'Instruction publique de la province de Québec. Après ses études théologiques au séminaire Saint-Joseph d'Ottawa, il est ordonné prêtre dans cette ville en 1892. Sa sœur épousera Eugène Rouillard de Québec et une de ses nièces sera la femme de Xavier Chouinard, greffier de la ville de Québec. Une autre de ses nièces épousera l'avocat Léon Rouillard de Québec. Le presbytère de l'abbé Myrand est un des hauts lieux de la résistance franco-ontarienne entre 1914 et 1927. C'est là, par exemple, que séjourne l'abbé Groulx, venu à Ottawa pour ses travaux historiques. L'abbé historien y apprend beaucoup sur l'Ontario français, et bien des pages de *L'Appel de la race* ou du deuxième tome de l'*Enseignement français au Canada* s'inspirent des échanges au dit presbytère.

Dans ses *Mémoires*, le chanoine Groulx évoque avec sympathie le curé Myrand. C'est un Québécois, l'abbé Sylvio Corbeil (1860–1949), directeur de conscience de Groulx, qui a mis le jeune prêtre en relation avec le curé Myrand. Professeur au séminaire de Sainte-Thérèse, principal de l'École normale de Hull de 1909 à 1928, et ensuite directeur du Grand séminaire d'Ottawa de 1928 à 1942, Corbeil est une de ces personnes qui facilitent les relations entre les Canadiens français des deux provinces.

À l'autre extrémité de l'Ontario, un autre clerc entretient aussi des relations exemplaires avec le Québec. Alfred-David Emery (1873–1932) est né à Grande-Pointe près de Windsor. Il fait ses études classiques au séminaire de Sainte-Thérèse de Blainville, où il entre en 1891, soit en même temps que Groulx. Emery devient curé de Pain Court (dans le diocèse de London) de 1911 à 1928, et s'illustrera dans la défense des droits des Franco-Ontariens, s'opposant à Mgr Fallon. Il conserve des liens d'amitié avec Groulx toute sa vie durant, et leur correspondance s'étend de 1895 à 1925. Grâce à Emery, Groulx complète sa connaissance des Franco-Ontariens du sud-ouest de la province. Emery compte d'autres amis fidèles au Québec, tel Mgr A. Nantel du séminaire de Sainte-Thérèse.

Au Québec, un trifluvien d'origine, Omer Héroux (1876–1963) n'a jamais cessé de combattre pour les minorités francophones hors Québec. *Le Droit* l'a surnommé le « secrétaire de la survivance française en Amérique du Nord », tandis que Gérard Filion l'appelait affectueusement « le confesseur des minorités ». Héroux a passé sa vie dans le journalisme aux Trois-Rivières, à Québec et à Montréal. Il entre au *Devoir* en 1910 et devient rédacteur en chef en 1932. Ayant épousé Marie-Louise Rocque, directrice de l'école Garneau d'Ottawa, il est particulièrement bien informé de la situation franco-ontarienne. Il évoque régulièrement « la justice » dans *Le Devoir*, luttant sans répit contre les hommes politiques qui ont imposé le Règlement 17. À cette époque, il passe tant de temps à Ottawa que les Franco-Ontariens en viennent à le considérer comme l'un des leurs. En 1947, l'Association canadienne-française d'éducation de l'Ontario lui décerne l'Ordre du mérite scolaire franco-ontarien à titre de « très méritant ». Nulle surprise qu'à sa mort le premier télégramme de condoléances à la famille Héroux parvienne de l'Ontario[25].

On pourrait multiplier les exemples de laïcs et de clercs qui entretiennent la solidarité entre les communautés franco-québécoises et franco-ontariennes par des liens personnels. Henri Bourassa, député d'un comté de l'Outaouais québécois, compte des amis solides dans l'Ontario français et son cousin est l'abbé Joseph Hébert, patriote franco-ontarien. Pour sa part, le père oblat David est cousin d'Athanase David, l'homme politique québécois, fils de Laurent-Olivier David. Dans les années 1930, Séraphin Marion est l'ami de bien des membres de l'intelligentsia québécoise. Son cadet Jean Ménard, ancien du collège de Saint-Alexandre de Hull, passe sa vie à Ottawa, mais ses nombreux liens avec le Québec ont presque fait oublier sa condition de Franco-Ontarien. Le journaliste Léopold Richer, comme bien d'autres, passe au *Devoir* après avoir fait ses premières armes au *Droit*. Avant lui, Thomas Poulin est allé naturellement du *Droit* à l'*Action catholique* de Québec. Harry Bernard, identifié pendant des décennies au *Courrier de Saint-Hyacinthe*, a commencé au *Droit*. Il a bien connu Ottawa, qu'il évoque dans son roman *La Maison vide*. Ces journalistes et écrivains ne manquent pas de tenir le public québécois au fait des affaires franco-ontariennes.

La fin d'un Canada français

Les transformations sociales profondes de l'après-Seconde Guerre mondiale, qui touchent à la fois l'Ontario et le Québec, entraînent une redéfinition des identités franco-québécoise et franco-ontarienne et des modifications de leurs rapports en conséquence. C'est à la fin des années 1960 que s'imposent de façon décisive les vocables « Franco-Ontariens » et « Québécois ». Jusque-là, on parlait plus volontiers de Canadiens français de l'Ontario ou du Québec. La dimension spatiale — ou mieux, structurelle — prend le dessus sur la dimension culturelle. Le rôle accru des gouvernements provinciaux, tant en Ontario qu'au Québec, aide à comprendre ce glissement sémantique qui reflète aussi une modification des mentalités.

Le gouvernement québécois, pour sa part, reconnaît volontiers son rôle de « mère-patrie » des francophones hors Québec, dont les Franco-Ontariens constituent le groupe le plus nombreux. Le premier ministre Jean Lesage rappelle en 1964 : « Nous croyons que le Québec est l'expression politique du Canada français et qu'il joue le rôle de mère patrie de tous ceux qui, au pays, parlent notre langue. » Cinq ans plus tard, Jean-Jacques Bertrand dit carrément : « Sans le Québec, il pourrait encore y avoir des minorités françaises, mais il n'y aurait plus vraiment de Canada français[26]. »

Dans cet esprit, le gouvernement du Québec crée en 1961 le Service du Canada français outre-frontières, qui fournit des ressources aux minorités sous la forme de dons d'argent ou de livres. Plus de 200 000 $ vont ainsi à l'Ontario français de 1961 à 1969. En 1969, les premiers ministres du Québec et de l'Ontario signent un accord de coopération et d'échanges en matière d'éducation et de culture. Une commission permanente de coopération veillera à l'application de l'accord et contribuera à la connaissance mutuelle des deux provinces sur le plan culturel. Les Franco-Ontariens, pour leur part, profitent du passage d'artistes québécois en Ontario et de la subvention de nombreux événements culturels conjoints entre l'Ontario et le Québec[27].

La poussée souverainiste qui se fait jour au Québec entraîne une redéfinition des rapports avec les francophones hors Québec. C'est aux États généraux de 1967 que la rupture éclate au grand jour entre Québécois et Franco-Ontariens. La nouvelle vague des nationalistes québécois affirme résolument que le salut du Québec ne peut s'accomplir en même temps que le sauvetage des francophones hors Québec. L'expression « francophones hors Québec » commence à se répandre. Elle fait des Franco-Ontariens des Canadiens français de seconde zone qui, avec les autres minorités françaises hors Québec, ont soudainement le sentiment d'être abandonnés par les Québécois. Le sentiment de stupeur passé, ils vont redéfinir leur stratégie de survivance[28].

Le rejet par certains Québécois amène les Franco-Ontariens à se tourner alors vers les gouvernements d'Ottawa et de Toronto plus que jamais auparavant. Le rapport de la commission fédérale Laurendeau-Dunton a créé de grands espoirs pour les minorités de langue officielle et amené la Loi sur les langues officielles de 1969, dont profiteront les Franco-Ontariens bilingues. Le rapport a aussi exercé une influence positive sur certaines élites politiques de l'Ontario. Ainsi, en 1967, le gouvernement ontarien a-t-il annoncé la création d'un réseau d'écoles publiques francophones. C'est un pas de géant pour la minorité franco-ontarienne. Et c'est là, sans doute, la réalisation la plus spectaculaire et la plus profonde de ce qu'on a appelé la « révolution tranquille » du gouvernement ontarien face à sa minorité francophone. Certes, tout n'est pas alors résolu sur le plan scolaire. Plusieurs écoles secondaires publiques (comme c'est le cas à Pénétang) devront être conquises de haute lutte juridique. Le gouvernement ontarien manifeste également une certaine ouverture en créant un bureau franco-ontarien au Conseil des arts de l'Ontario à la fin des années 1960.

À l'été de 1974, la « Superfrancofête » rassemble des représentants de plusieurs pays francophones à Québec. Les jeunes Franco-Ontariens invités à cette rencontre vont découvrir ce qui les sépare de la nouvelle génération québécoise : à leur stupéfaction, ils sont hués lorsqu'ils défilent dans les rues de Québec en arborant le drapeau canadien. L'incident fait le tour de la presse québécoise et canadienne. Des nationalistes québécois tentent d'expliquer que la réprobation s'adressait à l'emblème canadien, et non aux francophones hors Québec. Mais pour la première fois, les francophones hors Québec ont eu l'amère expérience d'être rejetés publiquement par des Québécois. Bien des Franco-Ontariens y trouvent des raisons supplémentaires de marquer leurs distances par rapport à un Québec différent. Adrien Pouliot, vieux défenseur des droits des francophones, ancien président du Conseil de la vie française en Amérique, publie une longue lettre dans *Le Devoir* présentant « des excuses publiques à tous (ses) frères canadiens-français des autres provinces pour les outrages qu'ils ont subis et les insultes qu'ils ont essuyées durant leur passage dans la ville de Québec ». Quelques années auparavant, René Lévesque, de passage à Windsor, avait traité les francophones de la région de « dead ducks ». Les Franco-Ontariens s'en souviendront longtemps. Ces incidents marquent sans doute l'apogée du malentendu créé autour du mouvement pour l'indépendance du Québec[29].

L'arrivée au pouvoir du Parti québécois inaugure un nouveau cours de relations officielles entre les Québécois et les Franco-Ontariens. Dès 1977, le ministre Claude Morin, lors d'un discours à Saint-Boniface, au Manitoba, annonce l'engagement ferme du Québec envers les minorités francophones. Les années qui suivent voient s'accroître l'aide québécoise en quantité et en qualité, sous la forme de services techniques et professionnels; les Franco-Ontariens en bénéficient largement. La jeune génération franco-ontarienne est invitée à découvrir le Québec — un Québec souvent inconnu ou mal connu de ses parents — et les initiatives se multiplient pour resserrer les liens entre les deux communautés. Par exemple, à partir de juillet 1978, le gouvernement du Québec organise chaque été des rencontres entre francophones d'Amérique, où se retrouvent des leaders de diverses communautés, depuis les Acadiens jusqu'aux Louisianais francophones. Les Franco-Ontariens participent nombreux à ces rencontres de solidarité axées sur la jeunesse, l'âge d'or, ou des secteurs d'activité comme la presse. L'Ordre des francophones d'Amérique, décerné annuellement à cette occasion, fut souvent attribué à des Franco-Ontariens. Dans le prolongement de ces événements, est créé en 1976 le Secrétariat permanent des peuples francophones, corporation proche du Bureau du premier ministre du Québec, qui sera en activité pendant plus d'une décennie. Le Secrétariat sert de « vitrine » québécoise aux francophones de l'extérieur et il fait une place de choix aux expositions et aux activités franco-ontariennes. Enfin, l'Alliance ontaroise, qui regroupe des Franco-Ontariens vivant au Québec, est fondée en mai 1983, sous l'égide du Secrétariat permanent. L'Alliance est un autre trait d'union entre francophones, car même si les deux communautés sont proches dans l'espace, elles ont néanmoins besoin de se redécouvrir sans cesse. La politique québécoise de la francophonie canadienne dévoilée en mai 1985 par le gouvernement Lévesque permet aux Franco-Ontariens de grands espoirs. Depuis longtemps les rapports n'ont pas été aussi bons entre les leaders franco-ontariens et le gouvernement québécois. « Les aléas de l'histoire nous avaient éloignés de nos frères et de nos sœurs du Québec. Voilà que s'opère une réconciliation qui fait chaud au cœur », s'écrie alors Serge Plouffe, président de l'ACFO. Le rédacteur en chef du *Devoir*, Jean-Louis Roy, précise : « La nouvelle politique québécoise reconnaît pleinement la convergence des intérêts des Québécois francophones et de ceux des francophones hors Québec. » Loin est le temps où les souverainistes québécois offraient aux Franco-Ontariens le rapatriement comme seule planche de salut[31].

Deux modes d'être francophones au Canada

Étudier les rapports entre les Franco-Ontariens et le Québec, c'est inévitablement déboucher sur les similitudes et les divergences de mentalité entre deux rameaux de l'arbre canadien français : le Franco-Ontarien et le Franco-Québécois.

Même s'ils se plaisent, en période de tensions, à appuyer lourdement sur leurs divergences d'intérêts, voire de cultures, les deux groupes possèdent un fonds commun impressionnant. La langue parlée en Ontario français est substantiellement celle du Québec. Même dans une région de peuplement ancien comme celle de Windsor — au surplus très éloignée de la frontière québécoise — on peut affirmer que les variantes par rapport à la langue parlée au Québec sont négligeables[32]. Sur ce point, les Franco-Ontariens sont beaucoup plus près des Franco-Québécois que ne le sont les Acadiens. Les recherches du folkloriste Germain Lemieux et toute la jeune littérature franco-ontarienne démontrent à l'envi que la culture de l'Ontario français reste très proche de celle du Québec.

Faut-il rappeler que dans leur immense majorité, les Franco-Ontariens sont issus de vagues successives d'immigrants venus du Québec depuis le milieu du XIXe siècle? La surpopulation d'endroits tels la plaine de Montréal, le Bas du Fleuve, puis, plus tard, le Saguenay, a contribué à faire de l'Ontario français un creuset de Franco-Québécois[33]. À preuve, les toponymes français de cette province : Dubreuilville, Chapleau, Lafontaine, Lefaivre, Routhier, Monetville, Marionville, Lavigne, Hallébourg, Désaulniers, Val Caron, Val Gagné, et d'autres encore, qui sont tous, incontestablement, des patronymes d'origine québécoise[34].

Soulignons que parmi les points de départ des immigrants, aucune région ne domine. C'est donc moins l'origine géographique de ces nouveaux habitants ontariens que leurs caractéristiques socioculturelles qui présentent de l'intérêt. Par exemple, l'homogénéité qui caractérise le groupe en question est remarquable. Qu'il se dirige vers les usines du sud ou les villages du nord ou de l'est, le nouveau Franco-Ontarien est unilingue français, et son intégration à la société ambiante en sera retardée pour autant. Il est sans capitaux et le plus souvent sans spécialisation professionnelle. Enfin, grâce à son bagage culturel et religieux remarquablement homogène, son regroupement dans des paroisses et organismes canadiens-français traditionnels sera facile.

La religion catholique constitue un autre facteur profond d'unité culturelle entre francophones des deux provinces. Jusqu'à une période récente, le catholicisme était vécu à peu près unanimement et uniformément d'un côté et de l'autre de la frontière. Rien ne ressemblait plus à un sermon ou une procession à Sudbury qu'un sermon ou une procession à Rivière-du-Loup. De même, les bouleversements socio-religieux des années 1960 et 1970 au Québec ont connu leur équivalent en Ontario. Bien entendu, l'Église catholique en Ontario dispose de moins de droits qu'au Québec : par exemple, elle n'y fut jamais créancière privilégiée. De plus, l'évêque y dispose de plus de pouvoir, étant le propriétaire unique de tous les biens des paroisses. Toutefois, il ne semble pas que ces distinctions aient créé un comportement religieux autre que celui des Canadiens français du Québec[35].

Néanmoins, il existe des facteurs de différenciation entre les deux groupes qui contribuent depuis longtemps à façonner une mentalité franco-ontarienne bien distincte.

Venus du Québec pour échapper à la misère ou pour améliorer leur sort matériel, les Franco-Ontariens ont vite développé un solide attachement à leur province d'adoption. Ils partagent avec les autres Ontariens le sentiment d'habiter la province la plus prospère et la plus puissante de la Confédération. Pour la majorité d'entre eux, le passage à l'Ontario a constitué à court ou à moyen terme une promotion économique. Par exemple, des institutrices du Québec ont vu leur salaire presque doubler quand elles sont passées dans le Nord ontarien des années 1920. Des ruraux québécois sans terres ni spécialisation ont trouvé du travail dans les usines du Sud. Selon le recensement de 1961, ils ont un revenu supérieur aux Franco-Québécois, et ils n'ont cessé depuis d'améliorer leur position. Il est donc naturel que le Franco-Ontarien moyen n'entretienne aucun sentiment d'infériorité face à la condition matérielle du francophone du Québec[36].

La différenciation des deux groupes tient aussi au fait que l'image du Québec chez le Franco-Ontarien est nourrie en grande part par les médias anglophones, nonobstant les services de Radio-Canada. Le journal *Le Droit*, longtemps un lien puissant entre les groupes francophones de l'Est, du Nord et du Sud[37], a aujourd'hui une clientèle de lecteurs majoritairement québécois. Ses lecteurs franco-ontariens ne se recrutent plus que dans l'Ottawa métropolitain et l'Est ontarien. Malgré ces sources médiatiques françaises, on peut dire que le bilinguisme et le souci de vivre au diapason de leur province amènent les Franco-Ontariens à préférer les médias anglophones. Naturellement, ceux-ci leur fournissent une vision bien ontarienne du Québec — vision aux couleurs contrastées dans des feuilles comme le *Toronto Star*, ou plus subtile, dans un journal d'opinion comme le *Globe and Mail*. C'est ce qui aide à comprendre bien des stéréotypes communs sur le Québec qui ont cours en Ontario français. On a pu mesurer l'effet des médias en question lors du passage au pouvoir du Parti québécois en 1976[38].

Nous avons évoqué les réticences des Franco-Ontariens face aux desseins autonomistes du Québec. Si, d'instinct, ils appuient ce qui peut renforcer le Québec, ils craignent une politique québécoise qui limite la défense de la langue et de la culture françaises au territoire de la Belle Province. Les appréhensions de l'élite franco-ontarienne à ce sujet étaient connues bien avant les États généraux de 1967. En avril 1953, le ministre des Finances du Canada décide d'appliquer la politique du bilinguisme uniquement aux chèques fédéraux destinés au Québec. Les députés fédéraux québécois semblent satisfaits de cette décision. « L'attitude du Québec nous déçoit », titre alors *Le Droit*. « On dirait, regrette le quotidien franco-ontarien, que pour eux, tout le Canada français se résume à leur province. » Et le journal d'épiloguer : « Le Québec doit défendre son autonomie, d'accord, mais nous vivons dans un État fédéral qui compte un million de Canadiens français en dehors de cette province. On ne doit pas allègrement les sacrifier[39]. »

Face au gouvernement fédéral, le Franco-Ontarien a les réflexes de l'Ontarien qui ne dit mot tant que les intérêts de la Confédération coïncident avec ceux de sa province. Par contre, il attend plus que les Franco-Québécois des ministères fédéraux, comme le Secrétariat d'État et les autres organismes qui ont pour but la promotion du bilinguisme et des cultures de langues officielles.

Le contact des langues a puissamment contribué à la physionomie propre du Franco-Ontarien. À la différence de la plupart des Franco-Québécois, la grande majorité d'entre eux vivent dans un milieu anglophone dès l'enfance. Le Franco-Ontarien accepte le bilinguisme comme une réalité de la vie, et il est amené à reléguer le français au rang de langue de communication dans le cercle de la famille et des amis francophones. Cette position face à la langue constitue de plus en plus une source de différenciation entre Franco-Ontariens et Franco-Québécois.

Soulignons que la connaissance réciproque entre Franco-Ontariens et Franco-Québécois reste limitée. Les horizons du Franco-Ontarien sont souvent étroitement provinciaux. S'il dépasse sa métropole régionale, il se tournera vers Toronto et le sud de sa province, où se trouve l'avenir économique. À moins d'être immigrant de fraîche date en Ontario, il a perdu la trace de ses ancêtres québécois. Le Québécois, pour sa part, reste encore souvent surpris d'entendre dire qu'on parle français en Ontario. Ses contacts avec la province voisine sont surtout de nature touristique : la colline parlementaire, les musées et parcs d'Ottawa, Toronto et les chutes Niagara.

Le Franco-Ontarien défend les intérêts de sa province dans les inévitables rivalités interprovinciales. Ces divergences d'intérêts entre francophones des deux côtés de la frontière sont complètement occultées par le discours exaltant la solidarité culturelle. Elles apparaissent néanmoins brutalement quand il s'agit, par exemple, de se protéger des invasions de main-d'œuvre québécoise, que ce soit dans l'industrie de la construction ou dans les industries culturelles. Ainsi, après la création de la télévision éducative de l'Ontario à Toronto, les milieux dirigeants franco-ontariens se plaignaient volontiers du fait qu'on importait trop de talents de Montréal et qu'on ne tirait pas assez partie des ressources artistiques francophones de la province.

Nous avons évoqué plus haut des divergences d'intérêts de jadis entre l'UCCFO et les syndiqués agricoles québécois, celles à l'intérieur de l'Ordre de Jacques-Cartier et chez les Clubs Richelieu des deux côtés de l'Outaouais. Rappelons aussi que le mouvement des Fermiers unis des années 1920 est resté un phénomène propre aux Canadiens français de l'Ontario.

Les dernières années ont vu une évolution accélérée des sensibilités collectives. Plus que jamais, le Franco-Ontarien tient à se distinguer du Franco-Québécois. Pour ce faire, des intellectuels franco-ontariens font la promotion d'un patrimoine historique et culturel distinct de celui du Québec : depuis un Étienne Brûlé, explorateur de l'Ontario, jusqu'aux grands entrepreneurs et financiers Campeau et Desmarais, en passant par les hauts faits du Règlement 17. En novembre 1987, l'Assemblée des centres culturels de l'Ontario a monté à l'assaut de Montréal avec une Quinzaine culturelle ontaroise révélant une impressionnante production de poètes, musiciens, chanteurs, comédiens, cinéastes, peintres et sculpteurs qui traduisent une autre francophonie.

En somme, sur le plan des mentalités, les rapports entre Franco-Ontariens et Franco-Québécois apparaissent plus subtils et plus délicats que ne le suggèrent les affinités visibles des deux groupes. Les Franco-Ontariens sont avant tout des Ontariens dont les intérêts collectifs entrent souvent en concurrence avec ceux du Québec. Ils comprennent mal l'ignorance des Franco-Québécois à leur endroit. Vivant dans une province anglophone, ils pratiquent un bilinguisme qu'ont toujours ignoré, sinon refusé, la majorité des Franco-Québécois.

Dans une déclaration faite à Québec en novembre 1986, le président de l'ACFO, Serge Plouffe, a bien résumé les attentes des Franco-Ontariens face au Québec. Mettant en garde les Québécois contre la tentation de « transposer à la situation ontarienne des idées et des façons de faire issues de la situation québécoise », il a rappelé que si certains Québécois s'intègrent bien à l'Ontario français, d'autres refusent tout compromis ou décident carrément de se fondre dans la majorité anglophone. Et surtout, le président de l'ACFO a supplié ses compatriotes d'outre-frontière de ne pas traiter les Franco-Ontariens comme des « Québécois égarés ». Il a précisé : « Sur le sol ontarien que nous habitons depuis des siècles, en respectant les institutions de la société globale et en contact avec nos concitoyens de langue anglaise, nous avons réussi à nous donner les contours d'une communauté originale et viable. C'est sur cette base, en qualité de Franco-Ontariens, que nous désirons dialoguer avec vous[40]. »

NOTES

Souvent évoquées au fil des études sur le Canada français ou l'Ontario français, les relations entre les Franco-Ontariens et le Québec n'ont pas à ce jour fait l'objet d'une analyse spécifique. Dans les *Mémoires de la société généalogique canadienne-française* (Montréal, Vol. XXXV, n° 1, mars 1984, p. 36–46), Robert Choquette répond à la question : « Qu'est-ce que l'Ontario a reçu du Québec français? » L'historien rappelle que, par vagues d'immigration successives, la quasi-totalité de la population vient du Québec. Il insiste ensuite sur l'apport du clergé catholique à la défense de l'identité franco-ontarienne, rôle qu'il a assumé jusqu'au milieu des années 1960, pour être alors relayé par les élites laïques. Enfin, Choquette souligne l'influence de maîtres à penser du Québec — comme Lionel Groulx — qui ont compris le rôle d'avant-poste de l'Ontario français.

Sur notre sujet, on consultera avec profit *Langue, littérature, et culture au Canada français*, publié sous la direction de Robert Vigneault. (Ottawa, Éditions de l'Université d'Ottawa, 1977, 116 p.) De ces « Conférences Vanier 1977 », on relira en particulier les propos de Pierre Bourgault, qui exprime le sentiment d'un souverainiste québécois face à l'Ontario français, et ceux de Robert Choquette, Rémy Beauregard et l'auteur de ces lignes. Rappelons que ce colloque eut lieu quelques mois seulement après l'élection du Parti québécois à Québec.

Léon Thériault, professeur d'histoire à l'Université de Moncton, a rappelé « l'évolution des relations extérieures de l'Acadie (1763–1978) » dans *Égalité, revue acadienne de science politique*, (Moncton, n° 12, printemps 1984, p. 19–41). Il évoque plus particulièrement les rapports avec le Québec (p. 36–46). Le curieux des relations Ontario français-Québec y trouvera des réflexions et des renseignements intéressants. La similitude des deux évolutions est ici frappante.

Nous citons souvent au cours de ce travail la collection « L'Ontario français », qui comprend dix ouvrages publiés aux Éditions Études vivantes à Montréal. De cette série, au fait des connaissances et aux approches neuves, nous avons surtout utilisé *Travailleurs et gens d'affaires canadiens-français en Ontario*, de Jacques Grimard et de Gaetan Vallières (Montréal, 1986). Conçus pour le milieu scolaire et le grand public, mais rédigés avec rigueur, ces ouvrages restent une solide initiation au passé de l'Ontario français libéré du discours patriotard ou passéiste.

Au moment où nous mettons la dernière main à ce travail, paraît de Roger Bernard, *De Québécois en Ontarois. La communauté franco-ontarienne*. (Éditions du Nordir, Hearst, 1988, 185 p.) C'est une étude pénétrante d'une sociologie bien « branchée » sur son milieu et bien équipée sur le plan scientifique. L'auteur rappelle que les institutions peuvent se révéler des coquilles vides si « le processus de socialisation ethnique » à l'intérieur des institutions franco-ontariennes ne conduit pas à « l'affirmation de la francité ». Il montre aussi la déconstruction du modèle canadien-français, s'interroge douloureusement sur la mobilité de « l'Ontarois », et se demande si la recherche d'une identité nouvelle, plus distincte du Québec, ne conduit pas le Franco-Ontarien à l'impasse plutôt que de le libérer.

L'auteur de la présente étude remercie Michel Prévost et Jean-Pierre Maisonneuve, qui lui ont signalé des publications utiles. Il sait gré aussi à Anne Gilbert et Peter N. Oliver, qui ont lu et commenté son manuscrit.

1 Évidemment, il est surtout question ici des francophones issus de « Québécois de vieille souche » qui ont constitué l'essentiel du peuplement de l'Ontario français. Il faut cependant souligner l'apport d'autres francophones sans attaches québécoises : descendants du noyau originel du peuplement du Sud-Ouest ontarien, venus directement de France dès le XVIIIe siècle; Acadiens qui connaissaient le chemin des usines du Sud de l'Ontario depuis plus d'un siècle; et francophones d'Europe (Français, Belges, Suisses) et d'Afrique du Nord, installés surtout dans le Toronto métropolitain ou à Ottawa. Sans se fondre dans la masse franco-ontarienne traditionnelle, ces derniers contribuent à diversifier de plus en plus le concert francophone ontarien.

2 Rappelons que c'est du Québec actuel que partaient vers le territoire ontarien d'aujourd'hui les voyageurs, les « *cageux* » et les bûcherons (pour ces derniers, jusqu'à nos jours). Par exemple, un Aimé Guérin, né à Laprairie en 1832, opère pendant cinquante-six ans entre Kingston et Montréal. (Grimard et Vallières, *op. cit.*, p. 29). Le curé Charest de Pénétanguishene est allé recruter des colons dans la Mauricie entre 1837 et 1854 : ce sont les Brunelle, les Marchand, les Marchildon, les Maurice qui ont fait souche aux bords de la baie Géorgienne (*Id. ibid.*, p. 50). Auparavant et bien longtemps après, des Franco-Québécois vont s'employer aux grands travaux publics du Haut-Saint-Laurent (chantier naval de Kingston en 1812; canal Rideau autour de 1830; voie maritime du Saint-Laurent un siècle plus tard). Plusieurs s'installent dans la péninsule du Niagara. La construction du chemin de fer transcontinental dans les années 1880, puis les mines et la terre, attirent d'autres Canadiens français du Québec. Enfin, à partir de la fin du XIXe siècle, l'industrie textile à Cornwall et à Welland, ainsi que les industries de guerre, y fixent des ouvriers venus du Québec (*Id. ibid.*, p. 127). Les années de l'entre-deux-guerres verront de nouvelles invasions du Nord par les Franco-

Québécois. Encore en 1961, les frères Dubreuil venus de l'Abitibi créent de toutes pièces Dubreuilville, une communauté vouée à l'industrie forestière dans l'Ouest de l'Ontario. (*Id. ibid.*, p. 153–154)

3 Sur le Canada français des trois premières décennies de la Confédération, on se reportera à l'excellente analyse de Arthur Silver, *The French Canadian Idea of Confederation, 1867–1900* (Toronto, University of Toronto Press, 1982, 257 p.). L'auteur rappelle que les minorités francophones comme les Franco-Ontariens ont été négligées par les Pères de la Confédération. Les chefs politiques canadiens-français d'alors sont plus intéressés à défendre les droits des catholiques. Ils réussissent, sur ce point, de fructueuses alliances avec les catholiques anglophones de l'Ontario.

Pour George-Étienne Cartier, les Franco-Ontariens n'existent pas. En 1866, il déclare : « Le Haut-Canada n'est habité que par une seule race, il en est autrement du Bas Canada. » L'année précédente, Hector Langevin avait dit : « Le Haut-Canada est une province homogène professant différentes religions. » C'était faire fi des 75 000 Canadiens de langue française vivant alors sur le territoire de l'actuel Ontario. (Voir Jean-Charles Bonenfant, *Les Canadiens français et les origines de la Confédération*, (La Société historique du Canada, Ottawa, 1966, p. 10.) Après 1867, les dirigeants politiques du Québec n'ont aucune prise sur les politiques scolaires des autres provinces. D'où un désenchantement croissant et une solidarité montante entre Canadiens français du Québec et hors Québec, en particulier en Ontario.

4 T. Saint-Pierre, *Histoire des Canadiens du Michigan et du comté d'Essex, Ontario*, (Montréal, Typographie de la Gazette, 1985, p. 249). L'abbé Casgrain séjourne à quelques reprises chez son frère, Charles-Eusèbe Casgrain, installé à Windsor. Dans un article de *L'Opinion publique* du 23 février 1882, intitulé « Lettres américaines » (qu'il signe avec Joseph Marmette), l'abbé fait l'éloge de la politique scolaire du gouvernement ontarien; celle-ci permet aux Canadiens français de conserver leur langue, alors que les Franco-Américains de Détroit sont sur ce point perdus.

5 Pour l'historien Chad Gaffield, toutes les conditions pour la crise du Règlement 17 sont déjà en place dans le comté de Prescott dès les années 1880 : il ne manque que la volonté politique d'intervenir de la part du gouvernement provincial. Voir *Language, Schooling and Cultural Conflict. The Origins of the French Language Controversy in Ontario*, (McGill-Queen's University Press, Kingston et Montréal, 1987, 249 p.). Voir aussi Robert Choquette, *L'Église catholique dans l'Ontario français du dix-neuvième siècle*, (Éditions de l'Université d'Ottawa, Ottawa, 1984, p. 301 à 308).

6 Nous suivons sur ce point Mason Wade, *Les Canadiens français de 1760 à nos jours*, (Le Cercle du Livre de France, Ottawa, 1963, Tome 2, p. 30–183), et *L'Histoire de la Province de Québec* de Robert Rumilly (Tomes XVII à XXVIII). Rumilly fait une analyse plus prolixe et cite des documents *in extenso*. Ces deux

auteurs ne manquent pas de montrer les liens étroits entre Franco-Québécois et Franco-Ontariens. Ils situent également la querelle du Règlement 17 par rapport à celle, plus vaste, de la participation des Canadiens français à la Première Guerre mondiale. Voir aussi le chapitre 13 de « The Prussians are Next Door », dans *The Dream of Nation. A Social and Intellectual History of Quebec*, de Susan Mann Trofimenkoff (Gage, Toronto, 1983). Sur le Règlement 17, dans une perspective canadienne, on se reportera aussi aux pages solides de Craig Brown et Ramsay Cook, *Canada 1896–1921 : A Nation Transformed*, (McClelland & Stewart, Toronto, 1974, p. 250–274). Le rôle des autorités catholiques québécoises dans la crise scolaire est évoqué par Jean Hamelin et Nicole Gagnon, (*Le XXe siècle*, Tome I, 1898–1940, de *L'Histoire du catholicisme québécois*, troisième partie), (Boréal Express, Montréal, 1984, p. 87–100). Analysant l'attitude des évêques, les auteurs montrent un Bruchési et un Émard conciliants, alors qu'un Bégin et un Cloutier sont plus fermes dans leur défense des Franco-Ontariens.

7 Wade, *op. cit.*, Tome 2, p. 65 et 134.

8 Guy La Perrière, « L'Église et l'argent : les quêtes commandées dans le diocèse de Sherbrooke, 1893–1923 », dans *Session d'étude 1974* de la Société canadienne d'histoire de l'Église catholique, (Ottawa, 1975, p. 61–85).

9 Ce discours célèbre hante la mémoire franco-ontarienne. En 1980, Jeannine Séguin, présidente de l'ACFO, invitait les membres de l'Assemblée nationale du Québec à répéter le geste unanime d'appui à la cause scolaire franco-ontarienne que l'Assemblée législative avait posé soixante-cinq ans plus tôt (*Le Devoir*, 28 janvier 1980, p. 4). Sur la scène de 1915, voir Rumilly, *op. cit.*, Tome XIX, p. 133–138.

10 Rumilly, *op. cit.*, Tome XXI, p. 80–82.

11 Wade, *op. cit.*, Tome 2, p. 130.

12 Arthur Saint-Pierre, *Ce que je pense sur...*, préface du sénateur N.-A. Belcourt, Éditions de la Bibliothèque canadienne, Montréal, 1927, p. 73–74.

13 De cette pièce, publiée à Montréal en 1929, voir l'analyse de Alonzo LeBlanc dans le *Dictionnaire des œuvres littéraires du Québec*, (Fides, Montréal, 1980, Tome 2, p. 858–859).

13a En mars 1916, les évêques de la province de Québec présentent une requête au gouverneur général demandant le retrait du Règlement 17. Mgr Bruchési et Mgr Émard de Valleyfield refusent de s'associer à leurs confrères de l'épiscopat, tout en affirmant leur opposition au règlement. Bruchési préfère la diplomatie aux affrontements. Voir Jean Bruchési, *Témoignages d'hier. Essais*, (Fides, Montréal, 1961, p. 295, note 6, et p. 260).

14 Victor Lapalme, *Les Franco-Ontariens et la vie politique provinciale* (Thèse de maîtrise en science politique de l'Université d'Ottawa, p. 95–100).

15 Sur cette affaire, voir notre article : « L'affaire Amyot : rapports entre Franco-Ontariens et Québécois dans les années 1920 », dans *Aspects de la civilisation canadienne-française*. Textes réunis par Pierre Savard, (Éditions de l'Université

d'Ottawa, Ottawa, 1983, p. 195–198). Il faut souligner ici que le discours de l'élite franco-québécoise face à l'émigration en Ontario est toujours marqué par l'ambiguïté. Une partie de ce groupe voit dans les départs vers l'Ontario une perte nette pour la province de Québec : ces Canadiens français vont grossir le poids politique de la province d'Ontario. Tôt conscients du phénomène de l'assimilation, des patriotes franco-québécois mettent en doute la survie à long terme d'un Ontario français.

Pour le poète Charles Gill en 1909, la patrie c'est le Québec et l'Ontario c'est l'étranger. Par contre, Bourassa combat inlassablement pour les francophones d'un océan à l'autre. En 1936, le jeune André Laurendeau annexe le Nord ontarien au « territoire réel » du Québec (avec l'Acadie). Cités dans Guildo Rousseau, *L'Image des États-Unis dans la littérature québécoise, 1775–1930*, (Naaman, Sherbrooke, 1981, pp. 289 et 295). Des missionnaires-colonisateurs, de leur côté, vantent les mérites de l'Ontario. Ils soulignent la politique généreuse du gouvernement dans l'octroi de terres et rappellent l'existence d'infrastructures canadiennes-françaises et catholiques : paroisses, écoles, etc. Aller en Ontario ou rester au Québec constitue, dans bien des collèges et universités, un sujet de débats oratoires qui présente plus qu'un intérêt académique. Faut-il regrouper ses forces dans la province-mère et s'y ancrer solidement au point de vue économique, ou faut-il coloniser l'Ontario (et le reste du Canada) pour ne pas laisser le Canada français se réduire au Québec, comme le désirent ses adversaires ? Les évêques du Québec, dans leur célèbre lettre collective sur l'émigration de 1871, avaient proposé une ligne de conduite : mieux vaut rester au Québec, mais, s'il faut émigrer, aller de préférence au Canada (à l'époque, au Manitoba, par exemple) plutôt qu'aux États-Unis, dont les usines attirent les Canadiens français en masse. Cette position est exprimée à l'occasion dans des publications semi-officielles comme la *Semaine religieuse de Québec*. Dans cette perspective, la colonisation du Nord de l'Ontario apparaîtra même une œuvre louable. Sur la propagande au Québec — qui présente l'Ontario comme terre privilégiée de colonisation hors Québec — voir J. Grimard et G. Vallières, *Travailleurs et gens d'affaires (...)* p. 53–73.

16 Sur cet événement, voir Groulx, *Mémoires*, Vol. 4, p. 350–351, et du même auteur, *Dix ans d'Action française*, (Montréal, Bibliothèque de l'Action française, 1926, p. 207–215).

17 Sur l'Union du Canada, voir Charles Leclerc, *L'Union Saint-Joseph du Canada. Son histoire, son œuvre, ses artisans*, (Ottawa, 1939, 89 p.). Voir aussi la thèse de maîtrise sur le sujet présentée par Gayle Comeau à l'Université de Montréal et préparée à l'aide des archives de la mutuelle conservées au Centre de recherche en civilisation canadienne-française de l'Université d'Ottawa.

18 Sur les liens de l'UCCFO avec le Québec, voir *Le Droit* du 7 mars 1941 et le *Programme-souvenir du 25e anniversaire de l'Union catholique des cultivateurs franco-ontariens, 1929–1954*, (Embrun, 1954, 40 p.). *La Terre ontarienne*, organe de l'UCCFO, rapporte en avril 1947 (Vol. 1, n° 4) que dans les années

1940, une à deux douzaines de jeunes Franco-Ontariens vont chaque année étudier l'agriculture à l'Institut agricole d'Oka, faute d'une école d'agriculture bilingue en Ontario. Sur l'UCCFO même, bonne mise au point dans Grimard et Vallières, *op. cit.*, p. 210–214.

19 Sur les liens entre francophones du Québec et de l'Ontario dans l'ACJC, voir, par exemple, les actes du *Congrès de la jeunesse à Ottawa en 1910*, Montréal, « Le Semeur », 1910. Le congrès a lieu peu après celui de la fondation de l'ACFEO.

20 Sur l'Ordre de Jacques-Cartier, on consultera l'étude générale de G. Raymond Laliberté, *Une société secrète, l'Ordre de Jacques-Cartier*, Montréal, HMH, 1983, 395 p. Roger Cyr dans *La Patente*, publié aux éditions du Jour à Montréal en 1964 (en pleine crise de l'organisme), critique sévèrement le leadership franco-ontarien d'Ottawa. Robert Choquette présente une bonne mise au point sur la place des Franco-Ontariens dans l'Ordre dans *La Foi gardienne de la langue en Ontario, 1900–1950*, (Montréal, Bellarmin, 1987, 282 p.).

21 Sur les clubs Richelieu, article court dans *Vie française*, Vol. 30, n°s 4-5-6, décembre-janvier-février 1975–76, pp. 59 à 64, par G. Mathias Pagé : « Le Richelieu international ». Sur les divergences entre Québécois et Franco-Ontariens voir *Les Clubs Richelieu*, (Montréal, Éditions du Jour, 1971) (en collaboration). On y affirme, par exemple (p. 25) que « certaines grandes villes du Québec se montraient récalcitrantes à l'idée d'une tutelle ontarienne ».

22 Sur l'ACÉLF, voir Maurice Lebel, éd., *Souvenirs historiques. Association canadienne d'éducation de langue française, 35e anniversaire, 1947–1982*, (Éditions Le livre du Pays, Sillery, 1984).

23 Dans *Le Conseil de la vie française*, (Québec, Éditions Ferland, 1967, 168 p.), Mgr Paul-Émile Gosselin, témoin de la première heure, rappelle la place de l'Ontario français au Conseil, et ce dès l'origine en 1937 (surtout p. 115–117).

24 Sur les communautés religieuses francophones en Ontario, on consultera le survol commode de Paul-François Sylvestre, *Les Communautés religieuses en Ontario français : sur les traces de Joseph Le Caron*, (Montréal, Éditions Bellarmin, 1984, 142 p.). On trouve aussi beaucoup à glaner dans les ouvrages de Robert Choquette sur l'histoire religieuse des XIXe et XXe siècles, dont *La Foi gardienne de la langue en Ontario, 1900–1950*, (Montréal, Bellarmin, 1987).

25 Sur Mayrand, Emery et Héroux, on consultera les archives du Centre de recherche en civilisation canadienne-française de l'Université d'Ottawa et celles du Centre de recherche en histoire de l'Amérique française à Montréal. On y trouve des lettres et des coupures de presse riches de renseignements sur les relations Ontario français/Québec. Voir aussi *Mes Mémoires* de Lionel Groulx, qui évoque ces trois figures. Bien entendu, nous connaissons mieux les rapports au niveau de l'élite que ceux, diffus, entre les migrants « ordinaires » et leurs parents et amis du Québec. À la longue, ces liens se distendent et les Franco-Ontariens en viennent à voir le Québec comme une lointaine province d'origine à la mentalité et aux intérêts différents des leurs.

26 Cité dans Louis Balthazar, *Bilan du nationalisme au Québec*, (L'Hexagone, Montréal, 1986, p. 131–132).

27 Sur l'action du gouvernement du Québec en faveur des Franco-Ontariens et sur l'accord de 1969, on consultera Robert Choquette, *L'Ontario français, historique*, (Éditions Études vivantes, Montréal, 1980, p. 211–212). Voir également les rapports annuels du ministère des Affaires culturelles du Québec puis celui des Affaires intergouvernementales. Utile bilan intitulé « Le Québec et la francophonie canadienne » dans *Vie française*, (Vol. 36, n°s 4-5-6, avril-mai-juin 1982, p. 21–28). Enfin, il y a des renseignements dans Guy Frégault, *Chronique des années perdues*, (Ottawa, Leméac), 1976, p. 37–39 et 201–205.

28 Sur les États généraux du Canada français, on consultera d'abord le copieux numéro de *L'Action nationale* sur ce thème (Vol. LVII, n° 6, février 1968). Le volume de 380 pages consacré aux « assises nationales tenues à la Place des arts de Montréal du 23 au 26 novembre 1967 » contient un riche dossier de presse, de précieux textes des interventions, et les résultats des votes. On y compte 210 délégués de l'Ontario, dont les deux tiers s'affirment contre l'autodétermination des Québécois.

29 *Le Devoir*, 7 septembre 1974. La morosité gagne alors bien des Franco-Ontariens. Une journaliste observe quelques années plus tard que pour trop de Franco-Ontariens, le Québec est « un danger plutôt qu'une mère-patrie ». « Les jeunes se tournent plus facilement du côté de la culture américaine que du côté d'une culture où ils ne voient qu'humiliation et désespoir. » (Patricia Dumas dans *Le Devoir* du 27 octobre 1978, p. 8). Quelques mois plus tôt, Pierre Bourgault, maître à penser de l'indépendance québécoise, rassurait les Franco-Ontariens lors d'une conférence célèbre à l'Université d'Ottawa : « Nous faisons partie d'un même peuple, il ne faut pas l'oublier (...) il faut que nous nous reconnaissions comme des frères et des sœurs. » R. Vigneault, éd., *Langue, littérature, culture au Canada français*, (Éditions de l'Université d'Ottawa, 1977, p. 16–17). Le Parti québécois commence la politique de la main tendue aux francophones hors Québec.

30 Sur le Secrétariat des peuples francophones, voir l'analyse du journaliste Gilles Lesage dans *Le Devoir* du 16 juillet 1982. Il le décrit comme « l'arme secrète et chérie du premier ministre du Québec (René Lévesque) pour venir en aide aux minorités francophones hors Québec ». Voir aussi dans *Le Soleil* du 31 août 1985 un rappel du rôle du Secrétariat à l'occasion de l'inauguration du Parc de l'Amérique française (à Québec), où flotte le drapeau franco-ontarien.

31 *Le Devoir*, 28 mai 1985, p. 12. Dans le même livraison, on trouve un long extrait de l'allocution prononcée à Ottawa par Pierre-Marc Johnson, ministre délégué au secrétariat des Affaires intergouvernementales canadiennes du gouvernement du Québec. À un colloque sur les minorités qui réunit francophones hors Québec et anglophones du Québec, Claude Ryan, député d'Argenteuil, rappelle que « Si le fait français a survécu au Canada, c'est à cause du parlement de Québec. » (Voir *Le Devoir* du 19 octobre 1985.) C'est-à-dire que le Parti libéral du Québec ne vou-

lait pas se laisser distancer, ni par Ottawa, ni par le Parti québécois (alors au pouvoir), en matière de solidarité entre Canadiens français. On est loin des années 1970, quand le Québec affichait plus d'indifférence et qu'Ottawa posait bruyamment en sauveur des minorités. Le gouvernement ontarien n'est pas en reste en matière de retrouvailles et de reconnaissance. Il soigne particulièrement son image dans les médias québécois, comme en témoignent les pages sur l'Ontario dans *Le Devoir* du 12 mai 1983. Une dizaine d'articles présentent une province prospère et dynamique, où il fait bon vivre pour les francophones. Toronto, en particulier, selon Philippe Garigue, principal du Collège Glendon, est devenu la matrice d'une nouvelle espèce de Franco-Ontariens instruits et urbains, avec, pour la première fois, « une élite de même niveau que celle des anglophones ». (*Ibid.*, p. 12) Au mythe rural a succédé le mythe du tertiaire supérieur... Voir aussi une certaine idéalisation des Franco-Ontariens du Sud, libérés des contraintes économiques et culturelles (dont ses élites traditionnelles et ses intellectuels décrochés de la réalité, qui ont dominé le Nord et l'Est), dans F. Ouellet, « Économie et société minoritaire. Propos incertains sur l'économie et la minorité francophone en Ontario : vers un nouveau regard sur le passé et le présent franco-ontarien », dans « Minorité culturelle et institutions : l'Ontario français ». *Revue du Nouvel-Ontario*, (n° 8, 1986, p. 117 et 118 surtout). Tout en soulignant, avec raison, la promotion économique que représente généralement le passage en Ontario, Ouellet admet néanmoins qu'au niveau de « l'entrepreneurship et des postes qui confèrent le pouvoir et le prestige, les Franco-Ontariens brillent peu ».

Sur la politique du gouvernement ontarien en matière de services en français, on trouve une analyse commode et mesurée dans Sylvie Guillaume, *L'Ontario et ses francophones*, 1967–1987, (Presses de l'Université de Bordeaux, 1987, 85 p.). Cependant, pas plus que les gouvernements d'Ottawa ou de Toronto, les dirigeants franco-ontariens ne peuvent être sûrs de l'appui du Québec. L'accord du lac Meech a réussi, par exemple, à diviser les Franco-Ontariens et les Québécois. Réagissant des mois après la signature du document, l'ACFO déclare que les Franco-Ontariens ont été abandonnés par le Québec, qui n'a rien fait pour assurer l'épanouissement des francophones hors Québec. Le rédacteur en chef du *Devoir* répond le 20 février 1988 que le Québec n'était pas en 1987 en mesure d'obtenir ce qui n'avait pas été concédé en 1982. Encore une fois, on voit la minorité franco-ontarienne condamnée à manœuvrer étroitement entre Ottawa, Toronto et Québec.

32 Voir les travaux des linguistes comme André Lapierre dans *L'Ontario français du Sud-Ouest, témoignages oraux*, (Ottawa, Éditions de l'Université d'Ottawa, 1982, 660 p.), et surtout « Bilan d'une survivance : le parler français du Sud-Ouest ontarien », dans *Zeitchrift der Gesellschaft für Kanada-Studien*, 1984, n° 1, p. 97–107. (« Il est difficile de faire le partage entre ce qui est caractéristique de l'aire Windsor-Détroit et ce qui est courant ailleurs en franco-canadien », p. 102.)

33 Voir plus haut, note 2. Le cas d'Ottawa illustre bien notre propos. Les quatre tomes parus de *L'Histoire d'Ottawa* de Georgette Lamoureux (chez l'auteur,

1975–1984) fournissent des listes révélatrices de familles québécoises installées à Bytown, puis Ottawa. Autour de 1865, avec le déménagement de la capitale à Bytown, il en vient plusieurs de la ville de Québec, mais plus encore de la plaine de Montréal, des Trois-Rivières et des environs. On y compte des fonctionnaires, des artisans et des professionnels, mais surtout des manœuvres attirés par les usines d'Ottawa. (Le père Alexis de Barbezieux a bien décrit ces établissements dans sa monographie de la paroisse de Saint-François d'Assise d'Ottawa, en 1902 : (*Le Canada héroïque et pittoresque*, Bruges-Paris, Desclée de Brouwer, 1927, p. 165–166). La Seconde Guerre mondiale, puis le recrutement massif de fonctionnaires fédéraux à la fin des années 1960, amènent enfin de nombreux Franco-Québécois dans des postes dits bilingues. Il en résulte que la francophonie d'Ottawa est bigarrée : ses élites comportent bon nombre d'intellectuels venus d'ailleurs. Dans un bilan de la vie littéraire d'Ottawa publié dans *Le Droit* du 27 mars 1948 et qui n'oubliait aucun nom, Guy Sylvestre faisait remarquer que des quelque 25 écrivains mentionnés, tous, à part trois nés à Ottawa, un ou deux ailleurs, hors Québec, et deux à l'étranger, venaient du Québec. « La domination québécoise », avec celle des « Français de France » et autres francophones, sera jusqu'à nos jours un des caractères de la vie culturelle francophone de la capitale de la Confédération. Une production indigène a pu se faire une place au soleil, mais péniblement, longtemps écrasée qu'elle était par les francophones venus d'ailleurs. Si bien qu'on peut parler de « francophonie à étages » ou de « francophonies parallèles » à Ottawa et à Toronto. Voir sur ce point notre rapport *Cultiver sa différence*, (Conseil des arts de l'Ontario, 1977, p. 56–63 et 86–89).

34 Voir l'inventaire instructif de André Lapierre, *Toponymie française en Ontario*, (Éditions Études vivantes, Montréal, 1981). Cependant, les toponymes rappellent surtout l'époque des explorateurs et coureurs de bois français, qui nommèrent les premiers la terre ontarienne.

35 Ceci ne veut pas dire que les intérêts entre les deux groupes catholiques coïncident toujours. Robert Choquette rappelle qu'en 1886, Mgr Duhamel obtient l'érection de la province ecclésiastique d'Ottawa pour s'affranchir autant de la tutelle de Québec que de celle de Toronto. De même, la division du diocèse d'Ottawa a lieu dans les années 1960. Pendant des générations, les catholiques francophones des deux côtés de l'Outaouais ont relevé de l'archevêque d'Ottawa; la création du diocèse de Hull suivant la frontière provinciale reconnaît un fait : les mentalités et les besoins des catholiques franco-ontariens et franco-québécois ne sont plus les mêmes. Sur ces questions, voir les chapitres de Robert Choquette, de même que Danielle Juteau-Lee et Lise Séguin Kimpton dans le présent ouvrage. L'histoire instructive de la séparation du diocèse d'Ottawa reste à écrire.

36 Si le passage en Ontario s'accompagne de promotion économique, il ne faut pas en cacher les coûts culturels. Rappelons que la moitié des Ontariens d'origine française ne parlent plus le français. Leur intégration à la société d'accueil s'est faite au prix de la perte de leur identité canadienne-française. L'historien Donald

Harman Akenson a montré de façon saisissante la vulnérabilité socioculturelle des arrivants canadiens-français dans son étude du village industriel de Gaganoque, près de Kingston, qui compte 524 habitants en 1871. L'auteur dégage cinq classes ethniques, depuis les ouvriers spécialisés venus d'Écosse jusqu'aux ouvriers non spécialisés venus du Québec francophone. Il observe que le groupe le moins favorisé est celui des Canadiens français nés au Québec. Même s'ils sont issus d'une province voisine, le choc culturel est plus grand pour eux que pour l'immigrant des États-Unis, de l'Angleterre, de l'Écosse, ou de l'Irlande. Voir *The Irish in Ontario. A Study in Rural History*, (Kingston et Montréal, McGill-Queen's University Press, 1984, p. 316–330). On comprend alors le désir d'assimilation linguistique et culturelle au groupe dominant. L'assimilation réussie va à son tour accentuer le clivage entre Franco-Ontariens désireux de sauvegarder leur langue et leur culture et Canadiens français « assimilés ». Les Franco-Ontariens actuels descendent pour la plupart de Québécois qui se sont installés dans des régions où le peuplement francophone n'était pas négligeable et qui pouvaient se donner des structures paroissiales, scolaires et autres, propres à assurer la survie culturelle et linguistique.

37 En 1963, sans doute au moment de sa plus grande extension géographique, *Le Droit* se rend jusqu'à Geraldton, soit 200 milles à l'ouest de Kapuskasing. Le journal franco-ontarien compte alors des abonnés non seulement dans tout l'Ontario français, mais encore dans l'Abitibi, le Témiscamingue, l'Outaouais québécois, à Mont-Laurier, à Rigaud et à Lachute. Voir Tremblay, *Entre deux livraisons, 1913–1963*, (*Le Droit*, Ottawa, 1963, p. 205). Sur l'histoire des médias (journaux, radio et télévision) qui reste à écrire, bonne mise au point dans Grimard et Vallières, *op. cit.*, p. 180–185.

38 L'information sur le Québec en Ontario a été analysée par John Cruickshank, correspondant parlementaire du *Globe and Mail* à Toronto, dans *Le Devoir* du 13 mai 1983, p. 13. Par ailleurs, une étude pour le compte de l'ACELF a montré que les francophones hors Québec ignorent à peu près totalement les médias du Québec (*Le Soleil*, 7 août 1980).

39 Cité dans Laurent Tremblay, *Entre deux livraisons, 1913–1963*, (*Le Droit*, Ottawa, 1963, p. 166). *Le Devoir*, comme à l'habitude, appuie ici *Le Droit*. Un des rares différends entre les deux journaux a lieu à l'automne de 1948. Pierre Vigeant publie dans *Le Devoir* une série d'articles incendiaires qui seront largement répandus en brochure, où il s'en prend à l'Université d'Ottawa, instrument d'« anglicisation » à cause de son caractère bilingue. *Le Droit* riposte vertement et l'affaire marque de façon durable la sensibilité des uns et des autres. (Tremblay, *loc. cit.*, p. 176.)

40 Cité dans *Le Devoir* du 27 novembre 1986, p. 9.

7 *La collectivité franco-ontarienne : structuration d'un espace symbolique et politique*

DANIELLE JUTEAU et
LISE SÉGUIN-KIMPTON

Le cheminement parcouru par la collectivité franco-ontarienne, cheminement parsemé d'avances, de reculs, de gains, de pertes, de replis et de progrès, ne se laisse pas saisir de façon réductionniste ni manichéenne. En effet, la transformation des rapports sociaux ethniques au Canada et le renforcement concomitant de la gestion étatique de ces rapports a engendré la structuration de nouveaux espaces ethniques caractérisés par un changement au niveau des élites, de l'identité et des représentations collectives, des projets politiques et des discours scientifiques. Dans le contexte ontarien, il s'agit, plus précisément : 1) de l'émergence d'une collectivité francophone distincte, dont le destin, bien que lié à celui de la nation québécoise, ne le recouvre plus exactement[1] ; 2) de l'apparition d'un « NOUS franco-ontarien », cette identité collective correspondant à la modification des frontières ethniques et l'exprimant; 3) de l'accession à l'historicité de cette communauté d'histoire et de culture qui s'inscrit, par ses pratiques nationalitaires[2], dans le champ politique[3]; 4) de l'importance accrue de la petite bourgeoisie et ce, au détriment de l'élite cléricale; 5) de l'éclosion de discours scientifiques visant à rendre compte de l'histoire de la collectivité canadienne-française de l'Ontario et de son évolution[4].

C'est par le biais d'une vision dynamique et totalisante de la culture que nous chercherons à établir comment se noue, se dénoue et se renoue la trame historique de cette collectivité dont la trajectoire récente, bien que sinueuse, peut être appréhendée sous un angle bien précis : la reconstruction d'espaces symbolique et politique structurés par suite de la dissolution du Canada français en tant que pôle institutionnel.

CADRE D'ANALYSE

Le processus de scission-division[5] qui a provoqué la transformation des frontières ethniques au sein du Canada français ainsi que l'émergence de la collectivité franco-ontarienne, a également suscité la prolifération d'études portant sur ce nouvel objet. À partir des années 1970, les analyses, presque inexistantes auparavant — l'on se souviendra que les chercheurs s'intéressaient davantage aux Canadiens français du Québec qu'à leurs cousins « exilés » — se multiplieront et se complexifieront[6]. Le discours scientifique qui éclôt renvoie, ainsi que l'ont souligné Lapointe et Thériault[7], à quatre paradigmes principaux : 1) les théoriciens du mouvement national appréhendent la collectivité canadienne-française comme une nation et sa lutte, comme une lutte nationale qui vise à la réalisation de la pleine potentialité de la nation; l'histoire nationale s'applique au Canada français dont les frontières s'étendent à l'espace pancanadien; 2) les théoriciens de la modernisation présentent la collectivité comme un groupe ethno-culturel s'orientant progressivement, sous l'impact de la modernisation, vers la disparition (assimilation); 3) les théoriciens du pouvoir organisationnel conceptualisent la réalité francophone en tant que système institutionnel en mutation; 4) les théoriciens des rapports de pouvoir privilégient l'analyse de systèmes d'action historique insérés dans des rapports de pouvoir symétriques.

Fidèles à nos orientations antérieures[8], nous récusons toute analyse statique, essentialiste et/ou culturaliste, axée sur la valorisation de la différence, naturelle ou acquise, d'une collectivité dont on énumère les caractéristiques spécifiques. Nous privilégions toujours une analyse centrée sur les rapports sociaux ethniques, ces rapports objectifs unissant majoritaires et minoritaires dans un même univers matériel et symbolique, ainsi qu'une analyse de leur transformation. Il s'agit en l'occurrence de la transformation des différenciations et des hiérarchisations sociales, ces dernières renvoyant à un ordre des classements, des privilèges et de la distribution inégalitaire du pouvoir, du prestige et des biens[9]. Par ailleurs, cet ordre met en présence des groupes ethniques, c'est-à-dire des « groupes humains qui nourrissent une croyance subjective à une communauté d'origine fondée sur des similitudes de l'habitus extérieur ou des mœurs, [...] de sorte que cette croyance devient importante pour la propagation de la communalisation — peu importe qu'une communauté de sang existe ou non objectivement »[10]. Aussi faut-il reconnaître que le rejet d'une approche culturaliste[11] ne nous interdit pas d'appréhender les rapports sociaux ethniques en tant que système culturel de relations sociales, ce système pouvant être examiné aux niveaux économique, politique et idéologique.

Les systèmes culturels sont saisis en tant qu'ensemble d'opérations destinées à assurer la communication entre les individus. Tous les éléments culturels propres à une collectivité s'entrelacent au profit d'une symbolique concrète et régissent la relation des sujets individuels à la signification. Toute expérience sociale signifiante, depuis les communications linguistiques jusqu'aux relations entre les sexes et les échanges économiques, est ordonnée et régie par le schème symbolique, ce mode d'être distinct dans lequel se constitue et agit le sujet individuel.

Dans ce champ complexe de communication, le sujet individuel ne saurait être la source ponctuelle de signification au sein d'un système culturel. En effet, le sujet est construit à l'intérieur de systèmes spécifiques de différences; sa position et ses pratiques sociales sont déterminées par un agencement complexe de différenciations concrètes toujours médiatisées à travers la production d'un processus de signification vécu. La totalité sociale y est appréhendée comme un ensemble de systèmes de différences possédant leur propre logique. Le système complexe d'échanges qui vient façonner, traverser et ultimement structurer les sujets s'intègre dans le comportement individuel et la conduite collective; il organise les pratiques sociales des individus engagés dans la construction et la reproduction de leur univers symbolique.

L'objectif de notre analyse n'est pas tellement de parvenir à décrire, cerner ou même justifier... la spécificité propre d'un système culturel; nous voulons plutôt identifier les conditions matérielles et le mode de domination qui assurent la reproduction coordonnée de la spécificité culturelle. Ainsi, nous chercherons à rendre compte, du point de vue concret et du point de vue du sens, des pratiques sociales et des stratégies d'action mises en œuvre par les francophones de l'Ontario français depuis la dissolution du Canada français en tant que pôle institutionnel. Le système culturel qui émerge correspond à un nouveau mode de culture significative, distinct de celui qui l'a précédé. Après avoir esquissé à grands traits la transformation de l'ancien complexe communicationnel, nous nous pencherons sur la nouvelle logique de l'action qui vise à reconstruire un espace symbolique structuré et une légitimité dans la sphère politique.

LA COLLECTIVITÉ FRANCOPHONE DE L'ONTARIO

Le champ social francophone de l'Ontario est le produit d'un long et lent processus d'autonomisation culturelle au sein du tissu sociétal canadien. Jusqu'à la révolution tranquille du Québec en 1960, le sens qui émanait du complexe communicationnel de la collectivité ne différait pas sensiblement de celui de l'ensemble du Canada français auquel il se trouvait inextricablement lié. Nous avons déjà montré[12] que le schème symbolique qui s'actualisait au sein de ces enclaves francophones et qui réglait les relations entre les sujets et les groupes s'abreuvait à une tradition culturelle où prédominaient le code religieux et les interprétations religieuses de la réalité. En ce qui a trait à l'intégration des individus dans la collectivité francophone de l'Ontario, les mécanismes d'institutionnalisation de ce complexe communicationnel tendaient à garantir la production de la nation canadienne-française et du caractère national en général. Les frontières d'ordre culturel instituées par l'appareil ecclésial semblaient avoir préséance sur les frontières d'ordre politique.

La révolution tranquille au Québec mettra fin à la domination d'un imaginaire culturel traditionnel; l'ensemble de l'univers social s'y trouve sacralisé dans l'idéologie nationaliste organisée dans l'Église[13]. La consolidation, avec le capitalisme industriel, d'une nouvelle rationalité et l'émergence de l'État national avec ses procès de production, de contrôle et de reproduction, videront progressivement de tout sens les anciens lieux d'identification, de solidarité et d'opposition tels que le groupe familial et religieux, le quartier, les organisations. La transformation subséquente de l'appartenance individuelle et collective favorise un discours visant à construire ou à reconstruire la nation dans l'État. Tout ce qui est désigné comme national (économie, institutions, culture, langue) doit être redéfini dans un langage nouveau qui constitue le cœur, le centre, le lieu, le signe, la source du caractère national[14].

Vers les années 1960, ce n'est plus l'Église mais l'État qui veille sur la nation et assume la direction de son destin. Dès lors, la province de Québec devient l'État du Québec qui a engendré à son tour la nation québécoise. C'est alors que s'est effondré le Canada français en tant que communauté nationale de destin et qu'apparurent des projets et des solidarités parallèles; ce processus de scission-division devint manifeste lors de la tenue des États généraux du Canada français en 1966, 1967 et 1969[15].

Au Québec, l'effervescence qui suivit l'effondrement du dispositif institutionnel articulé dans l'Église et la dissolution du discours jadis légitime, se verra promptement canalisée dans les réformes de la révolution tranquille; en revanche, cette transition entraînera, en Ontario, une brusque rupture des modalités de régulation sociale de la collectivité francophone.

L'État provincial ontarien — comme celui du Québec d'ailleurs — se chargera de rapatrier à travers l'élaboration de diverses politiques étatiques l'ensemble des identités culturelles, linguistiques, régionales, sociales sur son territoire[16]. Le déplacement de la rationalité propre du système étatique inaugurera dans le champ social, l'instauration des mécanismes de contrôle des nouvelles places liées aux transformations dans le procès général du capitalisme, notamment celles correspondant à la gestion des appareils scolaire, hospitalier, etc. Dans ce contexte, le pouvoir de l'élite cléricale francophone s'effritera et sera remplacé par celui de la nouvelle petite bourgeoisie, intégrée dans les réseaux des procès capitalistes[17]. Ainsi la logique de reproduction des agents de la collectivité se dissocie-t-elle des contraintes du réseau institutionnel jadis géré par une élite clérico-professionnelle; elle s'inscrit désormais dans le champ d'un ensemble de systèmes relevant de la sphère publique et dont la rationalité se révèle tout aussi contraignante. Les Canadiens français de l'Ontario seront appelés à réagir, à s'adapter ou à se résigner à ces nouvelles conditions d'existence qui engendreront de nouvelles potentialités stratégiques dans le champ sociétal. Ils se verront dans l'obligation d'apprendre à manier davantage des instruments, tels la ville, l'économie marchande, l'État, afin de parvenir à se tailler une nouvelle place en Ontario. Cependant, l'absence d'une tradition politique forte, d'une identité provinciale propre et d'une force de frappe adéquate, rend précaire leur intégration dans la société ontarienne et donne naissance à une série de protestations sociales dont les enjeux commencent d'ailleurs à se préciser. C'est à l'examen de cette dynamique particulière que nous consacrerons maintenant notre analyse. Il s'agit de mettre à jour les enjeux réels des conflits et des projets linguistiques en examinant certaines des revendications et des stratégies de la collectivité franco-ontarienne.

Depuis la dissolution du discours dominant de l'ancien complexe communicationnel, dans lequel les institutions se trouvaient investies de sens à partir de la tradition culturelle et des interprétations religieuses de la réalité dans son ensemble, une nouvelle axiomatique de l'action se présente aux sujets de cette collectivité[18].

En effet, avec la consolidation de l'État-nation dans un appareil de pouvoir intégré et la déterritorialisation des sujets et des formes de vie socioculturelle, on assiste à la cristallisation dans le champ social d'un nouveau rapport de force redéfinissant les pratiques des sujets de la collectivité.

À travers l'examen de certaines revendications et stratégies de la collectivité francophone de l'Ontario, nous démontrerons que celle-ci s'organise présentement sur deux registres superposés: le premier registre est caractérisé par une *logique de l'action communicationnelle* qui travaille la matrice de signification de la collectivité; cette logique cherche ainsi à (re)construire, à travers l'élaboration de propositions sociétales et de revendications normatives, un espace symbolique structuré, un pôle institutionnel, au sein duquel serait restaurée l'intersubjectivité. Il s'agit de la reconnaissance par les sujets des symboles, des règles, des normes, des schèmes d'interaction et d'appréhension du monde, bref de tous ces éléments qui rendent possibles la communication et la construction de l'identité; le deuxième registre met en évidence une *logique de l'action instrumentale* où s'affirme la nécessité d'accéder à une légitimité spécifique à la sphère politique (ou publique); les divers groupes de la collectivité francophone interviennent ici principalement sur des rapports et des pratiques linguistiques afin de greffer sur la langue minoritaire les mécanismes de défense qui lui font défaut[19].

Le premier registre : la reconstruction d'un espace symbolique structuré (action communicationnelle)

La dissolution du pôle institutionnel du Canada français et le réaménagement des procès de contrôle et de reproduction dans de nouveaux réseaux d'appareils, créeront en Ontario un vide que la collectivité francophone cherchera à combler. Les processus généraux des dernières décennies, notamment l'expansion du capitalisme, l'industrialisation, l'urbanisation[20] et la modernisation auront contribué à modifier la réalité de ce groupe, à transformer son identité et à diriger autrement son affirmation politique. C'est sur cette toile de fond que la collectivité francophone de l'Ontario fait son entrée dans la modernité occidentale et qu'elle cherchera à réinscrire les articulations majeures de son organisation sociétale[21].

Dès la fin des années 1960, apparaissent de nombreuses interventions dans le champ sociétal ontarien. Malgré leur caractère épars et sporadique, elles reflètent toutes, à divers niveaux, cette tentative de (re)construire un réseau communicationnel spécifique à la collectivité francophone de l'Ontario : il faut assurer comme jadis une identité propre aux sujets et aux groupes présents au sein de coordonnées sociétales sensiblement modifiées. En effet, l'on peut déceler une cohérence indéniable derrière cette série d'interventions qui viennent structurer l'espace vécu de la collectivité.

La dissolution de certaines institutions et associations, la transformation de leurs structures et objectifs, ou encore l'émergence de nouvelles structures, représentent les signes d'une métamorphose d'une collectivité qui cherche à consolider de nouvelles conditions de mise en forme et de reproduction des rapports sociaux. Cet examen de la dynamique interne de la collectivité révèle de nombreux exemples aussi distincts que variés qui, chacun à leur niveau respectif, contribuent à la concrétisation d'un espace désormais spécifique à la collectivité francophone de l'Ontario. Mentionnons entre autres la modification des structures et des objectifs de l'ACFO ou de Direction-Jeunesse, la tentative de la Fédération des femmes canadiennes-françaises de rajeunir sa clientèle, l'apparition des mouvements d'action féminins (groupe de pression des femmes d'Ottawa, Place aux femmes, Association Parmi-Elles de Hearst, Centre des femmes de Sudbury), les conférences régionales planifiées par les Franco-femmes de Hearst, la tenue d'un symposium provincial pour la femme francophone, l'émergence d'une vie artistique, musicale et théâtrale, la refonte (et dans certains cas la disparition) du système d'institutions catholiques privées, telles que les hôpitaux, les écoles, les collèges, les universités, en institutions publiques; soulignons également la consolidation dans la sphère publique d'institutions particulières telles que le Coordonnateur provincial des services en langue française, le Conseil des affaires franco-ontariennes, une section franco-ontarienne auprès du Conseil des arts, la fondation de l'Institut franco-ontarien et d'une maison d'édition franco-ontarienne (Prise de parole), la multiplication des centres culturels, la naissance d'événements annuels tels que La Nuit sur l'étang (1973), le Festival franco-ontarien (1977), l'adoption d'un drapeau, symbole d'une collectivité ayant un nom distinct. Une analyse plus approfondie permettrait sans doute de saisir toute l'amplitude de cette transition et d'apprécier plus adéquatement la dynamique qui s'est instaurée dans le contexte actuel. Néanmoins, nous dévoilerons, au moyen des exemples retenus, les changements significatifs qui se sont opérés au sein de la collectivité francophone de l'Ontario.

Au niveau de certains secteurs clés, l'exemple premier est sans doute la modification des structures et des objectifs de l'ACFÉO (Association canadienne-française d'éducation de l'Ontario) qui, par suite de l'intégration du réseau scolaire secondaire privé dans la sphère publique (1968), change d'appellation pour devenir l'ACFO et élargit le champ de ses responsabilités[22]. L'objectif principal de l'ACFÉO, la défense des droits des Canadiens français de l'Ontario en matière d'éducation, cède la place à un objectif plus global, soit la défense des droits et la promotion des intérêts des Franco-Ontariens dans tous les domaines de leur vie sociale. Objectif de taille que s'est donné une association qui englobe en fin de compte toutes les facettes de la vie collective[23].

Afin de parvenir à la réalisation de son nouvel objectif, l'ACFO s'est constituée en organisme parapluie. Avec ses diverses associations provinciales poursuivant dans des domaines spécifiques des objectifs compatibles avec les siens, avec ses conseils régionaux qui assurent une diffusion efficace de son action, cet organisme parapluie diversifie son action et multiplie ses champs d'action. Au niveau communautaire, il met sur pied un service d'animation socioculturelle régionalisé (1969), subventionné par le Secrétariat d'État; à son rôle de groupe de pression vient s'ajouter celui d'animation auprès de la collectivité francophone. Chaque conseil régional dispose ainsi des services d'un animateur dont le travail consiste à sensibiliser une communauté à ses besoins et à ses ressources, et à activer le développement de ces ressources. Peu à peu une dynamique socioculturelle s'enracine d'un bout à l'autre de la province et oriente les énergies de la collectivité vers des avenues propices à son développement sociétal et à son autonomie.

En plus d'œuvrer sur le plan communautaire, l'ACFO demeure toujours le principal porte-parole des francophones de l'Ontario et maintient son rôle de groupe de pression auprès des gouvernements et de leurs agences. Le discours de l'ACFO au cours des ans n'a pas connu de changements profonds. Les grands principes qui ont orienté son action depuis sa fondation, à savoir la sauvegarde de la langue et de la loi, réapparaissent sans cesse dans les discours plus récents[24]. Ce constat amène Sylvestre en 1985 à se demander si le discours franco-ontarien a vraiment changé en dépit de nouveaux slogans et de l'arrivée du « Frog Power » au cours des années 1970[25]. La thématique de la reconstruction qui apparaît en filigrane dans les nombreux écrits de cette association dès le début des années 1970 conserve en effet des liens avec le discours traditionnel. D'ailleurs l'ACFO proposait déjà en 1910 d'étendre son action dans d'autres domaines que l'éducation. Cependant, c'est moins dans le contenu du discours franco-ontarien qu'il faut rechercher le changement de ton des années 1970, que dans les coordonnées sociétales dans lesquelles s'inscrit désormais ce discours. En effet, les nombreuses interventions et revendications de cette association avaient été pensées et proposées depuis longtemps, mais les conditions sociales nécessaires à leur pleine réalisation n'avaient pas encore été consolidées. Avec les transformations profondes de cette collectivité, une scission est apparue au sein du discours franco-ontarien. Les aspirations, les interventions, les revendications contenues dans ce discours se présentaient autrefois comme un « idéal à atteindre »; avec les années 1970, ce discours portera dorénavant sur les objectifs et les priorités à réaliser. Sa métamorphose coïncide avec la naissance d'une réalité radicalement nouvelle, puisqu'il se voit propulsé dans l'arène publique. La publication par l'ACFO en mai 1977 de la section ontarienne du plan d'action des minorités canadiennes de langue française, plan coordonné par la Fédération des francophones hors Québec, oblige cette association à formuler de façon plus précise les besoins de la collectivité et à proposer un plan d'action à la mesure de ses besoins. En devenant membre de la FFHQ et en publiant ce plan, l'ACFO s'affirme comme le porte-parole légitime et officiel des Franco-Ontariens dans la sphère publique et consolide, au niveau provincial, une présence francophone dans le champ politique; le caractère nettement plus politisé que revêtira désormais le discours de la francophonie ontarienne est affiché. Aux fins des articles, des mémoires, des rapports, la thématique de la reconstruction se poursuivra de façon circonstancielle mais elle demeurera néanmoins au centre des préoccupations premières de cette association. En effet, l'ACFO cherche à cerner et à préciser les secteurs d'activité pouvant contribuer au maximum à l'épanouissement de la communauté. Par exemple, à son assemblée annuelle de 1983, ce microcosme sociétal[26] s'étendait dans des secteurs aussi divers que les communications, la culture, l'économie, l'éducation, l'identité, le juridique et le constitutionnel, le politique, la religion et les valeurs humaines, la santé, les services sociaux et communautaires, les sports et loisirs, le travail. Le même thème fut repris aux assemblées annuelles subséquentes; y furent ajoutés des objectifs prioritaires pour chaque secteur[27].

L'ACFO profite de ses assemblées annuelles pour raffiner et réviser sans cesse ce schéma de développement global et instaurer ainsi un processus continu de consultation et de concertation. De plus, elle entreprend en 1985 une diversification de ses sources de revenu en mettant sur pied la Fondation franco-ontarienne. Cette institution financière cherchera à favoriser la réalisation de projets de développement de l'éducation, des arts et de la culture en Ontario. Cette nouvelle dynamique de l'action exprimée par l'ACFO dans la sphère publique aura plusieurs répercussions que nous examinerons sous peu. Par ailleurs, au-delà des contradictions et des inévitables conflits internes qui la traversent, l'ACFO cherche à assurer une action collective concertée et à promouvoir la reconstitution d'un contexte linguistique de communication à partir duquel les sujets parviendront comme jadis à se reconnaître et à s'interpréter[28].

Cette effervescence sur le plan interne favorisera évidemment la construction et l'actualisation d'une identité nouvelle spécifique à la collectivité francophone de l'Ontario. Sur les ruines du dispositif hégémonique où se tramaient différentes formes de sociabilité, un nouvel espace se constituera : les Canadiens français de l'Ontario deviendront des Franco-Ontariens et, dans certains cas, des Ontarois[29]. Mais ce changement d'identité n'est qu'un des signes visibles de cette métamorphose; tout semble maintenant émaner de ce nouvel espace.

Précisons immédiatement que, dans cet espace qui traduit une conception large de la culture, il n'y a à proprement parler ni centre fixe, ni sujet privilégié. Ce qui s'y actualise concourt à concrétiser une réalité distincte, un mouvement nationalitaire embryonnaire ou latent. Cet espace devient, au niveau des pratiques individuelles et collectives, le pôle référentiel des actions sociales et politiques, le lieu de la société instituante et instituée du sujet. Il faut également souligner que cet espace ne se structure pas uniquement dans la dialectique qui s'instaure entre le sujet, produit d'une culture particulière, et l'ensemble des codes fondamentaux qui régissent son entrée dans un univers symbolique donné; il se structure aussi et surtout dans les interstices qui échappent au quadrillage dominant d'une époque, cette région où s'opèrent un décalage et une distanciation par rapport aux ordres empiriques qui sont prescrits par les codes primaires d'une culture. C'est de plus principalement mais non exclusivement dans les rapports conflictuels insérés dans un cadre de domination, que l'on doit chercher à appréhender les pratiques sociales spécifiques qui s'objectivent au sein d'une collectivité particulière.

Vers la fin des années 1960, l'émergence d'un discours parcellaire mais spécifique à la collectivité francophone de l'Ontario révélera aussi l'existence d'une réalité radicalement transformée. Bien que ce discours hétérogène reflète de façon bien fragmentaire certaines des facettes de la collectivité, on peut néanmoins y déceler une thématique de la reconstruction; cette thématique cherche à assurer la consolidation des assises de la communauté dans le contexte ontarien actuel, tout en dévoilant sur un autre plan l'existence de courants importants et souvent contradictoires de son idéologie.

L'émergence d'une vie culturelle et artistique axée principalement sur la spécificité franco-ontarienne témoigne des transformations profondes que subit la collectivité. À travers leurs productions respectives, écrivains, artistes, dramaturges, chansonniers, cinéastes captent le vécu franco-ontarien et le traduisent sous une forme propice à son rayonnement. Ces divers acteurs sociaux font de leur art un moyen de communication avec la collectivité, un outil d'intervention sociale qui actualise les nouvelles dimensions de la réalité franco-ontarienne.

Aux formes traditionnelles de vie socioculturelle s'ajoutent dès le début des années 1970 plus d'une vingtaine de compagnies théâtrales, dont trois de calibre professionnel, l'Atelier d'Ottawa, le Théâtre du P'tit Bonheur (Toronto), le Théâtre du Nouvel-Ontario (Sudbury). Cette importante forme d'expression engendre dans tous les coins de la province des activités qui assurent la formation de talents locaux et encouragent leur épanouissement. La mise sur pied d'un organisme provincial en 1971, le Théâtre Action, a permis la coordination et la supervision d'un grand nombre d'activités et de rencontres théâtrales telles que le Festival annuel de théâtre franco-ontarien.

Les retombées de la création d'une Coopérative des artistes du Nouvel-Ontario (CANO) se font ressentir non seulement dans le domaine théâtral à travers les productions du Théâtre du Nouvel-Ontario, mais aussi dans l'activité artistique partout en province. Ce mouvement du début des années 1970 modifie profondément l'activité artistique en délaissant un programme axé principalement sur l'interprétation du répertoire classique français ou québécois, au profit des créations franco-ontariennes. Sur le plan de la production musicale, le vif succès du groupe musical CANO, maintenant connu sous le nom de MASQUE, doit beaucoup à l'inspiration initiale de ce mouvement. D'autres chansonniers, tels R. Paquette, F. Lemieux, R.-A. Séguin, parviennent à se faire connaître grâce à des efforts personnels.

Le cinéma connaît aussi un certain essor. Grâce à la régionalisation de la production cinématographique française de l'Office national du film ainsi qu'à des subventions de sources diverses, quelques rares cinéastes parviennent à réaliser des productions originales. Les films tels « Plus de poupées que de camions » d'André Girouard ou encore « Rien qu'en passant », production de l'ONF, abordent en effet des sujets d'actualité franco-ontarienne.

En ce qui a trait à la production littéraire, les réalisations demeurent téméraires mais toujours potentiellement exploitables. En effet, le travail accompli par le Centre de recherche en civilisation canadienne-française, à savoir l'accumulation de nombreux écrits franco-ontariens sous forme de textes, d'articles, de poésies, de fonds littéraires, offre aux chercheurs et aux intéressés une source inestimable de données. De même, les travaux du folkloriste G. Lemieux contribuent à faire revivre le passé canadien-français et franco-ontarien par le biais de ses héros légendaires. À travers le centre franco-ontarien de folklore à l'Université de Sudbury, les données recueillies au cours des trente dernières années permettent maintenant de nombreuses publications de contes et de chansons. La maison d'édition « Prise de parole », fondée en 1972, s'inspirera de la philosophie de CANO et assumera un rôle d'animation relativement aux arts littéraires chez les Franco-Ontariens. Avec plus de 20 volumes à son actif, cette dernière dépiste les jeunes auteurs de toutes les régions de la province et encourage leur talent.

Le « Festival franco-ontarien » (1977), la « Nuit sur l'étang » (1973) qui, chaque année depuis leur création, réunissent chansonniers, poètes, groupes de musiciens, troupes de théâtre et Franco-

Ontariens de tous les coins de la province, constituent sans contredit des manifestations bien tangibles d'une réalité francophone radicalement transformée.

Cette affirmation culturelle favorisera, dans les sphères publique et privée, la création d'organismes intéressés à stimuler la création artistique. Des initiatives individuelles et collectives, souvent accompagnées d'une aide financière fédérale, susciteront la naissance ou le développement de plus d'une vingtaine de centres culturels qui collaboreront activement à l'épanouissement de la culture franco-ontarienne. De plus, le gouvernement ontarien instituera, dès 1970, un bureau des affaires franco-ontariennes au sein du Conseil des arts, tenant ainsi compte de la différence culturelle et artistique franco-ontarienne. L'Office de la télécommunication éducative de l'Ontario, créé lui aussi en 1970, ajoutera à son effectif un secteur francophone pour la production des émissions éducatives et de la programmation en français diffusée au réseau TV Ontario[30]. L'augmentation progressive de la programmation en français au cours des dernières années a constitué une source d'information indispensable à la collectivité francophone et à la population ontarienne en général. La réalisation de plusieurs émissions de qualité, telles que *Les Ontariens* (série sur l'histoire franco-ontarienne), *Octo-puce*, *Octo-puce plus* et *Puceron* (série sur la loi en Ontario) ou encore *Tout compte fait* (série traitant de sujets spécifiques à la population française de l'Ontario) qui se sont ajoutées depuis 1983 aux séries permanentes comme *Télé-cinéma, Chefs-d'œuvre à l'écran* et les émissions pour enfants, ont fourni des occasions d'apprentissage à l'ensemble de la collectivité francophone; elles font connaître sa contribution passée et présente au développement de la province et fournissent de nombreux renseignements sur la réalité quotidienne des Franco-Ontariens. Avec la consolidation d'un réseau autonome de télécommunication en français au début de 1987, la programmation en français a été sensiblement augmentée (de 19 à 70 heures par semaine) et répond de façon plus adéquate et complète aux aspirations et aux besoins de l'ensemble de la collectivité. Enfin, la création en 1975 d'un ministère des Affaires culturelles et des Loisirs avec son Conseil des affaires franco-ontariennes, fait également partie d'une logique de l'action positive, mais toujours circonstanciée et partielle du gouvernement face à l'épanouissement culturel de « sa » minorité.

Le manque évident de recherches sur la collectivité francophone de l'Ontario favorisera l'émergence d'un champ d'étude encore fragmentaire mais spécifique à celle-ci. Dès la fin des années 1960, les rapports et les études se succèdent, chacun abordant la problématique franco-ontarienne sous un angle précis. Malgré le caractère hétérogène de ce répertoire documentaire, les constats et les recommandations indiquent l'amorce d'un changement et actualisent, dans le champ culturel, la présence d'une logique de l'action intéressée à consolider l'enracinement et l'épanouissement de cette collectivité dans le contexte ontarien actuel[31]. Bon nombre de ces études chercheront à évaluer la situation actuelle de la collectivité et s'efforceront de trouver des solutions à certains de ses problèmes. Une analyse plus approfondie permettrait sans doute de démontrer qu'elles constituent, à leur niveau respectif, des pièces importantes qui ont marqué l'éveil d'une affirmation et d'une revendication proprement franco-ontariennes.

Dans le secteur éducatif, la carence de matériel pédagogique adapté au milieu franco-ontarien sera en partie comblée par le travail du Centre franco-ontarien de ressources pédagogiques. Cet organisme à but non lucratif travaille, en collaboration avec les conseils scolaires et les enseignants, à la production et à la diffusion de documents pédagogiques de la maternelle à la treizième année. Parmi les nombreuses trousses d'outils pédagogiques produites, mentionnons *À la recherche d'une identité franco-ontarienne* (1980) ou encore *Explorations et enracinements français en Ontario 1610–1978 — Guide de ressources à l'usage des enseignants*, destinées aux enseignants et aux Franco-Ontariens intéressés à connaître leur histoire, trop longtemps obnubilée par celle du Canada français et plus particulièrement par celle du Québec. La diffusion de ces instruments de travail favorise une meilleure connaissance du passé et du présent franco-ontarien, ontarien et canadien-français, et contribue à l'actualisation du processus d'identification comme Franco-Ontarien. Au niveau postsecondaire, un fonds de création de matériel didactique en français cherchera depuis 1979 à encourager l'élaboration d'outils d'apprentissage en français dans les domaines spécialisés. Le développement de ce matériel didactique et l'enrichissement progressif des centres de documentation dans les institutions postsecondaires[32] favorisent la consolidation du réseau des programmes offerts en français, et créent le contexte éducatif indispensable à la formation de spécialistes francophones désireux de poursuivre leurs études en français. De plus, la nouvelle historiographie qui émerge vers les années 1970 offre des lectures fort pertinentes sur diverses facettes de la réalité franco-ontarienne. Les recherches de R. Choquette[33], de Vallières[34], de Vallières et Grimard[35], approfondissent en effet des dimensions encore fort peu connues de l'histoire des Canadiens français de l'Ontario. D'autres chercheurs circonscrivent leurs recherches à un niveau plus régional, non sans négliger d'examiner le contexte plus global qui confère à la collectivité canadienne-française de l'Ontario sa spécificité propre. Signalons entre autres, l'excellente analyse de Gaffield[36] sur la région de Prescott, ou encore l'analyse de Lapointe, Poulin et Thériault[37] sur la minorité francophone de Welland.

Enfin, la vivification d'un espace proprement franco-ontarien se manifeste aussi de façon plus spontanée peut-être, et infiniment diversifiée : dans leur pratique quotidienne, journalistes, reporters de la radio ou de la télévision, animateurs, participants et recherchistes dans les médias, professeurs, étudiants et chercheurs dans les universités (Ottawa, Laurentienne), les universités fédérées ou affiliées (Hearst, Glendon, St-Paul, Sudbury) et les collèges d'arts appliqués et de technologie (Algonquin, Cambrian, Canadore, Niagara, Northern, St-Laurent et le collège de technologie agricole d'Alfred) et même simples « parleurs » dans la rue, rendent visible la présence française en Ontario.

L'extension progressive des réseaux français de la radio d'État (Radio-Canada) et des radios indépendantes (Télé-Média, Radio Diffusion Mutuel Canada ltée) permet désormais à de nombreux Franco-Ontariens d'être desservis dans leur langue. Par exemple, le plan de rayonnement accéléré de la Société Radio-Canada a de fait consolidé l'infrastructure nécessaire à la réalisation de son objectif, à savoir donner accès aux ondes à presque tous les Canadiens dans leur première langue officielle. Les stations émettrices de la radio offrent une gamme d'émissions produites localement ou empruntées à d'autres stations, ou encore puisées dans la programmation fournie par l'ensemble du réseau. Ainsi les émissions de nouvelles, de reportages, de services à la communauté, de documentation, de sports, de musique s'ouvrent à la collectivité francophone de l'Ontario et permettent aux Franco-Ontariens, du moins dans certaines régions, de communiquer avec d'autres membres de la collectivité.

Le système de diffusion de la télévision française vise ausi à rendre accessible sa programmation aux concentrations francophones de l'Ontario. Ainsi le réseau de diffusion de la Société Radio-Canada, le réseau français de Télévision éducative de l'Ontario, le service de télévision à péage en langue française, la câblodistribution de la programmation du réseau TVA (Télédiffuseurs associés) et, dans certaines régions frontalières Ontario-Québec, la programmation de la chaîne éducative québécoise (Radio-Québec) et celle de la station émettrice affiliée du réseau TVA offrent des émissions d'information, de divertissements, d'arts, de lettres et de sciences, de sports, etc. Cependant, le manque d'une programmation d'esprit et de contenu véritablement franco-ontariens prive les Franco-Ontariens de liens favorisant les échanges[38]. La consolidation d'un réseau autonome de langue française devrait en partie combler cette lacune, mais elle ne pourra certainement pas répondre de façon adéquate aux besoins toujours croissants de la collectivité[39]. *Le Droit* demeure le seul quotidien de langue française de la province et se distingue par ses éditoriaux, ses pages littéraires et artistiques régionales, ses chroniques enfantines. En outre, les nombreux hebdomadaires, mensuels et bimensuels qui se succèdent au cours des années complètent le réseau de la presse en langue française en Ontario. Bon nombre de journaux de ce réseau sont devenus membres de l'Association de la presse francophone hors Québec, qui a vu le jour en 1979. Cette association vouée à la promotion de ses journaux membres, a créé en 1981 un service d'opérations commerciales qui centralise les demandes du gouvernement et du secteur privé en matière de publicité. L'aide qu'elle fournit aux rédacteurs locaux, le service de consultation en gestion ainsi que les cours de rédaction, de mise en page et de commercialisation qu'elle offre, constituent des ressources précieuses et indispensables à la presse minoritaire francophone. Subventionnée par le Secrétariat d'État, elle profite aussi de l'aide du gouvernement du Québec qui participe financièrement au renforcement du professionnalisme de la presse minoritaire. En 1981, cette association réussit à mettre sur pied la fondation Donatien Frémont qui attribue des bourses de formation ou de perfectionnement aux journalistes stagiaires ou titulaires. Depuis 1981, cette fondation a octroyé 96 000 $ en bourses à des candidats qui, à la suite de leurs études, s'engageront à travailler pendant deux ans pour l'un des journaux membres de l'association[40]. Malgré ces innovations récentes, le réseau de journaux communautaires en Ontario ainsi que les autres publications telles que les périodiques, les revues, les bulletins de divers organismes ou institutions, vivent toujours en équilibre précaire, puisqu'ils dépendent entièrement de l'esprit d'initiative de particuliers, de la solidarité de la collectivité et de subventions généreuses pour assurer leur survie dans un contexte minoritaire.

Par ailleurs, diverses institutions éducatives s'ouvrent de plus en plus à la communauté. Les divers programmes d'animation communautaire et culturelle de l'Université d'Ottawa, tels la Comédie des Deux Rives (troupe de théâtre du Département de théâtre), les spectacles organisés à l'Agora et à l'Odéon, constituent quelques-uns des nombreux exemples d'une tendance qui s'instaure progressivement dans le contexte ontarien et qui s'observe aussi dans plusieurs autres institutions éducatives de la province. À un autre niveau, il ne faudrait pas négliger de mentionner les efforts de la Société historique du Nouvel-Ontario afin d'intéresser les Franco-Ontariens à leur patrimoine collectif. Mentionnons ici la publication des « Documents historiques », les tentatives du Centre de recherche et d'études en civilisation canadienne-française à Ottawa, à savoir l'allocation de subventions de recherches, l'organisation de colloques et la publication d'actes de colloques, de bulletins, de documents de travail, de rapports, etc. Ces activités contribuent néanmoins à l'enrichissement et à la diffusion d'un patrimoine qui profitera aux membres de la collectivité et favorisera une meilleure connaissance de la réalité française en Ontario.

Enfin, les paroisses catholiques restent toujours, dans les régions, des milieux de rencontres et des foyers d'activités pour la collectivité locale. Cependant, ces centres traditionnels de la vie communautaire s'amalgament désormais à un réseau socioculturel fort diversifié, tributaire de subventions gouvernementales. Ainsi, aux paroisses s'ajoutent de nombreux clubs sociaux, dont la plupart font partie de la Fédération des clubs sociaux franco-ontariens, des clubs de services, des cercles d'artisanat, des clubs d'âge d'or regroupés sous l'égide de la Fédération des aîné(e)s francophones de l'Ontario, des groupements de femmes (la Fédération des femmes canadiennes-françaises, l'Union culturelle des Franco-Ontariennes, l'Association des fermières de l'Ontario, les Filles d'Isabelle), de jeunes (la Fédération des guides franco-ontariennes, la Fédération des scouts de l'Ontario, la Fédération des élèves du secondaire franco-ontarien, Direction-Jeunesse), ainsi qu'un nombre important de clubs Richelieu et de centres culturels, membres de l'Assemblée des centres culturels de l'Ontario. Dans le domaine économique, l'on dénombre plus d'une cinquantaine de caisses populaires, des coopératives dans les secteurs de la consommation (4), de l'agriculture (11), de l'habitation (4), de l'assurance (4) et autres (5) ainsi qu'un Regroupement de gens d'affaires, une Union Catholique des cultivateurs franco-ontariens et une Fédération de l'agriculture de l'Ontario. Sur le plan professionnel, on y retrouve une Association des juristes d'expression française de l'Ontario, une Association des médecins de l'Ontario, une Association des traducteurs et interprètes de l'Ontario et un Conseil de coopération de l'Ontario[41]. Ce réseau socioculturel qui encadre de façon plus ou moins permanente les activités variées de la collectivité franco-ontarienne demeure rudimentaire par rapport à celui de la collectivité majoritaire; néanmoins, il se consolide progressivement sous les demandes répétées de Franco-Ontariens soucieux d'améliorer leurs conditions d'existence.

Bref, ce survol des principales facettes de la collectivité francophone de l'Ontario esquisse les paramètres d'un espace sociétal désormais spécifiquement franco-ontarien, à l'intérieur duquel s'actualise sur les plans individuel et collectif un éventail de trajectoires et de stratégies d'action empreintes de coopération, d'oppositions et de luttes.

Ce mode de vie français en Ontario est loin de se poursuivre en vase clos. Au contraire, les interactions, les interventions et les revendications de cette collectivité s'inscrivent dans la sphère publique et doivent être examinées en fonction de la conjoncture contemporaine. L'aménagement progressif et l'uniformisation de l'espace sociétal global inaugurés avec la consolidation de l'État-national ont transformé les anciennes solidarités ethniques et culturelles. Il faut toutefois noter que cette modification des solidarités ne résulte pas d'une stratégie concertée de la part d'une majorité visant la destruction de la collectivité minoritaire; elle se trouve au fondement même de la logique d'un système étatique et rationnel dont le déploiement réduit peu à peu chacun à n'être qu'une pièce dans un ensemble qui échappe toujours à l'appréhension. À la tentative d'amorcer, et même de penser les possibilités d'avenir de la collectivité francophone en Ontario, s'ajoute une autre préoccupation qui, dans le contexte actuel, s'impose avec prééminence : la participation des francophones en Ontario et au Canada, de même que les rapports entre leur communauté et « l'Autre » nécessitent la reconnaissance légale et *de facto* d'une cohérence sociétale[42].

Alors que les pratiques individuelles et collectives s'orientent toujours vers l'épaississement d'une trame sociétale nécessaire à la négociation avec la collectivité dominante, l'inscription de la collectivité francophone de l'Ontario demeure aléatoire. Malgré l'immense travail qu'il reste toujours à accomplir sur ce premier registre, un second registre, actualisant des rapports à un niveau quelque peu différent, prend forme sur la scène ontarienne.

Le deuxième registre : la recherche d'une légitimité propre à la sphère politique

Le procès de légitimation entrepris par la collectivité francophone de l'Ontario, par exemple dans le domaine de l'éducation ainsi que dans la sphère juridico-constitutionnelle, illustre bien la logique de l'action instrumentale qui apparaît dans l'axiomatique de la pratique nationalitaire. Ce procès ouvre inévitablement des brèches dans le discours hégémonique et unifié de l'État provincial ontarien qui s'affirme en tant qu'agent de reproduction de toutes les identités culturelles, linguistiques, régionales contenues en son sein. De façon générale, les diverses politiques étatiques mises en œuvre par les partis au pouvoir de l'État ontarien témoignent du labourage croissant que subit la matrice de signification de la collectivité francophone de l'Ontario; la « sociabilité débridée »[43] qui en résulte constitue désormais les sujets de la collectivité de façon atomisée, c'est-à-dire en tant que travailleuses et travailleurs franco-ontariens, femmes franco-ontariennes, étudiantes et étudiants franco-ontariens, jeunes/vieilles-vieux franco-ontariens. Dans ce procès spécifique, les pratiques et les revendications proprement linguistiques des sujets qui sont projetés à l'avant-scène sont captives des contraintes de l'espace politique dominant; elles ne représentent toutefois qu'une infime parcelle de la réalité linguistique des individus qui, sous le prisme de relations de subordination et de domination, vivent leur existence et agissent au sein d'un milieu signifiant. C'est donc principalement une utilisation pragmatique de la langue qui semble prédominer sur ce second registre, la langue française devenant objet d'action et de réflexion à l'intérieur de limites bien déterminées.

Depuis les années 1970, le rôle croissant de l'État provincial dans les mécanismes de régulation sociale de la collectivité s'est poursuivi à divers niveaux : la création d'un bureau des affaires franco-ontariennes au sein du Conseil des arts (1969), la restructuration du ministère de l'Éducation et la création du Conseil supérieur des écoles de langue française (1972), la mise sur pied d'une section franco-ontarienne à l'Institut des études en éducation éducative (1970), l'établissement d'un ministère des Affaires culturelles et des Loisirs, avec son Conseil des affaires franco-ontariennes (1975), la mise en œuvre d'une politique des services en langue française dans les 16 régions dites bilingues de la province (1979), la mise sur pied, par le ministère de la Santé, d'un programme visant à offrir dans les deux langues des services d'information et de consultation (1979), la création d'un bureau du Coordonnateur provincial des services en français (1980), des projets de remaniement des règles de désignation des emplois bilingues (1972), l'élargissement depuis 1975, par voie législative, du droit d'utiliser le français devant les cours provinciales dans un certain nombre de districts judiciaires, l'adoption en 1975 de la loi sur les tribunaux judiciaires consacrant le français comme langue officielle des tribunaux en matière de procédures civiles, la mise sur pied d'une chaîne française de TV Ontario (1987), l'octroi de fonds publics pour les classes supérieures (11e–13e) des écoles secondaires catholiques (1986), l'adoption de la loi sur la gestion scolaire, devant permettre aux Franco-Ontariens de diriger leurs écoles dès 1987, par le biais de sections francophones au sein des conseils scolaires comptant des établissements de langue française, la mise sur pied en 1988 d'un conseil homogène de langue française dans la région d'Ottawa-Carleton, l'adoption d'une loi-cadre sur les services en langue française (1986).

Cette régulation et cette légitimation inaugurées au sein même de l'appareil étatique favorisent évidemment la structuration de nouveaux espaces où se formulent et s'affrontent de nouvelles représentations collectives, des projets sociaux encore inédits, des savoirs discursifs et scientifiques propres à la collectivité francophone de l'Ontario[44]. L'existence même d'un individu francophone comme produit d'une collectivité distincte se modifie à ce niveau particulier, allant même jusqu'à placer entre parenthèses l'existence d'un ensemble de relations interpersonnelles propres aux sujets et aux groupes de cette collectivité. Les interventions et les revendications de ces derniers s'appauvrissent sur ce registre ou plus précisément se vident de toutes dimensions qui ne peuvent s'inscrire adéquatement dans un rapport instrumental, exigé par les contraintes de la rationalité propre du système étatique. Il convient cependant de préciser que malgré le labourage qu'opère le système étatique sur l'espace de la collectivité, le sens et le consensus sur le sens s'inscriront inévitablement au sein de luttes incessantes qui devront continuellement chercher à faire taire la diversité qui ne cesse de rejaillir à la surface visible de la société.

Les divers agents de la collectivité minoritaire de l'Ontario, inscrits dans un espace politique spécifique, sont amenés à actualiser des revendications bien précises. Ces agents s'orientent à ce stade vers l'appropriation d'une forme de contrôle dans certains secteurs du domaine public, une voie qui, selon certains d'entre eux, conduirait à une reconnaissance réelle de la démocratisation des droits sociaux et de l'autonomie des Franco-Ontariens[45].

Il faut immédiatement reconnaître que ces visées sont à bien des égards fort différentes de celles que prévoit le gouvernement ontarien, notamment en ce qui concerne sa politique de multiculturalisme adoptée officiellement en 1977. Dans cette conception neutre et pluraliste de la société ontarienne, la collectivité franco-ontarienne se voit assigner une place en tant qu'élément constitutif de la diversité culturelle ontarienne et une reconnaissance de droits presque exclusivement linguistiques. La collectivité francophone de l'Ontario, les nombreux autres groupes ethnoculturels et les autochtones sont appelés à s'épanouir sans grands heurts dans un cadre politique stable et à s'engager dans une compétition pour l'accès à des ressources communes. L'ACFO formulait en 1985 des principes concernant sa position envers les autres groupes ethnoculturels; ce fut une action tardive et marquée d'un certain degré d'inquiétude à l'égard d'un discours politique camouflant la portée réelle des conflits et des enjeux culturels. L'ACFO s'efforcera ainsi d'établir une alliance avec divers groupes ethnoculturels, de maintenir des contacts permettant de promouvoir des intérêts communs et d'appuyer leurs revendications lorsqu'elles n'entrent pas en conflit avec les siennes. Aussi, cet organisme sollicitera, lorsqu'il y a lieu, leur appui et soutiendra plus particulièrement les groupes ethnoculturels de langue française dans leur effort pour maintenir une identité collective propre[46]. Cependant, au-delà de cette entraide tacite, qu'influencent les contraintes immédiates du milieu, la collectivité francophone de l'Ontario continuera de se tailler un espace au sein de cette vision passéiste et simplifiée de la réalité multiculturelle; elle poursuivra aussi des trajectoires qui demeurent dans leurs finalités respectives, fort éloignées du discours politique.

C'est notamment dans le secteur de l'éducation que l'énergie de la collectivité s'est déployée. Avec les transformations profondes subies par le système d'éducation en Ontario depuis 1968, les revendications de la collectivité ont revêtu une nouvelle signification. Sans examiner en détail cet événement/matrice de la collectivité, soulignons que les revendications dans ce domaine sont passées d'une préoccupation à caractère centripète, « la survivance de la race », à un conflit à prédominance linguistique. Afin de bien saisir la nouvelle logique de l'action qui anime désormais les acteurs de cette collectivité dans plusieurs secteurs, il est important de reconnaître que l'apparition de ce type de revendication n'émerge qu'avec l'État-nation, c'est-à-dire la connexion d'un ordre politique ou d'une forme d'État et d'une forme de vie socioculturelle.

La prédominance des conflits et des revendications d'ordre linguistique prend tout son sens à la lumière des transformations profondes de la société globale qui modifient le milieu signifiant de l'individu. L'émergence de formes de solidarités linguistiques, consciemment construites, et l'élaboration de politiques étatiques linguistiques, éducatives, culturelles, sociales, doivent nécessairement être reportées à cette dynamique plus globale. De façon générale, les nombreuses législations étatiques font partie des stratégies politiques destinées à assurer la « naturalisation » d'un rapport doxologique au monde par la production et la reproduction de l'individu « nouveau » ou « moderne ». Les politiques linguistiques, par exemple, ne proviennent guère des besoins techniques de la communication entre les différentes parties du territoire d'un État, mais plutôt de la nécessité de faire reconnaître un nouveau discours d'autorité et de représentation du monde social. Dès qu'il existe une langue légitime sur un territoire, les performances linguistiques des sujets individuels définis au sein de cette structure deviennent commensurables en ce sens que la langue légitime fonctionne désormais comme langue de référence, elles permettent d'attribuer aux sujets individuels une valeur, un prix, auxquels seront attachés des profits symboliques et matériels; elles engendrent aussi un marché linguistique soumis à un système de lois de formation de la valeur des produits linguistiques, bref à un capital linguistique[47]. Le capital linguistique des sujets correspond ainsi à leur capacité non seulement de maîtriser pratiquement les règles de la langue légitime, mais aussi d'agir avec succès sur le marché[48].

Dans ce contexte particulier, il appert que la survie de la langue minoritaire repose presque entièrement sur sa capacité d'incorporer la rationalité de la langue dominante. Elle doit aussi parvenir, comme le soulignent Bourdieu[49] et Quéré[50], à modifier les critères sociaux de son acceptabilité, à transformer les mécanismes de formation de ses usages sociaux, à remodeler les lois de formation de la valeur des performances et à bouleverser de fond en comble les rapports de domination linguistique. En effet, la reproduction de la langue dominante par de puissantes institutions se trouve au fondement même du système politique; aussi toute tentative de modification des échanges linguistiques doit-elle contester « la prétention à la validité exclusive de la langue légitime et justifier la prétention à la validité d'une autre langue »[51]. Les différences linguistiques et l'interaction langagière se placent dans ce contexte sous le signe du rapport de force et du combat. Si l'exemple de la collectivité francophone de l'Ontario permet d'illustrer certains aspects de cette réalité, il faut préciser que ce phénomène s'observe chez la plupart des groupes minoritaires évoluant au sein de l'État-nation[52].

L'éclatement du complexe communicationnel traditionnel et la détermination de la logique étatique dans les modalités de régulation sociale provoqueront l'auto-institution d'un rapport social du sujet à sa langue, rapport social qui s'actualisera dans une action stratégique. En effet, les acteurs sont appelés à intervenir sur un premier registre, et à y superposer un second registre où la langue devient objet de réflexion et d'action. Sur ce second registre, plus particulièrement, les revendications des acteurs de la collectivité minoritaire se résument à une réappropriation d'une langue dévalorisée; il s'agit essentiellement d'arrêter sa destruction, de freiner son déclin, d'assurer sa survie et de la soustraire au rapport de domination d'une autre langue en lui fabriquant une légitimité concurrentielle, légitimité qui modifiera son statut et sa valeur[53]. La logique de l'action instrumentale caractérise les

TABLEAU I
Index des transferts linguistiques nets, par régions, Ontario, 1971

		Français langue maternelle		*Français langue d'usage*		*Transfert linguistique net*	
*Région**		*Nombre de personnes*	*Pourcentage de la population régionale*	*Nombre de personnes*	*Pourcentage de la population régionale*	*Nombre*	*Pourcentage*
Nord	est	149 850	35,7	127 125	30,3	−22 725	15,2
	ouest	23 450	5,6	13 670	3,2	−9 780	41,7
Est	est	162 980	27,4	142 870	24,0	−20 110	12,3
	ouest	9 590	2,9	4 415	1,4	−5 175	54,0
Sud	est	95 200	2,0	46 115	1,0	−49 085	51,6
	ouest	40 955	3,5	18 255	1,5	−22 700	55,4
Ontario		482 025	6,2	352 450	4,5	−129 575	26,9

* Pour le découpage des comtés par région, voir la Carte de la page 7.

Transfert linguistique net:
Le « nombre » donne la différence entre le nombre de personnes qui déclarent le français comme langue d'usage et le nombre de personnes dont le français est la langue maternelle.
Le « pourcentage » exprime le « nombre » comme une proportion de la population dont le français est la langue maternelle.

Sources : Recensement du Canada 1971, Bulletin 1, 3–4, Table 20; et Bulletin 1, 3–5.

pratiques linguistiques qui visent la réhabilitation et la défense de la langue. Toutefois il est important de reconnaître l'intérêt d'émancipation de ces pratiques qui traduisent le désir de promouvoir les nouvelles formes d'intégration sociale.

Les recherches démo-linguistiques entreprises par Joy[54], Vallée[55], Castonguay[56], Kralt[57], Lachapelle et Henripin[58], entre autres, esquissent l'ampleur du « cataclysme » qui touche la collectivité francophone de l'Ontario sur le plan du transfert linguistique. Les conclusions, fondées sur l'analyse des recensements canadiens, dressent un portrait linguistique de la collectivité, dans lequel seule une mince bande bilingue entourant le Québec[59] résistait tant bien que mal à l'hécatombe. Une analyse détaillée de la situation démo-linguistique de la collectivité francophone de l'Ontario en 1971 et en 1981[60] confirme le déclin de la langue française dans la plupart des régions de l'Ontario. Le taux global de transferts linguistiques s'élevait à 34,3 % en 1981, alors qu'en 1971, il était de 26,9 %. La transition du milieu rural au milieu urbain a exacerbé le phénomène de transferts linguistiques en augmentant les possibilités d'interaction dans des milieux certes plus

TABLEAU II
Index des transferts linguistiques nets, par régions, Ontario, 1971

*Région**		*Français langue maternelle*		*Français langue d'usage*		
		Nombre de personnes	*Pourcentage de la population régionale*	*Nombre de personnes*	*Pourcentage de la population français langue maternelle [FLM]*	*Transfert linguistique comme pourcentage de la population FLM*
Nord	est	135 440	33,4	106 710	78,8	21,2
	ouest	24 471	5,4	13 635	55,7	44,5
Est	est	169 230	24,8	134 935	79,7	20,5
	ouest	9 765	2,9	3 770	38,6	61,4
Sud	est	93 865	1,7	35 395	37,7	62,3
	ouest	35 110	2,8	12 900	36,7	63,3
Ontario		467 881	5,4	307 435	65,7	34,3

* Les données pour le français comme langue d'usage et pour les transferts linguistiques sont relatives aux seules personnes dont le français est la langue maternelle. Ainsi, les valeurs du Tableau II ne sont pas comparables à celles du Tableau I.

Source : Recensement du Canada 1981, Cat. 93-942, Table 1.

Tiré de L. Kimpton, « The Historical Development and the Present Situation of the French-Canadian Collectivity of Ontario », sans date.

hétérogènes mais où prédomine l'anglais. En 1981, par exemple, environ 77 % de la population francophone de l'Ontario vivait dans des régions urbaines de la province. Les données de recensement démontrent qu'une relation existe entre le milieu urbain et le degré de transferts linguistiques, alors que la population francophone qui habite des régions fortement urbanisées connaît un taux de transferts linguistiques toujours croissant (voir Tableaux I et II). Les divers groupes et milieux francophones n'hésiteront pas à donner le cri d'alarme devant ces constats et à proposer diverses solutions.

Sur le plan fédéral, le rapatriement de la Constitution canadienne en 1982 aura contribué à la cristallisation des stratégies d'opposition dans la sphère publique. La Charte canadienne des droits et libertés, par l'officialisation du français et de l'anglais, confère à la collectivité francophone de l'Ontario une légitimité propre au niveau fédéral et lui garantit, au niveau provincial, le droit à l'enseignement dans la langue minoritaire.

Il faut rappeler que, outre l'article 133 de l'Acte de l'Amérique du Nord britannique (1867), une certaine légitimité existait au moins juridiquement au niveau fédéral depuis l'adoption de la Loi sur les langues officielles de 1969. Cette réforme linguistique était considérée à l'époque comme l'une des composantes nécessaires à l'unité nationale. Elle visait à assurer aux citoyens canadiens le droit d'utiliser l'anglais ou le français dans leurs contacts avec toutes les instances officielles fédérales, ainsi que la participation égalitaire des francophones à la direction et à la gestion de l'État fédéral canadien. De façon générale, ces mesures politiques se sont concrétisées à la suite de la crise qui secouait le pays et dont la source se trouvait, selon la Commission sur le bilinguisme et le biculturalisme (1965), au Québec. Cherchant à montrer l'éveil d'une affirmation politique indépendantiste et les effets de la consolidation de la société et de l'identité québécoise, cette loi, qui se trouve maintenant enchassée dans la Constitution canadienne, refuse de confier le Canada français au Québec et cherche à promouvoir par des mesures politiques l'existence d'une francophonie nationale[61]. Ce projet d'un Canada bilingue, fondé sur un postulat individualiste, à savoir la juxtaposition d'individus autonomes et isolés, anglophones, francophones, autochtones ou autres, tous encadrés par un même système étatique, favorisera l'émergence d'une nouvelle réalité, la francophonie hors Québec.

D'une certaine manière, la Loi sur les langues officielles puise sa raison d'être dans l'existence des minorités francophones hors Québec. L'avènement de la Fédération des francophones hors Québec (FFHQ) en 1976 témoigne en fait d'une présence francophone radicalement nouvelle dans le champ politique. Alors que la promulgation de la Loi sur les langues officielles a contribué à étendre les droits des minorités francophones hors Québec, à améliorer leurs conditions d'existence et à favoriser la mobilité des francophones au sein de la fonction publique fédérale, c'est surtout avec la création de la FFHQ, chargée de coordonner l'action des organismes porte-parole des communautés francophones hors Québec auprès du gouvernement fédéral, que se cristallisa l'affirmation nettement plus politique d'une revendication francophone hors Québec.

Avec l'arrivée de la FFHQ sur la scène politique, l'État fédéral s'est vu contraint de réaménager sa bureaucratie en créant au Secrétariat d'État, une instance pour les groupes minoritaires de langue officielle avec laquelle pourrait traiter cet organisme-cadre. Ce dernier réclame d'ailleurs depuis plusieurs années la mise en place d'une instance encore plus élevée lui permettant de travailler, avec tous les secteurs concernés de l'administration fédérale, au développement d'une stratégie globale relative aux communautés francophones hors Québec. Sur le plan monétaire, l'État s'est en outre appliqué à raffermir le budget du programme des groupes minoritaires de langue officielle, qui passa dès 1977 de 30 à 75 millions de dollars[62]. Enfin, la nécessité de concevoir et d'adopter une politique d'ensemble susceptible d'offrir une approche coordonnée aux problèmes des groupes minoritaires se fera plus pressante par suite des demandes répétées de la FFHQ auprès de l'État fédéral.

Interlocuteur puissant et dynamique, la FFHQ a appris à jouer à fond la carte politique. Le recours aux campagnes publicitaires, aux pressions et aux interventions politiques est devenu pratique courante de cet organisme qui articule une stratégie globale pour les francophones hors Québec. En outre, par la publication de divers documents, la FFHQ parvient à faire connaître ses positions sur des sujets variés et à formuler les besoins et les désirs des minorités francophones hors Québec. C'est à l'examen de tels documents, pièces maîtresses qui ont marqué l'éveil d'une affirmation et d'une revendication francophones sur la scène politique fédérale, qu'il est possible de retracer le cheminement tumultueux de cet organisme-cadre voué à la protection et à l'épanouissement des minorités francophones hors Québec[63].

Sur la scène provinciale, par contre, l'absence d'une charte complète des droits linguistiques incite la collectivité francophone de l'Ontario à orienter son action, dans l'immédiat, vers des secteurs inscrits dans la Constitution canadienne. Depuis de nombreuses années, cette collectivité cherche à soustraire les écoles et les unités françaises à la tutelle des conseils scolaires largement anglophones. Elle revendique un enseignement en français comparable à celui de la majorité et le pouvoir d'en assurer la gestion. Alors que les lois votées par le gouvernement ontarien en 1968 accordaient aux Franco-Ontariens le droit de recevoir un enseignement en français au niveau secondaire et obligeaient les conseils scolaires à offrir des services en français là où il y avait un minimum de 20 à 25 élèves, aucune disposition n'avait été prise concernant la construction d'établissements d'enseignement dans la langue de la minorité. De plus, la reconnaissance du droit à l'enseignement dans la langue de la minorité n'entraînait pas automatiquement la reconnaissance d'un conseil scolaire homogène de langue française. Au contraire, les Franco-Ontariens élus aux conseils scolaires des écoles séparées (françaises-anglaises-mixtes) se perdaient dans la marée d'anglophones siégeant à ces conseils. Afin de remédier à cette situation, le gouvernement créera le Comité consultatif de langue française (CCLF), les représentants y étant élus en fonction de la langue et non en tant que contribuables. Ce comité dont la tâche consiste à formuler des recommandations au Conseil d'éducation, ne possédera toutefois aucun pouvoir décisionnel. Le contrôle des institutions scolaires francophones constitue, pour certains acteurs francophones, une étape cruciale du façonnement de l'avenir franco-ontarien et de sa libération définitive d'un passé qui semble circonscrire sa lutte presque exclusivement au domaine scolaire.

En se fondant sur les droits scolaires des minorités linguistiques inscrits dans la Charte des droits, l'ACFO obtient des tribunaux l'actualisation de ces déclarations de principe en mesures pratiques, localisées et concrètes. La position de l'ACFO à l'égard des droits constitutionnels visait à l'obtention d'une clarification de l'article 23[64] de la Charte des droits et libertés : il s'agissait de reconnaître sans ambiguïté la gestion, par les Franco-Ontariens, de leurs institutions d'enseignement et le maintien intégral des droits religieux acquis[65]. Cette requête fut cependant retirée par suite de l'initiative du gouvernement; ce dernier demandait à la Cour d'appel de l'Ontario de se prononcer sur la conformité entre sa législation en matière d'éducation et la Charte des droits. La Cour s'est penchée plus précisément sur deux points principaux, à savoir la disposition de la justification par le nombre, et la notion du droit à l'instruction dans des établissements d'enseignement de la minorité linguistique financés par les fonds publics.

Par suite du jugement rendu par la Cour d'appel[66] en faveur de l'ACFO, le gouvernement n'a pas tardé à se conformer légalement aux conditions stipulées dans la Charte. Même avant la décision de la Cour rendant incompatibles les dispositions de la loi scolaire touchant le nombre d'élèves régissant l'établissement de classes francophones et l'article 23 de la Charte, l'administration avait déjà décidé de supprimer cette condition et de garantir concrètement à tous les Franco-Ontariens le droit à un enseignement en français de qualité et d'accessibilité égales. De façon générale, la décision de la Cour devait entraîner des changements notables dans le secteur scolaire en Ontario en ce qui a trait à la gestion et au contrôle des écoles minoritaires, de même qu'au financement des établissements d'enseignement de la minorité. Dès 1986, l'adoption de diverses lois ordonna les revendications et les stratégies d'opposition de la collectivité; il s'agit entre autres du projet de loi 30, sur le financement des écoles séparées, du projet de loi 75 sur la gestion scolaire et de la publication du rapport de la Commission Roy sur la création d'un conseil scolaire de langue française dans Ottawa-Carleton.

Dans le domaine de l'éducation, un second phénomène, les programmes d'immersion en français pour anglophones, contribue à gêner les revendications de la collectivité francophone. En effet, au cours des dernières années, on assiste à une forte croissance des effectifs inscrits aux programmes d'immersion[67]; une quantité accrue des subventions fédérales est alors utilisée pour financer les coûts supplémentaires des programmes d'immersion. L'on constate alors que l'augmentation de la fréquence des couples « hétérolingues » anglais-français, le déclin de la natalité et les difficultés de renouveler les effectifs d'une génération à l'autre, pourraient obliger les Franco-Ontariens à accepter des élèves anglophones inscrits à des programmes d'immersion en français, afin de maintenir les écoles où l'enseignement se fait dans la langue de la minorité[68]. Pour éviter une telle situation, l'on revendique une révision des formules fédérales-provinciales de financement de l'enseignement dans la langue minoritaire et de la langue seconde. Le nouvel accord de 1983 entre les gouvernements fédéral et provincial apporte certaines améliorations, mais il ne peut réparer les torts des années précédentes. On y établit une nette distinction entre l'aide à l'enseignement dans la langue de la minorité et l'aide à l'enseignement immersif; de même, on y retrouve la nécessité pour l'administration provinciale de présenter des comptes explicites sur les dépenses encourues au titre de l'enseignement des langues officielles[69].

Malgré les problèmes résultant de l'expansion rapide de l'enseignement immersif, il faut souligner la mise sur pied de l'Association « Canadian Parents for French » en 1977. Cette association regroupant des parents intéressés à l'amélioration de l'enseignement de la langue seconde au Canada a toujours manifesté un appui potentiel aux Franco-Ontariens. Dès 1983, cette association et le Groupe de travail national sur les relations francophones-anglophones de l'Église unie du Canada ont rallié l'opinion de plusieurs anglophones du côté des francophones, en appuyant la prise en main de leurs établissements d'enseignement par les groupes minoritaires[70]. Cette prise de position renforce celle de la collectivité francophone de l'Ontario et laisse entrevoir l'aménagement d'un terrain toujours plus favorable à la réalisation de ses revendications. Cette convergence d'intérêts comporte néanmoins un aspect paradoxal pour une collectivité qui doit désormais justifier sa spécificité et sa raison d'être sur des bases qui débordent la langue française tout en l'incorporant. Ainsi le français, trait distinctif d'antan, est devenu pour plusieurs Canadiens bilingues et francophiles, un facteur de promotion occupationnelle.

Malgré la priorité[71] accordée par la collectivité aux secteurs primaire et secondaire du système d'éducation en Ontario, il reste toujours de vastes secteurs qui requièrent une attention particulière; l'enseignement postsecondaire, la formation professionnelle, l'éducation spécialisée, la consolidation d'un réseau de garderies pré- et postscolaires méritent d'être mentionnés. La pénurie de spécialistes francophones signalée dans les récents rapports du Conseil de planification sociale d'Ottawa-Carleton[72], les publications de l'Association canadienne de l'éducation de la langue française (ACÉLF) sur les dossiers des écoles de langue française, sur les questions constitutionnelles et sur l'enseignement en français au niveau postsecondaire dans certaines régions du pays, la publication du second volume de Churchill, Frenette et Quazi sur les universités[73], les collèges communautaires et l'éducation des adultes, l'ouverture du Centre Jules Léger à Ottawa (1979), le problème de l'analphabétisme chez les francophones[74], la mise sur pied de programmes de formation et de cours spécialisés en français dans les collèges communautaires et dans les universités de la province, l'amélioration des ressources culturelles et pédagogiques des institutions d'enseignement, le renforcement du rôle communautaire des écoles françaises, ne sont que quelques exemples de questionnements, de discussions et de stratégies d'action que proposent les acteurs de cette collectivité afin d'obtenir le contrôle de l'ensemble du secteur de l'éducation et de perpétuer leur spécificité propre au sein du contexte ontarien.

De façon générale, les luttes historiques menées dans le secteur de l'éducation depuis le Règlement 17 auront avant tout, et cela est crucial, permis aux francophones d'aménager des espaces de travail de langue française et de consolider diverses associations[75]. À la suite des garanties constitutionnelles accordées au droit à l'enseignement dans la langue de la minorité, la collectivité a surtout cherché à en tirer des bénéfices afin de préserver son capital et de maintenir les conditions de sa valorisation. Les affrontements récents entre les Franco-Ontariens de Windsor, de Pénétanguishene, d'Iroquois Falls ou de Mattawa et leurs conseils scolaires pour l'obtention d'une école secondaire française suffisent à démontrer un des progrès de la francophonie; bien que la collectivité francophone poursuive toujours sa négociation avec la collectivité dominante, elle possède désormais un droit légitime de lutter pour ce qui lui revient légalement.

Le procès de légitimité entrepris par la collectivité ne se limite pas exclusivement au secteur de l'éducation. D'autres revendications se poursuivent dans le domaine juridique par exemple, afin de faire du français une langue officielle en Ontario[76]. Dès 1985, en adoptant la loi qui assure le droit d'employer le français ou l'anglais dans les procédures civiles, l'Ontario ouvre de nouvelles conditions et possibilités d'action. Cette tendance se poursuit en 1986 avec l'adoption du projet de loi 8 sur les services en français, assurant, dans un délai prescrit de trois ans, le droit d'être servi en français par tous les ministères, conseils, commissions et sociétés d'État du gouvernement de l'Ontario; ceci moyennant que les francophones constituent au moins 10 % de la population ou qu'ils représentent plus de 5 000 personnes. L'ACFO, de son côté, n'a pas manqué de souligner certaines faiblesses de cette loi, notamment en ce qui a trait à l'exclusion des municipalités et des conseils locaux des dispositions de la loi, et à la désignation conditionnelle qui s'applique aux agences de services sociaux et de santé, aux établissements psychiatriques ou résidentiels, aux collèges communautaires, aux maisons de soins infirmiers et foyers de soins spéciaux. C'est en raison des carences en ressources que d'importantes catégories de service échapperont au délai de trois ans et devront faire l'objet d'un examen avant d'être désignées soit en partie ou dans leur ensemble.

L'on ne manquera pas de souligner la controverse soulevée par la mise en œuvre progressive de la Loi sur les services en français. La polarisation linguistique entre « citoyens ontariens » s'est en effet manifestée alors que certains se sont catégoriquement opposés aux objectifs de la loi, allant même jusqu'à exercer des pressions auprès des élus municipaux pour qu'ils proclament l'unilinguisme anglais dans leurs municipalités. La possibilité que l'Ontario devienne un jour officiellement bilingue a retenu l'attention de plusieurs lors des élections de 1987. Sans disposer d'analyses approfondies, il ne serait pas exagéré de dire que ce sont des silences ou encore des prises de position catégoriques, ambivalentes, nuancées... à ce sujet, qui ont déterminé une bonne partie des résultats du vote. Par ailleurs, l'opposition à cette question s'est aussi manifestée par une augmentation récente des effectifs d'un mouvement réclamant la tenue d'un référendum sur le bilinguisme officiel de la province et sur la Loi sur les services en français. Ces exemples suffisent à esquisser quelques-unes des forces d'opposition qui s'organisent dans le réseau complexe d'échange de la province et qui refusent de reconnaître toute prétention à la légitimité de la collectivité francophone en Ontario.

Les positions mitigées de tous les partis politiques ontariens à l'égard de la reconnaissance du français comme langue officielle de la province alimentent les controverses et perpétuent un rapport de force entre deux prétentions à la légitimité. Pour les nationalitaires, il ne fait aucun doute que l'officialisation du français représente beaucoup plus qu'un geste symbolique, comme le soutiennent les porte-parole de l'Ontario. Elle renferme selon eux, dans le cadre de domination actuel, les conditions nécessaires à la participation linguistique égalitaire de la collectivité francophone à tous les niveaux des structures provinciales en Ontario, et à une véritable reconnaissance « officielle ». En devenant un droit constitutionnel, l'utilisation du français s'inscrirait de plein droit dans l'ordre des choses au niveau de la sphère politique.

Dans l'enchevêtrement des divers paliers politiques de l'espace public ontarien, il se joue indéniablement des luttes de pouvoir entre partis, groupes, individus et collectivités. Même derrière les représentations officielles véhiculées ou encore souhaitées, surgissent d'autres possibilités de définitions, de divisions et de représentations de l'ordre social. Plus particulièrement en ce qui concerne l'officialisation du français en Ontario, c'est bien un tel pouvoir de révélation et de construction qui se cache derrière cette prétention à la légitimité. Il faut immédiatement reconnaître que cette quête d'égalité et de reconnaissance juridique dans la sphère publique, cherche avant tout à remédier à une situation où les performances linguistiques et sociales des acteurs de cette collectivité sont constamment mesurées à la seule langue officielle et légitime de la province, l'anglais. Malgré les acquis de la collectivité en ce qui a trait aux services en français, il reste que selon les nationalitaires, les Franco-Ontariens demeureront encore à plusieurs égards dominés par le groupe linguistique majoritaire anglophone qui incarne la seule norme reconnue dans cette province. Dans cette optique, il appert que l'officialisation du français contribuerait à restaurer intégralement la valeur des individus parlant cette langue, leur performance cessant ainsi d'être systématiquement dévalorisée; elle contribuerait également à renforcer leur identité par rapport à l'étalon de la langue dominante.

Cette législation permettrait effectivement à certaines catégories de la collectivité de tirer pleinement profit de leur capital linguistique au sein même de l'appareil étatique, tout en assurant à un autre niveau l'intégration de chaque citoyen francophone dans l'espace provincial de la société ontarienne. Il est évident que ce « labourage » du social suscite de toutes parts de nouvelles questions sur le « vivre ensemble » dans la société ontarienne. Et au-delà des luttes, des oppositions, des refus qu'il fait naître, il permet aux divers individus, groupes et catégories sociales, de développer une discussion qui contient en germe toutes les conditions de l'émergence d'une véritable démocratisation de la société civile.

CONCLUSION

Le champ social francophone n'est plus, depuis l'éclatement de l'ancien complexe communicationnel, un lieu spécifique d'organisation du consentement. Le nouvel espace politique et symbolique est devenu le lieu où s'affrontent diverses forces sociales et où s'affrontent également des représentations divergentes de la collectivité, de son espace et de sa temporalité. Les nouveaux définisseurs de la situation continuent à rechercher une vision unique de l'identité collective, une vision unique de son unité à laquelle viendrait s'ajouter un nouveau pouvoir symbolique et politique traversant désormais l'ensemble du champ culturel. La récente prolifération de conflits à prédominance linguistique n'est pas un phénomène fortuit. Bien au contraire, elle prend tout son sens dans le contexte d'une dynamique spécifique qui s'est instaurée dans le champ sociétal canadien, à la suite de la transformation des rapports sociaux ethniques. Ces luttes affichent un caractère stratégique et rationnel et se limitent à des revendications de justice distributive à l'intérieur d'une structure organisationnelle. Une gestion différente de la structure organisationnelle devrait permettre aux individus de recueillir les bienfaits d'une langue légitime. C'est à la suite de l'intégration dans une même communauté linguistique, produit de la domination politique, qu'apparaît la condition de l'instauration des rapports de domination linguistique et l'émergence de luttes linguistiques, inévitablement inscrites dans la logique même de ce système[77].

Nous avons toutefois cherché à souligner que cette logique ne représente qu'une parcelle de la réalité linguistique d'individus qui vivent leur existence dans le contexte d'un milieu signifiant caractérisé par des relations de subordination et de domination. En effet, c'est tout autant dans l'ensemble de la production et du fonctionnement du sens que dans les revendications sociales, que les Franco-Ontariens actualisent leur recherche d'émancipation. Cette recherche renferme les conditions mêmes de ce qui est possible et pensable dans une société nouvelle : promotion d'une autre forme de vie, nouvelles conditions d'établissement des rapports sociaux, institution d'un nouveau sens et recherche d'un consensus autour de ce sens. C'est à travers l'institution de nouveaux arrangements sociétaux, soumis au processus dialectique du déploiement de la subjectivité, que se constituera et se modifiera la trame sociale de la collectivité franco-ontarienne.

ANNEXE

Dans sa décision sur la compatibilité de certaines dispositions de la Loi sur l'éducation avec les droits scolaires des minorités linguistiques inscrits dans la Charte des droits, la Cour d'appel de l'Ontario a proposé les avis suivants :

On ne peut laisser aux conseils scolaires l'entière liberté de décider s'ils assureront l'instruction en langue française et s'ils fourniront les établissements d'enseignement appropriés; la législation provinciale doit établir des critères suffisamment clairs et précis pour les circonstances où [...] une discrétion absolue entraînerait des restrictions arbitraires, discriminatoires ou de quelque façon inconstitutionnelles sur les droits garantis, ou imposerait des interdictions inutiles à l'égard de l'exercice de droits constitutionnels.

On ne peut fixer sans justification un chiffre minimum (arbitraire) pour déterminer le nombre d'élèves donnant droit à l'instruction dans la langue minoritaire ou à des établissements d'enseignement de la minorité linguistique financés sur les fonds publics; le critère numérique ne peut être appliqué arbitrairement partout dans la province, étant donné que les chiffres varieront nécessairement selon les besoins de telle région et l'enseignement exigé. Les lois scolaires de plusieurs provinces comportent maintenant la notion de critère numérique. [...]

Les enfants de la minorité linguistique doivent recevoir leur instruction dans des établissements dont l'environnement scolaire sera celui de la minorité linguistique. C'est seulement dans ce cas que l'on sera justifié de dire que les établissements reflètent la culture de la minorité et qu'ils sont propres à cette minorité. De cette façon, la préservation de la langue, des coutumes et de la culture de la minorité sera assurée.

La minorité francophone a le droit de participer à la gestion et au contrôle de ses classes et de ses établissements d'enseignement.

Enfin, le groupe linguistique minoritaire n'étant pas usager exclusif des établissements d'enseignement minoritaires, tous les parents admissibles en vertu de l'article 23 ou titulaires des droits qui y sont prévus peuvent participer à cette gestion et à ce contrôle.

(Source : Commissaire aux langues officielles, 1984 : 16).

NOTES

1 S. Arnopoulos (1932), *Hors du Québec point de salut*, Montréal, Libre expression; V. Descombes (1979), *Le même et l'autre. Quarante-cinq ans de philosophie française (1933–1978)*, Paris, Minuit.

2 Un groupe nationalitaire, ainsi que l'a souligné P.-J. Simon (1975, « Propositions pour un lexique des mots-clés dans le domaine des études relationnelles », *Pluriel*, n° 4, p. 65–74), est un groupe ethnique qui, accédant à l'historicité, devient porteur d'un projet politique où n'est pas remise en question la légitimité de l'État.

3 C. Archibald (1979), « La pensée politique des Franco-Ontariens au XXe siècle », *Revue du Nouvel-Ontario*, n° 2, p. 13–21.

4 Y. Lavoie (1973), « Les mouvements migratoires des Canadiens entre leur pays et les États-Unis aux XIXe et XXe siècles : étude quantitative », dans H. Charbonneau (éd.) *La population du Québec*, Montréal, Boréal Express; G. Dussault (1974), « Un réseau utopique franco-québécois et son projet de reconquête du Canada (1860–1891) », Relations France-Canada au XIXe siècle, *Les cahiers du Centre*

culturel canadien, n° 3; G. Cartwright (1978), « Ecclesiastical Territorial Organization and Institutional Conflict in Eastern & Northern Ontario, 1840 to 1910 », *Historical Papers/Communications historiques*.

5 Le processus de scission-division, qui consiste en la division d'une collectivité ethnique en au moins deux collectivités distinctes, correspond à la fluctuation des frontières ethniques; D. Juteau-Lee et J. Lapointe (1979), « The Emergence of Franco-Ontarians : New Identity, New Boundaries » in J.L. Elliot, (éd.), *Two Nations, Many Cultures, Ethnic Groups in Canada*, Scarborough, Prentice Hall.

6 L'on consultera à cet égard l'ouvrage édité par Pierre Savard à la suite du colloque organisé par le Centre de recherche en civilisation canadienne-française de l'Université Laval; P. Savard (éd.) (1975), *Actes du Colloque sur la situation de la recherche sur la vie française en Ontario*, Ottawa, Centre de recherche en civilisation canadienne-française et ACFAS; ainsi que P. Savard (1977), « De la difficulté d'être Franco-Ontarien », *Revue du Nouvel-Ontario*, n° 1, p. 11–23.

7 J. Lapointe et J.Y. Thériault (1982), *D'une question linguistique à un problème sociétal*, rapport présenté au Secrétariat d'État, Direction générale de la planification, p. 120 et ss.

8 D. Juteau-Lee et J. Lapointe (1979), *ibid*; D. Juteau-Lee (1979), « La Sociologie des frontières ethniques en devenir », in D. Juteau-Lee (éd.), *Frontières ethniques en devenir*, Ottawa, Éditions de l'Université d'Ottawa; (1980), « Français d'Amérique, Canadiens, Canadiens français, Franco-Ontariens, Ontarois : qui sommes-nous? », *Pluriel*, n° 24, p. 21–43; (1982), « The Franco-Ontarian Collectivity : Material and Symbolic Dimensions of its Minority Status » in R. Breton and P. Savard (éd.), *The Québec and Acadian Diaspora in North America*, Toronto, Multicultural History Society of Ontario; (1983), « La production de l'ethnicité ou la part réelle de l'idéel », *Sociologie et sociétés*, Vol. XV, n° 2 : 39–55.

9 P.J. Simon (1983), « Le Sociologue et les minorités : connaissance et idéologie », *Sociologie et sociétés*, Vol. XV, n° 2, p. 9–23.

10 M. Weber (1922), *Économie et société*, Paris, Plon, 1971, p. 416.

11 L'approche culturaliste en relations ethniques inclut les analyses qui occultent les *rapports sociaux* ethniques, plus précisément les dimensions économique, politique et idéologique de ces rapports, de même que celles qui ont recours à la culture (la dernière instance déterminante) pour rendre compte des rapports asymétriques constitutifs des collectivités ethniques. Pour une critique plus approfondie de cette approche, voir Danielle Juteau-Lee (1981), *ibid.*

12 D. Juteau-Lee (1980), (1982), *ibid.*

13 N. Laurin-Frenette (1978) élabore davantage cette hypothèse dans le cas du Québec : *Production de l'État et formes de la nation*, Montréal, Éditions Nouvelle optique, p. 96–101.

14 *Id.*, *ibid.*, p. 121–122.

15 D. Juteau-Lee (1980), *ibid.*, p. 21–43.

16 Par exemple, dès 1977, l'État provincial se dote d'une politique de multiculturalisme qui assigne à la collectivité francophone de l'Ontario une place précise en tant qu'élément constitutif de la diversité culturelle ontarienne.

17 L'article de D. Dennie (1978) apporte certaines précisions à ce sujet : « De la difficulté d'être idéologue franco-ontarien », *Revue du Nouvel-Ontario*, n° 1, p. 69–91.

18 Malgré les nombreuses études portant sur le rôle de l'Église au Québec comme lieu privilégié qui focalise les traits d'ensemble de la société québécoise, une analyse semblable manque pour l'Ontario français. Nous pouvons toutefois préciser qu'au début du siècle, l'Église de l'Ontario français, sous le contrôle de l'épiscopat québécois, a réussi à aménager une organisation sociale, et sa vision du monde constitue un des éléments dominants de l'univers symbolique des Canadiens français de l'Ontario. L'analyse documentaire de R. Choquette (1984, 1987) fournit des précisions à ce sujet : (1984), *L'Église catholique dans l'Ontario français du dix-neuvième siècle*, Ottawa, Éd. de l'Université d'Ottawa; (1987), *La foi gardienne de la langue en Ontario, 1900–1950*, Montréal, Bellarmin. Mentionnons de plus que l'examen des éléments ou des codes dominants d'une culture ne doit pas conduire à négliger le décalage et la distance qui peuvent se manifester par rapport à ceux-ci dans une culture donnée. C'est de là que surgissent d'ailleurs les nouvelles conditions de possibilité d'action.

19 L. Quéré (1982), *Des miroirs équivoques. Aux origines de la communication moderne*, Paris, Éditions Aubier Montaigne; (1982a), « Changer de langue et changer la langue comme si de rien n'était », *Pluriel*, n° 31.

20 Pour plus de renseignements sur ce processus, l'on consultera avec intérêt les travaux de G. Vallières et M. Villemure (éd.) (1981), Montréal, Éditions Études vivantes, *Atlas de l'Ontario français*.

21 J. Lapointe et J.Y. Thériault notent ce développement pour l'ensemble des collectivités francophones vivant à l'extérieur du Québec (1982), *ibid.*

22 Consulter à ce sujet les articles de R. Guindon qui esquisse de façon générale les transformations structurelles de cette association depuis les dix dernières années : (1979), « Pour lever les contradictions structurelles de l'ACFO », *Revue du Nouvel-Ontario*, n° 2, p. 35–41; (1984), *Présentation des résultats du sondage sur les priorités de l'ACFO provinciale*, Ottawa, ACFO.

23 Association canadienne-française de l'Ontario (1983), *Un plan de développement pour la communauté franco-ontarienne*, Ottawa, ACFO.

24 *Id.* (1986), « Les tables sectorielles : une tentative de concertation communautaire », Document de travail préparé par R. Guindon, Ottawa, ACFO; (1986), « Rapport annuel — 37e Assemblée générale annuelle », Toronto, ACFO.

25 P.-F. Sylvestre (1985), *Le discours franco-ontarien*, Ottawa, Éditions l'Interligne, p. 12.

26 Cette synthèse fut produite à partir d'une variété de sources : l'opinion d'experts, le résultat de discussions en petits groupes de travail, les commentaires issus de la

dernière assemblée générale de l'ACFO, de même que les résolutions adoptées par cette assemblée au cours des dernières années. De plus, quelques hypothèses furent soumises à l'attention et aux discussions de la collectivité par le biais du journal *Le Temps*.

27 Le champ de consultation comprenait : les représentants des organismes membres de l'ACFO, 350 leaders d'opinion, les responsables d'environ 700 organismes communautaires et plusieurs individus réunis en groupes de discussion. Malgré un faible taux de réponse, la compilation des données a néanmoins fourni des résultats intéressants quant aux objectifs prioritaires établis pour chaque secteur, et quant aux attitudes et aux mentalités de certains groupes.

28 Il n'est pas hors de propos de souligner ici que l'émergence de places nouvelles, inscrites dans le réseau des places dominantes et relevant toute entière de la logique du capitalisme, introduit au sein de la communauté même une dynamique conflictuelle difficilement réconciliable. À titre d'exemple, comparons le discours et les intérêts des politiciens francophones, qui bien souvent acceptent les nouvelles règles du jeu et optent pour l'intégration individuelle et progressive des francophones dans la société ontarienne à ceux des militants qui refusent d'entrer dans ce jeu, puisqu'il conduit vers l'assimilation et la dissolution possible des assises communautaires de la collectivité.

29 Voir à ce sujet D. Juteau-Lee (1980), *ibid.*

30 TV Ontario (1985), « La chaîne française de TV Ontario », avril, *TVO*, Toronto; (1986), « TVO Facts and Figures », mars, *TVO*, Toronto.

31 Cette énumération n'est certainement pas exhaustive mais elle demeure à toutes fins pratiques utile, dans la mesure où elle nous permet de présenter un tour d'horizon général de l'éventail des propositions sociétales et des revendications normatives qui émanent du champ francophone de l'Ontario. Mentionnons, entre autres, le rapport Bériault *et al.* (1968, *Rapport du comité sur les écoles de langue française de l'Ontario*, Toronto, ministère de l'Éducation), le rapport St-Denis *et al.* (1969, Rapport sur *La Vie culturelle des Franco-Ontariens*), le rapport T.H.B. Symons (1972, *Report of the Ministerial Commission on French Language Secondary Education*, Toronto, Queen's Printer), le rapport P. Savard, P. Beauchamp et P. Thompson (1977, *Cultiver sa différence. Rapport sur les arts dans la vie franco-ontarienne*, Ottawa, Conseil des arts de l'Ontario), les nombreuses publications de la Fédération des francophones hors Québec (FFHQ) : (1976), *Les Héritiers de Lord Durham*, Vol. 1, Ottawa; (1977), *Les Héritiers de Lord Durham*, Vol. 2, Ottawa; (1978), *Deux poids deux mesures, les francophones hors Québec et les anglophones du Québec : un dossier comparatif*, Ottawa; (1979), *Pour ne plus être... SANS PAYS*, Ottawa; (1981a), *Un espace économique à inventer*, Ottawa; (1981b), *À la recherche du milliard*, Ottawa; (1982), *Pour nous inscrire dans l'avenir*, Ottawa; (1983a), *Répertoire des programmes et des services fédéraux dans le domaine économique*, octobre, Ottawa; (1983b), *Analphabétisme chez les francophones hors Québec*, novembre, Ottawa; (1984), *État de la*

recherche sur les communautés francophones hors Québec. Actes du premier colloque national des chercheurs, Ottawa; (1985a), *Les services francophones de radio et de télévision hors Québec*, CEGIR, octobre, Ottawa; (1985b), *Actes du colloque national sur l'enseignement postsecondaire en langue française à l'extérieur du Québec*, mai, Ottawa, etc., l'étude de Y. Allaire et J.M. Toulouse (1973, *Situation socio-économique et satisfaction des chefs de ménage franco-ontariens*, Ottawa, ACFO), celle de G. Bordeleau *et al.* (1980, *Les Écoles secondaires de langue française en Ontario : dix ans après*, Toronto, ministère de l'Éducation et ministère des Collèges et Universités) ou encore celle de S. Churchill (1976, « National Linguistic Minorities: The Franco-Ontarian Educational Renaissance », *Prospects*, Unesco, Vol. VI, p. 3) et S. Churchill *et al.* (1978, *Costs : French Language Instructional Units*, Toronto, The Ontario Ministry of Education) sur le coût des unités de langue française, les recherches sociolinguistiques de l'équipe de la section franco-ontarienne de l'Institut des études en éducation, auprès des élèves inscrits dans les écoles de langue française, les rapports du Conseil de planification sociale d'Ottawa-Carleton sur les professionnels francophones dans les services de santé et les services sociaux en Ontario (1982, *Rapport*, 1985, *Rapport*), l'étude sur le monde du travail des Franco-Ontariens publiée par l'ACFO (1986, *Les francophones tels qu'ils sont. Regards sur le monde du travail franco-ontarien*, deuxième édition, Ottawa, ACFO), les recherches de S. Churchill, N. Frenette et S. Quazi (1985, *Éducation et besoins des Franco-Ontariens : le diagnostic d'un système d'éducation*, Toronto, Conseil de l'éducation franco-ontarienne) et de R. Mougeon (1977), *Compte rendu périodique des recherches sociolinguistiques de la section franco-ontarienne (OISE)*, Toronto, Ontario Institute for Studies in Education et de R. Mougeon et M. Canale (1980), *Apprentissage et enseignement du français dans les écoles de langue française de l'Ontario : français, langue première ou langue seconde?*, Toronto, Ontario Institute for Studies in Education, Section franco-ontarienne sur la question de l'enseignement primaire et secondaire et les besoins des Franco-Ontariens, le rapport de F. Faucher sur les droits constitutionnels des minorités de langue officielle du Canada (1985, *Constitutional Language Rights of Official Language Minorities in Canada*, Ottawa, Canadian Law Information Council).

32 Voir note 31 FFHQ (1985b).

33 R. Choquette (1980), *L'Ontario français, historique*, Montréal, Éditions Études vivantes; (1984) *ibid.*; (1987) *ibid.*

34 G. Vallières (1980), *L'Ontario français par les documents*, Montréal, Éditions Études vivantes.

35 G. Vallières et J. Grimard (1981), *Explorations et Enracinements français en Ontario, 1610–1978*, Toronto, ministère de l'Éducation, Guide de ressources à l'usage des enseignants; J. Grimard et G. Vallières (1986), *Travailleurs et gens d'affaires canadiens-français en Ontario*, Ottawa, Éditions Études vivantes.

36 C. Gaffield (1987), *Language, Schooling and Cultural Conflict*, McGill-Queen's University Press.

37 J. Lapointe, R. Poulin et J.Y. Thériault (1987), *La minorité francophone de Welland et ses rapports avec les institutions*, rapport présenté au Bureau du commissaire aux langues officielles, Université d'Ottawa.

38 Sauf pour quelques heures de nouvelles régionales par semaine au réseau de Radio-Canada, la programmation régionale est à peu près inexistante. L'étude sur les services francophones de radio et de télévision hors Québec (voir note 31 : FFHQ, 1985a) établit que le temps de programmation locale en français est d'environ 6 h 15 min par semaine à la télévision et de 40 heures par semaine pour la radio (CEGIR 1985a, p. 2–12). L'étape logique suivant le plan de rayonnement accéléré de Radio-Canada devrait être la production d'émissions locales. Dans certaines régions, on retrouve quelques expériences sporadiques en radio et télévision : pour la radio, mentionnons le canal communautaire du collège de Ryerson, l'émission « Québec Jazz » à l'antenne de CKO et les projets de radios communautaires dans les régions de Hearst et Pénétang-Barrie, et pour la télévision, notons la télévision communautaire sur câble à Timmins, la télévision communautaire sur câble à Thunder Bay sur une base régulière ainsi que les émissions du canal communautaire de Skyline (Ottawa) ou celles de la compagnie de câblodiffusion de Sudbury.

39 Pour une vue d'ensemble des demandes des francophones hors Québec en programmation à la radio et à la télévision, consulter l'étude de la FFHQ (1985a) sur les services francophones de radio et de télévision hors Québec.

40 *Le Droit*, 1987.

41 CAFO, 1986, p. 103–104.

42 Ce constat est le fil conducteur du document de la FFHQ « Pour nous inscrire dans l'avenir » (1982).

43 J.Y. Thériault (1985), *La Société civile ou la chimère insaisissable*, Montréal, Québec/Amérique.

44 J.Y. Thériault (1981a), *Acadie coopérative et développement acadien : contribution à une sociologie d'un développement périphérique et à ses formes de résistances*. Thèse, École des Hautes Études en sciences sociales; Paris; (1981b), « Domination et protestations : le sens de l'Acadianité », *Anthropologica*, Vol. XXIII, n° 1.

45 R. Guindon (1984b), « Remarques sur la communauté franco-ontarienne comme entité politique, Ottawa », *Revue du Nouvel-Ontario*, n° 6 : 49–68.

46 ACFO (1986), *Les Francophones tels qu'ils sont. Regard sur le monde du travail franco-ontarien*, deuxième édition, Ottawa.

47 P. Bourdieu (1982), *Ce que parler veut dire. L'économie des échanges linguistiques*, Paris, Fayard, p. 27; L. Quéré (1982), p. 24 (voir note 19).

48 L. Quéré, *ibid.*, p. 24.

49 P. Bourdieu, *ibid.*

50 L. Quéré, *ibid.*

51 *Id.*, *ibid.*, p. 25.

52 Voir en particulier l'analyse sociologique de L. Quéré (1978, *Jeux interdits à la frontière : essai sur les mouvements régionaux*, Paris, Éditions Anthropos) sur les revendications bretonne et occitane rapportées à la dynamique des transformations sociales en France depuis le début des années 1960.

53 L. Quéré (1982), p. 15–16.

54 R. Joy (1972), *Languages in Conflict*, Ottawa, McClelland and Stewart.

55 F.G. Vallée et A. Dufour (1974), « The Bilingual Belt : A Garotte for the French », *Laurentian University Review*, Vol. VI, n° 2.

56 C. Castonguay (1979), « Exogamie et anglicisation chez les minorités canadiennes-françaises », *Revue canadienne de sociologie et d'anthropologie* 16 (1).

57 J. Kralt (1976), *Études schématiques sur les langues du Canada*, Ottawa, Statistique Canada.

58 R. Lachapelle et J. Henripin (1980), *La situation démolinguistique au Canada*, Montréal, Institut de recherches politiques.

59 La ligne Soo-Moncton (Joy, 1972, *ibid.*) découpage qui fut raffiné davantage lors des recherches de Vallée et Dufour (voir note 50).

60 Lise Séguin Kimpton (1985), « Revue de la littérature pertinente sur la francophonie hors Québec et aperçu de la situation spécifique de la collectivité francophone de l'Ontario », examen de synthèse présenté à l'Université Carleton, Ottawa; [sans date], « The Historical Development and the Present Situation of the French-Canadian Community of Ontario », *CREME* Working Paper, Series n° 4, Carleton University.

61 Lapointe et Thériault (1982), p. 154 (voir note 7).

62 Commissaire aux langues officielles (1977), *Rapport annuel*, Ottawa, p. 23–26.

63 Pour une analyse intéressante du contenu des documents publiés par la FFHQ et des tendances générales qui se dégagent de ce corpus documentaire, consulter Lapointe et Thériault (1982), Chapitre 4 (voir note 7).

64 C'est principalement le paragraphe 3 de l'article 23 qui a servi de point de départ et d'appui à la requête de l'ACFO et de l'AEFO : « Le droit reconnu aux citoyens canadiens par les paragraphes (1) et (2) de faire instruire leurs enfants, aux niveaux primaire et secondaire, dans la langue de la minorité francophone ou anglophone d'une province : a) s'exerce partout dans la province où le nombre des enfants des citoyens qui ont ce droit est suffisant pour justifier à leur endroit la prestation, sur les fonds publics, de l'instruction dans la langue de la minorité; b) comprend, lorsque le nombre des enfants le justifie, le droit de les faire instruire dans des établissements d'enseignement de la minorité linguistique financés sur les fonds publics » (La Loi constitutionnelle de 1982).

65 *Le Temps*, décembre 1983, Journal mensuel de l'ACFO, Ottawa.

66 Voir Annexe.

67 Consulter à ce sujet l'Association canadienne d'éducation de langue française (ACÉLF). Pour l'Ontario, le taux d'accroissement des clientèles scolaires pour la période de 1977–78 — 1980–81 aux niveaux élémentaire et secondaire était de 7,4 % chez la clientèle en français langue première et de 33,2 % chez la clientèle en immersion française; (1981a), « Pour un plan de développement de l'éducation française au Canada », *Revue de l'Association canadienne d'éducation de langue française*, Vol. X, n° 1; (1981b), « Pour un plan de développement de l'éducation française au Canada, mise à jour », *Revue de l'Association canadienne d'éducation de langue française*, Vol. X, n° 2.

68 FFHQ, 1982, p. 82–84, voir note 28.

69 Commissaire aux langues officielles (1983), *Rapport annuel 1982*, Ottawa, p. 26. Voir aussi : 1981, *Rapport annuel 1980*, Ottawa; 1982, *Rapport annuel 1981*, Ottawa; 1984, *Rapport annuel 1983*, Ottawa; 1985, *Rapport annuel 1984*, Ottawa; 1986, *Rapport annuel 1985*, Ottawa; 1987, *Rapport annuel 1986*, Ottawa; 1988, *Rapport annuel 1987*, Ottawa.

70 *Id.*, (1983), p. 28.

71 Il est intéressant de noter à ce sujet les résultats du sondage sur les priorités de l'ACFO provinciale dans le domaine de l'éducation : 1) obtenir les conseils scolaires contrôlés par les francophones; 2) promouvoir l'usage du français dans nos écoles; 3) faire des écoles de langue française un milieu dynamique où s'élaborent pour les jeunes des raisons valables de se joindre au groupe culturel franco-ontarien; 4) obtenir une structure gouvernementale indépendante qui gère l'enseignement en français; 5) développer des institutions d'éducation préscolaire homogènes et distinctes; 6) obtenir la création d'un réseau de campus universitaires et collégiaux francophones; 7) mettre sur pied des programmes d'alphabétisation en français; 8) prévoir des structures d'accueil pour les élèves d'immersion.

72 Conseil de planification sociale d'Ottawa-Carleton, 1982, *Rapport*; 1985, *Rapport*.

73 Churchill, Frenette, Quasi (1985), voir note 28.

74 Centre franco-ontarien des ressources pédagogiques (1980), *À la recherche d'une identité franco-ontarienne, a) la culture; b) la question scolaire; c) le jeu des nombres*, Ottawa, CFORP.

75 C'est en effet le secteur de l'éducation qui est le plus structuré chez la collectivité francophone de l'Ontario. On y retrouve de nombreuses associations communautaires des paliers primaire et secondaire : l'Association des enseignants et enseignantes franco-ontariens, l'Assocation française des conseils scolaires de l'Ontario, l'Association des surintendants et surintendantes franco-ontariens, la Fédération des associations de parents et instituteurs, la Fédération des élèves du secondaire franco-ontarien et Direction-Jeunesse. À cette description organisationnelle du secteur de l'éducation, ajoutons aussi un organisme parapolitique, le Conseil de l'éducation franco-ontarienne (CAFO, 1986a, p. 103–104).

76 Pour l'ACFO, la première priorité dans les domaines juridique et constitutionnel est « d'obtenir l'adhésion de l'Ontario aux articles 16 à 23 de la Constitution canadienne, faisant du français une langue officielle en Ontario ».

77 P. Bourdieu, *ibid.*, p. 33.

8 *La métamorphose de la communauté franco-ontarienne, 1960–1985*

FERNAN CARRIÈRE

INTRODUCTION

Une période de changements

> *It's as if the poor forked creatures who walk, sail and ride on donkeys and camels, in trucks, buses and trains from one spot on this earth to another were all responding to unseen, natural forces, as if it were gravity and not war, famine or flood that made them move in trickles from hillside villages to gather along the broad, muddy riverbanks lower down and wait for passage on rafts down the river to the sea and over the sea on leaky boats to where they collect in eddies, regather their lost families and few possessions, set down homes, raise children and become fruitful once again.*

C'est dans la continuité de cette incessante errance des populations humaines sur notre globe depuis l'origine de l'humanité, qu'il faut saisir la destinée de la communauté d'origine française en Ontario. Au hasard de l'histoire, les Français ont été les premiers immigrants européens à croiser les populations autochtones sur ce territoire qui deviendrait l'Ontario quelques siècles plus tard. Ils n'étaient que les précurseurs d'une civilisation d'origine européenne qui se superposerait au substrat écologique original, au cours des siècles suivants, pour le transformer irrémédiablement.

Aujourd'hui encore, au début de la dernière décennie du XXe siècle, d'autres immigrants continuent d'affluer vers ce territoire, qu'ils proviennent d'autres provinces du Canada, ou de partout ailleurs dans le monde. Certains ont le français comme langue maternelle ou seconde. Parmi ceux-ci, un certain nombre choisiront de vivre, autant que possible, en français. Ils se joindront ainsi, consciemment ou non, à une communauté qui est en voie de s'affirmer, après avoir acquis son droit à l'existence.

La communauté « ontaroise[2] » est toujours en gestation. La physionomie de l'Ontario français a profondément évolué depuis la fin de la dernière Grande Guerre mondiale, à l'instar de toutes les autres communautés ethniques de l'Ontario, y compris les communautés d'origine britannique.

Tom Symonds soutenait dans un essai publié en 1971 que les Franco-Ontariens avaient vécu une véritable révolution tranquille depuis le début de la décennie des années 1960[3]. Avec le regard du temps, il serait peut-être plus juste d'affirmer que les Franco-Ontariens ont subi un choc au cours du troisième quart du XXe siècle, un traumatisme tout aussi important que celui de l'adoption du Règlement 17 au tout début du même siècle.

Le sociologue Raymond Breton a affirmé que les communautés ethniques minoritaires ont le choix parmi diverses stratégies de survie culturelle[4]. De toute évidence, la communauté franco-ontarienne n'a pas choisi l'option dite « assimilatrice ». Les forces externes qui ont cependant marqué son développement depuis 1960 sont telles, qu'elles l'ont obligée à réévaluer ses stratégies de réponse, à s'adapter aux changements sociaux et à renouveler son leadership, complétant ainsi une autre étape dans l'édification de la structure de son organisation sociale.

Toute communauté évolue en interaction avec son environnement. Comme le souligne Judith Ennew dans *The Western Isles Today*[5], en introduction à son étude de la communauté gaélophone des Hébrides, en Écosse, il serait artificiel d'étudier quelque communauté que ce soit en faisant abstraction de la société qui l'englobe. C'est dans le contexte du développement social, politique et économique de l'Ontario et du Canada tout entier qu'il faut étudier l'Ontario français.

C'était d'ailleurs cette perspective qu'adoptaient les auteurs du Rapport Savard sur la situation des arts en Ontario français. Ceux-ci constataient en 1977 que

> la collectivité franco-ontarienne partage les tensions socio-économiques, politiques et culturelles contemporaines... (et) les taux d'assimilation témoignent de ces tensions et du prix qu'elle doit payer pour conserver son identité[6].

Tensions et ruptures

La décennie des années 1960 constitue en quelque sorte une période charnière pour la communauté franco-ontarienne. C'est pour elle une période de nombreuses ruptures.

La plus évidente se situe sur le plan national. Au cours de cette décennie, la société québécoise se modernise, s'affirme sur les plans national et international, et se distingue des communautés minoritaires de langue française des autres provinces canadiennes.

Hélène Brodeur a décrit dans son roman en trois tomes, *Les Chroniques du Nouvel-Ontario*, l'itinéraire de trois générations de Canadiens français qui ont d'abord colonisé le Moyen-Nord au début du siècle, avant de se redéplacer et de s'urbaniser dans le Sud et l'Est. Le passage suivant du troisième tome constitue une véritable métaphore de la condition des Franco-Ontariens au cours du quart de siècle qui débute en 1960 :

> – Nous interrompons momentanément cette émission pour vous apporter un bulletin spécial de nouvelles. Une bombe vient d'éclater en plein cœur de Montréal...
>
> Thérèse poussa un cri et se cacha le visage dans les mains...
>
> – C'est mon fils, articula-t-elle péniblement. Le terroriste, c'est mon petit Raymond...[7]

La romancière a transposé le drame québécois au cœur du Nouvel-Ontario, son pays d'origine. L'attentat du terroriste, qui est un Franco-Ontarien, vise un des trois personnages autour desquels s'articulent les *Chroniques*. Ce dernier, devenu ministre du gouvernement fédéral, est un Ontarien d'origine anglophone, qui fait aussi partie de la grande « famille » des *Nouvels Ontariens*.

*

* *

De plus, mais de façon moins perceptible, la communauté franco-ontarienne doit accuser le choc d'une crise de civilisation, ce qui provoque une remise en question des valeurs traditionnelles tant sur le plan individuel que social. La famille traditionnelle éclate sous la pression des forces ambiantes : conflit de générations, libéralisation des lois qui la régissent dont, entre autres, la modification de la Loi sur le divorce en 1969. Néanmoins, généralement satisfaits de leur sort sur le plan économique, les Franco-Ontariens sortiront lentement de la léthargie apparente qui semblait les caractériser au cours du quart de siècle précédent, pour s'affirmer, devenir *visibles*.

Il n'est jamais question de nostalgie du passé dans l'œuvre de Patrice Desbiens. Au contraire, le poète s'y livre à une critique acerbe de la société. Décrivant le cheminement d'un jeune homme qui quitte le Nord de l'Ontario à la recherche de son identité, personnelle et sociale, son recueil poétique *L'homme invisible/The Invisible Man* témoigne spécifiquement de la condition franco-ontarienne :

> L'homme invisible n'ose plus rien dire, n'ose plus rien faire...
> Il glisse d'une personne à l'autre, d'une femme à l'autre, d'un pays à l'autre comme un lézard d'une roche à l'autre...[8]

À la fois acteurs et témoins de leur histoire, ces deux écrivains font partie d'un chœur, formé d'une toute nouvelle génération d'artistes, d'intellectuels et de gens d'action, qui émergent sur la scène pour *prendre en main les choses de (leur) vie qui (leur) tiennent à cœur*[9].

CONTEXTE SOCIO-ÉCONOMIQUE

Économie et démographie ontariennes

À la fin de la Seconde Guerre mondiale, les infrastructures industrielles et les économies des grandes puissances européennes et asiatiques sont en ruine. Il faudra une vingtaine d'années avant que celles-ci ne puissent à nouveau faire concurrence à la puissance économique américaine sur les marchés internationaux.

Toutes les régions du continent nord-américain bénéficient de l'essor économique qu'offre cette situation d'hégémonie mondiale. La région que le journaliste américain Joël Garreau a surnommée la *Fonderie* recueille plus que d'autres les retombées de cette conjoncture[10]. La *Fonderie*, cette région constituée des États américains et de la province canadienne qui ceinturent les Grands Lacs, devient le centre industriel moteur de l'économie continentale, tout en demeurant une région d'importance capitale pour sa production agricole.

Tout comme sa contrepartie américaine, la partie ontarienne de la *Fonderie* offre de l'emploi non seulement aux populations des autres régions du continent, mais aussi à des millions d'immigrants, venus y chercher un meilleur sort pour eux-mêmes et leurs enfants.

De plus, un fort taux de naissances, ce qu'on a appelé le *baby boom*, conjugué à la baisse des taux de mortalité et de décès ainsi qu'à l'immigration, contribue à créer une croissance démographique phénoménale, comme on le constate à la lecture du tableau suivant :

TABLEAU I
Statistiques de l'Ontario[11]

Année	*Ontario*	*Canada*	*Pourcentage*
1941	3 788 000	11 507 000	32,7
1951	4 598 000	14 009 000	32,8
1961	6 236 000	18 238 000	34,2
1971	7 703 000	21 568 000	35,7
1981	8 624 700	24 341 700	35,4

D.R. Richmond fait remarquer dans *The Economic Transformation of Ontario* que :

> *The decline of birth rates after 1960 and the fall-off in immigration near the end of the decade resulted in a slower rate of increase – 2.1 % in the Sixties. Nevertheless, the expansion of population in Ontario was larger than in Canada as a whole, and faster than in any other industrialized country in the world*[12].

Cette croissance démographique fut surtout concentrée dans la région du Sud-Ouest et particulièrement dans le *Golden Horseshoe*, qui ceinture la partie orientale du lac Ontario, de l'embouchure de la rivière Niagara jusqu'à l'est de Toronto.

Les régions du Nord et de l'Est accuseront dès 1961 des pertes nettes de migrations interprovinciale et intraprovinciale, notamment dans les comtés où l'on retrouve des proportions importantes de francophones. Les populations rurales parviennent en général difficilement à conserver leurs jeunes qui partent chercher dans les centres urbains régionaux — Sudbury, Ottawa —, dans la métropole ontarienne et au Québec, des occasions et des emplois qu'ils ne trouvent pas dans leur région d'origine[13].

Quoique diminuant proportionnellement à l'ensemble provincial, la population rurale demeure stable (en chiffres absolus) tout au long de cette période; la population agricole diminue en nombre absolu, alors que la population rurale se concentre dans les villages. Le nombre des fermes et des exploitations agricoles diminue, bien que la production agricole augmente substantiellement en raison de la mécanisation et de l'amélioration de la gestion des fermes.

Toutefois, les régions rurales se sont à toutes fins pratiques urbanisées, par l'extension des réseaux routiers ainsi que celui des communications de masse (télévision, radio, distribution des journaux et revues, vidéos, microsillons). Comme nous le verrons plus loin, certaines communautés rurales francophones en périphérie de quelques grands centres urbains subiront directement l'impact de l'expansion urbaine.

La situation économique se détériore graduellement au cours de la décennie des années 1970. L'infrastructure industrielle qui a fait la gloire de la *Fonderie* se sclérose et parvient mal à effectuer les pirouettes que lui dictent les transformations rapides des économies continentale et internationale : déplacement de la concentration des activités vers d'autres régions de l'Amérique, émergence des puissances industrielles et financières des régions d'Europe et du Pacifique qui lui font de plus en plus concurrence, évolution rapide des marchés domestiques et internationaux. En Ontario, le secteur manufacturier perd de l'importance aux dépens du secteur des services, qui demeure beaucoup moins productif que les autres secteurs de l'économie. Des secteurs entiers de l'industrie subissent de graves crises, notamment dans les textiles, l'automobile, les produits forestiers, les mines — des secteurs où l'on retrouve beaucoup de travailleurs francophones[14]. La récession de 1981–1982 sera rapidement suivie en Ontario d'une reprise qui se poursuivra jusqu'à la fin de la décennie.

Gérard Boulay fait d'ailleurs remarquer, à ce propos, que les populations majoritaires démontrent plus de tolérance et de générosité à l'égard des minorités au cours de périodes de prospérité[15].

Migrations

L'immigration internationale modifiera la composition ethnique de l'Ontario. Le pourcentage de la population francophone décroît par rapport au total de la population ontarienne, tout comme celui de la population d'origine britannique. L'Ontario devient une société urbanisée et multiculturelle[16].

Les nouveaux venus tentent parfois, tant bien que mal, de conserver et de transmettre leur langue maternelle et leur culture d'origine à leurs enfants. Un certain nombre de ces nouveaux venus sont de langue maternelle ou seconde française. Leur arrivée contribue à compenser pour les pertes subies en raison de l'assimilation d'une proportion importante des Franco-Ontariens. L'immigration internationale et interprovinciale francophone diversifie aussi la composition de la francophonie ontarienne. La souche, de première ou de plusieurs générations, est en grande partie commune : « canadienne-française », issue majoritairement du Québec. Mais comme nous l'avons noté plus haut, le pourcentage de la population de langue maternelle française d'origine autre que « canadienne-française » a augmenté significativement depuis deux décennies. Ce phénomène marque particulièrement les traits du visage français de la région de Toronto[17].

Il faut toutefois ajouter que si de nouveaux venus se joignent à la communauté franco-ontarienne, des Franco-Ontariens de naissance ont pour leur part choisi de s'établir ailleurs, et particulièrement au Québec[18].

Situation linguistique

Dans un exposé qu'il présentait au troisième colloque sur l'identité culturelle et francophone, qui a eu lieu au Collège Glendon en 1976, le chercheur Raymond Mougeon, de l'Institut de recherches pédagogiques de l'Ontario, exhortait à la prudence dans l'interprétation des statistiques quant au taux d'assimilation et quant à leur usage pour décrire l'évolution de la langue et de la culture françaises en Ontario. Après avoir examiné d'un regard critique les divers critères de base servant au calcul du taux du maintien du français, et inversement, du taux d'assimilation, il soutenait que ces chiffres ne révélaient pas toutes les nuances de la situation du français en Ontario.

Mougeon décrivait dans son exposé quels peuvent être les divers facteurs qui expliquent le taux du maintien du français dans une localité ou une région donnée : concentration et densité de la population, complexité du réseau des institutions communautaires, disponibilité et étendue des services en français, apport dans le temps de l'immigration francophone, taux de scolarisation, proportion de mariages mixtes, etc. Il signalait en outre que le taux général du maintien du français fait abstraction des différences régionales[19]. Longtemps isolées les unes des autres par la distance et la faiblesse des réseaux de transport et de communication, les communautés franco-ontariennes, régionale et locale, conservent toujours des traits distinctifs qui les différencient[20].

Les résultats d'une enquête exécutée par la firme de sondage montréalaise CROP, pour le compte du Secrétariat d'État en 1982, corroborent les observations de Mougeon. Cette étude décrit les comportements des communautés linguistiques majoritaire et minoritaire de langues officielles, en se concentrant sur certaines communautés urbaines hors Québec, dont celles de Toronto et Sudbury en Ontario.

Les enquêteurs constatent d'abord qu'ils retrouvent deux fois plus de francophones dont les revenus sont inférieurs dans les milieux où la densité de population francophone est forte. C'est la situation inverse dans les milieux où la densité de population francophone est faible ou moyenne.

Tout comme Mougeon l'avait fait six ans plus tôt, les auteurs affirment que

> ... le taux officiel d'assimilation pour la francophonie, ... tel que relevé au recensement canadien, ne donne pas une idée juste de la connaissance et de l'utilisation du français par ceux qualifiés « d'assimilés », ni de l'attachement que ces derniers sentent vis-à-vis la culture française[21].

L'enquête CROP commence d'abord par distinguer, au sein de la communauté d'origine canadienne-française, francogènes de francophones : les premiers n'ont plus ou pas le français comme langue maternelle mais sont nés d'un ou de deux parents dont la langue maternelle est le français. Deux sur trois des répondants francogènes de l'enquête proviennent de l'Ontario, constituant 17 pour 100 de la francophonie canadienne hors Québec. De plus, les enquêteurs identifient quatre catégories de francophones.

Vingt pour cent des personnes interrogées ont répondu au questionnaire en anglais. Notons que 80 pour 100 des personnes de cette première catégorie affirment qu'elles tendent beaucoup plus à être attachées à la culture française qu'à y être indifférentes.

Les personnes qui ont répondu aux questions en français mais dont la langue d'usage à la maison est l'anglais constituent la deuxième catégorie. Ils constituent 19 pour 100 du total de l'échantillon canadien et trois personnes sur cinq dans cette catégorie résident en Ontario. On remarque, à l'égard des membres de cette catégorie, qu'une bonne proportion d'entre eux sont attachés au français et ont le désir de le transmettre à leurs enfants.

Le groupe le plus important, 55 pour 100 du total, parle le français à la maison et a répondu au questionnaire en français. On observe que les personnes de cette catégorie semblent s'être adaptées à leur environnement anglophone tout en ayant conservé et alimenté leurs attributs de francité.

Enfin, la quatrième catégorie : un tiers des six pour cent de l'échantillon canadien qui sont unilingues français vivent en Ontario.

Les enquêteurs prennent soin de noter en conclusion que pour les francophones hors Québec, vivre en français quotidiennement n'est cependant pas l'équivalent d'avoir ou de ne pas avoir de vitalité française.

« Modernisation » des valeurs culturelles

La dynamique de l'équilibre relatif qui caractérise la communauté franco-ontarienne sera bouleversée dès la première moitié des années

1960. Les Franco-Ontariens adoptent les valeurs de la société nord-américaine, tout en tentant, tant bien que mal, de les concilier avec leurs valeurs traditionnelles.

En s'urbanisant, les Franco-Ontariens ont réussi jusque dans les années 1950 à reconstituer un sous-système social en milieu urbain. Par contre, le rapport du comité d'enquête sur la situation des arts en Ontario français, présidé par Roger Saint-Denis, constate dès 1969 que

> ... Les logements exigus de la ville l'ont forcé à modifier sa conception de la famille. Les lois ontariennes (Common Law) ont transformé ses attitudes, son comportement. Le droit ontarien régit son mode de vie familiale, ses loisirs, ses intérêts économiques et sociaux[22].

Le rapport souligne en outre que les « nouveaux Franco-Ontariens », provenant du Québec, de l'Acadie ou d'ailleurs, s'intègrent parfois difficilement à la minorité franco-ontarienne. D'autre part, de quelque origine ou de quelque catégorie de revenus ou de professions qu'ils soient, les Franco-Ontariens n'ont généralement pas eu tendance à se regrouper en quartiers distincts, ethniquement homogènes. Comme l'explique Thomas Maxwell :

> *... the growing industrialization of Quebec as well as Ontario, has spawned a different type of French Canadian, the urban worker, who has been more willing to seek employment wherever he can find the highest wages, even if it meant forsaking his traditional environment*[23].

Au cours des années 1950, à chaque printemps, les curés effectuaient une visite annuelle dans toutes les familles de leur paroisse. En 1960, il n'y avait aucune raison de croire que ce monde sécurisant — ces rituels en apparence si cohérents qui marquaient toutes les saisons de la vie individuelle et collective — serait radicalement transformé au cours de la décennie qui commençait.

Moins de deux décennies plus tard, des prêtres déplorent le peu d'influence qu'ils exercent désormais. Ils sont devenus des commis au *self-service* des cérémonies religieuses essentielles : baptêmes et mariages[24]. Étudiant le comportement et les croyances des Franco-Ontariens du Nord de l'Ontario, le sociologue Denis Pion observe en 1982 que dès la décennie des années 1960, la famille et la paroisse perdent leur rôle comme pôles de référence pour l'individu dans la communauté :

> La société traditionnelle a été remplacée par une société pluraliste où l'individu est soumis à une gamme de choix et tout un réseau de médiations[25].

Faisant fi des enseignements de l'Église dès le milieu de la décennie des années 1960, les femmes adoptent massivement la *pilule* anovulante comme moyen de contraception. Par suite de la libéralisation de la Loi sur le divorce en 1969, le taux de divorce augmente pour l'ensemble de la population ontarienne[26].

Parmi d'autres signes des temps révélateurs de la privatisation des valeurs religieuses, notons qu'à plusieurs reprises, l'intervention du clergé dans des conflits syndicaux est contestée : à Hearst, en 1963, par exemple, et à Sudbury, vers la fin des années 1950 et au début de la décennie suivante[27]. Notons par contre qu'à Hawkesbury, en 1980, l'archevêque d'Ottawa, Mgr Aurèle Plourde, est intervenu au cours de la grève de l'Amoco pour tenter de rapprocher les parties et en arriver à un règlement juste[28].

Gaétan Gervais remarque que d'autres institutions prennent le relais des institutions religieuses dans la vie communautaire franco-ontarienne, notamment dans le domaine du loisir et de la culture[29]. À cet égard, il est significatif de noter que les inscriptions des enfants dans les écoles élémentaires françaises non confessionnelles augmentent plus rapidement, au cours des années 1980, que celles des enfants dans les écoles séparées traditionnelles. Néanmoins, comme nous le verrons plus loin, l'Église demeure tout au long de la période que nous étudions un acteur important dans le domaine de l'éducation.

CRISE DE L'ÉTAT

Accroissement du rôle de l'État

Pour répondre aux exigences et aux attentes créées par la croissance démographique et économique, l'appareil de l'État, tant au niveau fédéral que provincial, se modernise au cours des années 1960. Les gouvernements s'introduisent de plus en plus dans tous les secteurs de la société, par leur activité législative, par la création de nouvelles agences et sociétés d'État, ou par leurs programmes[30].

Dès les années 1950, la croissance rapide de la population avait imposé aux pouvoirs publics d'investir massivement dans les infrastructures du développement urbain[31]. On rehausse l'ensemble des réseaux d'institutions publiques, notamment dans les secteurs de l'éducation, de la santé et des services sociaux. On modernise l'ensemble du réseau d'éducation en regroupant des conseils scolaires sur le plan régional et en procédant à une réforme complète des programmes scolaires.

Afin de répondre aux exigences des secteurs privé et public en termes de main-d'œuvre qualifiée dans tous les secteurs industriels, la province finance une expansion considérable du secteur postsecondaire et crée le réseau des collèges communautaires.

Au cours de cette période de prospérité, la population exige une amélioration des services publics, notamment en ce qui a trait aux services de santé. Vers la fin de la décennie des années 1960, le gouvernement provincial cède aux pressions du gouvernement fédéral, qui établit le régime universel pancanadien d'assurance-santé. Tout en accroissant considérablement le financement de celles-ci, l'administration provinciale réforme l'ensemble du réseau des institutions hospitalières ainsi que des agences de services sociaux[32].

Un grand nombre d'agences de services sociaux, des hôpitaux, ainsi que des universités, auparavant financées et administrées par des institutions religieuses, deviennent des institutions publiques fortement réglementées par l'administration provinciale.

Enfin, dès la fin des années 1960 et au cours des années 1970, la province réforme l'administration municipale en créant les municipalités régionales qui chapeautent les principales agglomérations urbaines. Ces nouvelles municipalités régionales acquièrent des pouvoirs autrefois dévolus aux villes et villages. Les villages limitrophes aux grandes villes de la province ont été transformés en dortoirs urbains.

Réduction des pouvoirs de la communauté

Le peu de pouvoir et d'autonomie locale dont pouvaient disposer les communautés sur le plan local a été érodé par l'État ou encore, à la suite de l'urbanisation des communautés auparavant rurales en périphérie des villes.

Des communautés autrefois majoritairement francophones, telles que Tecumseh, en banlieue de Windsor, ou Orléans, en banlieue d'Ottawa, ont été transformées radicalement par les nouveaux lotissements résidentiels. Ceux-ci ont attiré une nouvelle population insensible aux traditions communautaires locales. Ceci a eu pour effet de modifier la dynamique des rapports entre les groupes linguistiques.

Le sociologue Jackson a étudié les effets de l'urbanisation du village de Tecumseh en banlieue de Windsor. Des conflits surgissent au sein des institutions sociales, religieuses et politiques locales, entre les nouveaux résidents et ceux qui y étaient établis depuis plusieurs décennies.

> *... the town lost control of its library and welfare services to county government. It would be an error to assume that identity and community is simply transferred to another level as people become more globally ori-*

> *ented. It may well be that the erosion of local institutions leaves people unattached, apathetic and alienated*[33].

Ces conflits latents préfiguraient les conflits scolaires qui allaient éclater non seulement dans le Sud-Ouest ontarien, mais aussi dans l'ensemble des régions de la province au cours de la décennie suivante.

La communauté francophone d'Orléans, en périphérie d'Ottawa, sera aussi envahie par des lotissements résidentiels. Mais grâce aux efforts d'un groupe de citoyens, elle se ressaisira et se donnera au cours des années 1980 des instruments qui assureront sa vitalité, dont un centre culturel bouillonnant d'activités variées : théâtre, spectacles de musique, expositions, lancement de livres.

Les vieux quartiers urbains canadiens-français (Basse-ville d'Ottawa, Moulin-à-fleur de Sudbury, paroisse Sacré-Coeur de Toronto), peuplés d'ouvriers qui ont fourni la main-d'œuvre aux industries locales au cours des décennies précédentes, ont aussi subi les pressions de la rénovation urbaine[34]. Les résidents de ces quartiers s'établissent souvent dans d'autres quartiers où la concentration de francophones est plus faible. Dans la région d'Ottawa, plusieurs familles franco-ontariennes ainsi déplacées choisissent de s'installer sur l'autre rive de la rivière des Outaouais, au Québec, où le coût du logement est moindre. Un certain nombre, parmi les plus démunis, qui se relocalisent du côté ontarien, deviennent dépendants de services sociaux offerts essentiellement en anglais par des administrations gouvernementales insensibles aux questions linguistiques.

Dans la plupart des localités dans toute la province, les réaménagements administratifs et politiques urbains n'auront pas toujours tenu compte, jusqu'au début des années 1980, des spécificités culturelles des communautés où l'on retrouve des concentrations de population francophone.

Les conflits scolaires

La réforme du système d'éducation aura des répercussions à la fois positives et négatives sur la communauté franco-ontarienne. La majorité des Franco-Ontariens accepte cette réforme d'emblée, reconnaissant qu'elle répond mieux aux exigences d'une société plus complexe. De plus, dans le sillage de cette réforme, les Franco-Ontariens obtiendront, vers la fin de la décennie, des écoles secondaires françaises au sein du secteur public. Ceci aura pour effet de rehausser le niveau de scolarisation de la communauté.

Mais, ils perdent simultanément le peu de contrôle qu'ils exerçaient sur l'éducation par le réseau des institutions privées francophones. Dès le début des années 1960, les Franco-Ontariens désertent ces institutions qui ne peuvent soutenir la concurrence du système public d'éducation.

C'est dans ce contexte que l'administration Robarts propose de créer des écoles secondaires françaises dans le cadre du système public[35]. Cette proposition divise la communauté provinciale : les représentants de la région du Nord soutiennent qu'il faut continuer à revendiquer des écoles secondaires françaises catholiques, tandis que les dirigeants du monde de l'éducation, concentrés au sein de la direction de l'Association canadienne-française d'éducation de l'Ontario (ACFÉO), à Ottawa et dans l'Est, acceptent le compromis. L'intervention de l'archevêque d'Ottawa, qui se prononce en faveur du système public non confessionnel d'écoles secondaires françaises, lors du congrès spécial de l'ACFÉO, tenu à huis-clos au Château Laurier à Ottawa, en février 1967, est déterminante. Mgr Aurèle Plourde estime qu'il vaut mieux obtenir des écoles secondaires françaises, même au sein du secteur public d'éducation, que rien du tout.

L'adoption, en 1968, des lois accordant les écoles secondaires françaises aux Franco-Ontariens ne résoud pas la question de l'éducation. Dès le début de la décennie des années 1970, l'ACFÉO, qui devient en 1969, l'Association canadienne-française de l'Ontario (ACFO), n'en devra pas moins mobiliser ses maigres ressources pour appuyer les efforts de groupes de parents dans leurs luttes pour l'obtention d'écoles secondaires dans toutes les régions : Sturgeon Falls (1972), Cornwall (1974), Elliott Lake (1978), Windsor, Pénétang (1980). Ce n'est qu'au prix de tensions créées au sein des communautés locales, tant entre groupes linguistiques qu'au sein même de la communauté francophone, qu'on réussit à obtenir gain de cause.

Un grand nombre de jeunes Franco-Ontariens feront leur apprentissage politique à l'occasion de ces conflits. Tout au long de la décennie, un nouveau leadership aguerri aux luttes scolaires émerge chez les jeunes. C'est cette nouvelle génération de leaders qui convainquent les délégués au congrès annuel de l'ACFO, tenu à Cornwall en 1977, d'adopter comme objectif premier l'autonomie de la gestion de leurs écoles par la création de conseils scolaires de langue française.

Deux ans plus tard, avec l'appui cette fois de l'ACFO et de l'Association des enseignants et des enseignantes (AEEFO) franco-ontariens, un groupe innove en prenant l'initiative de créer « l'école de la résistance » à Pénétanguishene : certains parents retirent leurs enfants de l'école secondaire mixte et ouvrent une école alternative dans les locaux du centre culturel local. La lutte durera toute l'année scolaire, forçant le gouvernement ontarien, à quelques semaines de la date du référendum sur la souveraineté du Québec, à intervenir directement dans le dossier. La communauté francophone de Pénétanguishene obtient son école secondaire française[36]. Mais la crise ne sera véritablement dénouée qu'en 1984 lorsque les Franco-Ontariens obtiendront le contrôle de la gestion scolaire.

En 1982, des parents de Cochrane, Mattawa, Pénétanguishene et Wawa, encadrés par l'ACFO et l'AEEFO, entreprennent des démarches judiciaires dans le but de clarifier l'étendue des droits qu'accorde l'article 23 de la nouvelle Charte des droits et libertés de 1982. En 1984, un jugement de la Cour d'appel de l'Ontario confirme l'opinion des plaignants, qui soutiennent que la nouvelle Charte des droits et libertés accorde à la minorité franco-ontarienne le droit à la gestion de leurs établissements d'éducation[37]. Cette victoire se traduit par la création de conseils scolaires francophones dans les régions d'Ottawa-Carleton et de Toronto.

Crise de la Confédération

> Oui mon pays désuni
> je l'ai connu
> je l'ai vécu longtemps...[38]

L'année du centenaire de la Confédération tirait à sa fin. L'exposition universelle de Montréal était terminée : les Canadiens venaient de vivre une année euphorique.

Pourtant, en novembre 1967, la majorité des délégués à la deuxième session des États généraux du Canada français adoptent une résolution proclamant le droit à l'autodétermination du peuple québécois. Quelques semaines plus tôt, René Lévesque avait quitté le Parti libéral du Québec et s'apprêtait à créer le Mouvement souveraineté-association, qui allait quelques mois plus tard devenir le Parti québécois.

Deux années plus tôt, dans son rapport préliminaire, la Commission royale d'enquête sur le bilinguisme et le biculturalisme avait pourtant averti la population canadienne que le pays traversait,

> .. sans même qu'on s'en rende compte, la pire crise de son histoire[39].

Quelque dix ans plus tard, au moment où, en novembre 1976, le Parti québécois accède au pouvoir, la crise constitutionnelle latente qui hantait le Canada avait pris plus d'ampleur. C'était désormais l'ensemble des provinces qui remettaient en question le partage des pouvoirs entre les niveaux de gouvernement, tel que défini par l'Acte de l'Amérique du Nord britannique. Et l'Ontario se retrouvait dans une situation inconfortable : quoique insatisfaite du statu quo, prise entre Charybde et Scylla, l'administration du premier ministre, William Davis, était pratiquement isolée des autres provinces quant à leurs revendications vis-à-vis du gouvernement fédéral.

Quel contraste avec la décennie précédente sous l'administration de John Robarts. L'ensemble des questions ayant trait au partage des compétences législatives et notamment celle du pouvoir de dépenser du gouvernement fédéral, était certes déjà devenu un sujet de litige avec le pouvoir central. Mais en raison des ressources dont il disposait, le gouvernement de l'Ontario avait, tout au long des années 1960 et dans la première moitié des années 1970, assumé le leadership des provinces à majorité anglophone face au gouvernement central[40].

Ainsi, c'est un coup de maître que joue le premier ministre ontarien en convoquant la Conférence sur la Confédération de demain en 1967. Cela lui permet en outre de contribuer à maintenir l'unité du pays devant la menace que représentait l'émergence du nationalisme québécois. Lors de cette conférence, qui rassemblait les premiers ministres des provinces en l'absence du gouvernement fédéral, M. Robarts annonçait simultanément que son gouvernement s'engageait à offrir des services en français dans les régions de la province où l'importance proportionnelle de la population le justifiait et lorsque les ressources humaines et financières le permettraient.

Le 3 mai 1971, un mois avant la Conférence constitutionnelle de Victoria, William Davis énonce devant l'Assemblée législative la nouvelle politique de services en français de son gouvernement, qui découle essentiellement des travaux des groupes d'études établis par son prédécesseur à la conférence fédérale-provinciale sur la constitution en février 1968. La Conférence de Victoria, en juin 1971, se solde par un échec. Notons que si elle avait été adoptée, la Charte de Victoria aurait enchâssé dans la constitution canadienne le droit des Franco-Ontariens

1) d'utiliser le français à l'assemblée législative ontarienne;
2) à un interprète dans une cour provinciale;
3) à la communication en français avec tous les ministères et agences du gouvernement provincial.

Il peut donc sembler surprenant que M. Davis, qui était prêt à adopter la Charte de Victoria, impose son veto à l'adoption d'un projet de loi sur les services en français que le député libéral Albert Roy dépose devant l'Assemblée législative au printemps 1978. Que le premier ministre de l'Ontario se retrouve dans cette situation pour le moins embarrassante révèle à quel point les relations s'étaient entretemps détériorées entre le gouvernement et sa minorité quasi officielle.

L'entente constitutionnelle du mois de novembre 1981, qui deviendra la nouvelle constitution canadienne en avril 1982, consacre le droit de tout Canadien qui a reçu son instruction en français au Canada ou dont un enfant a fréquenté une école française, à faire instruire son enfant en français dans toutes les provinces aux niveaux primaire et secondaire, là où le nombre le justifie. On est bien loin de la Charte de Victoria. Le professeur Christiane Rabier en conclut que

> Bill Davis n'a pas eu le courage... qu'il fallait[41].

Cette crise constitutionnelle, qui éclate au cours des années 1960, s'accentue tout au long de la décennie suivante et se poursuit au delà de la Charte des droits et libertés de 1982; elle ne constitue, en réalité, que l'aspect juridique d'une remise en question beaucoup plus profonde de la fédération canadienne.

C'est le peuple canadien tout entier qui subira une crise d'identité. Parallèlement à l'émergence du nationalisme québécois, se profile aussi au Canada anglophone la question de ses relations, sur les plans socio-économique et culturel, entre le Canada et son plus proche voisin, les États-Unis. L'ensemble de ces interrogations, tant au sein de la majorité francophone québécoise que la majorité anglophone canadienne, désarçonneront les Franco-Ontariens.

SE REDÉFINIR

Impuissance politique

Pour la première fois de leur histoire, les Franco-Ontariens doivent définir qui ils sont. Les francophones du Québec adoptent le terme Québécois pour s'identifier au cours des années 1960, et le terme Canadien français devient rapidement désuet. La société québécoise francophone abandonne sa diaspora dans sa quête d'autonomie :

> Non seulement n'avons-nous jamais voulu fonder notre identité sociopolitique contemporaine sur « notre » diaspora, bien au contraire, nous avons construit le Québec — le *French Quebec* — sur un refus métaphysique d'une telle diaspora. Nous avons systématiquement refusé d'être solidaire de nous-même pour mousser l'idéologie du *French fact*[42].

La révolution tranquille démarre au Québec en 1960, avec l'accession au pouvoir des libéraux sous la direction de Jean Lesage. Le mouvement indépendantiste prend rapidement de l'ampleur, particulièrement chez les jeunes, les intellectuels et les artistes.

Les liens institutionnels traditionnels qui reliaient l'Ontario francophone au Québec francophone s'effilochent graduellement au cours de la décennie de 1960. Le Canada français, tel qu'on le concevait depuis des décennies, depuis Henri Bourassa et Lionel Groulx, se désagrège. Ainsi, le leadership franco-ontarien traditionnel est en premier lieu surpris par le démembrement, en 1963, de l'Ordre de Jacques-Cartier, « la Patente ». On sera tout aussi surpris lorsque les jeunes, qui constituent le tiers de la délégation ontarienne aux États généraux du Canada français, à Montréal en 1967, appuient la résolution sur l'autodétermination du peuple québécois[43].

Sauf chez les jeunes, le leadership est paralysé par la crainte de se faire prendre entre l'écorce de la majorité francophone du Québec et l'arbre de la majorité anglophone dans leur province[44]. Le leadership franco-ontarien sera continuellement à la remorque des événements, même lorsque ceux-ci leur sont favorables : publication des rapports de la Commission royale d'enquête sur le bilinguisme et le biculturalisme, adoption de la Loi sur les langues officielles et signature de l'entente-cadre Ontario-Québec en 1969, Conférence constitutionnelle de Victoria en 1971.

En réalité, le début de la décennie 1970 s'annonçait prometteur pour la communauté franco-ontarienne. On avait obtenu l'établissement des écoles secondaires françaises en 1968. De plus, le gouvernement provincial ontarien avait clairement affirmé qu'il assumait la responsabilité entière du bien-être et du développement de sa minorité francophone.

La série des crises scolaires des années 1970 et la relative inaction du régime Davis au cours de cette même décennie par rapport aux promesses qu'il avait faites, anéantiront ses espoirs. Le gouvernement perd graduellement l'appui que lui accordaient les comtés à forte concentration de francophones depuis la fin de la dernière Grande Guerre mondiale.

Les Franco-Ontariens en étaient graduellement venus à fonder tous leurs espoirs sur le gouvernement fédéral. Mais, tel que l'a souligné Christiane Rabier, le gouvernement fédéral poursuivait des objectifs qui ne coïncidaient pas nécessairement avec ceux de la communauté franco-ontarienne[45].

Pourtant, un sondage effectué au cours de la campagne électorale de 1981 par le quotidien *Toronto Star* révèle qu'une majorité des électeurs ontariens sont favorables à reconnaître à la minorité franco-ontarienne le droit à des services gouvernementaux en français[46]. Contrairement à son prédécesseur, John Robarts, qui « présidait » un gouvernement stable dans une conjoncture économique favorable, M. Davis a toujours dû se soucier de l'humeur volatile de l'électorat. Le Parti conservateur était devenu, au cours des années 1970, prisonnier d'une minorité d'électeurs du Sud rural de l'Ontario, qui s'opposaient à toute extension des services en français. Toute marque d'une excessive générosité de la part de l'administration Davis à l'égard de la minorité francophone lui aurait probablement valu la perte de l'appui de cette minorité d'électeurs, sans lui garantir en contrepartie un nombre équivalent de votes pour lui permettre de se maintenir au pouvoir.

Dans ce contexte, les leaders de l'Ontario francophone n'ont jamais réussi à s'élever au-dessus de la partisanerie politique et à se concerter afin d'obtenir le respect de quelque parti politique, sinon sur une base très locale et limitée.

D'une élite à l'autre

Dans son essai-reportage sur le renouveau qu'elle avait décelé au sein de la communauté francophone de la région du Nord-Est de l'Ontario, la journaliste Sheila Arnopoulos raconte un incident cocasse survenu en 1960 et qui en dit long sur les attitudes des leaders franco-ontariens de l'époque.

Un jeune curé nouvellement arrivé à Timmins se rend compte que la compagnie de téléphone locale n'offrait pas de services en français. Il mobilise les élèves des écoles francophones de la région : deux jours plus tard, le système téléphonique de Timmins est paralysé. Mais alors que la compagnie semble être sur le point de céder, l'homme d'affaires Conrad Lavigne intervient pour convaincre la population de faire cesser les moyens de pression.

> Selon lui (Lavigne), son geste allait à l'encontre des compromis et des accommodements que la majorité et la minorité avaient réalisés dans le Nord de l'Ontario[47].

Cet incident est un indicateur des attitudes et des comportements d'une certaine « génération » de Franco-Ontariens. Ceux-ci oscillent entre le désir de vivre normalement en français dans ce qu'ils considèrent leur pays et la crainte d'indisposer la majorité qui ne reconnaît pas toujours la légitimité de leurs droits.

Les exemples de cette attitude de *bon-ententisme* sont monnaie courante en Ontario francophone. Par exemple, lorsqu'un délégué à l'assemblée annuelle en 1963 propose que l'ACFÉO revendique une reconnaissance légale et constitutionnelle semblable à celle que la province de Québec accorde à la minorité anglophone, le comité des résolutions du Congrès signale

> qu'il ne serait pas sage d'adopter une telle résolution, étant donné l'amélioration constante de nos relations avec les autorités provinciales.

Thomas Maxwell avait noté à propos de la communauté francophone de Toronto au cours des années 1960, que ce sont les classes populaires qui maintiennent un taux de rétention linguistique plus élevé, malgré la moindre importance qu'on peut y accorder à la culture et à la langue[48].

La thèse élaborée par le sociologue S.D. Clark et reprise en partie par Raymond Breton[49] peut expliquer cette situation. Clark a soutenu que l'émergence d'une élite (professionnels, gens d'affaires, syndicalistes, politiciens) franco-ontarienne dans les petites villes industrielles du Nord-Est ontarien aurait été limitée par une marginalisation de celle-ci par rapport à son milieu[50].

Néanmoins, Gaétan Gervais soutient que l'élite franco-ontarienne de la région de Sudbury, comme ailleurs en province, a généralement favorisé la constitution d'institutions communautaires autonomes et n'a cherché d'accommodements que dans les situations où l'indépendance de ces institutions n'était pas possible. Gervais observe de façon fort pertinente que

> ... l'absence d'une élite dans certains secteurs devient en soi un fait significatif. Car ce n'est pas par choix mais par nécessité que les dirigeants d'une société subissent le sous-développement institutionnel de certains secteurs[51].

On saisit dans cette perspective quelles peuvent être les conséquences d'une prise en charge par un État, ou par le pouvoir public local, d'institutions sociales et culturelles, qui avaient été originellement créées et contrôlées par la minorité.

Jusqu'au début des années 1960, ce sont les communautés religieuses qui ont en grande partie maintenu, avec l'encadrement, la participation et l'appui de la petite bourgeoisie locale, les institutions d'éducation secondaire et collégiale, de santé et de services sociaux. Or, la sécularisation de ces institutions a contribué à transformer la dynamique interne traditionnelle au sein des communautés canadiennes-françaises de l'Ontario. Cette prise en charge de ces secteurs de la vie communautaire par les pouvoirs publics a engendré une distanciation entre les élites traditionnelles et leur communauté. Cette élite, qui continue de participer à la vie publique, détient désormais son pouvoir par délégation de l'État provincial ou des pouvoirs locaux.

La petite bourgeoisie d'affaires franco-ontarienne — gens d'affaires, avocats, médecins, comptables, etc. — ne s'identifie plus nécessairement aux mouvements traditionnels des Franco-Ontariens. Parfois même, elle prend ses distances vis-à-vis les mots d'ordre, les énoncés de principes et les déclarations du leadership institutionnel de l'Ontario français.

Tel que le souligne Gervais, l'absence d'une grande bourgeoisie d'affaires affaiblit les institutions représentatives de la communauté franco-ontarienne.

Crise des institutions communautaires

Tout comme les gens d'affaires, les intellectuels, les artistes et les jeunes ainsi que les nouveaux regroupements de femmes qui émergent au cours des années 1970, restent souvent indifférents à l'égard des mots d'ordre des dirigeants des institutions franco-ontariennes. Les jeunes ont en général tendance à se méfier des discours nationalistes des dirigeants des organisations traditionnelles. On soupçonne dans ces discours des accents de nostalgie pour une époque révolue, que non seulement des jeunes mais aussi de larges secteurs de la population ne veulent pas recréer.

Tout en s'inspirant de l'effervescence créatrice issue d'une part de la montée du nationalisme québécois et d'autre part, de la « contre-culture », une partie de la jeunesse franco-ontarienne traduit dans ses propres termes les grands courants idéologiques qui secouent les pays industrialisés vers la fin des années 1960 et au début de la décennie suivante — contestation étudiante, féminisme, embryon du mouvement écologiste, etc.[52].

Ce faisant, la jeune génération entre en conflit avec les précédentes; ce conflit s'exprime tout autant sur la scène domestique que sur la scène publique, sur le plan socioculturel comme au sein des institutions franco-ontariennes.

Portant un simulacre de cercueil couvert du drapeau vert et blanc des Franco-Ontariens, des jeunes comédiens du Théâtre d'la Corvée d'Ottawa surprennent les délégués en faisant irruption dans la salle du banquet de clôture du congrès annuel de l'ACFO à Cornwall en août 1977. Ils y proclament le brouillon d'un manifeste que le mouvement « C'est le temps » était en train d'élaborer à l'époque. Ce texte incitait les Franco-Ontariens à élargir leur champ de revendication dans le sens du développement de leurs communautés sur les plans régional et provincial[53].

Ce congrès marquait le début d'une nouvelle ère au sein de la fédération des associations représentatives des Franco-Ontariens. Le conseil régional d'Ottawa-Carleton de l'ACFO y réussit à convaincre l'assemblée d'adopter deux objectifs prioritaires : que l'on crée des conseils scolaires de langue française et que l'Ontario se soumette à l'article 133 de l'AANB.

L'année suivante, en 1978, la direction provinciale de l'ACFO est à nouveau ébranlée par la contestation : c'est le début d'une remise en question profonde de l'organisation, préfigurant son renouvellement au cours de la première moitié de la décennie suivante. Ce n'était pas la première crise que subissait l'organisme. Quelque dix ans plus tôt, d'autres jeunes avaient remis en question les institutions représentatives de la communauté. Au cours du congrès de l'ACFÉO en 1969, ils réussissaient à restructurer l'organisme en profondeur.

En prenant la direction de l'organisme, les réformistes de 1969 s'étaient donné comme mandat de diversifier les champs de revendication de l'organisme. Ils estimaient que le moment était venu d'agir dans d'autres secteurs du développement communautaire : santé, économie, affaires municipales, culture, services gouvernementaux en français, etc. Ils avaient un outil de travail, l'animation sociale. Les nouveaux programmes du Secrétariat d'État financeraient leurs activités[54].

Cette réforme de l'ACFO ne réussit cependant pas à inspirer et à mobiliser l'ensemble de la jeunesse franco-ontarienne. Moins de cinq ans plus tard, en 1974, les observateurs et les membres actifs de l'organisation constatent l'absence des jeunes aux assemblées annuelles locales et provinciales. Que s'était-il passé ?

Le politicologue Donald Dennie, de l'Université Laurentienne, constate pour sa part qu'il se produit, au cours de cette période, un glissement de l'élite au sein des institutions représentatives de la communauté franco-ontarienne. Des enseignants, des fonctionnaires, des communicateurs et animateurs sociaux remplacent les professionnels et les religieux qui exerçaient auparavant le pouvoir au sein des organisations représentatives de la communauté. Il soutient même qu'il n'y a plus d'homogénéité d'intérêts au sein de la communauté, tellement elle a été bouleversée par les transformations globales de la société nord-américaine. Il estime enfin que cette nouvelle élite joue un rôle mystificateur en prétendant défendre les intérêts de la communauté[55].

Dès 1970, la nouvelle direction de l'ACFO avait pourtant tenté d'explorer de nouvelles approches quant à ses orientations et à son action. Mais très tôt, elle s'enlise malgré elle dans les sables mouvants des conflits scolaires. De plus, la direction ne dispose pas des ressources humaines et matérielles nécessaires pour soutenir ces luttes incessantes sur tous les fronts. L'encadrement organisationnel s'affaiblit. Cette situation suscite une contestation à l'interne, de même qu'une remise en question par les pouvoirs publics — devenus principaux bailleurs de fonds des organisations communautaires — de leurs politiques de soutien à l'action communautaire[56].

L'élite du monde de l'éducation qui domine l'ACFO jusque dans la première moitié des années 1980 est très conservatrice sur le plan idéologique. Elle tient à conserver l'homogénéité et les valeurs traditionnelles du Canada français d'antan : religion, famille, langue. Cela contraste nettement avec les attitudes et les comportements des autres générations franco-ontariennes, qui démontrent une assurance de soi et de ses capacités de mettre en œuvre des projets.

Services en français : step by step

Au cours de l'hiver 1975, Raymond Desrochers circule pendant six semaines sans renouveler l'enregistrement de sa voiture. Constatant qu'on ne l'arrête pas, il se rend au poste de police et informe les agents qu'il refuse de renouveler son enregistrement de voiture pour protester contre l'absence de services gouvernementaux en français. C'était le début d'une guérilla judiciaire entre le gouvernement provincial et la trentaine de particuliers qui imitent le geste de l'animateur social dans les mois qui suivent.

Le mouvement « C'est le temps » aura une influence considérable, bien au delà du nombre limité de ses membres, de ses maigres ressources financières et de sa brève existence[57]. Quelques mois plus tard, le ministre de la Justice, Roy McMurtry, met sur pied un projet pilote de services judiciaires en français dans la région de Sudbury. Cette initiative constituera la première étape d'un processus qui mènera à la « bilinguisation » du système judiciaire de l'Ontario au cours de la décennie suivante.

Tel qu'indiqué plus haut, le premier ministre Davis avait énoncé la politique de son gouvernement dans un discours à l'Assemblée législative au printemps 1971. Il avait annoncé que le gouvernement offrirait des services en français dans des régions désignées et que pour ce faire, on verrait à accroître le nombre de fonctionnaires bilingues aptes à servir la population francophone dans sa langue maternelle. Mais à quelques exceptions près, cet énoncé de politique est demeuré à toute fin utile lettre morte tout au long de la décennie. L'expansion des services en français dans chaque ministère repose en réalité sur la bonne volonté politique de chaque ministre ou de ses hauts-fonctionnaires[58].

Malgré les demandes répétées de l'ACFO, le gouvernement provincial refuse de se lier à un échéancier précis de mise en œuvre d'une politique qui demeure ainsi vague et ponctuelle. Les militants Franco-Ontariens qui demandent d'être servis en français là où l'on annonce qu'un service quelconque est disponible, constatent fréquemment une résistance de la part de fonctionnaires en grande majorité unilingues anglophones. La faible présence des francophones au sein de l'administration provinciale sert d'ailleurs souvent d'excuse pour l'inaction.

C'est en quelque sorte pour pallier ce genre de lacunes que le gouvernement provincial institue en 1974 le Conseil consultatif des affaires franco-ontariennes, qui deviendra trois ans plus tard le Conseil des affaires franco-ontariennes (CAFO). Ce dernier avait pour mandat de conseiller le premier ministre sur les orientations et les politiques à adopter pour l'extension des services en français au sein de l'appareil administratif du gouvernement.

Dans les limites de son mandat, le CAFO a tenté de faire avancer plusieurs dossiers, notamment dans les domaines du développement culturel, des communications (TVOntario), de l'éducation postsecondaire, de la santé et des services sociaux, etc. Il a bien souvent servi à sensibiliser et à rassembler les membres de la communauté sur certains dossiers. Mais en rejetant ou en ignorant le plus souvent ses avis et recommandations, le gouvernement a lui-même miné l'influence beaucoup plus grande qu'aurait pu avoir le Conseil. D'autre part, les nominations des membres du Conseil étaient nettement partisanes. Le Conseil avait perdu toute crédibilité, lorsque le gouvernement libéral l'a aboli pour le remplacer par l'Office des affaires francophones, en 1986.

Le peu d'enthousiasme que manifeste le gouvernement à agir n'encourage d'ailleurs pas les gouvernements municipaux ou les agences gouvernementales, sauf dans certaines régions. Ainsi, moins d'un mois avant le référendum au Québec, en 1980, le conseil municipal de Cornwall, mal avisé par des fonctionnaires provinciaux, décide de rejeter une résolution d'un échevin anglophone visant à accorder des services en français. D'autre part, par suite des nombreuses pressions politiques de la communauté franco-ontarienne et répondant aux recommandations du rapport Bradet, le conseil municipal d'Ottawa adopte une politique de services en français et se déclare officiellement bilingue en 1980.

Cette résistance des autorités provinciales à mettre en œuvre une politique de services en français s'amenuisera au cours des années 1980. En stipulant que le français et l'anglais sont les langues officielles des tribunaux de l'Ontario, le projet de loi 100, qui est adopté en 1984, vient en quelque sorte couronner les réformes amorcées par M. McMurtry dans le domaine des services juridiques en français.

Mais le véritable déblocage ne se produit qu'en 1985, avec l'avènement des libéraux au pouvoir. Le nouveau régime libéral agit rapidement. C'est néanmoins avec un sentiment partagé entre l'espoir que suscitaient les promesses, et le scepticisme, nourri de plus d'un siècle de résistance et parfois d'hostilité de la part des administrations provinciales, que les Franco-Ontariens accueillent les initiatives du régime Peterson[59].

RENOUVELLEMENT

Émergence d'une parole

> Il y a une collectivité franco-ontarienne. Elle a ses territoires, son langage et ses mœurs. Elle est différente, elle le sent. Il lui manque bien sûr une définition politique mais il lui manque avant tout l'expression formelle de nos qualités propres[60].

C'est ainsi que l'homme d'affaires Pierre Bélanger résumait la situation de l'Ontario francophone vers la fin de la décennie 1970. C'est une collectivité qui commence à affirmer son existence et qui, par la voix de ses jeunes créateurs, a entrepris de cerner les contours de son devenir. On peut déjà entrevoir l'élan et le dynamisme des jeunes qui défient le climat de pessimisme qui règne autour d'eux[61].

Sur la base de cette évaluation réaliste de la situation, c'est un programme visionnaire du développement non seulement de la culture et des arts, mais aussi de l'ensemble de la collectivité franco-ontarienne que proposait, en janvier 1970, le rapport du comité d'étude sur les arts et la culture franco-ontarienne, présidé par Roger Saint-Denis. Celui-ci prophétisait que

> ... d'ici quinze ans, l'Ontario français pourrait prouver au monde qu'il se trouve sur ce coin de pays des gens qui... pourront dire avec élégance qui ils sont[62].

Ce rapport a été aussi important pour la collectivité franco-ontarienne que l'a été le rapport Massey-Lévesque, au début des années 1950, pour le développement des arts et de la culture au Canada.

Une nouvelle génération d'artistes et d'écrivains commencent, vers le début des années 1970, à rendre compte, à leur façon, des choses vécues. Quoique toujours fragile, cet épanouissement de la culture franco-ontarienne est le résultat d'un acte de volonté collective de la part d'une communauté d'individus, pour la plupart des jeunes qui *ont choisi de s'exprimer plutôt que de déprimer*, selon l'heureuse expression de Yolande Grisé[63]. Soulignons que ces artistes et écrivains ont dû, tel que le décrit le professeur Robert Major, tout créer eux-mêmes :

> ... être (à la fois) l'éditeur, le distributeur et l'abondant commentateur, faire l'homme-orchestre devant tous les publics[64].

Le premier élan est venu de la région de Sudbury. À la fin des années 1960, constatant l'absence de traditions artistiques et littéraires dans leur propre milieu, un noyau d'étudiants décident carrément de s'approprier « la parole », et entreprennent de construire, de meubler et de décorer leur « chambre à soi » parmi les autres cultures du monde. En l'espace de quelques mois, ils fondent le festival de la Nuit sur l'étang, le Théâtre du Nouvel-Ontario et la maison d'édition Prise de parole[65].

Pour sa part, l'ACFO, de qui était venue l'initiative de demander au gouvernement provincial de financer les travaux du comité d'enquête Saint-Denis, n'a pas tardé à agir pour s'assurer que les recommandations du rapport ne restent pas lettre morte. Quelques mois plus tard, le Conseil des arts de l'Ontario créait le Bureau franco-ontarien (BFO). C'était là un geste décisif pour l'avenir du développement culturel en Ontario français.

La matière première, soit les ressources humaines que représentent les créateurs, était abondante. Mais cet élan de création artistique se serait probablement essoufflé, n'eût été de l'apport des ressources financières et de l'expertise qu'a fourni le BFO depuis sa fondation[66].

De plus, parfois soutenus par des institutions locales, dont certains conseils régionaux de l'ACFO, des jeunes Franco-Ontariens ont été habiles à profiter des programmes des agences et ministères du gouvernement fédéral pour créer et maintenir l'embryon des organisations qui parviendront à maturité au cours de la décennie suivante : maisons d'édition, troupes de théâtre, centres culturels, périodiques, etc.

Fondé en 1972, Théâtre Action prend rapidement de l'ampleur au cours des années 1970, devient un foyer d'animation provincial et un lieu de rassemblement pour cette nouvelle communauté d'artistes de toutes les disciplines. En 1976, le Conseil régional d'Ottawa-Carleton de l'ACFO met sur pied le Festival franco-ontarien pour célébrer la fête de la Saint-Jean. Jouant un rôle d'animation culturelle et sociopolitique dans la région de l'Outaouais, le Festival s'impose en peu de temps comme un des plus importants festivals de la francophonie en Amérique du Nord. Le Festival a permis de resserrer plus solidement le tissu social de la communauté francophone d'Ottawa et de lui donner une force politique[67].

Les années 1980 auront été avant tout une période de consolidation pour la communauté artistique franco-ontarienne. Ses institutions artistiques et culturelles sont de plus en plus reconnues au sein de la communauté et jouent un rôle essentiel au développement de sa vie culturelle.

Renouvellement et développement institutionnel

Module par module, pièce par pièce, les Franco-Ontariens poursuivent la construction de leur édifice institutionnel. Les années 1980 seront particulièrement fécondes à ce point de vue. L'élection d'un nouveau gouvernement au milieu de la décennie modifiera favorablement la conjoncture politique et sociale pour la minorité. Néanmoins, la fédération qui rassemble la majorité des institutions franco-ontariennes a dû se restructurer pour se donner une nouvelle orientation plus conforme aux réalités de l'heure.

Comme nous l'avons vu plus haut, l'ACFO a été handicapée pendant tout près de quinze ans par son incapacité à coordonner et à mobiliser efficacement l'ensemble des forces actives de la communauté franco-ontarienne. Les premières années de la décennie des années 1980 seront marquées par la contestation, tant à l'intérieur qu'à l'extérieur de l'organisme. Par suite d'une consultation publique en profondeur, l'ACFO parvient à rétablir l'équilibre entre les nombreuses factions qui s'y opposent lors des assemblées extraordinaires de juin et de septembre 1984[68].

La stabilité retrouvée de l'organisme lui permet de se renforcer sur le plan administratif interne, de mieux définir sa mission et ses objectifs à court et à long termes et de mieux coordonner ses ressources et celles de la communauté globale. L'ACFO peut ainsi porter plus d'attention aux dossiers politiques et économiques tout en élargissant le champ de ses préoccupations.

En déléguant à des regroupements informels de certains de ses affiliés un rôle de concertation dans certains secteurs, notamment en éducation, l'ACFO peut concentrer plus de ressources dans des secteurs moins bien encadrés sur le plan provincial. C'est ainsi que, vers le milieu de la décennie, l'association travaille à rassembler les intervenants du monde du travail, des milieux d'affaires, et des secteurs de la santé et des services sociaux.

L'association dote l'ensemble de la communauté franco-ontarienne d'instruments de développement qui lui assurent une certaine autonomie : entre autres, elle procède à la création de la Fondation franco-ontarienne, un ambitieux projet d'établissement d'un fonds permanent, dont les rendements servent à financer des projets de développement artistique et communautaire.

La création, en 1980, de l'Association des juristes d'expression française de l'Ontario, peut être interprétée comme un autre signe de changement dans l'évolution de la minorité franco-ontarienne. Cette association professionnelle, qui n'est pas affiliée à l'ACFO, regroupe tous les professionnels « d'expression française » qui œuvrent dans le domaine de la justice en Ontario. Elle vise principalement à encourager l'utilisation du français dans les cours de justice ontariennes[69].

Dans une veine semblable, les gens d'affaires de la région d'Ottawa-Carleton fondent en 1985 le Regroupement des gens d'affaires. Réseau de promotion sociale, de rencontres et d'échanges entre ses membres, le Regroupement prend rapidement de l'ampleur au sein de la communauté d'affaires tant de l'Outaouais ontarien que québécois. D'autres organisations semblables se forment ailleurs en Ontario au cours de la deuxième moitié de la décennie, ce qui permet d'entrevoir un potentiel pour la création d'un espace économique en Ontario français dans un avenir plus ou moins rapproché.

Cette recrudescence de l'intérêt que les professionnels et les gens d'affaires franco-ontariens portent à la question linguistique s'explique par le fait que l'administration provinciale a progressivement étendu les services qu'elle offre à la minorité francophone. Il devient de plus en plus rentable, sur le plan de la promotion sociale et professionnelle, d'être bilingue.

Nous avons vu que l'utilisation du français n'avait pas été valorisée sur le plan de la promotion socio-économique et sur le plan culturel. Cette situation change lentement au cours des années 1970, mais s'accélère au cours des années 1980 en Ontario.

Le Parti libéral et le Nouveau parti démocratique se liguent pour renverser le gouvernement conservateur en juin 1985. L'avènement subséquent au pouvoir du régime libéral, beaucoup plus sympathique aux revendications et désirs de la minorité franco-ontarienne que le régime précédent, change toutes les perspectives. L'adoption du projet de Loi 8 sur les services gouvernementaux en français en novembre

1986 contribue à rassurer la population francophone et à lui inspirer un sentiment de confiance. Quelles que soient ses imperfections, la nouvelle loi accorde aux institutions représentatives de la minorité une marge de manœuvre beaucoup plus large pour se développer et pour agir. En se donnant trois ans pour mettre en place l'infrastructure nécessaire pour offrir les services gouvernementaux en français, le gouvernement fait ressortir une lacune majeure : le manque de ressources professionnelles pour desservir la population. Une enquête de chercheurs de l'Institut de recherches pédagogiques de l'Ontario avait documenté cette carence de la formation postsecondaire et professionnelle des Franco-Ontariens : les Franco-Ontariens abandonnent leurs études à la fin de la 12e année en plus grand nombre que la moyenne de la population ontarienne. Ils sont beaucoup moins nombreux, en comparaison aux individus d'autres groupes ethniques en Ontario, à poursuivre et à terminer leurs études collégiales et universitaires[70]. Ces constatations tendent à concentrer l'attention sur le « problème » de l'enseignement postsecondaire en Ontario francophone.

Le gouvernement surprend l'Ontario français en annonçant la création d'un collège communautaire francophone pour l'Est ontarien et en promettant d'étudier la possibilité d'en créer un pour le Sud et un autre pour le Nord de la province.

L'ACFO peut désormais concentrer ses énergies sur la réalisation d'un objectif exprimé depuis plus de deux décennies, soit la création d'une université francophone en Ontario. C'est à l'unanimité que l'Assemblée annuelle de l'ACFO se prononce sur cette question en juin 1989. Mais la résistance à cette notion demeure vive dans les milieux universitaires, qui sont divisés sur cette question[71].

Épanouissement

Par un beau soir de printemps, en mai 1986, lors du Gala commémorant l'inauguration de la Fondation franco-ontarienne, David Peterson déclare qu'il a l'honneur de diriger le gouvernement de l'État qui compte la plus importante minorité francophone de toute l'Amérique du Nord et que c'est son intention que cela demeure ainsi.

Quelques mois plus tard, le premier ministre ontarien se risque prudemment, au tout début de la campagne électorale, à déclarer qu'il entrevoyait que la province de l'Ontario deviendrait un jour officiellement bilingue. Il n'en fallait pas plus pour provoquer les éléments irréductiblement opposés à une telle notion au sein de la population ontarienne. Le Parti libéral n'en est pas moins réélu avec une majorité confortable.

C'est véritablement une nouvelle ère qui débute pour les Franco-Ontariens en 1985, surtout avec l'adoption du projet de loi 8 en 1986. Voici que le français devient une des langues d'usage au sein de l'administration provinciale. Mais comme le fait remarquer Daniel Tremblay dans son étude sur les enjeux des conflits linguistiques en Ontario,

> Le statut juridique du français en Ontario, en plus de varier considérablement selon le secteur d'activité, est d'origine récente et n'a donc guère été confronté à la pratique[72].

L'objectif ultime des porte-parole de la communauté franco-ontarienne demeure que la province devienne officiellement bilingue. On reconnaît cependant qu'il y a encore beaucoup d'obstacles à surmonter avant que cet objectif ne s'inscrive dans la réalité quotidienne.

Tout en demeurant conscients de la fragilité de leurs acquis, les Franco-Ontariens ont récemment gagné beaucoup d'assurance à la suite de leurs réussites dans plusieurs secteurs. Le gala organisé par la Fondation franco-ontarienne pour souligner la mise en vigueur de la Loi sur les services en français en novembre 1989 en témoigne : le millier de Franco-Ontariens, représentant plus d'une centaine d'organismes, agences, ministères, qui s'étaient rassemblés à Toronto pour célébrer l'événement, se surprennent à découvrir, à entrevoir leur force potentielle. C'est avec plus de confiance en eux-mêmes qu'ils entreprennent une nouvelle étape de leur développement au tout début de la dernière décennie du siècle.

Ils peuvent compter sur un réseau plus complet d'institutions de plus en plus solidaires les unes des autres, et beaucoup plus solides qu'elles ne l'étaient au début des années 1960, voire des années 1980.

Les Franco-Ontariens sont de plus en plus conscients que la réalisation de leurs desseins ne dépend que de leur volonté.

CONCLUSION

Témoignant de son expérience personnelle dans une communication qu'il présentait au Colloque du 25e anniversaire du CRCCF, à Ottawa, en 1983, le chercheur Normand Frenette expliquait que la communauté francophone de Toronto était en réalité multiple et qu'elle était en pleine mutation[73]. Analogiquement, c'est la structure de la communauté franco-ontarienne tout entière qui est en gestation. L'évolution de la francophonie torontoise n'en constitue qu'un cas particulier.

Depuis bientôt quatre siècles, mais surtout depuis un siècle et demi, des strates successives d'immigration francophone se sont ajoutées aux couches de population précédemment établies — amérindiennes, francophones, anglophones — et ont échangé avec celles-ci. C'est tout un défi pour une communauté minoritaire que de se renouveler ainsi tout en maintenant sa cohésion dans la continuité. Encore faut-il que la communauté accepte d'adopter chacun des nouveaux arrivants, si et lorsque ceux-ci choisissent d'adopter une nouvelle identité.

Le poète Hédi Bouraoui, qui déplore une certaine tendance au nombrilisme dans le milieu culturel franco-ontarien, affirme que la question de l'identité reste toujours ouverte :

> Il faut l'avouer, (pour) une grande partie de l'intelligentsia francophone de l'Ontario, n'est Franco-Ontarien que celui, né en Ontario, qui parle français. Cette définition restrictive et à la limite néfaste et discriminatoire n'avance en rien l'écriture de l'Ontario[74].

La communauté franco-ontarienne commence à développer une conscience provinciale, mais elle tarde encore à se définir une identité propre, ainsi qu'une vision synthétique de son présent, enracinée dans son passé et orientée sur son avenir. On hésite toujours, mais de moins en moins, à « penser » la condition d'être franco-ontarien.

Cette absence de vision a coûté cher à la communauté. L'incapacité de ses dirigeants et de ses institutions traditionnelles à intégrer d'autres visions du monde, a contribué à limiter son pouvoir d'action. Elle a sûrement constitué une source de désaffectation pour sa jeunesse.

> L'Ontario français n'a pas encore nommé ses avenirs possibles. Ainsi, l'idéalisme qui inspire la conversion franco-ontarienne de l'adolescent se traduit à brève échéance en une désillusion certaine… Si on espère rallier la jeunesse à la « cause franco-ontarienne », il faut d'abord cesser de tromper le sens de l'idéal qui l'amène au seuil de l'engagement[75].

Les témoignages personnels de Bouraoui, Frenette, Renaud, et d'autres, reflètent la diversité des expériences et des choix possibles qui s'offrent aux Franco-Ontariens, à toutes les étapes de leur vie. Tel que l'affirme Roger Bernard, qui paraphrase consciemment Simone de Beauvoir : on ne naît pas franco-ontarien, on choisit de le devenir. Bernard souligne que

> … dans le processus irréversible de modernisation et de migration interne qui caractérisent le statut de minoritaire, la langue française est graduel-

lement dissociée de la religion catholique et cette nouvelle disposition amorce l'effritement du noyau culturel[76].

Si la religion ne constitue plus aujourd'hui un des éléments essentiels de la définition de l'identité franco-ontarienne, qu'en est-il de la langue française elle-même? Bernard pose une question fondamentale. Quel est le véritable rapport entre langue et culture, surtout dans le contexte du bilinguisme institutionnalisé, peu importe le statut légal, juridique ou constitutionnel de la langue française? Bernard poursuit en s'interrogeant sur la capacité même des institutions franco-ontariennes à rassembler toutes les composantes de la communauté. Est-il encore possible dans le « village global », à la veille du troisième millénaire, de coaliser toutes les composantes individuelles ou collectives de la communauté autour de la langue uniquement? Est-il souhaitable de le faire?

En dernière analyse, ce sont ces questions qui ont secoué l'Ontario francophone depuis une trentaine d'années. Nous estimons qu'au-delà des programmes et des priorités d'action que peuvent se donner les organisations qui l'encadrent, il est essentiel que la communauté franco-ontarienne s'élargisse pour inclure tous ceux qui s'y identifient, y compris ceux qui ne parlent pas ou plus le français.

Ils sont trop nombreux ceux qu'on appelle les assimilés, ou les francogènes, qui ont été victimes des circonstances et du temps. On les a peut-être trop rapidement exclus des nôtres, par une comptabilité un peu trop excessive et puriste. Nous soutenons qu'un élargissement de la communauté pourrait lui assurer une plus grande vigueur et garantir l'avenir de ceux qui choisissent de conserver le français sur un plan personnel et professionnel.

La communauté franco-ontarienne est désormais plus profondément enracinée sur son territoire d'adoption que ne l'a jamais été la forêt que nos ancêtres ont défrichée pour s'y établir. Plus que toute garantie constitutionnelle, ce sera un signe de sa vigueur qu'elle puisse s'ouvrir au monde et insérer sa voix, une nouvelle voix dans le concert qui anime le monde depuis l'apparition de l'humain sur terre.

NOTES

1 Russell Banks, *Continental Drift*, New York, Harper & Row, 1985, p. 34.

2 Quoique pour diverses raisons — ne serait-ce que pour marquer la nouvelle assurance et la profonde métamorphose de la communauté francophone de l'Ontario depuis quelques années —, nous préférerions l'utilisation du terme « ontarois »,

nous nous conformerons ici à l'usage adopté ailleurs dans ce volume et utiliserons plutôt le terme « franco-ontarien ».

3 T.H.B. Symons, « Ontario's Quiet Revolution, A Study of Change in the Position of the Franco-Ontarian Community », in R.M. Burns (ed.), *One Country or Two?*, Montréal, McGill-Queen's University Press, 1971.

4 Raymond Breton, « L'Intégration des francophones hors Québec dans des communautés de langue française », *Revue de l'Université d'Ottawa*, 55(2), Ottawa, Presses de l'Université d'Ottawa, p. 77–98.

5 Judith Ennew, *The Western Isles Today*, Cambridge, Cambridge University Press, 1980, p. xiii et 1–6.

6 Pierre Savard, Rhéal Beauchamp, Paul Thompson, « Cultiver sa différence », *Rapport sur la situation culturelle de l'Ontario français*, Toronto, Conseil des arts de l'Ontario, 1977, p. 31.

7 Hélène Brodeur, *Les Routes incertaines*, Sudbury, Prise de parole, 1986, p. 197–200.

8 Patrice Desbiens, *L'homme invisible/The Invisible Man*, Sudbury et Moonbeam, Prise de parole et Penumbra Press, 1981, p. 33.

9 Paquette, Robert, « Bleu et Blanc », Microsillon, Kébec Disk, KD(920).

10 Joël Garreau, *The Nine Nations of North America*, Boston, Houghton Mifflin Company, 1981, p. 65.

11 *Statistiques de l'Ontario 1986*, Toronto, ministère du Trésor et de l'Économie, 1986, p. 42 (Tableau 3.1).

12 D.R. Richmond, *The Economic Transformation of Ontario*, Toronto, Ontario Economic Council, 1974, p. 3.

13 Donald Cartwright, « Spatial Patterns in Franco-Ontarian Communities », in R. Breton et P. Savard, *The Quebec and Acadian Diaspora*, Toronto, The Multicultural Society of Ontario, 1982, 137–158; Gaétan Vallières, « The Franco-Ontarian Experience », in *The Quebec and Acadian Diaspora*, p. 189–194, pour une description sommaire des migrations urbaines et intraprovinciales des communautés franco-ontariennes.

14 Lire le chapitre de Fernand Ouellet dans ce volume au sujet de l'économie et les Franco-Ontariens. Pour une description plus approfondie de l'évolution de l'économie ontarienne, lire : Kenneth John Rea, *The Prosperous Years : The Economic History of Ontario*, 1939–1975, (Ontario Historical Studies Series), Toronto, University of Toronto Press, 1985.

15 Gérard Boulay, *Du privé au public : les écoles secondaires franco-ontariennes à la fin des années soixante*, Sudbury, Société historique du Nouvel-Ontario, 1987, p. 7.

16 William Kilbourn, « Tory Ontario », in *Canada, A Guide to the Peaceable Kingdom*, Toronto, MacMillan of Canada, 1970, p. 115.

17 René Guindon, « Remarques sur la communauté franco-ontarienne », *Revue du Nouvel-Ontario*, Sudbury, Institut franco-ontarien, 1984, p. 54; Normand Fre-

nette, « Franco-Torontois et Franco-Ontarien : cheminements individuels et collectifs », Ottawa, *Revue de l'Université d'Ottawa*, Vol. 55, n° 2, avril-mai-juin 1985, p. 151–156.

18 Richard Joy, *Languages in Conflict*, Ottawa, McClelland and Stewart, 1972, p. 46 ss. et p. 103.

19 Raymond Mougeon, « Le Maintien du français en Ontario », dans *Identité culturelle et francophone dans les Amériques (III)*, Québec, Centre international de recherches sur le bilinguisme, 1980.

20 Rapport Savard, *op. cit.*; Benoît Cazabon, « Pour une description linguistique du fait français en Ontario », *Revue Nouvel-Ontario*, n° 6, p. 75.
Ce n'est qu'en 1979 que les Franco-Ontariens deviennent liés entre eux avec la création du réseau radiophonique ontarien de Radio-Canada (date de la première émission quotidienne d'affaires politiques). Notons que TVOntario diffusait, depuis 1975, 17 % de ses émissions en français dans le cadre de sa programmation régulière. La chaîne française de TVOntario n'est entrée en ondes qu'en 1987.

21 Yvan Corbeil et Camille Delude, *L'Étude des communautés francophones hors Québec et des communautés anglophones au Québec*, Vol. 5, Montréal, Centre de recherches en information publique, janvier 1983.

22 Roger Saint-Denis, *La Vie culturelle des Franco-Ontariens*, Ottawa, Rapport du comité culturel des Franco-Ontariens, 1969, p. 32.

23 Thomas Maxwell, *The Invisible French*, Waterloo, Wilfrid Laurier University Press, 1977, p. 22.

24 Fernan Carrière, *Le Confort... sans histoire : les Franco-Ontariens, 1960–1970* (rapport de recherche commandé par TVOntario), inédit, 1983, p. 24.

25 Denis Pion, « Croyance et incroyance chez les Franco-Ontariens; bilan de la dernière décennie », Ottawa, *Bulletin du CRCCF*, 1983.

26 Quoiqu'on ne dispose pas de données en ce qui concerne spécifiquement la population franco-ontarienne, il ne semble pas y avoir de raison de croire que le taux de divorce chez les Franco-Ontariens soit différent de celui de l'ensemble de la population ontarienne. Voir les tableaux 3.25, 3.28, 3.59 et 3.60, *Statistiques de l'Ontario 1986*, *op. cit.*, pour les données sur l'évolution des taux de fécondité et de divorce pour la population ontarienne en général; à noter particulièrement l'augmentation rapide du nombre de divorces à partir de 1969.

27 Sheila Arnopoulos, *Hors du Québec, point de salut*, Montréal, Libre Expression, 1982, p. 155–194; et Paul Doucet, *La Mesure humaine*, pièce de théâtre inédite.

28 Caroline Andrew, Clinton Archibald, Fred Caloren et Serge Denis, *Une Communauté en colère*, Hull, Éditions Asticou, 1986.

29 Gaétan Gervais, « La stratégie du développement institutionnel de l'élite canadienne-française de Sudbury... », Sudbury, *Revue du Nouvel-Ontario*, n° 5, 1983, p. 83.

30 On trouvera dans le Vol. 18, n° 1, de la *Revue des études canadiennes*, printemps 1983, une série d'articles sur le thème de l'étatisme au Québec et en Ontario. Lire

dans ce numéro l'article de Robert Finbow, « The State Agenda in Quebec and Ontario », p. 117.

31 Joseph Schull, *Ontario Since 1867*, « Ontario Historical Studies Series », Toronto, McLelland and Stewart, 1978, p. 332 à 351.

32 K.J. Rea, *op. cit.*, chapitres 6 (p. 101–133) et 10 (p. 223 et ss.); Kenneth Bryden, « How Medicare Came to Ontario », in Donald C. McDonald, *Government and Politics of Ontario*, Toronto, MacMillan of Canada, 1975, p. 34.

33 J.D. Jackson, *Community in Conflict*, Toronto et Montréal, Holt, Rinehart & Wilson, 1975, p. 73.

34 Sheila Arnopoulos, *op. cit.*, p. 70–72.

35 Gérard Boulay, *op. cit.*

36 P.-F. Sylvestre, *L'École de la résistance*, Sudbury, Prise de parole, 1980.

37 Brigitte Bureau, *Mêlez-vous de vos affaires*, Ottawa, Association canadienne-française de l'Ontario, 1989, p. 39.

38 André Paiement, *Mon Pays, au nord de notre vie*, A&M Records (SP9028, 1977).

39 Commission royale d'enquête sur le bilinguisme et le biculturalisme, *Rapport préliminaire*, Ottawa, Imprimeur de la Reine, 1965, p. 125.

40 Dans un discours qu'il a prononcé à l'Assemblée législative, l'ancien chef du Nouveau Parti démocratique, Donald MacDonald, relevait les contrastes entre le rôle de leadership que jouait l'Ontario et son premier ministre, M. Robarts, en regard de celui de son successeur M. Davis : *Legislature of Ontario Debates*, 5 mai 1980, p. 1454.

41 Christine Rabier, « Les Franco-Ontariens et la constitution », *Revue du Nouvel-Ontario*, n° 5, 1983, p. 36.

42 Jean Morrisset, « Québec-amériquain/Québec américain… », *Possible(s)*, Vol. 8, n° 4, été 1984, p. 38.

43 On retrouve des extraits de leurs interventions dans *Le Devoir*, 25 et 28 novembre 1967.

44 Rémy Beauregard, *Influence du débat sur la question nationale au Québec sur les comportements et les attitudes des Franco-Ontariens*, 1980, inédit.

45 Christine Rabier, *op. cit.*, p. 46.

46 *Toronto Star*, 27 février 1981, p. A-16.

47 Sheila Arnopoulos, *op. cit.*, p. 71–72.

48 Thomas Maxwell, *op. cit.*, p. 22.

49 Raymond Breton, *op. cit.*

50 S.D. Clark, « The Position of the French-Speaking Population in the Northern Industrial Community », in R. J. Ossenberg (éd.), *Canadian Society : Pluralism, Change, and Conflict*, Scarborough, Prentice Hall, 1971.

Le professeur Fernand Dorais explique cette même idée en d'autres termes dans « Rapport de réflexions rédigé à la demande de TVOntario », inédit. Du même auteur, sur un autre plan, lire aussi : « Qui a tué André? », *Revue du Nouvel-Ontario*, n° 1, p. 41s.

Lire aussi les hypothèses de Donald Dennie, « Le mouvement syndical... et les Franco-Ontariens », *Revue du Nouvel-Ontario*, n° 2, 1979, p. 41. Dans le même numéro, Jean Gagnon, « Qu'est-ce que Jean Gagnon fait dans le mouvement ouvrier? », p. 59.

51 Gaétan Gervais, *op. cit.*, p. 72.

52 Gaston Tremblay, dans André Paiement, *Théâtre*, Tome 2, Sudbury, Prise de parole, 1978, p. 68.

53 Le réalisateur Paul Lapointe de l'Office national du film a filmé cet événement dans *J'ai besoin d'un nom*. Le texte du manifeste *C'est le temps* a été reproduit dans le n° 3 de la *Revue du Nouvel-Ontario*, 1981, p. 110s.

54 Clinton Archibald, « La Pensée politique des Franco-Ontariens au XXe siècle », Sudbury, *Revue du Nouvel-Ontario*, n° 2, 1979, p. 13; Robert Choquette, *L'Ontario français, historique*, Montréal, Éditions Études vivantes, 1980, p. 213–214 et 224–230.

55 Donald Dennie, « De la difficulté d'être idéologue franco-ontarien », *Revue du Nouvel-Ontario*, n° 1, 1978, p. 79s.

56 René Ravault, « Analyse critique du concept d'animation communautaire tel que défini dans le manuel de l'ACFO », inédit, 1981; René Guindon, « Pour lever les contradictions internes de l'ACFO », *Revue du Nouvel-Ontario*, n° 2, 1979; Robert Choquette, *op. cit.*, p. 228–231.

57 Keith Spicer, dans *Actes du Colloque (2), L'Avenir de la francophonie ontarienne*, Sudbury, Institut franco-ontarien, Université Laurentienne, 1981, p. 72.

58 Daniel Tremblay, *Les Enjeux juridiques et sociopolitiques des conflits linguistiques*, Québec, Centre international de recherches sur le bilinguisme, 1988, p. 52 et 54–55. Lire aussi Brigitte Bureau, *op. cit.*, p. 101–108.

59 Claude Péloquin, « Les libéraux hésiteront aussi devant le bilinguisme officiel », *Le Devoir*, 15 juin 1985, p. 4.

60 Pierre Bélanger, dans André Paiement, *Théâtre*, Vol. I, Sudbury, Prise de parole, 1978, p. 123.

61 Omer Deslauriers, « La Situation de la vie franco-ontarienne », *Revue du Nouvel-Ontario*, n° 1, 1978, p. 32.

62 Cité dans Robert Choquette, *op. cit.*, p. 206.

63 Propos rapportés dans le mensuel de l'ACFO, *Le Temps*, Vol. III, n° 11, Novembre 1981, p. 10.

64 Robert Major, « Écriture et engagement », *Liaison*, n° 13, décembre 1980, p. 16–17.

65 Fernand Dorais, *De Montréal...*, *op. cit.*, p. 53–55.

66 Fernan Carrière, « La culture ontaroise en évolution », conférence prononcée au Colloque « L'Ontario français parle aux Québécois », à Québec, 22 novembre 1986, inédit.

67 Marthe Lemery, « Une éminence grise du monde de la culture », *Liaison*, n° 31, p. 27–29.

68 Un comité d'enquête présidé par André Lécuyer remet son rapport final à l'ACFO en 1984. Les délégués à l'assemblée extraordinaire de juin 1984 ont examiné les recommandations de ce rapport, sans parvenir à un consensus sur certaines questions de fond. Ils ont complété leur travail quelques mois plus tard, en septembre. Lire l'analyse de Normand Frenette, « L'ACFO et la lutte pour le pouvoir symbolique », *Revue du Nouvel-Ontario*, n° 8, 1986, p. 79–93.

69 Daniel Tremblay, *op. cit.*

70 S. Churchill, N. Frenette, S. Quazi, *Éducation et besoins des Franco-Ontariens : le diagnostic d'un système d'éducation*, Toronto, Le Conseil de l'éducation franco-ontarien, 1985.

71 Fernand Dorais, « Minorité, autonomie et dépendance », *Revue du Nouvel-Ontario*, n° 8, 1986, p. 57–61. Lire aussi la série d'articles dans *Le Droit*, semaine du 10 au 14 octobre 1989.

72 Daniel Tremblay, *op. cit.*, p. 75.

73 Normand Frenette, *op. cit.*

74 Hédi Bouraoui, « Littérature franco-ontarienne en 1988 », *Atmosphères/2*, Hearst, Le Nordir, 1989, p. 34–37.

75 Normand Renaud, « La Jeunesse franco-ontarienne : le courage en mal d'une cause », *Liaison*, n° 29, hiver 1983–1984, p. 40–41.

76 Roger Bernard, *De Québécois à Ontarois*, Hearst, Le Nordir, 1988, p. 119.

9 *La littérature franco-ontarienne Esquisse historique (1610–1987)*

RENÉ DIONNE

En 1972–1973, avec l'aide de deux ou trois professeurs, un groupe d'anciens élèves du Collège du Sacré-Coeur de Sudbury, devenus étudiants à l'Université Laurentienne, fondaient les Éditions Prise de parole[1]. En leur âme et conscience, comme chez leurs guides venus d'ailleurs, tout se passait comme s'ils allaient être les premiers francophones de l'Ontario à s'exprimer en littérature. Aussi avaient-ils des pionniers à la fois l'idéal et l'enthousiasme, le courage et la témérité.

Leur audacieuse complaisance provenait d'une ignorance facilement excusable. Formés par des professeurs québécois et instruits par des maîtres français, ces jeunes avaient peut-être eu l'heur de lire une ou deux œuvres franco-ontariennes, tels *l'Appel de la race* d'Alonié de Lestres et les *Poésies* d'Alfred Garneau; mais ces ouvrages d'auteurs nés au Québec, comme des dizaines d'autres auteurs de l'Ontario, se présentaient sous le titre d'œuvres canadiennes-françaises. Depuis la fin des années 1960 cependant, les francophones du Québec s'appropriaient cet héritage national et, l'étiquetant de « québécois », l'enfermaient dans les frontières géographiques d'une seule province, qu'ils voulaient indépendante. Le pays canadien-français, qui n'avait, depuis longtemps, qu'une existence linguistique, se divisait. Naguère, les Franco-Ontariens se sentaient partie d'une nation canadienne de langue française qui défendait ses droits à Ottawa en s'appuyant sur la base québécoise; en 1972–1973, les Franco-Ontariens se sentaient exclus du groupe qui débattait les problèmes naguère dits « de la race » à l'Assemblée nationale du Québec et n'accourait plus à leur secours comme ç'avait été le cas lors des batailles scolaires du début du XXe siècle. Le pays et le gouvernement des jeunes de Sudbury ne pouvaient plus être qu'ontariens, et c'est en fonction de cette réalité que ces jeunes devaient se définir[2]. Mais comment se définir, sinon en s'exprimant, c'est-à-dire en se cherchant à travers des signes qui tracent des lignes créatrices d'histoire? Et ce fut *Lignes-Signes*[3], premier recueil de poésies des Éditions Prise de parole; sorte de manifeste aussi, qui n'était pas sans rappeler certaine volonté fondatrice de la littérature canadienne du siècle précédent. En 1837, dans *le Populaire*[4], Leblanc de Marconnay, qui se voulait un guide pour les jeunes, avait fait appel à leur patriotisme en affirmant que « la littérature fonde la gloire des peuples »; en 1973, Fernand Dorais, mentor des jeunes Sudburois, écrivait, dans la préface de *Lignes-Signes*[5], que « la naissance d'une identité s'opère dans la gratuité de l'éblouissance du Verbe ».

Dans cette foulée pionnière, en 1976, sensibles aux besoins du milieu franco-ontarien en général et aux desiderata des étudiants en particulier, des professeurs de cinq institutions universitaires se réunissaient à Ottawa et fondaient le groupe interuniversitaire d'études franco-ontariennes (GIÉFO)[6]. Le groupe se donnait pour objectif général de « permettre aux Franco-Ontariens de mieux s'identifier et de promouvoir leur culture propre à l'intérieur de leur province, par l'organisation et le développement planifiés et coordonnés de l'enseignement des réalités franco-ontariennes au niveau postsecondaire »; l'objectif particulier était de « contribuer à la création et à la structuration de cours sur les réalités franco-ontariennes[7] ». Bien appuyé par le Conseil des affaires franco-ontariennes, le GIÉFO obtint du ministère de l'Éducation de l'Ontario, durant cinq ans, des subventions minimes, mais qui permirent la création d'une quinzaine de cours, dont un tiers en littérature franco-ontarienne, et l'organisation d'une dizaine de colloques[8]. Et c'est ainsi que la littérature franco-ontarienne, entrant à l'université, vit son existence reconnue de façon efficace.

Les cours existaient, des professeurs unissaient leurs efforts pour les donner — souvent bénévolement —; les élèves accouraient, mais les outils de travail manquaient. Les recherches débutèrent; elles n'ont pas cessé de se poursuivre, à un rythme lent toutefois, faute de ressources humaines et financières. À Sudbury, elles portèrent d'abord sur la langue, puis l'on entreprit, en 1982, de préparer un *Dictionnaire des écrits de l'Ontario français*, ouvrage considérable dont la rédaction est sur le point de commencer[9]. À Ottawa, il nous apparut essentiel d'établir une bibliographie qui confirmerait l'existence d'un corpus littéraire valable et servirait à la fois de guide pour l'enseignement des œuvres et de base à la préparation d'une histoire[10].

D'emblée se posait le problème des critères d'appartenance des auteurs et des œuvres. La solution paraît relativement facile dans le cas d'une littérature nationale : d'ordinaire, un écrivain appartient à la littérature du pays où il est né ou dont il est citoyen, encore que cette règle compte maintes exceptions. S'agissant de littérature régionale, le problème se complique du fait que les frontières entre les régions ne sont pas étanches : citoyens d'un même pays, les auteurs originaires de régions diverses passent aisément de l'une à l'autre, soit qu'ils changent de domicile pour de multiples raisons, soit que, vivant aux frontières, tels les habitants de la région d'Ottawa-Hull, ils déménagent d'une province à l'autre comme s'il s'agissait de simples quartiers d'une même ville ou passent quotidiennement de l'une à l'autre, travaillant dans l'une, résidant dans l'autre[11]. En 1978, pour définir le corpus littérature outaouais et franco-ontarien, nous avons déterminé des critères que nous croyons toujours valables, même s'ils ne résolvent pas tous les problèmes particuliers. Appliqués exclusivement au corpus franco-ontarien, ils s'énoncent comme suit : sont écrivains franco-ontariens les auteurs d'œuvres littéraires qui sont nés en Ontario autrement que fortuitement, ceux qui habitent présentement cette province et ceux qui ont publié la plupart de leurs œuvres du temps qu'ils y habitaient; appartiennent à la littérature franco-ontarienne les œuvres de ces auteurs ainsi que les écrits de langue française, quels que soient leurs auteurs, qui ont pour sujet ou pour cadre l'Ontario.

Pour présenter ces auteurs et ces écrits, nous divisons l'histoire de la littérature franco-ontarienne en sept périodes : 1) les origines françaises (1610–1760); 2) les origines franco-ontariennes (1760–1865); 3) la littérature des fonctionnaires (1865–1910); 4) l'affirmation de l'identité collective (1910–1927); 5) les tenants de la langue et de la culture (1928–1959); 6) la littérature des universitaires (1960–1972); 7) la littérature contemporaine (depuis 1973).

Les origines françaises (1610–1760)

En littérature franco-ontarienne comme en littérature québécoise, la tradition de lecture doit remonter jusqu'aux sources, c'est-à-dire à ce premier regard jeté sur le pays et ses habitants par les découvreurs et les missionnaires, les explorateurs et les voyageurs.

Dès 1610, soit deux ans à peine après la fondation de Québec, Étienne Brûlé pourrait, selon certains indices, avoir passé l'hiver dans une région de l'Ontario actuel[12]. Trois ans plus tard, Samuel de CHAMPLAIN (vers 1570–1635) remonte l'Outaouais jusqu'à l'île des Allumettes; en 1615–1616, il pousse son exploration jusqu'au lac Nipissing, atteint la baie Georgienne, se rend au lac Simcoe, puis au pays des Iroquois, sur la rive sud du lac Ontario, et revient hiverner au pays des Hurons. Déjà, en 1613, il a publié la relation de sa première exploration[13]; en 1619, paraît le récit de la seconde[14]. Ce sont vraisemblablement les deux premiers textes européens sur l'Ontario. Plusieurs pages comptent parmi les plus intéressantes de Champlain. Curieux de tout — on a même dit que « la joie de la découverte » fut « le seul plaisir de sa vie[15] » —, cet explorateur est un observateur minutieux qui décrit sans fleurs de rhétorique et raconte simplement ce qui lui arrive ainsi qu'à ses compagnons. La première partie du récit de 1613 tient du journal de bord : elle est plus énumérative que descriptive; la seconde devient touchante lorsque les Algonquins traitent Nicolas du Vignau[16] de menteur et refusent à Champlain les moyens de se rendre chez les Népissingues. Après quelques pages d'introduction, le second récit reprend là où s'arrêtait le précédent; la description est plus nourrie, la narration plus efficace : que le narrateur emploie le « je » ou le « nous », il n'est pas égotiste et il ne cesse jamais de penser à son destinataire, comme en témoignent les multiples comparaisons qui donnent à voir le monde américain en le rapprochant de l'européen. L'hiver que Champlain doit passer chez les Hurons lui permet de connaître leurs mœurs, croyances et coutumes; les pages qui contiennent ses observations sont d'un ethnographe fiable et compréhensif, qui s'étonne volontiers, mais a la sagesse de ne pas trop juger.

Gabriel (Théodat) SAGARD (fin du XVIe siècle — après 1636), récollet, fera preuve de la même sagesse et compréhension lorsqu'il racontera, en 1632, *le Grand Voyage du pays des Hurons*[17], qu'il avait fait huit ans plus tôt. Parti de Paris le 18 mars 1623, il débarque à Québec le 28 juin, puis gagne Sorel le 16 juillet afin d'entreprendre, le 2 août, le voyage vers la Huronie, où il arrive le 20; au mois de mai suivant, il retourne à Québec et rentre en France sur l'ordre de son Provincial. Huit mois de Huronie seulement, mais huit mois de contact continu et d'observation ébahie. Plus abondant que Champlain, dont il s'inspire parfois jusqu'à le plagier, il instruit davantage; simple, sensible, il lui arrive de séduire par la légèreté du style et la couleur des images. Le lire, c'est partager la curiosité et l'étonnement d'un poète et philosophe naïf devant une nature toute neuve.

Avec les jésuites, humanistes du Grand Siècle, l'angle de vision change; le ton et le style aussi. La conversion des Hurons les intéressant au premier chef, ils s'appliquent à évaluer la vie politique, sociale et religieuse du groupe et de l'individu. Ils en ont le temps : Champlain et Sagard n'avaient passé qu'un hiver en Huronie; les jésuites y vivent de 1626 à 1629, puis de l'été de 1634 jusqu'au printemps de 1650, alors que ce qui reste de la nation huronne, décimée par les Iroquois, se réfugie à l'île d'Orléans. Il existe 14 *Relations* annuelles de ce qui s'est passé au pays des Hurons de 1634 à 1650. Elles ont pour rédacteurs Jean de Brébeuf (1635–1636), François Le Mercier (1637–1638), Jérôme Lalemant (1639–1645), Paul Ragueneau (1646–1650). Tous savaient écrire, et des textes de chacun l'on peut tirer facilement des morceaux d'anthologie. Cependant, BRÉBEUF (1593–1649) nous semble l'emporter sur ses trois confrères, et même sur Paul Le Jeune, le plus réputé des auteurs des *Relations*. Dans la *Relation* de 1635[18], le récit de la montée chez les Hurons est marqué au coin d'une intériorité que ne possédaient pas les narrations des devanciers; la phrase a l'aisance, la clarté et la prime vigueur des classiques de la première moitié du XVIIe siècle; sa structure est variée et bien équilibrée. Dans le troisième chapitre de la première partie de la *Relation* de 1636[19], « Avertissement d'importance à ceux qu'il plairait à Dieu d'appeler en la Nouvelle-France et principalement au pays des Hurons », qui est une sorte d'exhortation soutenue par un lyrisme pascalien, la phrase se déploie avec autant d'ampleur et d'élégance oratoires que chez Bossuet. Mais s'agit-il, dans la seconde partie, de décrire les croyances, les mœurs et les coutumes des Hurons, Brébeuf retrouve un rythme descriptif qui atteint à un sommet dans le neuvième chapitre, « De la fête solennelle des morts », où c'est merveille de le voir jouer des modes et des temps verbaux pour la représentation d'un spectacle haut en couleur.

L'angle de vision change encore une fois avec Louis-Armand de Lom d'Arce de LAHONTAN (1666–1716). Ce baron français a passé une dizaine d'années au Canada. De l'Ontario actuel, il a surtout parcouru et habité la région du haut Saint-Laurent et des Grands Lacs au cours des années 1684 et 1687–1689[20]. Il parle de ce territoire dans 5 des 25 lettres des *Nouveaux Voyages* (1703)[21] et dans plusieurs pages des *Mémoires* (1703)[22]; et c'est à Michillimackinac qu'il rencontre le chef Kondiaronk, qui deviendra l'Adario des *Dialogues* (1703)[23]. Petit noble dépossédé, il a une vision mercantiliste des rapports entre la métropole et la colonie; esprit radical, il critique le système politique et social de son pays en valorisant celui des « sauvages » qui vivent en pleine nature et liberté; anticlérical, il confronte les croyances indiennes à son catholicisme; philosophe, il crée en Adario un Indien rationaliste qui l'emporte en intelligence et en sagesse sur son interlocuteur européen; utopiste, il invente une réalité littéraire qui en fait un précurseur de Jean-Jacques Rousseau.

Les auteurs que nous venons de présenter sont les plus grands; il en est d'autres, d'une importance littéraire moindre, qui valent la peine d'être lus comme témoins des origines ontariennes et sources d'inspiration.

Pierre-Esprit RADISSON (vers 1640–1710), aventurier sans scrupule qui fut au service tantôt de la France, tantôt de l'Angleterre, a écrit, durant l'hiver de 1668–1669, des souvenirs de voyages[24] qui pourraient bien être, selon Victor G. Hopwood, « le premier récit fondamental en anglais de l'exploration du Canada[25] ». Le manuscrit français a été perdu, semble-t-il, et le texte anglais serait une traduction de 1669; cependant, la langue en est si défectueuse que Hopwood a été amené à penser que ce texte pourrait être de Radisson lui-même[26]. Quoi qu'il en soit, le narrateur, pas toujours véridique, est original, alerte et perspicace; il décrit avec précision quand il parle de ce qu'il a vu ou vécu, mais se met-il à inventer, le style trahit sa duperie[27].

Pierre de TROYES (?–1688) arrive à Québec le 1er août 1685; le 20 mars, il part de Montréal pour la baie d'Hudson, qu'il atteint le 20 juin. Il s'empare de trois forts anglais. En octobre, il est de retour à Québec et rédige sa relation de voyage[28]. Elle se lit avec intérêt, même si la phrase s'allonge parfois démesurément; le narrateur aime les anecdotes, et elles sont souvent amusantes; il ne se gêne pas pour porter des jugements sur les Canadiens auxquels il commande et sur les Anglais qu'il affronte.

Nicolas JÉRÉMIE (1669–1732), né à Sillery, a passé près de vingt ans à la baie d'Hudson, à partir de 1694. Ce qu'il décrit, il l'a vu; ce qu'il raconte, il l'a vécu. Son témoignage passe pour le meilleur qui existe sur la vie dans ce territoire aux confins des XVIIe et XVIIIe siècles[29].

Nicolas PERROT (vers 1644–1717), arrivé au Canada à l'âge de 16 ans, sert la France auprès des Indiens pendant la plus grande partie de sa vie. Mémorialiste[30], il juge avec sévérité à la fois les Indiens et les Français. L'ouvrage vaut par son contenu, plus que par sa forme, bien que la forte personnalité de l'auteur colore le texte.

Mentionnons encore, qui traitent de l'Ontario, le *Voyage de MM. Dollier et Galinée*, par René de BRÉHANT de GALINÉE (1645–1678)[31] et les deux premières lettres des *Voiages* [sic] *du R. P. Emmanuel CRESPEL* [1703–1775] *dans le Canada et son naufrage en revenant en France*[32].

Les écrits des auteurs dont nous avons parlé jusqu'ici, sauf l'ouvrage de Crespel, ont servi à deux historiens : Claude-Charles Le Roy, dit BACQUEVILLE DE LA POTHERIE (1663–1736), *Histoire de l'Amérique septentrionale*[33], et François-Xavier de CHARLEVOIX (1682–1761), *Histoire et description générale de la Nouvelle-France, avec le Journal historique d'un voyage fait par ordre du Roi dans l'Amérique septentrionale*[34]. L'un et l'autre renseignent; le second, de plus, compose avec soin dans une langue littéraire qu'il maîtrise facilement.

Bien que les auteurs que nous venons de présenter soient nés en France ou dans le territoire de la province de Québec, il ne fait pas de doute que leurs écrits concernant l'Ontario et ses habitants font partie du patrimoine ontarien, tout comme les récits de voyages de Jacques Cartier et le *Maria Chapdelaine* de Louis Hémon appartiennent au corpus littéraire québécois. Aucune littérature n'existant sans tradition de lecture, et la littérature de toute collectivité qui se reconnaît une identité particulière reposant sur une tradition d'appropriation, il incombe aux Franco-Ontariens de lire ces écrits et d'en faire les assises de leur littérature de la même façon que les Québécois ont fait d'un bon nombre de ces textes — souvent d'une manière impérialiste —, et des textes du régime français qui concernaient le territoire actuel de leur province, les fondements de la leur. L'importance des ouvrages du régime français a toujours été reconnue par les historiens, les géographes et les ethnologues de l'Europe et de l'Amérique du Nord. Leur valeur littéraire a été appréciée autrefois par les écrivains français qui s'en sont inspirés et, depuis près d'un siècle, par les écrivains québécois et les historiens de la littérature canadienne. La plupart de ces écrits sont des gestes d'auteurs engagés dont les voix singulières ne manquent pas de rejoindre le lecteur. Grâce à elles, nous acquérons des yeux tout neufs d'étonnement et de curiosité pour découvrir, à la suite d'observateurs attentifs et conquérants, le monde nouveau qu'ils ont découvert et exploré, monde qui se cache aujourd'hui derrière nos voiles de routine et nos préoccupations quotidiennes.

Les origines franco-ontariennes (1760–1865)

La deuxième période littéraire n'a pas la richesse de la première. Une fois le Canada conquis par l'Angleterre, la France n'est plus maîtresse du commerce des pelleteries qui justifiait la présence d'établissements français en terre ontarienne. Des entrepreneurs britanniques prennent la relève. Nouveaux venus, ils ne peuvent se passer des services et de l'expérience des Canadiens, surtout dans le Nord-Ouest. Aussi trouve-t-on au seul Fort William, en 1805, près de 1 000 employés francophones; un certain nombre s'établiront définitivement dans la région[35]. Dans le Sud-Ouest, en 1776, on comptait environ 600 francophones, mais les loyalistes ont commencé d'arriver par milliers, puis des groupes d'Écossais sont venus, et les francophones ont été débordés, en dépit de l'apport de quelque 450 compatriotes dans la région de Penetanguishene en 1828 et malgré le fait que, depuis le début du

XIXe siècle, les Québécois immigrent de plus en plus nombreux dans la vallée de l'Outaouais[36]. En effet, même si le groupe augmente régulièrement en chiffres absolus, il diminue en pourcentage de la population totale : 4 000 sur 120 000 (3,3 %) en 1819, 33 287 sur 1 382 425 (2,4 %) en 1861[37]. Une grande partie de la population francophone est pauvre et peu instruite; des écoles françaises existent aux niveaux primaire et secondaire, mais tous ne sont pas en mesure d'en profiter, surtout à l'extérieur des villes. D'ailleurs, le système scolaire ontarien ne s'organisera définitivement qu'à partir de 1841 et le Collège Saint-Joseph, fondé par les oblats en 1848, ne deviendra l'Université d'Ottawa qu'en 1866[38]. Dans un tel contexte socioculturel, il est presque normal que la plupart des œuvres de l'époque aient pour auteurs, comme celles d'avant 1760, des voyageurs, des explorateurs et des missionnaires.

L'on peut considérer comme première œuvre littéraire de la période *Voyage au Canada, fait depuis l'an 1751 jusqu'à l'an 1761*[39]; l'auteur, qui signe simplement J.-C. B., n'a jamais été identifié avec certitude. Il aurait, selon la critique interne, travaillé à son manuscrit jusqu'en 1790. En 1867, une copie tombe entre les mains de l'abbé Casgrain, qui la publie à Québec; en 1978, à Paris, Claude Manceron édite le texte du manuscrit original. L'un et l'autre éditeurs, pour des raisons différentes, ont fait des coupures. La plus grande partie du livre porte sur la région du haut Saint-Laurent et des Grands Lacs. Dans les 11 premiers chapitres, le narrateur fait, année par année, le récit de ses voyages; dans le douzième, il rassemble, de façon systématique, les observations qu'il n'a pu consigner au cours de son récit; elles portent sur les mœurs, coutumes et croyances des Indiens. La langue de J.-C. B. appartient à la fin du XVIIIe siècle : l'énonciation est claire, précise, et la phrase est courte; le souci de bien composer et de bien écrire est partout présent.

Jean-Baptiste PERRAULT (1761–1844) n'a pas le même souci esthétique. C'est à la demande d'un historien et ethnologue que ce septuagénaire du Sault-Sainte-Marie écrit, vers 1830, *la Relation des traverses et des avantures* [sic] *d'un marchant* [sic] *voyageur, dans les terrytoires* [sic] *sauvages de l'Amérique septentrionale, parti de Montréal le 28e de mai 1783*[40]. Le récit se déroule comme un journal, jour après jour, année après année. Il a de particulier qu'il s'étend sur quelque quarante ans de la vie d'un voyageur qui, à titre de commis, a pris l'habitude de noter et de cartographier; la narration abonde en détails qui séduisent les historiens et les curieux de la vie quotidienne d'un groupe social devenu mythique dans la littérature canadienne-française.

Dans *Forestiers et voyageurs*[41] (1863), dont les chapitres XIII à XIX ont pour cadre les pays d'en haut, Joseph-Charles TACHÉ (1820–1894) est à la fois l'un des propagateurs du mythe du voyageur et l'un de ceux qui, en fusionnant le personnage du voyageur avec celui du forestier, le transforment, à une époque où le voyageur disparaît comme avait disparu, avec la fin du régime français, le coureur de bois, lui-même successeur du guide-interprète qui avait remplacé le « truchement » des premiers temps de la colonie. Avec Taché, le personnage du voyageur prend de la taille : il devient, selon Jack Warwick[42], le héros qui fait rayonner au loin les valeurs de la civilisation française en même temps qu'il conquiert un empire canadien en parcourant et exploitant la forêt; c'est un homme libre et un chrétien.

Ainsi nous le présentent d'ailleurs les chansons de voyageurs, apport original de la littérature orale du Canada français, avec lesquelles forment un tout, au milieu du XIXe siècle, les chansons des forestiers et des cageux[43]. Elles ont dû être nombreuses et connaître des versions multiples. La plupart sont anonymes ou d'auteurs légendaires. Hubert La Rue[44], en 1863, en avait recueilli sept des lèvres de voyageurs. Elles parlent de l'éloignement et de la solitude de ceux qui partent pour les pays d'en haut, de leurs habitudes, de leurs misères, de la belle — épouse, amante ou fiancée — qui les attend au pays d'en bas, de la joie du retour et des retrouvailles, parfois de la douleur et de la rage de celui dont l'amour a été trahi, de la peine également de celle dont l'époux ou le fils tarde dans les bois ou ne reviendra pas. Ces chansons disent aussi la foi profonde d'hommes à qui il arrivait de n'avoir d'autre recours que Dieu ou la Vierge. Tel est le cas dans l'une des plus connues et des plus belles, « la Complainte de Cadieux[45] », voyageur qui affronte la mort seul, comme les preux de jadis, après avoir permis à ses compagnons d'échapper aux Iroquois.

En 1842, à la demande de Mgr Bourget, les jésuites reviennent au Canada pour contribuer à l'éducation de la jeunesse et reprendre leur travail d'évangélisation auprès des Indiens. Comme leurs devanciers des XVIIe et XVIIIe siècles, ils écrivent régulièrement à leurs supérieurs; les lettres, lithographiées, sont distribuées à un public d'amis et de bienfaiteurs[46]. En 1973, Lorenzo Cadieux édite 92 de ces lettres, en un fort volume, sous le titre *Lettres des nouvelles missions du Canada, 1843–1852*[47]. Plus des deux tiers traitent des missions indiennes de l'Ontario. Les *Lettres des nouvelles missions* intéressent de la même façon que les *Relations* : écrites à des fins documentaires avant tout, elles ne laissent pas d'être remarquablement littéraires. L'Indien qu'elles nous présentent n'est plus l'inconnu découvert deux siècles plus tôt; c'est quelqu'un que le contact avec l'Européen a transformé, et pas toujours pour le mieux, à la fois dans son caractère, ses mœurs et sa manière de vivre et de penser. Le missionnaire francophone catholique le dispute maintenant au ministre anglophone d'autres Églises et il doit compter avec un pouvoir britannique dont il n'est pas l'envoyé. Le contexte sociopolitique a changé; les méthodes d'évangélisation doivent s'adapter. La comparaison des « lettres » du XIXe siècle avec les « relations » du XVIIe siècle amène à prendre conscience de deux états bien différents de la civilisation indienne et du régime politique canadien. De deux écritures aussi, qui ont chacune leurs particularités et leurs charmes : la langue classique — primitive chez Brébeuf, châtiée chez Le Jeune — se fait maintenant doucement romantique dans les exhortations et l'évocation des souvenirs, alors que, dans les descriptions et les récits, elle garde l'allure rationnelle du XVIIIe siècle. La longue lettre que Nicolas FRÉMIOT[48] (1818–1854) adresse, le 2 février 1851, à M. Micard, supérieur du Séminaire de Saint-Dié[49], laisse apercevoir à la fois le nouveau contexte d'évangélisation en pays indien et l'évolution de l'écriture française. Celle que Dominique du RANQUET[50] (1813–1900) avait adressée au Provincial de Paris le 1er décembre 1847 présentait déjà un intérêt semblable[51].

Les *Lettres des nouvelles missions du Canada, 1843–1852* contiennent les textes littéraires les plus importants de la période que nous venons d'étudier; il est dommage que les historiens de la littérature ne les aient guère considérées[52]. Il faut également déplorer que l'on n'ait pas davantage fouillé les archives publiques et privées à la recherche de témoignages francophones sur l'Ontario des années 1760–1865. Restent aussi à découvrir, rassembler et analyser les contes et légendes de cette période ainsi que les chansons de voyageurs, de forestiers et de cageux qui constitueraient le premier corpus de la littérature orale franco-ontarienne. Ce travail fait, la période des origines franco-ontariennes obtiendrait facilement d'honorables lettres de créance[53].

La littérature des fonctionnaires (1865–1910)

Le 31 décembre 1857, la reine Victoria avait annoncé le choix d'Ottawa comme capitale du Canada et la construction des édifices du gouvernement avait débuté deux ans plus tard. Au cours de l'année 1865, les fonctionnaires commencèrent d'arriver en nombre; le 8 juin 1866, s'ouvrit la première session parlementaire à se tenir à Ottawa. La présence des fonctionnaires et des parlementaires, de même que celle de leur excellente bibliothèque, allaient contribuer à la création d'un climat culturel dans la nouvelle capitale, un peu comme le déménagement du gouvernement de Toronto à Québec avait profité au mouvement littéraire de Québec au début des années 1860. L'immigration québécoise aidant, il y aurait désormais en Ontario des poètes, des romanciers, des conteurs et des dramaturges francophones.

De 1865 à 1910, 6 auteurs publieront 15 œuvres poétiques. En 1870, paraissent *les Laurentiennes*[54] de Benjamin SULTE (1841–1923) et, dix ans plus tard, ses *Chants nouveaux*[55]. Ce poète n'est pas le meilleur de la période : Alfred Garneau et William Chapman l'emportent sur lui; mais il est le premier à publier et, en sus d'être un écrivain considérable en d'autres genres, il sera, pendant plus d'un demi-siècle, l'un des plus dynamiques animateurs de la francophonie ontarienne[56]. Arrivé à Ottawa en 1866 comme journaliste au *Canada*, Sulte devient traducteur au gouvernement fédéral dès l'année suivante. Très vite, il s'adapte au milieu bilingue de la capitale. Déjà, dans son recueil de 1870, la présence de sa province d'adoption est fortement marquée. Près de la moitié des poèmes ont été écrits en Ontario et le voisinage des compatriotes anglophones — voisinage que Sulte avait déjà connu à Trois-Rivières en fréquentant, entre autres, le journaliste et poète G.T. Lanigan — se fait sentir d'une façon qui est absente des œuvres de ses confrères québécois. Des 93 pièces des *Laurentiennes*, neuf sont des traductions-adaptations de poèmes anglais — qui font aussi partie du recueil — et deux, des traductions de poèmes de Sulte par Mary M'Iver. De plus, « la Belle Meunière » a comme sous-titre « Virelai populaire anglais ». Bien d'autres ont été inspirées par des contacts avec les anglophones, telle « le Canada français à l'Angleterre », pièce qui fut écrite en juin 1867 (c'est-à-dire quelques jours avant la proclamation de la Confédération) « à la suite d'une conversation un peu vive avec un Anglais d'un rang assez élevé, qui refusait de reconnaître à la race française du Canada le droit incontestable de conserver ce qui constitue aujourd'hui sa nationalité ». Le patriotisme qui inspire la plupart des pages de Sulte n'a pas la même qualité que celui d'Étienne Parent — qui deviendra son beau-père en 1871 —, mais il est de même veine : le poète réclame des droits égaux pour les Canadiens des deux langues, souhaite la coexistence pacifique des deux groupes et appelle à l'unité nationale sous le signe de l'intelligence. Il reste quand même conscient de l'avenir périlleux qui attend ses compatriotes. Lui qui, sur les bords du lac Ontario, en 1865, avait eu le « pressentiment de son impuissance », il compose, en juillet 1867, son poème « l'Histoire » comme s'il s'agissait de la « causerie d'un vieillard », alors qu'il n'a que vingt-six ans. Le poète craint pour les siens, « enfants sans boussole » parce qu'ignorants du passé et des sacrifices qui ont permis de conserver les droits; devant cette situation inquiétante, car on ne tient qu'à ce qui a coûté un prix élevé, il reprend sept fois, en refrain, l'exhortation suivante :

> Au milieu des dangers l'espoir seul vous console :
> Le passé vous instruirait mieux.

William CHAPMAN (1850–1917) s'installe à Ottawa comme libraire en 1898, puis devient traducteur au Sénat. Il était arrivé du Québec avec deux ouvrages de poésie[57] et la réputation de batailleur qu'il s'était acquise en critiquant James Le Moine et Adolphe-Basile Routhier et en ferraillant avec Louis Fréchette[58]. Il va maintenant publier à Paris trois recueils : *les Aspirations*[59] (1904), *les Rayons du Nord*[60] (1909), *les Fleurs de givre*[61] (1912); ils lui vaudront des prix de l'Académie française et une certaine renommée en France ainsi qu'un doctorat ès lettres honorifique de l'Université d'Ottawa en 1912. Il méritait ces honneurs pour son rôle de ténor des lettres et celui, plus humble de « grand défricheur de la poésie canadienne[62] », selon l'expression du regretté Jean Ménard, le meilleur connaisseur de ses œuvres. Chapman a eu trois amours en poésie : sa patrie catholique, la nature canadienne et la langue française; la première a inspiré ses poèmes épiques, la deuxième a nourri son répertoire d'images, la troisième a donné du retentissement à sa voix d'orateur. Il arriverait à son souffle puissant d'emporter le lecteur, si celui-ci n'achoppait à des fautes de mesure et de goût même dans les meilleurs poèmes, tels « Notre langue[63] » et « À la Bretagne[64] ». Dans « Arriérés[65] », poème publié deux ans avant sa mort, piqué par Virgile Rossel, critique suisse, comme Émile Nelligan l'avait été naguère par le Français De Marchy, Chapman définit lui aussi, avec moins de brio, mais en toute lucidité, son art poétique :

> Non, nous ne sommes pas des poètes épris
> Du fini reluisant des lignes lapidaires.
> Nous sommes simplement des primitifs sévères
> Qui pour la mode avons un farouche mépris,
> Et voulons conserver le parler de nos pères.

Traducteur au gouvernement du Canada depuis 1861, Alfred GARNEAU (1836–1904) suit le Parlement à Ottawa en 1866; sept ans plus tard, on le nomme traducteur en chef au Sénat, poste qu'il occupera jusqu'à sa mort. Plus modeste que Chapman, qui rêvait du prix

Nobel, Garneau n'a jamais réuni ses poèmes en recueil; ils paraîtront, deux ans après sa mort, par les soins de son fils Hector, sous le simple titre *Poésies*[66]. L'ouvrage est assez mal structuré; mais le compilateur, dans l'« Avertissement », définit bien la nature de « ces poésies éparses, nées de la fantaisie et du rêve » : fruits d'une âme sensible, ce sont « reflets de visions pâles ou de clairs paysages, évocations de souvenirs chers et de pures émotions, échos des voix qui, aux heures grises, pleurent en nous, confidences d'une âme mélancolique, ivre avant tout de sérénité, de quiétude, de joie silencieuse, capable, à l'occasion, d'élans patriotiques ». Alfred Garneau a plus de finesse que Louis Fréchette et William Chapman. Il ne déclame pas. Son romantisme est plus moderne que celui de Pamphile LeMay, moins phtisique que celui d'Eudore Évanturel. Il ne chante pas mieux que Nérée Beauchemin, mais ses sentiments dépassent les limites de la petite patrie, même dans les cinq poèmes de la série « À Wright's Grove », qui porte en sous-titre « Sur les bords de la rivière Rideau ». Ses meilleurs poèmes lui ont été inspirés par la présence de la mort (« Mon insomnie a vu naître les clartés grises », « Devant la grille du cimetière »), le sentiment de la nature (« Croquis ») et l'amitié (« Premières Pages de la vie »).

Rémi TREMBLAY (1847–1926) a publié cinq recueils de poésies. La satire politique, vive et lucide, des deux premiers[67], œuvres du journaliste, a attiré brièvement l'attention des contemporains; les trois autres[68], produits du traducteur au service du gouvernement fédéral, n'ont guère enchanté : l'unité de composition et de ton manque par trop à ces rassemblements de poèmes de genres et de formes aussi divers que sont multiples les sujets[69]. Et l'on a vite oublié celui qui, « n'espérant rien, libre de toute entrave », avait voulu mettre sa gloire

[...] à narguer les puissants,
À dérider le front de l'homme grave,
À démasquer les charlatans.

Dans *Tendres Choses*[70] (1892), le docteur Rodolphe CHEVRIER (1868–1949) a « vidé (s)es cartons des quelques strophes rimées qu'ils contenaient » depuis ses années de collège et d'université. « Coulés » d'une « âme triste ou joyeuse, sceptique ou croyante, aimante ou blasée », ces poèmes souffrent de légèreté et de mièvrerie. Ils ont quand même valu à leur auteur d'être le premier francophone né en Ontario à publier un recueil de poésies. Le fonctionnaire Jean-Amable BÉLANGER (1832–1913) a additionné dans *Mes vers*[71] (1882)

180 poèmes, les uns « plus frivoles que sérieux », les autres « plus sérieux que frivoles »; malgré la diversité de leurs sujets et de leurs formes, ils ne laissent pas d'ennuyer le lecteur.

Le roman fait son apparition. Antoine GÉRIN-LAJOIE (1824–1882), adjoint au directeur de la bibliothèque du Parlement, était arrivé à Ottawa un an après la parution de son *Jean Rivard* dans deux revues de Québec (1862–1864); il remanie considérablement les deux tomes et les publie en 1874–1876[72]. Sous une affabulation romanesque artificielle, Rémi Tremblay raconte, dans *Un revenant. Épisode de la Guerre de Sécession aux États-Unis*[73] (1884), l'histoire — encore lisible aujourd'hui — de ses dix-huit mois de service dans l'armée américaine (1863–1865). Autobiographique aussi le roman inachevé que Joseph MARMETTE (1844–1895), fonctionnaire[74], confie à *la Revue nationale* en 1895 sous le titre *À travers la vie*[75]. Régis ROY (1864–1944), né à Ottawa et fonctionnaire fédéral de 1882 à 1939, devient le premier romancier francophone d'origine ontarienne en publiant, en 1897, *le Cadet de La Vérendrye*[76]. Dans *Robert Lozé*[77] (1903), le nationaliste Errol BOUCHETTE (1863–1912), bibliothécaire au Parlement, s'efforce d'incarner ses thèses d'économiste; selon lui, ce n'est plus la société rurale de *Jean Rivard* qu'il faut bâtir pour assurer le salut du peuple canadien-français, mais la société industrielle dont le moteur est l'argent. En mars 1904, Rodolphe GIRARD (1879–1956), qui a perdu son poste à *la Presse* de Montréal à cause de la condamnation de sa *Marie Calumet* (1904), devient rédacteur en chef au *Temps* d'Ottawa, puis, le 9 février suivant, traducteur au gouvernement fédéral. Durant les trente-sept années qu'il passe dans la capitale, il participe à la vie littéraire et publie, entre autres ouvrages, deux romans. Dans *Rédemption*[78] (1906), l'auteur, craintif, se censure tellement que l'idylle amoureuse souffre d'immoralité esthétique; dans *l'Algonquine*[79] (1910), sa confiance retrouvée, Girard plaît à ses contemporains en tramant de façon picaresque un mélange d'histoire et de fiction.

Les contes et nouvelles sont nombreux. Benjamin Sulte en publie une vingtaine dans des revues et des journaux, puis les reprend dans cinq ouvrages[80]. Par contre, Sylva CLAPIN (1853–1928), traducteur à la Chambre des communes (1902–1921), n'a jamais réuni en volume les quelque 35 contes et nouvelles qu'il a fournis à des périodiques[81]. Du 7 janvier 1893 au 24 octobre 1896, Régis Roy fait paraître 22 contes, historiques ou anecdotiques, dans *le Monde illustré*[82], puis publie, en 1906, sous le pseudonyme de Willy de Grécourt, *les Joyeux Petits Contes canadiens*[83].

Régis Roy a surtout connu le succès avec ses pièces de théâtre : une dizaine de comédies — *Consultations gratuites*[84] (1896) et *On demande un acteur*[85] (1896) sont les plus célèbres — et deux recueils de monologues : *l'Épluchette*[86] (1916) et *Joyeux Propos de Gros-Jean*[87] (1928).

D'autres genres littéraires ont aussi leurs représentants. Joseph Marmette rassemble des *Récits et souvenirs*[88] (1891). Élizabeth-Anne BABY (1803–1890) raconte la vie de son mari dans *Mémoires de famille. C.-E. Casgrain*[89] (1891). *Feuilles volantes*[90] (1890), recueil d'études et d'articles de journaux de Charles SAVARY (1845–1889), contient plus de 250 pages de bonne critique littéraire. Benjamin Sulte publie 18 ouvrages d'histoire, dont sa volumineuse *Histoire des Canadiens-Français, 1608–1880*[91] (1882–1884); il faut reconnaître, malgré les critiques dont il a été l'objet, qu'il fut un honnête tâcheron de l'histoire. *Dix ans au Canada, de 1840 à 1850*[92], que Gérin-Lajoie avait laissé inachevé à sa mort, paraît en 1888–1891 par les soins de Henri-Raymond Casgrain; cet ouvrage a été loué pour son objectivité et la solidité de son information qui en font, aujourd'hui encore, une source sûre. Alexis de BARBEZIEUX [né Georges Derouzier] (1854–1941), capucin venu de France en 1890, est l'auteur d'une très utile *Histoire de la province ecclésiastique d'Ottawa et de la colonisation dans la vallée de l'Outaouais*[93]. Le genre oratoire a un représentant célèbre en Wilfrid LAURIER (1841–1919), dont l'éloquence a séduit ses compatriotes et fait l'admiration des anglophones[94].

En somme, à la fin du XIXe siècle, se sont trouvés en Ontario, plus particulièrement à Ottawa, une dizaine d'écrivains de qualité; sur eux reposent les fondements de la littérature franco-ontarienne moderne. Leur apport à la littérature canadienne-française a été important : Garneau et Chapman comptent parmi les cinq ou six bons poètes dont font état les histoires et les anthologies de cette littérature; Gérin-Lajoie et Marmette sont deux des bons romanciers canadiens-français de la seconde moitié du XIXe siècle; certaines pièces de Régis Roy seront jouées et réimprimées jusqu'au milieu du XXe siècle au Canada français.

Des 15 écrivains dont nous avons fait état pour la période de 1865–1910, 10 furent des fonctionnaires. Dix étaient nés au Québec, deux en France et trois seulement en Ontario; mais, à trois ou quatre exceptions près, tous avaient fait de l'Ontario leur patrie d'adoption.

Plusieurs, tels Sulte, Marmette, Bouchette, Girard et Tremblay, ont participé de façon importante aux activités des sociétés culturelles outaouaises. Elles étaient déjà nombreuses à cette époque; les plus connues sont l'Institut canadien-français (fondé en 1852), la Société Saint-Jean-Baptiste (1853), la Société royale (1882), le Club des Dix (1884), le Club littéraire canadien-français (fin du XIXe siècle), l'Alliance française (1909), etc.

À côté de ces sociétés, dont certaines ont contribué au développement du théâtre à Ottawa, existaient pas moins de cinq cercles dramatiques; le plus ancien, celui de l'Institut canadien-français, créé en 1852, durera jusqu'en 1948. Les historiens du théâtre ont même pu affirmer que, au tournant du siècle, l'activité théâtrale d'Ottawa-Hull[95] se comparait avantageusement à celle que connaissait la ville de Québec à la même époque[96]. En 1910, la ville d'Ottawa n'était plus le bourg forestier où fonctionnaires et parlementaires francophones avaient craint d'aller s'ensevelir; elle était devenue une ville de 90 000 habitants dotée d'une vie culturelle satisfaisante pour les 23 000 francophones que ce nombre incluait[97].

L'affirmation de l'identité collective (1910–1927)

Cependant, au cours de la période précédente, le climat social s'était détérioré à mesure que les Franco-Ontariens avaient augmenté en nombre. Ils n'étaient que 102 000 en 1881; trente ans plus tard, ils sont plus de 200 000 parmi 2 500 000 Ontariens. Ils sont majoritaires dans certaines parties de l'Est et de plus en plus nombreux dans le Nord. Ils régissent quelques diocèses catholiques et président à la direction des écoles séparées d'Ottawa. L'Université d'Ottawa est redevenue bilingue en 1901, après avoir été unilingue anglaise depuis 1874. Le triomphalisme « wasp » de la fin du XIXe siècle ne peut accepter une telle situation. Les orangistes accusent les francophones d'être plus soumis au pape de Rome qu'aux gouvernants de leur pays. Les anglo-protestants font souvent preuve de francophobie. Les Irlandais catholiques, invoquant l'intérêt de la foi, tentent d'angliciser leurs coreligionnaires[98].

Dès la décennie de 1880, la lutte s'est engagée dans le domaine de l'enseignement. Une série de règlements et d'exigences du ministère de l'Éducation rendent de plus en plus difficile l'enseignement en français. Ainsi, en 1890, une loi de l'Assemblée législative déclare que l'anglais doit être la seule langue de communication dans les écoles, « excepté où ce serait impossible en raison de l'ignorance de l'anglais par l'écolier ». Des enquêtes se font sur la qualité de l'enseignement dans les écoles des Franco-Ontariens. Les diplômes des enseignants francophones ne sont pas toujours reconnus. Les Franco-Ontariens sentent que leur survivance est en cause. Amenés à réagir collectivement, ils fondent à Ottawa, en 1910, l'Association canadienne-française d'éducation de l'Ontario; elle veillera à la qualité de l'enseignement et à la défense des droits linguistiques du groupe. Le gouvernement réplique en publiant, deux ans plus tard, la circulaire d'instruction n° 17, communément appelée « Règlement 17 ». Ce règlement, en somme, rendait inefficace, sinon inexistant, l'enseignement du français à l'école primaire. Les Franco-Ontariens refusent de se soumettre. La « guerre » éclate; elle durera jusqu'à l'amendement dudit règlement en 1927. Elle aura été particulièrement violente à Ottawa, sous les yeux d'un gouvernement fédéral qui n'ose pas utiliser son pouvoir de désaveu d'une loi provinciale pour faire rendre justice à la minorité[99].

Ces dix-sept années de luttes vont permettre aux Franco-Ontariens d'affirmer avec force leur identité collective. Leur littérature devient une littérature de combat. Elle se fait, d'abord et surtout, dans des journaux qui sont créés pour la défense des droits des francophones. Ainsi à Ottawa, *la Justice*, en 1912 — elle ne vivra que vingt-huit mois —, puis *le Droit*[100], en 1913, sous la direction du père Charles Charlebois, O.M.I. Ces journaux, et d'autres disséminés à travers la province[101], ont produit en abondance des textes qui ne manquent pas, à l'occasion, d'être littéraires, comme l'ont été au Québec, au début du XIXe siècle, maints textes du journal *le Canadien*. Certains éditoriaux du *Droit* ont valeur de manifestes; ils appellent à l'action collective en termes directs, précis, clairs, convaincants et persuasifs. Journaliste bien informé, Jules TREMBLAY (1873–1927), dans *la Justice*, puis dans *le Temps*, réclame des solutions pratiques et une action intelligente[102].

La situation est propice à l'éloquence. Les discours abondent. Il en est d'excellents. Celui que prononce Napoléon BELCOURT (1860–1932) le 19 janvier 1910, au Congrès d'éducation des Canadiens français d'Ontario, contient des passages qui rappellent Étienne Parent par la modération du ton, le souci de l'éducation populaire et la façon habile de revendiquer les droits de ses compatriotes en faisant état de leur qualité de sujets britanniques[103]. À Sturgeon Falls, le 24 juin 1913, Jules Tremblay s'appuie plutôt sur l'histoire de l'Ontario, le droit des gens, la coutume, le droit constitutionnel et les statuts provinciaux, lorsqu'il réclame le droit d'utiliser et d'enseigner la langue française; son discours est un modèle de composition rigoureuse et d'exposition claire[104]. Orateur parlementaire, Philippe LANDRY (1846–1919) montre des dons exceptionnels d'argumentateur (« debater ») dans ses réponses, sur la question du désaveu, à un rapport du ministre de la Justice (10 mai 1916)[105] et à un mémoire secret du ministre des Postes (20 mai 1916)[106]; la lettre par laquelle il remet (22 mai 1916)[107] sa démission de la présidence du Sénat au premier ministre Borden est d'un tout autre style : suite de rappels de faits, d'accusations, de principes, de prises de position, énoncés en des paragraphes brefs comme des coups de semonce, elle sourd à la fois d'une indignation brutale et d'une fierté émouvante.

L'œuvre principale de la période, c'est *l'Appel de la race*[108] (1922), publié sous le pseudonyme d'Alonié de Lestres, par Lionel GROULX (1878–1967), professeur d'histoire du Canada à l'Université de Montréal. Succès de librairie dès sa première parution, le livre a connu une dizaine d'éditions et de réimpressions. Il a également soulevé des débats passionnés; aujourd'hui encore, l'opinion est divisée à son sujet. L'action du roman se situe dans le cadre des batailles que les Franco-Ontariens menèrent à Ottawa contre le Règlement 17. Le héros, Jules de Lantagnac, qui s'était anglicisé durant sa jeunesse, revient à ses origines françaises au mitan de sa vie; progressivement, sa conversion, puis son militantisme divisent ses enfants et éloignent de lui sa femme, une Anglaise qui s'était convertie au catholicisme au moment du mariage; finalement, c'est la rupture : deux enfants demeurent avec le père, deux suivent la mère. Mais Lantagnac, homme de foi et de devoir, passe pour un héros aux yeux de ses compatriotes : il avait tout sacrifié pour la défense de leurs droits. Le sujet, inspiré par l'histoire récente, ne pouvait qu'alerter les lecteurs. L'auteur, chef nationaliste important, racontait un drame familial qui mettait en opposition l'intérêt particulier et l'intérêt collectif; prêtre, comme l'était le père Fabien, directeur de conscience de Lantagnac, il résolvait le cas de morale en théologien. La solution proposée paraissait inhumaine à certains, héroïque à d'autres. On reconnaissait volontiers que le sujet était actuel et brûlant, mais on critiquait le traitement : mélange de fiction et d'histoire, confusion du religieux et du national, gaucherie de la composition, présence d'invraisemblances. Manipulés par l'auteur, les personnages manquaient de liberté et d'épaisseur psychologique. Le style était inégal, le ton trop prédicant. Au fond, plusieurs des critiques étaient probablement gênés par les relents d'un racisme inconscient que l'on subodorait dans le roman[109]; plutôt que de trop pointer l'auteur, historien respecté, ils tiraient de tous côtés sur le roman. Il n'empêche que l'œuvre a subi avec succès l'épreuve du temps et de la critique[110].

Jules Tremblay représente à Ottawa deux tendances — existantes au début du siècle — de l'École littéraire de Montréal, dont il est membre à compter de 1909 et secrétaire de 1910 à 1912. Entre 1911 et 1918, il publie cinq recueils de poésie. Le premier, *Des mots, des vers*[111] (1911), est bien intitulé : le poète se plaît au mot rare, au vers minutieusement ciselé. L'influence parnassienne s'avoue par-delà le patriotisme qui anime le recueil; les sujets ont beau être divers (héros de l'histoire canadienne-française, femmes aimées, souvenirs de voyages, parias, paysages du Canada et d'ailleurs, etc.), le poète n'oublie pas le conseil qu'il a glissé à la fin de son sonnet « l'Artiste », sorte d'art poétique :

> Qu'importe le sujet de ton œuvre idéale
> Si l'extase du beau dirige ton burin.

Du crépuscule aux aubes[112] (1917) manifeste d'autres préoccupations. Homme d'action engagé au service de la cause franco-ontarienne, Tremblay réfléchit en philosophe à la vie qu'il dépense, au combat qu'il mène. Sous les termes abstraits et impersonnels de ses vers, on sent l'effort de l'auteur pour se convaincre du bien-fondé de l'orientation de sa vie. *Les Ferments*[113] (1917) relèvent d'une esthétique différente. Depuis la publication du *Terroir* (1909), une partie de l'École littéraire de Montréal s'est tournée vers le régionalisme. Tremblay suit ce courant. Il célèbre maintenant la glèbe et ceux qui la cultivent. Et il arrive que les accents de certains de ses vers permettent de les rapprocher aussi bien de ceux d'Alfred DesRochers que de ceux de Pamphile LeMay, tels les suivants que le poète met dans la bouche du colon :

> Je n'ai jamais aimé les villes étouffées,
> Où l'indigence d'air étrangle par bouffées.

Dans *Aromes* [sic] *du terroir*[114] (1918), Tremblay chante, comme il l'écrit dans la préface, « l'idée française ». Sa poésie devient simple, émue. Celui qui ne s'était guère livré jusque-là épanche son âme sensible au gré du ruisseau qu'il décrit; il réagit de façon personnelle devant la foule des badauds de « Sparks Street » ou devant le petit village « épanoui dans l'herbe » de « la Moisson des guérets ». Au temps de l'émigration vers les villes, le poète parle de la douceur de la campagne et l'oppose

> [...] au malheur des vanités aveugles,
> Qui fuient vers la Cité quand la ferraille meugle
> Sur les lisses d'acier et les cantilivers [...].

Le dernier recueil, *les Ailes qui montent*[115] (1918), est un long poème sur la guerre européenne vue du Canada par un paysan, puis par le poète. En 1925, trois ans avant sa mort, Tremblay publie dans *les Soirées de l'École littéraire de Montréal*[116] ses poèmes les plus « chaleureux »; avec « la Prière de Germaine », l'art du poète atteint son unité : il est au service du vrai Jules Tremblay.

Aucun poète de l'époque n'a la même taille. Les recueils de Jeanne-Louise BRANDA[117] (1877–1963), publiés sous le pseudonyme de Marie Sylvia, renferment les paisibles chants d'une âme qui vit dans « le Jardin clos » de son amour de Dieu sans oublier sa patrie française ni négliger de dire son pays outaouais. Émile Asselin, qui accourt « du fond du vieux Québec » pour rendre hommage aux *Mamans ontariennes*[118] (1917), le fait en termes prosaïques. Anita L'Africain publie de bien simples *Roses et violettes*[119] (1920). *La Chanson des érables*[120] (1925) de Louis-Joseph Chagnon, est terne et pauvre malgré les bons sentiments qu'elle exprime; un long poème de circonstance, « Traduire », révèle, bien innocemment, que le métier de traducteur ne prépare guère à la poésie, même si l'artisan, dans ce cas, « opère sur la langue ».

Deux livres de Georges BOUCHARD (1888–1956) ont connu plusieurs éditions grâce à la veine du terroir que leur auteur exploitait. Les 28 billets éducatifs et agriculturistes de *Premières Semailles*[121] (1917) ne suscitent guère l'intérêt du lecteur d'aujourd'hui. Par contre, la plupart des « silhouettes campagnardes » de *Vieilles Choses... Vieilles Gens*[122] (1926), telles celles du bedeau et du forgeron, évoquées avec amour et devenues figures légendaires, conservent leur charme. Ernest BILODEAU (1881–1956) fait paraître des récits de voyages et des chroniques, dont *Un Canadien errant*[123] (1915). Rémi Tremblay publie un livre de souvenirs, *Pierre qui roule*[125] (1923), et *Mon dernier voyage à travers l'Europe*[124] (1925).

La littérature de jeunesse apparaît avec un écrivain prolifique, madame Alcide LACERTE [née Emma-Adèle Bourgeois] (1870–1935); auteur d'une vingtaine d'ouvrages publiés (romans, contes, pièces de théâtre, causeries, opérettes, etc.) et d'un nombre d'inédits plus considérable encore, elle est certes douée d'imagination, mais son écriture manque d'application et de rigueur. Fait nouveau aussi, la présence d'un auteur sociologue, Arthur SAINT-PIERRE (1885–1959), qui traite avec passion et lucidité des problèmes de la société canadienne-française.

L'activité théâtrale ne ralentit pas. Régis Roy continue d'écrire des pièces. Rodolphe Girard en compose neuf, dont *les Ailes cassées*[125] (1921), pièce qui valut à l'auteur d'être de nouveau accusé d'immoralité. Au moins huit cercles dramatiques sont fondés dans l'Outaouais ontarien. Les représentations théâtrales se multiplient sur les deux rives. Marcel Fortin en a compté 1 985 pour la période de 1913–1930, soit 1 331 par des amateurs, 315 dans les collèges, 259 par des troupes montréalaises et 80 par des troupes françaises[126].

Autre fait littéraire des plus intéressants : au début du XXe siècle commence à se constituer un corpus de contes folkloriques franco-ontariens. Depuis plus de cinquante ans que les Québécois immigrent en nombre croissant dans l'est et le nord de l'Ontario, ils ont apporté, avec leurs traditions, leurs mœurs et leurs coutumes, les contes et légendes que leurs pères et mères se racontaient le soir à la veillée. Dans les chantiers de l'Outaouais et dans les camps de cheminots, puis dans les petits villages agricoles et les centres miniers de l'Ontario, ces contes et légendes ont pris peu à peu une couleur locale. On la remarque, comme dans les chansons de voyageurs et de forestiers que nous avons mentionnées à la période précédente, dans les adaptations environnementales que subit le récit en matière de contenu (la présence de la forêt remplace celle de la mer, la géographie des lieux change, etc.), dans les traits particuliers du style (plus vieillot, plus équarri, moins ornementé, etc.), du vocabulaire (des vocables disparaissent, d'autres apparaissent, des dénotations changent, les connotations aussi), de la prononciation, dans la présence d'influences indiennes ou anglaises particulières, etc.[127] À partir de 1948, une partie de ces contes et légendes a pu être recueillie dans le Nouvel Ontario par Germain LEMIEUX[128] (né en 1914). Après en avoir collectionné près de 700, il en a entrepris la publication, en 1973, dans *Les vieux m'ont conté*[129]; ils fournissent la matière de 15 des 32 volumes. Et la cueillette continue[130]. L'étude de ces textes est à peine commencée. Pour peu qu'on veuille bien les analyser dans une perspective franco-ontarienne avec des méthodes qui conviennent, il s'en dégage une spécificité indéniable et significative[131].

L'activité littéraire de la période de 1910–1927 a donc été considérable et variée. Les querelles scolaires qui ont marqué les deux décennies ont donné lieu à une prise de parole extrêmement bénéfique pour la reconnaissance de la collectivité franco-ontarienne; elles ont également profité à la littérature. Les écrivains et les littérateurs qui ont affirmé l'identité franco-ontarienne ont été nombreux et leurs œuvres ont dominé la période en suscitant la concertation des énergies collectives. Hommes et femmes d'action, ils ont enraciné leurs écrits et leurs discours dans une sorte de patrie linguistique dont ils sont les fondateurs, et qui s'appelle l'Ontario français. La prise de parole sudburoise des années 1970 apparaît réduite en comparaison de celle des années

1910–1927, qui monopolisa les énergies à la fois des chefs et du peuple, et de toutes les générations, dans un mouvement d'affirmation collective unique. À partir de ce moment, les Franco-Ontariens ont conscience de ce qu'ils sont; ils ont un nom et un pays. Ce pays, ils vont l'habiter.

Les tenants de la langue et de la culture (1928–1959)

Les luttes scolaires ont favorisé la formation d'une élite franco-ontarienne qui ne cessera pas de militer au cours des trois décennies de relative paix scolaire et sociale qui s'étendront de 1928 à 1959[132]. L'ACFÉO travaillera au grand jour à partir de la base influente que constituent les enseignants, tandis que l'Ordre de Jacques-Cartier, fondé à Ottawa en 1926, mènera secrètement une action efficace dans les coulisses du pouvoir[133]. Les écoles primaires enseignent convenablement le français malgré les conditions économiques difficiles; les institutions secondaires, en partie privées — dont les huit collèges classiques que l'on trouve à Ottawa, Sudbury, Hearst et Cornwall —, transmettent de plus en plus et de mieux en mieux la culture française traditionnelle; au niveau postsecondaire, l'Université d'Ottawa réorganise ses programmes et en crée de nouveaux, pas toujours bilingues cependant[134]. Ces diverses institutions, qui exercent une influence considérable à des niveaux et en des milieux différents, préparent lentement et assez discrètement la relève des années 1960 et suivantes. Elles contribuent aussi plus ou moins directement au développement d'une littérature qui est surtout le produit de personnes cultivées qui ont le culte de la « belle » langue, d'où le titre que nous avons donné à cette période : les tenants de la langue et de la culture.

La poésie languit jusqu'à la parution, en 1947, du *Long Voyage*[135] et des *Psaumes du jardin clos*[136]. Avant son arrivée à Ottawa en 1940, Simone ROUTIER (1901–1987) avait publié un premier recueil de poésie au temps de sa jeunesse à Québec : *l'Immortel adolescent*[137] (1928), puis deux autres alors qu'elle était dessinatrice en cartographie aux Archives du Canada à Paris (1930–1940) : *Ceux qui seront aimés*[138] (1931) et *les Tentations*[139] (1934). L'œuvre entière du poète sourd d'une incessante quête d'amour. Dans les trois premiers recueils, son objet se dérobant, cet amour se révèle fragile et inquiet sous les allures sautillantes et changeantes d'une écriture qui n'arrive pas à se fixer; d'un recueil à l'autre, cependant, le poète décante ses motifs et choisit plus judicieusement ses procédés. En 1939, l'amour a un visage précis pour Simone Routier, celui du Français Louis Courty qu'elle doit épouser au début de septembre; malheureusement, celui-ci meurt accidentellement le 31 août. La Seconde Guerre mondiale éclate le lendemain. Au printemps de 1940, c'est la déroute française et le retour de Simone Routier au Canada. Le 10 décembre 1941, elle laisse son poste d'archiviste à Ottawa pour entrer au monastère des dominicaines de Berthierville; le 28 septembre suivant, elle en sort « en pleurant[140] ». En vain elle a essayé de transformer son amour humain en amour de Dieu. Lui restent une espérance plus forte et l'ébauche de deux œuvres de maturité. *Le Long Voyage* retrace l'itinéraire qui aurait dû la conduire de son fiancé à Dieu, mais l'a ramenée, de fait, au monde et à sa solitude. Fruit d'une expérience spirituelle authentique qui nourrit l'écriture et d'une liberté intérieure nouvelle qui s'exprime de façon originale dans un verset proche de celui de Claudel, cette œuvre n'a d'égal, chez Routier, que *les Psaumes du jardin clos*. Dans ce dernier recueil, le poète soumet avec bonheur son inspiration à des lois formelles exigeantes : « le premier vers de chacune (des) strophes est tiré, dans l'ordre respectif de 1 à 150, des *Psaumes de David*[141] », et ces strophes, de trois schémas différents, sont réparties également entre cinq poèmes en vers réguliers (alexandrins ou octosyllabiques) qui riment ou assonent.

En 1949, Pierre TROTTIER (né en 1925) entre au ministère des Affaires extérieures du Canada. Deux ans plus tard, il publie son premier recueil de poésie, *le Combat contre Tristan*[142]. L'écriture en est légèrement fantasque, dynamique; les images éclatent, bellement cosmiques parfois, mais pas toujours cohérentes ni gracieuses; l'amour de la femme et l'amour du pays — du Canada, en l'occurrence — s'entremêlent comme ce sera le cas, quelques années plus tard, chez les Hexagoniens, dont Miron principalement. Les *Poèmes de Russie*[143] (1957) n'ont guère de russe que le sentiment d'exil de l'auteur, nostalgique de son pays, voire du paradis des origines. La mort hante le poète des *Belles au bois dormant*[144] (1960) comme elle menace sa poésie. Qui les sauvera, lui et elle? La mémoire, *Sainte-Mémoire*[145] (1972); transcendant le temps de l'histoire, elle ramène à l'Androgyne en qui se conjuguent, par l'amour et la fidélité, l'homme et la femme, âme-image une de Dieu en deux corps. Dans son dernier recueil, *la Chevelure de Bérénice*[146] (1986), le poète, au sommet de sa carrière et du haut de sa culture raffinée, toute expérience et toute angoisse aidant, réexprime dans la lumière « la volupté d'être » qu'engendre l'accueil d'elle et de lui dans l'unité originelle retrouvée.

Maurice BEAULIEU (né en 1924) n'a publié que deux recueils assez minces, mais importants : *À glaise fendre*[147] (1957) et *Il fait clair de glaise*[148] (1958). Comme chez Trottier, il s'agit d'un retour aux sources, élémentaires cette fois, au sens premier du terme. À la veille de la tranquille révolution québécoise, Beaulieu s'en prend aux « hommes de peu de glaise, [...] de cri, [...] de sexe (et) de pain »; ils ont éloigné les gens d'ici de la matière originelle. Dans une langue elliptique, châtiée et châtiante, qui tient davantage du cri que de l'énoncé, il « étrange » ces « thèses tombales, sectaires d'ossuaire, hongreurs de toute aisance, onanistes en parole, hommes d'anathème et d'interdit » qui ont tari la source glaiseuse de la connaissance. « Loup bondissant à l'horeb de loess », il appelle au devenir de « la prémisse herbeuse », à la croissance par « la seule nudité savoureuse de l'âme charnelle », à la fraternité « hors de toute mémoire[149] ».

Traducteur et interprète à l'emploi du gouvernement fédéral à Ottawa depuis 1957, Ronald DESPRÉS (né en 1935) a réuni ses meilleurs poèmes dans *Paysages en contrebande... à la frontière du songe*[150] (1974). Autant le choix des pièces a été fait avec goût, autant leur regroupement l'a été avec intelligence. Les six parties sont précédées d'une sorte de salut au pays natal, l'Acadie; leur agencement séquentiel permet de mieux apercevoir l'unité qui semblait faire défaut aux premiers recueils: *Silences à nourrir de sang*[151] (1958), *les Cloisons en vertige*[152] (1962) et *le Balcon des dieux inachevés*[153] (1968). Trottier avait la nostalgie des origines; Beaulieu incriminait le passé pétrificateur et appelait à une incarnation sensuelle de la connaissance; Després, lui, travaille tout l'espace de l'humain : il voit que la danse de la vie est macabre, mais il fait confiance au sang qui circule dans les veines des poètes que n'ont pas encore viviséqués les vampires de la science sans cœur et sans âme :

> À force de mystère
> Nous ferons coaguler des archipels de sang
> Gicler des satellites d'embrun autour de nos bras d'ivoire
> Et verser de grands soleils dans le virage de la peur[154].

La poésie de Guy LAFOND (né en 1925), fort différente de celle de ses concitoyens franco-ontariens d'hier et d'aujourd'hui, ne représente pas, elle s'invente. Entreprise de haute lucidité, quête du sens, elle est avant tout le lieu d'une recherche métaphysique : elle interroge le réel qu'elle est et qu'elle donne à voir et à sentir dans l'immédiateté de l'expérience. C'est dire assez que son verbe naît de la contemplation et y retourne et que, essentiellement forme et musique, le poème tend à provoquer l'émotion esthétique avant toute autre :

> Le mot soit seul tremplin : délaisant la main ivre
> Monte plus loin que toi; brise l'image, va

Jusqu'au symbole enclos toucher l'ultime la;
De forme possédé, le poème se livre[155].

Pour Lafond, « le symbole est un vécu, non une donnée littéraire. Il oblige le mot à déborder de ses limites. [...] On ne connaît, on n'écrit que par le corps[156]. » Poète exigeant, pour être allé très tôt, grâce à François Hertel, à l'école de Mallarmé et de Valéry, puis à celle de Rilke et de Jabès, Lafond n'a encore publié que quatre volumes, mais, ensemble, ils constituent le corpus poétique le plus étoffé de l'Ontario français : *J'ai choisi la mort*[157] (1958), *Poèmes de l'Un*[158] (1968), *l'Eau ronde*[159] (1977) et *les Cloches d'autres mondes*[160] (1977).

De 1928 à 1959 paraissent une quarantaine de romans. Les meilleurs sont de Léo-Paul DESROSIERS (1896–1967). Né à Berthier-en-Haut (Québec), le jeune journaliste s'installe à Ottawa en juillet 1920 comme chroniqueur parlementaire au journal *le Devoir*. Ce travail ne lui laissant pas le loisir de s'adonner autant qu'il le voudrait à la littérature et à l'histoire, il devient fonctionnaire en 1928; il le restera jusqu'en 1941. Pendant ces années, il lit beaucoup (Marcel Proust, Thomas Mann, les Scandinaves, les Slaves, les Anglais...) et prépare deux recueils de nouvelles, deux ouvrages historiques et quatre romans, soit la moitié de son œuvre entière. Les romans empruntent à l'histoire leur cadre et leurs couleurs, mais, par leur sujet, trois d'entre eux appartiennent au roman de la terre traditionnel. *Nord-Sud*[161] (1931) évoque le mirage doré que la Californie de 1849 a été pour les jeunes Canadiens français; l'espace de trois saisons, Vincent Douaire hésite entre l'exode américain et l'attachement à la terre que représente pour lui Josephte Auray, puis il part en demandant pardon à son amoureuse... Les héros des *Engagés du Grand Portage*[162] (1938) partent aussi, mais vers l'Ouest canadien au tournant du XVIIIe siècle, alors que dégénère presque en guerre ouverte la concurrence commerciale à laquelle se livrent les grandes compagnies de traite des fourrures. Desrosiers a lu entre « deux cents à trois cents[163] » volumes pour situer dans une sorte de fresque historique la rivalité de deux engagés : Louison Turenne, type de l'homme droit et honnête, et Nicolas Montour, l'arriviste, qui triomphe comme il se doit dans un monde où seul le plus fort et le plus rusé l'emporte. Avec *les Opiniâtres*[164] (1941), Desrosiers remonte l'histoire jusqu'au début de la Nouvelle-France. Cette fois, la femme participe, bon gré mal gré, à l'aventure : idéalement, vivre « une merveilleuse histoire d'amour[165] » dans un pays qui exige un héroïsme quotidien, mais, en pratique, participer âme et corps à la pénible édification d'une patrie nouvelle. La leçon morale est tirée dans *Sources*[166] (1942) : au XXe siècle, Nicole de Rencontre, citadine et fille de médecin, descendante de l'Ysabeau des *Opiniâtres*, épouse un jeune fermier instruit, Julien Malherbe, qui fait miroiter pour elle les charmes poétiques de la nature, et c'est le retour à la vie difficile, mais exemplairement patriotique, des gens de la terre. Desrosiers n'a pas échappé au courant agriculturiste et nationaliste des années 1930, entraîné qu'il était par les convictions et le goût de la nature qu'il avait conservés de ses origines paysannes. Bien lui en prit : les quatre romans furent accueillis avec beaucoup d'éloges par ses contemporains; aujourd'hui encore, ils fondent la réputation du romancier, et *les Engagés du Grand Portage* restent un sommet du roman historique canadien-français. Les œuvres que Desrosiers composera après son retour à Montréal (1941) n'auront pas le même succès[167].

Historiques aussi, mais plus anecdotiques et moins bien construits que ceux de Desrosiers, les romans de Pierre BENOIT (1906–1989) empruntent leur matière soit au Montréal de la fin du XIXe siècle : *le Sentier couvert*[168] (1945), soit à celui des origines françaises : *Martine Juillet, fille du roi*[169] (1945) et *le Marchand de la place Royale*[170] (1960).

Trois romans méritent d'être mentionnés parce qu'ils ont pour sujet la vie française en Ontario : *le Flambeau sacré*[171] (1944) de MARILINE (pseudonyme d'Aline Séguin Le Guiller, née en 1898), où l'amour est sacrifié à la cause de la survivance; *la Vallée des blés d'or*[172] (1948) d'Albertine HALLÉ (née Langdon en 1896), qui rappelle, au fil d'un amour heureux, le courage des colons du Nord ontarien à la fin du XIXe siècle; *François Duvalet*[173] (1954) de Maurice de GOUMOIS (1896–1970), roman d'observation sociale d'un émigré français échoué dans la région de Chapleau durant la décennie de 1920[174].

Charlotte SAVARY (1913–1989) a tâté maladroitement du roman en observant l'hypocrisie bourgeoise dans *Et la lumière fut*[175] (1951) et les mœurs politiques dans *Isabelle de Frêneuse*[176] (1950) et *le Député*[177] (1961). Lucie CLÉMENT (née en 1901) n'a pas davantage réussi l'analyse psychologique des femmes d'*En marge de la vie*[178] (1934) et de *Seuls*[179] (1937). Des deux romans d'amour de Laure BERTHIAUME-DENAULT (1910–1971) : *Marie-Jeanne*[180] et *Mon sauvage*[181] (1938), seul le second intéresse, et c'est par son sujet : les fréquentations et la vie conjugale difficiles d'une citadine blanche et d'un Métis que l'amour de la grande nature ne cesse de hanter. Dans *la Croche*[182] (1953) d'Arthur Saint-Pierre, la ville et la campagne s'opposent comme au temps de *Jean Rivard*, roman que le sociologue, arrivé à l'âge de la retraite, avait présenté, deux ans auparavant, dans une étude sur *la Littérature sociale canadienne-française avant la Confédération : Antoine Gérin-Lajoie, Étienne Parent*[183].

Marie-Rose TURCOT (1887–1977), qui fut des plus actives parmi les lettrées d'Ottawa[184], a publié deux romans : *Nicolette Auclair*[185] (1930) et *Un de Jasper*[186] (1933). On se souvient plutôt de ses recueils de textes brefs : contes, nouvelles, souvenirs et récits de genres divers; les meilleurs lui ont été inspirés par son enfance, tels ceux du *Carrousel*[187] (1928). Dans *Au pays des géants et des fées*[188] (1936), elle réécrit, à l'intention des jeunes lecteurs, des contes populaires. L'ethnologue Carmen ROY (née Gagnon en 1919) fait de même avec art dans *Contes populaires gaspésiens*[189] (1952). L'une et l'autre suivent l'exemple de Marius BARBEAU (1883–1969). À partir de 1916, cet illustre pionnier des études folkloriques au Canada français[190] édite savamment des « Contes populaires canadiens » dans *The Journal of American Folk-Lore*; il rédige aussi des versions littéraires de ces contes pour le grand public : *Grand-Mère raconte*...[191] (1935), *Il était une fois*...[192] (1935), *les Rêves des chasseurs*[193] (1942), *les Contes du grand-père Sept-Heures*[194] (1953). On doit également à Barbeau un roman inspiré par ses études anthropologiques, *le Rêve de Kamalmouk*[195] (1948), dans lequel il s'est efforcé de donner la vision du monde d'un Indien des montagnes Rocheuses.

Le théâtre bénéficie de l'intérêt que l'on porte à la littérature orale, à la langue et à l'histoire. En 1928, Louvigny de MONTIGNY (1876–1955), traducteur au Sénat (1910–1955) et ami de Marius Barbeau, publie *le Bouquet de Mélusine*[196], ensemble de trois pièces historiques; l'auteur exploite à la fois les richesses de la langue canadienne et les trouvailles des folkloristes, un peu comme il le fera dans *l'Épi rouge et autres scènes du pays de Québec*[197] (1953), recueil de pièces inspirées du terroir, et dans *Au pays de Québec*[198] (1945), livre de « contes et (d')images ». Marius Barbeau et Juliette Caron-Dupont composent *l'Homme aux trois femmes*[199] (1945), un « jeu inspiré de thèmes folkloriques indiens et français ». Victor BARRETTE (1888–1958), qui travaille au journal *le Droit* depuis 1921, remonte aux origines de Trois-Rivières pour composer les quatre pièces de *Tableaux d'histoire*[200] (1935).

Les essais de la période appartiennent à des genres divers. *Adieu Paris! Journal d'une évacuée canadienne, 10 mai — 17 juin 1940*[201] (1940), de Simone Routier, connaît quatre éditions en moins d'une année et demie. En 1943, Thérèse TARDIF (née en 1912) scandalise avec *Désespoir de vieille fille*[202], suite de pensées qui, toutes jetées en vrac qu'elles soient, crient une révolte engendrée par l'angoisse de vivre dans une société mal aimante; chaque page de l'ouvrage s'attire immédiatement une page de réponse polémique de la part de Marie de Villers (pseudonyme de Simone Routier)[203]. À cause de sa voix originale, audacieuse mais sincère, Thérèse Tardif méritait déjà la compréhension qu'on lui témoignera lors de la parution de *la Vie quotidienne*[204] (1951). De 1939 à 1958, Séraphin MARION (1896–1983), auteur de *Relations des voyageurs français en Nouvelle-France au XVIIe siècle*[205] (1923), publie, en neuf volumes, les résultats de ses recherches sur *les Lettres canadiennes d'autrefois*[206] (1939–1958). Critique littéraire au *Droit* (1940–1948), collaborateur à de nombreux journaux et revues, fondateur et directeur de la magnifique revue *Gants du ciel*[207] (1943–1946), Guy SYLVESTRE (né en 1918) est, pour ses contemporains, un lecteur raffiné et un guide en littérature française aussi bien qu'en littérature canadienne. Pierre Benoit publie des biographies de Jeanne Mance, de Maisonneuve et de Lord Dorchester; et Pierre DAVIAULT (1899–1964), du baron de Saint-Castin, chef abénaquis, et de Le Moyne d'Iberville. Gaston CARRIÈRE (1913–1985), historien de la Congrégation des oblats de Marie-Immaculée au Canada et en Nouvelle-Angleterre, commence une série « hagiographique » d'une dizaine de volumes[208]. Sœur PAUL-ÉMILE (Louise-Marie Guay, 1885–1971) écrit l'histoire des Sœurs Grises de la Croix[209]; Gustave LANCTOT (1883–1975), une excellente *Histoire du Canada*[210] et une quizaine d'autres ouvrages historiques; Lucien BRAULT (1904–1987), une dizaine de volumes, entre autres, sur Ottawa, Pointe-Gatineau, Hull, la paroisse Sainte-Anne, les comtés unis de Prescott et de Russell[211]. Retraité, après quarante-quatre ans de service à la fonction publique fédérale, Léon GÉRIN (1863–1951) fait une sorte de synthèse de ses recherches dans *le Type économique et social des Canadiens*[212] (1938), ouvrage considéré comme « un *classique* de la sociologie » au Canada français[213].

Le nombre et la qualité des œuvres produites de 1928 à 1959 incitent à considérer cette période comme l'âge classique, sinon l'âge d'or, de la littérature franco-ontarienne. À cette époque, écrire est un art que les écrivains pratiquent avec application et enthousiasme parce qu'ils croient dans la valeur de l'outil, la langue, et dans l'importance du monde qu'ils créent ou tentent d'exprimer. La plupart d'entre eux œuvrent dans la région d'Ottawa; le climat intellectuel y est plus propice que dans le reste de la province. Dans le Nord, le travail des jésuites du Collège Sacré-Coeur prépare une première génération d'écrivains. Un professeur comme François Hertel marque de son esprit Guy Lafond, Jean-Éthier Blais, Robert Vigneault... Le 30 mars 1942, le père Lorenzo Cadieux fonde la Société historique du Nouvel-

Ontario [*sic*][214], qui a publié, depuis, près de 90 documents. À Ottawa, le gouvernement fédéral emploie un bon nombre d'écrivains. En 1943, Louvigny de Montigny, qui a fait paraître dès 1916 un essai important, quoique controversé, sur l'état de la langue franco-ontarienne[215], forme le Groupe des Sept avec des écrivains productifs : Marius Barbeau, Pierre Daviault, Marcel Dugas, Gustave Lanctot, Séraphin Marion et Robert de Roquebrune. Les dominicains participent à la vie culturelle outaouaise : ils dirigent un collège, les Éditions du Lévrier et la paroisse Saint-Jean-Baptiste. C'est avec leur collaboration qu'est fondé, en 1932, le Caveau, sorte de corporation des lettres qui réunit les diseurs, les peintres, les musiciens et les littérateurs. Le professeur Louis LACHANCE, O.P., (1899–1963), publie *Nationalisme et religion*[216] à un moment où le nationalisme canadien-français renaît. Les institutions des oblats de Marie-Immaculée constituent des foyers de rayonnement culturel. En 1937, sort des presses le premier volume des Éditions de l'Université d'Ottawa. Le professeur Georges SIMARD, O.M.I., (1878–1956) écrit sur le nationalisme et l'éducation[217]; il participe à la création de *la Revue de l'Université d'Ottawa* (1930) et fonde la Société historique d'Ottawa (1933). Durant dix ans, il préside aux destinées de la section d'Ottawa-Hull de la Société des écrivains canadiens; en 1944, la section organise une exposition des œuvres de ses membres et, l'année suivante, une semaine François-Xavier Garneau. L'École de musique et de diction et la Société des débats français de l'Université d'Ottawa contribuent à l'activité théâtrale outaouaise[218]. Le théâtre amateur, menacé par l'arrivée du cinéma parlant, puis par celui de la télévision, réussit à survivre assez bien. Le Festival national d'art dramatique, créé en 1932, a lieu à Ottawa de 1933 à 1937; des troupes outaouaises y remportent des trophées. En octobre 1958, Guy Beaulne fonde à Ottawa l'Association canadienne du théâtre amateur (ACTA)[219]. Bref, de 1928 à 1959, l'activité littéraire s'est institutionnalisée efficacement en Ontario français.

La littérature des universitaires (1960–1972)

De 1960 à 1972, les institutions d'enseignement continuent de se développer. À Sudbury, le Collège du Sacré-Coeur est devenu, en 1957, l'Université de Sudbury (française et confessionnelle); l'Université Laurentienne (bilingue) ouvre ses portes en 1960, puis l'École normale (française), en 1963[220]. Deux ans plus tard, l'Université d'Ottawa (bilingue) cesse d'être confessionnelle; la nouvelle charte provinciale lui donne comme vocation, entre autres, de promouvoir la culture française en Ontario. En 1968, l'usage du français est reconnu à l'Assemblée législative et les écoles secondaires publiques de langue française commencent à recevoir des subventions gouvernementales. L'année suivante, l'adoption de la loi (fédérale) des langues officielles ouvre les coffres du Secrétariat d'État, tandis que la création du Bureau franco-ontarien du Conseil des arts de l'Ontario va permettre un accès plus facile aux fonds de cet organisme[221]. Les moyens d'information populaire (journaux, radio, télévision) s'emploient à répandre la culture, mais d'une façon encore insuffisante, faute de ressources humaines et techniques[222]. Aussi est-ce parmi les professeurs et les étudiants des universités que se recrutent les écrivains, et dans une proportion tellement importante que « la littérature des universitaires » nous a semblé une appellation tout à fait juste pour qualifier la production littéraire de la période.

Les poètes sont nombreux, mais aucun d'entre eux n'a l'envergure des grands de la période précédente. Cécile CLOUTIER (née en 1930), professeur à l'Université d'Ottawa (1958–1964), puis à l'Université de Toronto, publie une série de minces recueils qu'elle rassemblera dans *l'Écouté*[223] en 1986. L'originalité de sa poésie provient d'une sorte de facilité apparente à saisir des instantanés de vie, moments tantôt d'émotion tantôt de connaissance, que le poète s'emploie à exprimer par des rapprochements, étonnés et étonnants, qui exploitent la diversité élémentaire des trois règnes de la nature et des multiples états du cosmos. Les poèmes sont aussi courts que l'inspiration est momentanée : six ou sept vers de cinq à six mots, en moyenne. Parfois, ce sont des bijoux de tendresse :

> Je ferai à ma fille
> Une poupée d'avoine chaude
> Et je lui chausserai
> Un voyage à chaque pied[224];

d'autres fois, de tout petits objets, sculptés ou peints, telle cette toilette-palette de madame :

> Thym et thé
> Ma robe
> Sel et serpolet
> Mes souliers
> Pomme et pervenche
> Mon chapeau[225].

Les meilleurs textes sont peut-être ceux où le sentiment amoureux anime harmonieusement l'alliage des substances contrastantes :

Je serai une vieille dame
Avec beaucoup de chagrins d'amour
J'aurai corsage de cognac
Et jambe de frêne dur
Et des feuilles pousseront à mes mains
Comme de vieux printemps[226].

Le professeur Jean MÉNARD (1930–1977) a été, lui aussi, un poète de l'instant, mais d'une façon fort différente. Humaniste conservateur, il croit en la vertu de la versification traditionnelle : elle « assure la durée du poème »; il pratique donc la forme fixe, qui « oriente le lyrique » et le « guide », et le vers régulier — l'alexandrin —, qui « oblige l'écrivain à une certaine discipline » à partir de laquelle « tout lui sera permis : images hardies, couleurs vives, bondissements inattendus[227] ». Esprit extrêmement raffiné et sensible, le poète s'efforce de prolonger, dans des mètres travaillés, qu'il voudrait musicaux, ses expériences de lecteur cultivé et de grand voyageur; pudique, cependant, il décante par trop son émotion personnelle. Ainsi, dans *les Myrtes*[228] (1963), son meilleur recueil, l'absence de références temporelles et locales précises entraîne l'universalisation de l'expérience singulière, tandis que le vocabulaire recherché concourt à l'idéalisation de la sensation particulière. Par contre, l'utilisation du « je » dans maints poèmes d'*Inextinguible*[229] (1969), tels « le Feu » et « l'Aurore », permet d'apercevoir le drame intime d'un poète qui, hanté par la mort et « dévoré par le feu », a voulu « arracher à la nuit le visage de Dieu ».

Richard CASAVANT (né en 1946) ne s'embarrasse pas des préoccupations formelles qui contraignent la poésie de Cloutier et celle de Ménard. Sa poésie est avant tout un lieu de recherche intime; elle reproduit un itinéraire qui commence dans le noir d'une révolte sociale, arpente un moment les terres broussailleuses de l'inquiétude chrétienne, puis s'aheurte à l'incontournable réalité existentielle qu'est le corps :

Paroles d'ancêtres
Visages d'orgasmes
Poupées brisées...
[...]
j'écris des mots d'orage

puisque j'ai besoin de soleil
et de caresses[230].

Quatre auteurs, qui ont commencé comme Casavant une carrière poétique au temps de leurs études, ont publié abondamment sans gagner les faveurs de la critique : Pierre MATHIEU (né en 1933), 10 recueils, dont certains artistement présentés et illustrés (1964–1987); Jocelyn-Robert DUCLOS (né en 1942), 4 lots d'images bizarres et de sentiments violents (1964–1966); Madeleine DUBÉ, écrivain bilingue, 8 livres de jeunesse (1972–1976); Yrénée BÉLANGER (né en 1948), 3 recueils de poésie et 3 livres-objets marqués au coin d'une recherche technique (1971–1976). Quatre professeurs, qui se sont acquis une grande réputation en d'autres genres, ont tenté la poésie sans rougir : Eva KUSHNER[231] (née en 1929), Bernard-Paul ROBERT[232] (1925–1979), Jean ÉTHIER-BLAIS[233] (né en 1925) et Alma de CHANTAL[234] (née en 1925).

La carrière d'écrivain de Gérard BESSETTE (né en 1920) s'est déroulée, apparemment du moins, sous le signe de la lucidité et de l'intelligence critique comme il sied au professeur d'université qu'il a été à Saskatoon (1946–1949), Pittsburgh (1951–1958) et Kingston (1958–1979). Au moment de son installation dans cette dernière ville, Bessette a déjà publié une comédie, « Hasard » (1940), dans un journal de collège classique[235], *Poèmes temporels*[236] (1954) et *la Bagarre*[237] (février 1958), son premier roman; par la suite, il signera une quinzaine d'ouvrages, dont six romans. La présence de l'Ontario se fera sentir explicitement dans deux d'entre eux : *l'Incubation*[238] (1965), qui a pour cadre principal Narcotown (Kingston), et *le Semestre*[239] (1979), dont l'action se situe dans la même ville; bien malin qui dira jusqu'à quel point l'éloignement du Québec natal a influencé l'œuvre du romancier et lui a rendu faciles, par exemple, la satire et le cynisme, deux formes d'ironie que la distanciation favorise et que Bessette a pratiquées abondamment et comme naturellement.

Le romancier s'intéresse à différents milieux (intellectuels, bourgeois, syndicaux, prolétariens, et même primitifs...); toutefois, ce qui compte avant tout pour lui, c'est la forme, technique et écriture, et la langue. Dans *la Bagarre*, qui tient du roman réaliste traditionnel, le narrateur s'interroge sur l'écriture et enquête sur la langue de ses compatriotes en s'entraînant à faire parler ses personnages, tandis que, selon Réjean Robidoux, dans *la Commensale*[240] (publiée en 1975, mais écrite au début des années 1960), « s'exerce une satire mathématique du langage comme instrument de possession de la réalité[241] ». *Le Libraire*[242] (1960), qui suinte un métaphysique ennui roquentinien, mime avec succès l'écriture de *l'Étranger* d'Albert Camus. Fresque caricaturale et cynique du milieu humain d'une école normale montréalaise des années 1950, *les Pédagogues*[243] (1961) sont peut-être une tentative unanimiste intéressante, même si le lecteur trouve bien longues les descriptions et bien chargés les portraits. *L'Incubation* a surpris les critiques par l'usage d'un monologue intérieur, proustien selon certains, influencé par *la Route des Flandres* de Claude Simon selon d'autres, et par l'emploi d'une langue délirante. Avec *le Cycle*[244] (1971), Bessette a poussé plus loin l'expérience du monologue intérieur : « autour du cercueil du père, chacun des [sept] membres de la famille apporte sa propre couronne funéraire [un chapitre monologué, intitulé de son nom], faite de ses lamentations, de ses regrets, de ses frustrations; chacun revoit son propre passé, qui touche par tous les points au passé de cet homme mort et, pareillement, à celui de tous les autres[245] ». D'une certaine façon, les deux derniers romans de Bessette couronnent l'entreprise commencée dans le premier : le narrateur des *Anthropoïdes*[246] (1977) maîtrise si bien sa langue et son écriture qu'il crée une parolade genésique qui n'en finit plus, alors que celui du *Semestre* connaît tellement les fonds romanesques qu'il peut expliquer, de façon psychocritique, à ses « anglotes » d'élèves de Princess University (Queen's University) les recès du *Serge d'entre les morts* de son confrère Gilbert La Rocque.

Comme Bessette, Claire MARTIN [pseud. de Claire Montreuil] (née en 1914) accorde beaucoup d'importance à la forme du roman, écriture et structure. Elle utilise la narration indirecte dans *Doux-Amer*[247] (1960), écrit *Quand j'aurai payé ton visage*[248] (1962) à partir des trois points perspectifs différents que sont les personnages principaux, fait dialoguer constamment les deux femmes ou les deux voix des *Morts*[249] (1970). Mais il faut surtout remarquer l'usage que la romancière de la « difficulté d'aimer[250] » fait régulièrement du « je »; cet emploi, bien plus que la structure de l'œuvre, dévoile ce qu'est le roman pour Claire Martin : une confidence, la plupart du temps, d'amants et d'amantes qui, n'en pouvant plus de se taire, se racontent aux lecteurs. De la même esthétique relève le cri que sont les mémoires d'enfance et de jeunesse : *Dans un gant de fer*[251] (1965) et *la Joue droite*[252] (1966), où l'on trouve, parfois textuellement, des éléments des premiers livres. L'indiscrétion avait commencé, en 1958, avec la publication d'*Avec ou sans amour*[253], un recueil de 27 nouvelles, dont certaines, telle « À la fin » et « Printemps », pures analyses psychologiques mises en scène avec ironie et cynisme, confèrent à l'ouvrage une valeur incontestable.

Un jour, comme le Théodore Salandon de son premier roman, Jean Éthier-Blais « a regardé le monde autour de lui et l'a trouvé étroit[254] ». Il s'en est alors allé sur les chemins de l'univers à la recherche de lui-même à travers toute culture qui existât. Quand il est revenu au pays de Lionel Groulx, le chef nationaliste qui a inspiré sa jeunesse, il s'est fait professeur d'université et critique littéraire. Depuis, en homme libre comme son maître François Hertel, il sème à droite et à gauche, selon son humeur, les fruits de sa quête culturelle. Plus que tout autre Franco-Ontarien, il est écrivain à la fois par la quantité de ses publications et la qualité de son écriture. Le style est premier chez lui comme chez Flaubert, et ce « lui », c'est un moi, à la Benjamin Constant, qui promène son esprit de finesse dans un pays de passion. Premier critique de ses œuvres, il sait que ni ses deux romans, *Mater Europa* (1968) et *les Pays étrangers*[255] (1982), ni ses deux recueils de nouvelles, *le Manteau de Rubén Darío*[256] (1974) et *le Désert blanc*[257] (1986), ne sont les grandes œuvres qu'il rêve d'écrire; il reconnaît les limites de ses trois ouvrages poétiques[258] et il a la patience du critique qui cherche, parmi les multiples productions du Canada français, en sus des deux ou trois perles annuelles, le chef-d'œuvre diamantaire qui ouvrira définitivement les frontières du domaine à la lecture universelle[259]. Mais, il a conscience, avec raison, de faire ce que l'on appelle une œuvre, car, quoi qu'il écrive, voire jusque dans ses disgressions nombreuses, il ne dévie jamais qu'apparemment de la direction de sa course : son moi, sans cesse en quête d'humain et de divin, a toujours le cap sur l'éternité qui l'attend et dans laquelle, tout exil aboli[260] et toute mort vaincue, il voudrait entrer drapé d'une âme universelle. « Dans l'univers de l'écriture, rien n'est épars. Tout, par le style, se tient[261]. » Lue dans cette perspective, l'œuvre d'Éthier-Blais se classe parmi les grandes entreprises littéraires du Canada français.

Adrien THÉRIO (pseudonyme d'Adrien Thériault, né en 1925) a étudié et enseigné aux États-Unis avant de devenir professeur en Ontario en 1959. Écrivain prolifique et animateur littéraire dynamique, il a publié plusieurs centaines d'articles, entre autres dans les revues qu'il a fondées et dirigées (*Livres et auteurs canadiens*, 1961; *Co-Incidences*, 1971; *Lettres québécoises*, 1976), et une trentaine d'ouvrages de genres divers (roman, conte, nouvelle, théâtre, journal littéraire, essai, anthologie, traduction), dont plusieurs ont connu des rééditions. Le ton polémique emporte beaucoup d'articles et le journal intitulé *Des choses à dire*[262] (1975); on pourrait penser qu'il s'agit là d'une influence de Jules Fournier, que Thério a étudié, mais, y regardant de près, on discerne plutôt le courage de l'animateur qui veut réformer l'institution littéraire. Le romancier ne craint pas d'attaquer le milieu professoral ni de critiquer la société québécoise de ses origines; le sarcasme abonde dans *Un païen chez les pingouins*[263] (1970) et la satire tient de l'hyperbole dans *les Fous d'amour*[264] (1973). La critique a préféré à ces deux romans des récits d'enfance comme *la Colère du père*[265] (1974) et *C'est ici que le monde a commencé*[266] (1978), qui ont une saveur mythique et s'apparentent au conte. De fait, Thério est principalement un conteur. De *Ceux du Chemin-Taché*[267] (1963), recueil de contes que l'on reconnaît généralement comme la meilleure œuvre de Thério, Gilles Lamontagne a même écrit qu'elle « est l'une des œuvres qui a contribué d'une manière significative à affranchir le conte littéraire québécois de la tutelle qu'exerçait sur lui le conte traditionnel depuis le XIXe siècle[268] ». Thério a lui-même manifesté son intérêt pour le conte en compilant et mettant à jour *Conteurs canadiens-français*[269] (1965, 1970, 1976), une anthologie qui rassemble les meilleurs auteurs du genre.

Les autres romanciers et nouvellistes de la période sont moins prolifiques. Paule SAINT-ONGE (née en 1922) emprunte au journal intime la forme de ses deux romans, *Ce qu'il faut de regrets*[270] (1961) et *la Saison de l'inconfort*[271] (1968), puis passe tout naturellement à l'autobiographie avec *la Vie défigurée*[272] (1979); les trois œuvres témoignent de la vie difficile du couple et de la situation parfois aliénante de la mère, même quand l'amour existe. Les deux recueils de nouvelles, *le Temps des cerises*[273] (1962) et *la Maîtresse*[274] (1963), s'inspirent plus largement de la vie sociale, mais restent superficiels malgré le ton satirique de certains passages. *Belle et grave*[275] (1963) de Louis BILODEAU (né en 1919) est un roman d'amour traditionnel défloré par des préoccupations politiques. Dans *l'Homme périphérique*[276] (1963), Irène de BUISSERET (1918–1971) incite à réfléchir sur la condition humaine; mais, bien que raconté à la première personne, le drame du narrateur ne touche pas facilement le lecteur, qui est tenu à distance par la beauté appliquée de l'écriture et un certain étalage de culture. Buisseret a aussi écrit dans une langue superbe un livre pour enfants : *Kotikoti ou la Poule qui voulait devenir artiste*[277] (1963). Mais ce sont les contes de Claude AUBRY (1914–1984) qui ont eu le plus de succès auprès des jeunes lecteurs; *le Loup de Noël*[278] (1962) a connu plusieurs éditions, et Claude Aubry estimait être le premier écrivain canadien pour enfants à avoir été édité en Chine populaire[279].

Peu de pièces de théâtre se publient, même si la scène reste vivante. Jacqueline MARTIN (née en 1930) a eu le mérite de s'attaquer à un thème universel, celui de l'incommunicabilité, dans une trilogie : *la Quintaine*, *les Murs des autres* et *le Charnier*[280] (1966). Le lieu de l'action varie d'une pièce à l'autre : Londres, Ottawa, Montréal, et les personnages représentent des générations et des milieux différents, sociaux ou linguistiques. La critique a particulièrement apprécié *la*

Quintaine. Jacqueline Martin a écrit, de plus, une pièce inspirée de l'histoire du Régime français[281] et des pièces pour enfants et pour marionnettes.

La critique littéraire obtient ses lettres de créance durant la décennie de 1960. Roger DUHAMEL (1916–1985) rend compte de ses lectures et publie des conférences d'humaniste classique pour les amateurs de littérature française; ses critiques journalistiques témoignent d'une intelligence sensible, et ses *Lettres à une Provinciale*[282] (1962) du fin causeur de salon. Jean Éthier-Blais, critique littéraire au journal *le Devoir* (1961–1983; 1987–1989), interroge aussi les œuvres en humaniste, de façon plus approfondie et plus personnelle que Duhamel. Jean Ménard, homme de grande culture, réunit ses meilleures pages de critique dans *De Corneille à Saint-Denys Garneau*[283] (1957) et *la Vie littéraire au Canada français*[284] (1971); *Xavier Marmier et le Canada*[285] (1967) est un solide ouvrage d'érudition. La critique proprement universitaire continue de s'intéresser à la littérature française; des études importantes paraissent, entre autres, sur Roger Martin du Gard[286], Charles Péguy[287], Marcel Proust[288], Antoine de Saint-Exupéry[289]... Cependant, l'on commence à étudier sérieusement la littérature canadienne-française, québécoise surtout, à la suite du mouvement créé par la révolution tranquille; parmi les auteurs d'ouvrages importants, quatre avaient d'abord étudié des œuvres françaises: Jean-Louis MAJOR[290] (né en 1937), Réjean ROBIDOUX[291] (né en 1928), Robert VIGNEAULT[292] (né en 1927), Eva Kushner[293], et trois se sont intéressés d'emblée aux écrivains canadiens: Paul WYCZYNSKI[294] (né en 1921), Gérard Bessette[295] et Roger LE MOINE[296] (né en 1933).

Des dizaines de biographies paraissent. Quelques-unes rappellent le souvenir de personnes qui ont joué un rôle important dans l'histoire de l'Ontario français: Frédéric Romanet du Caillaud[297], Raoul Hurtubise[298], Gustave Lacasse[299]... D'autres portent sur des personnages historiques du Canada français: l'intendant Dupuy[300], Jules-Paul Tardivel[301]... Un grand nombre racontent la vie de pères oblats; lorsque ceux-ci sont des missionnaires, le biographe a tendance à se transformer en hagiographe, tel le père Gaston Carrière, O.M.I., auteur d'une dizaine de ces ouvrages[302] et historien de sa congrégation en Amérique du Nord. Les études historiques d'aujourd'hui, ouvrages scientifiques avant tout, ne font plus partie de la littérature proprement dite, mais appartiennent quand même, par tradition, au domaine des lettres; c'est le cas des œuvres de Fernand Ouellet[303], de Marcel Hamelin[304]...

En somme, de 1960 à 1972, c'est vraiment autour des universités, et principalement de l'Université d'Ottawa, que la littérature franco-ontarienne s'est développée. Dans ce milieu de gens de lettres, que beaucoup de fonctionnaires fréquentent, les professeurs publient et les étudiants les imitent. La qualité des œuvres varie beaucoup. Le roman et la nouvelle l'emportent en nombre et en qualité sur la poésie. La critique littéraire atteint à la maturité humaniste et ambitionne de devenir une science. L'histoire quitte la littérature. Dans l'Outaouais, le théâtre amateur conserve son dynamisme, se donne de meilleures structures de fonctionnement, et il lui arrive, comme à la scène collégiale, d'être avant-gardiste[305]; le théâtre universitaire s'institutionnalise avec succès[306], tandis que le théâtre professionnel commence à s'installer de façon plus convenable avec la création du Centre national des arts. Cependant, la littérature et le théâtre, en mal d'universalisme et de science ou de technique sous l'influence d'un enseignement et d'une direction inspirés par des étrangers, ont tendance à s'éloigner du milieu franco-ontarien[307].

La littérature contemporaine (depuis 1973)

Une certaine élite, outaouaise surtout, intellectuelle et bourgeoise, francophile souvent, se complaît dans cette situation valorisante. N'y trouvent pas leur lot, cependant, les classes sociales moins favorisées, que leur statut économique préoccupe avant tout, ni les populations éloignées d'Ottawa, qui se sentent abandonnées par les dirigeants provinciaux. Une double réaction se produit, qui va contribuer à rapprocher la littérature de l'ensemble de la collectivité : les régions prennent davantage en main la défense et la promotion de leurs droits tandis que les jeunes contestent leurs aînés qu'ils jugent peu dynamiques et pas assez radicaux[308]. Le mouvement de régionalisation sourd d'une volonté de démocratisation qui est courante dans le monde moderne[309]; celui de la jeunesse ressortit à une crise des valeurs traditionnelles. L'un et l'autre sont consécutifs à la pénétration du milieu franco-ontarien par les médias de masse. La culture élitiste franco-ontarienne avait partie liée avec l'éducation et la langue surtout; la culture nouvelle s'identifie d'abord à une vie de qualité sur tous les plans : économique, social, politique, récréationnel, etc., puis à une ouverture d'esprit à toutes les valeurs du pluralisme contemporain[310].

Au début des années 1970, l'Ontario français connaît donc une petite révolution tranquille, qui n'est, au fond, qu'un effort d'adaptation au monde extérieur qui l'envahit ou qu'il découvre et une prise de conscience aiguë de la menace que fait peser sur son existence l'assimilation galopante que le recensement de 1971 révèle[311]. Plus que jamais le temps presse; on passe à l'action. Un nouveau souffle anime la vie socioculturelle. Remises en question, d'anciennes structures, telles celles de l'ACFO et du Conseil des arts, se renouvellent; des institutions et des associations de toutes sortes naissent en nombre par toute la province[312], dont plusieurs centres culturels qui sont autant de foyers d'animation[313]. Appelés à l'aide, les différents niveaux de gouvernement répondent généreusement[314]. Les artistes réclament leur part, et ils la reçoivent, car ils se veulent — et plusieurs les voient ainsi — des animateurs hors pair du milieu et les interprètes par excellence de l'identité franco-ontarienne qui cherche à s'affirmer[315].

Cette conscience est particulièrement vive dans le Nord, entre autres chez les jeunes — étudiants pour la plupart — qui fondent la Coopérative des artistes du Nouvel-Ontario (CANO), que l'on considérera à juste titre, sept ans plus tard, comme « le plus important effort collectif de créativité dans l'Ontario français[316] » au cours de la décennie. Enraciner l'artiste dans son milieu afin qu'il dise plus vrai en exprimant profondément ce qu'il est et contribuer à promouvoir une culture franco-ontarienne qui soit de source, donc plus authentique et plus nourricière que la française classique, tel est l'ambitieux projet du groupe. Le caractère à la fois régionaliste et nationaliste de l'entreprise entraîne assez rapidement l'appui de secteurs importants de la population, même si, consciemment, certains artistes colportent de façon fantasque des valeurs « contre-culturelles » qui heurtent les milieux traditionalistes et des classes populaires[317].

Sous le « parapluie » de CANO naissent à Sudbury, en 1973, les Éditions Prise de parole[318]. Les débuts sont lents, difficiles, faute de ressources humaines et de moyens financiers. L'idéalisme des fondateurs doit faire place au réalisme d'administrateurs. La politique éditoriale reste la même cependant : « publier des œuvres franco-ontariennes de qualité qui sont préférablement ancrées dans l'imaginaire d'ici et de maintenant[319] ». En 1982, le fonds de Prise de parole compte déjà une quarantaine de volumes; en 1988, il en comprend le double et une revue de création, *Rauque*, née trois ans plus tôt. En 1988, il existe trois autres petites maisons d'édition franco-ontarienne : les Éditions L'Interligne (Ottawa, 1981) qui publient le magazine culturel *Liaison* (fondé en 1978 par le groupe de Théâtre-Action), les Éditions du Vermillon (Ottawa, 1982) et les Éditions du Nordir (Hearst, 1988) qui publient *Atmosphères*, revue multidisciplinaire. Aucune de ces maisons ne remplit la tâche « d'animation sociale et d'éducation littéraire » dont, les circonstances s'y prêtant, Prise de parole s'est acquittée dès sa naissance et durant ses dix premières années[320].

Parmi les poètes de Prise de parole, deux se sont fait remarquer particulièrement. Jean-Marc DALPÉ (né en 1957) a séduit d'emblée avec deux recueils régionalistes : *les Murs de nos villages*[321] (1980) et *Gens d'ici*[322] (1981). Dans le premier, le poète se présente comme un « simple ouvrier » du dire en quête de son identité et de son pays. Les murs de rues, d'écoles, d'églises, de cimetières et de maisons lui rappellent l'histoire de ses compatriotes. Faite de joies et de peines, de nostalgies et de rêves, de violence et de douceur, de courage et d'espérance, cette histoire a visage d'enfants, d'hommes et de femmes dont les cris appellent la liberté que donnent la parole et la maîtrise d'un territoire. Leur pays, les Franco-Ontariens de *Gens d'ici* l'ont bâti, mais ils n'en sont que les locataires, même s'ils l'ont fécondé de leurs sueurs et de leurs morts et sont issus de son sol et de ses bois, de son ciel et de son climat :

> nos bras et nos jambes
> sont d'érables, de pins et d'épinettes
> nos visages
> sont de soleil et de vent
> nos rêves
> envolées d'outardes et odeur du bois brûlé
> nos joies
> fleurs sauvages et ruisseaux d'eau claire[323]

Dans *Et d'ailleurs*[324] (1984), le poète délaisse l'histoire du « nous » pour l'aventure du « je » qui le mène d'Ottawa à Sudbury, puis de New York à Paris d'où il revient avec le goût irrésistible des entrailles d'« icitte ». Le poète a mûri. Sa voix est plus ferme; sa parole, plus abondante et plus pleine. L'anaphore, l'énumération, la répétition et le parallélisme rythment si fortement les descriptions et narrations du comédien de la rue des Nigger-Frogs qu'elles se muent parfois en chants, comme dans « la Chanson de la Coulson[325] » et « la Toune d'Hawkesbury[326] ».

À l'encontre de celui de Dalpé, le dire de Patrice DESBIENS[327] (né en 1948) est antilyrique, mais on ne peut pas le qualifier d'antipoétique, car il donne à voir. Desbiens ne peint pas, il dessine, et ses lignes sont courtes et froides. Les mots, les vers tombent parcimonieux, dépouillés, plus souvent cyniques et coupants que tendres. Le poème ne représente pas, il présente, et ce ne sont que les apparences sans séduction d'un monde dont la perspective intérieure reste à découvrir ou à inventer. L'homme est petit dans un univers plat, sans projet ni destin autre que d'être là. À l'auditeur ou au lecteur de traverser le miroir qui l'incite à dépasser l'être qu'il promène pour apercevoir celui qu'il est, et qui peut être aussi invisible qu'un francophone en terre ontarienne :

> La tristesse se loue une chambre sous une fenêtre dans son cœur[328]
> je suis le franco-ontarien
> cherchant une sortie
> d'urgence dans le
> woolworth démoli
> de ses rêves[329]

Citons encore, parmi les poètes de Prise de parole, Robert DICKSON[330] (né en 1944), qui s'est fait connaître avec le poème affiche « Au nord de notre vie »; Gaston TREMBLAY (né en 1949) directeur des Éditions et auteur de *la Veuve rouge*[331] (1986), le plus récent de ses trois recueils; Andrée LACELLE[332] (née en 1947), dont la poésie se démarque de celle des précédents par son symbolisme et son intériorité, et le chansonnier Robert PAQUETTE[333] (né en 1949).

Du côté de Hearst, deux poètes originaires du Québec travaillent le texte avec ardeur et lucidité. Dans son deuxième recueil, *l'Oralité de l'émeute*[334] (1981), Robert YERGEAU (né en 1956) s'essaie à la poésie formaliste québécoise des années 1970. Son dire, trop appliqué, dissimule sous la froideur de l'énonciation l'inquiétude d'un cœur qui, par réaction peut-être, se révèle plus lyrique dans *Présence unanime*[335] (1981). La « fascination des formes » reparaît avec force dans *Déchirure de l'ombre*[336] (1982), mais, cette fois, leur enlacement est un premier souci et l'écriture devient une vie :

> faire son poème
> faire son pain[337].

L'Usage du réel[338] (1986) aurait pu être le lieu de réconciliation de la tête et du cœur; mais, après peine et misère, le poète avoue :

> je suis une émotion
> qui n'écrit jamais sous le coup de l'émotion[339].

Même dans *le Tombeau d'Adélina Albert*[340] (1987), suscité par la mort de sa mère, Yergeau ne réussit pas parfaitement à trouver ce qui, au-delà du méritoire « combat avec la langue[341] », ferait l'unité profonde d'une œuvre où « la poésie seule ne saurait suffire[342] ».

Michel MUIR (né en 1952) habite le pays du Verbe éblouissant où la Poésie est à la fois « racines incendiées et chants translucides[343] ».

« Fixer l'éternité dans le ciel des sens[344] » et « reconstituer mot à mot le livre du désir[345] » en vivant « à bout portant dans l'éternelle mémoire des choses[346] », telle est la mission du poète. « Frère du sacré et tributaire de la voyance authentique[347] », il n'aura de cesse de paroler qu'il n'ait tenté, jusqu'à l'épuisement de ses ressources, de faire partager à ses frères humains sa vision éternisante des harmonies cosmiques et sa satisfaction sensuelle de « palper l'infini[348] » à travers les « feux d'artifices » d'une écriture majestueuse, foisonnante d'images puisées aux « secrets de la chair[349] » :

je te dirai par-delà mes jardins givrés de style
l'odeur de la terre que la chair savourée exalte[350]
cette nuit un parfum de cuisses fraîches berce mes songes[351]
je meurs des cygnes qui nagent en mes veines[352]

Les poètes natifs de la région de Hearst et de Kaspuskasing communient d'instinct avec la nature. Guy LIZOTTE[353] (né en 1953) et Michel VALLIÈRES[354] (né en 1955) ont la simplicité et la naïveté du forestier et du paysan ainsi que l'authenticité des gens humbles; leurs textes conservent souvent une fraîcheur d'enfance. Tel est rarement le cas des poèmes de Réginald BÉLAIR[355] (né en 1949); ils font plutôt entendre avec violence la voix d'un prolétaire aux prises avec des amours difficiles et les pénibles luttes pour la vie tant individuelle que collective.

Les autres régions de l'Ontario français n'ont pas connu, après 1972, de mouvement poétique qui soit comparable à celui du Nord. Les œuvres, nombreuses, vont dans des directions diverses; aucun esprit commun ne les habitant, elles souffrent d'être abandonnées à leur sort individuel. Hédi BOURAOUI (né en 1932), un Tunisien qui vit à Toronto depuis une vingtaine d'années, s'est d'abord fait un jeu de disloquer le langage et d'inventer des images insolites pour exprimer les bizarreries du monde contemporain[356]; puis, conscient de sa triple culture (africaine, européenne et américaine) et de la force unificatrice du verbe, il s'est voulu un rassembleur de la grande famille humaine[357]. *Du néant né en moi*[358] (1977) d'Alain BEAUREGARD, (né en 1949), poète de Cornwall, révèle un cheminement original en Ontario français : une aventure existentialiste qui naît de l'attirance du vide et de la mort et se termine par la construction idéaliste et facile d'un refuge narcissique de voyageur et d'homme cultivé. Intellectuelle et audacieuse aussi, la principale tentative poétique de Paul SAVOIE (né en 1946) : créer, dans *la Maison sans murs* (1979), « un univers temps-espace-lumière [...] où la communication se fait dans de vastes champs où toutes nos dimensions existantes sont démantibulées puis reconstruites[359] ». L'emploi continu de l'indicatif présent pour exprimer des *Temps de vies*[360] (1979) permet à Pierre PELLETIER (né en 1946) d'assumer dans l'aujourd'hui de l'écriture la présence incontournable des instants de naguère. Avec *la Rose noire*[361] (1983), André LEDUC (1960–1991) fait naître de grands espoirs : par-delà les influences nombreuses, le poète affiche une voix et un ton personnels, le jeu des mots et des sonorités est varié, musical, et l'inspiration se nourrit, à parts égales, de bonheurs printaniers et de craintes d'automne; on retrouve le même dosage dans *les Sublimes Insuffisances*[362] (1984), mais sous une forme moins soignée, puis c'est la débandade des mots sur les pages du troisième recueil : *De nulle part*[363] (1987). Catherine AHEARN (née Firestone en 1949) publie, sous l'influence du surréalisme, *l'Âge de l'aube*[364] (en français, 1976), puis *Daydream Daughter*[365] (en anglais, 1976) et *Poasis*[366] (recueil bilingue, 1980), qui lui vaudront, avec d'autres ouvrages, de devenir le premier poète lauréat d'Ottawa. Des quatre recueils de poèmes de Jacques FLAMAND (né en 1935), le premier, *Ailante*[367] (1979), reste le meilleur.

Alors que les poètes de Prise de parole affirment l'identité franco-ontarienne, un certain nombre de romanciers en cherchent les racines dans l'histoire et le contexte social. Ils n'innovent guère : d'autres avant eux, et en nombre aussi considérable, avaient situé l'action de leurs œuvres en Ontario français. Ils n'avaient pas écrit moins bien ni autrement; les différences, minimes, sont perceptibles chez le narrateur : une sensibilité contemporaine et, parfois, un regard critique, humoristique ou ironique, voire cynique. Conséquemment, à deux exceptions près, *la Vengeance de l'orignal* et « les Chroniques du Nouvel-Ontario [*sic*] », ces produits à saveur locale n'ont pas connu de grand succès en librairie. Paul-François SYLVESTRE (né en 1947), qui veut faire connaître sa région natale, n'arrive pas à traiter en romancier les événements qu'il emprunte aux vieux journaux : une affaire de contrebande dans la région de Windsor[368] et un cas de désobéissance à un évêque[369]. Pierre-Paul KARCH (né en 1941) raconte avec humour une querelle familiale à propos d'un nom de baptême; c'est un bon prétexte pour décrire la vie d'un petit village des années 1930[370]. Lucille ROY (née en 1943) aborde des sujets difficiles : la quête d'identité d'un étudiant canadien-français que le climat politique des années 1960 amène à devoir choisir entre le Canada, le Québec et la France (*l'Impasse*[371], 1981), puis la vie pénible d'une femme en mal d'elle-même (*l'Appassionata*[372], 1985). Daniel POLIQUIN (né en 1953) se cherche une écriture dans deux romans qui ont l'originalité de présenter un Nord malaisé à vivre : *Temps pascal*[373] (1982) évoque un climat de luttes ouvrières à Sudbury tandis que *l'Obomsawin*[374] (1987) raconte l'histoire d'un peintre Amérindien, « alingue » et incendiaire, dans un village de misère.

Doric GERMAIN (né en 1946) écrit pour les adolescents dans une langue correcte et claire. Il connaît le succès avec son premier roman, *la Vengeance de l'orignal*[375] (1980), histoire de braconnage et de chasse au trésor[376]; mais, dans *le Trappeur du Kabi*[377] (1981), la chasse aux valeurs traditionnelles des autochtones ne passionne pas et *Poison*[378] (1985), histoire didactique d'une jeune toxicomane, pèche par la lourdeur du réalisme et l'impersonnalité du style.

Les « Chroniques du Nouvel-Ontario [*sic*] » d'Hélène BRODEUR (née en 1923) donnent une bonne idée de la vie quotidienne dans le Nord ontarien de 1913 à 1968, tout en ne manquant pas de s'ouvrir sur l'extérieur de l'Ontario et du Québec. *La Quête d'Alexandre*[379] (1981) hésite entre la chronique et le roman, même si un critique a pu écrire que « c'est la quête de sa propre identité qui constitue l'aventure d'Alexandre et l'argument du roman[380] »; la structure de l'œuvre souffre aussi du parallélisme non justifié des deux premières parties. Dans *Entre l'aube et le jour*[381] (1983), la chronique domine nettement : la narration des faits occupe la première place, l'analyse psychologique est réduite au minimum et l'auteur prend ses distances par rapport à ses personnages sans pour autant les priver de son attention et de sa sympathie; l'écriture est meilleure, la langue plus correcte. Les jeunes du troisième tome, *les Routes incertaines*[382] (1986), s'exilent pour chercher une vie plus aisée que celle de leurs parents; ils la trouvent, mais, nostalgiques, la plupart finissent par répondre à l'appel du Nord natal. L'ensemble forme une fresque attachante. Le succès de la chroniqueuse indique que la voie du roman historique pourrait conduire à une vraie réussite littéraire l'écrivain franco-ontarien qui, en plus de prendre le temps de se bien documenter et de pouvoir imaginer comme l'a fait Hélène Brodeur, serait capable à la fois d'invention structurale, de correction linguistique et de style.

Ces dispositions littéraires se rencontrent davantage chez les romanciers qui n'ont pas de préoccupations régionalistes — ce qui n'exclut pas que l'action de leurs romans puisse se dérouler partiellement ou entièrement en Ontario français. Pierre BILLON (né en 1937) a publié quatre ouvrages de fiction pendant son séjour à Ottawa. *L'Ogre de barbarie*[383] (1972) a pour cadre un petit village de la Suisse, pays d'origine de l'auteur, durant la guerre de 1939–1945. Catherine, petite juive d'une dizaine d'années, qui participe de l'intelligence de son auteur, « raconte ingénument mais sans mièvrerie[384] » les agissements complices de citoyens qui ne sont pas aussi neutres que leur pays; ses observations, impressions et réactions constituent la trame d'un trajet de vie qui la mène, sous l'influence d'un émigré plus âgé qu'elle, du pays de l'enfance aux portes du monde ambigu des adultes. *La Chausse-Trappe*[385] (1981), où un diplomate suisse qui croyait prendre est bien pris, démasque la fourberie et la violence de Québécois endeuillés par un attentat terroriste contre le traversier qui fait le service entre Lévis et la vieille capitale. À première vue, *l'Enfant du cinquième nord*[386] (1982) tient à la fois du roman de science-fiction et du roman policier. Un enfant, Max Sieber, hospitalisé à Ottawa, intrigue les médecins et intéresse les militaires : à son contact, les cancéreux guérissent et les métaux se désagrègent. Daniel Lecoultre, fonctionnaire curieux, dont la petite fille a été guérie, enquête. Le roman gagne en réalisme et en profondeur au fur et à mesure que sont découverts et dénoncés les exploiteurs de tout acabit auxquels Lecoultre se heurte. Ils sont tellement nombreux et le romancier veut tellement faire œuvre de critique sociale que le récit s'attarde, fait des détours, revient sur la piste, puis, par-delà le dénouement de l'intrigue, laisse le lecteur en face d'un monde complexe et assez laid moralement. Par contre, *le Livre de Seul*[387] (1983) va droit au but : à travers une allégorie dont la forme et le rythme sont résolument bibliques, l'auteur s'en prend au pouvoir qui corrompt, à commencer par le sommet de l'appareil gouvernemental. Comme Seul en route vers son destin, Billon, idéaliste déçu, ne cesse pas, d'un roman à l'autre, de prendre conscience de l'égoïsme qui empoisonne les relations humaines ni de régler ses comptes avec les profiteurs. Mais après Seul?

Aventure d'écriture avant tout, la démarche romanesque de Gabrielle POULIN (née en 1929) est bien différente de celle de Billon. Elle consiste à suivre, à travers le treillis des événements marquants d'une vie humaine : rencontres, séparations, reconnaissances, l'évolution intérieure de trois femmes de générations différentes. Chaque roman forme donc un volet d'un triptyque de miroirs qui, plutôt que de refléter les phénomènes purement extérieurs, montrent le bouleversement profond de femmes assaillies par de brusques changements sociaux. Qu'il s'agisse de la religieuse « morte » de *Cogne la caboche*[388] (1979), des mères privées de descendance d'*Un cri trop grand*[389] (1980) ou de la jeune fille coupée de ses origines des *Mensonges d'Isabelle*[390] (1983), le problème qui se pose est celui de l'absence d'identité véritable, séquelle d'une éducation dépersonnalisée, et, partant, celui de l'impossible fécondité. D'où, dans ces trois romans, l'omniprésence de la mort. Contre celle-ci, chacune à sa façon, Rachel (sœur Anna), Marie-Françoise et Isabelle livrent un combat à la fois instinctif et lucide en s'efforçant d'écouter en elles les voix à peine audibles de l'authenticité et de la continuité. Dans chaque cas, le salut vient par l'écriture.

Prisonnière de ses tâches d'éducatrice-étudiante, sœur Anna n'a de recours qu'un tout petit calepin noir qu'elle dissimule dans une des grandes poches de son enveloppant costume noir. Les notes qu'elle prend (souvenirs, méditations, rêves, réflexions sur les œuvres littéraires dans lesquelles elle cherche les échos de son appel au secours, etc.) forment le matériau brut, dont elle se sert, quinze ans plus tard, pour écrire l'histoire des trois saisons de sa délivrance. C'est aussi dans l'écriture que l'institutrice quinquagénaire d'*Un cri trop grand* cherche un sens à sa vie et la promesse d'une fécondité. Dans la solitude des vacances scolaires, quand reviennent la visiter l'image de l'enfant qu'elle a perdu et le fantôme des enfants qu'elle n'aura jamais, elle se rappelle celle qui, autrefois, en lui enseignant les rudiments de l'écriture, lui a fait don d'un instrument de libération et de résurrection. Elle entreprend alors de recréer cette mère spirituelle et de lui donner, en même temps qu'à elle-même, l'assurance d'une descendance. Quant à l'Isabelle des *Mensonges*, pour échapper à l'affection « évoluée », mais possessive et ombrageuse, de sa mère adoptive, elle se réfugie d'abord dans l'écriture d'un double journal : l'un, soigneusement dissimulé, dans lequel elle poursuit sa recherche intérieure en toute liberté, l'autre, fictif, exposé aux yeux fouineurs de sa mère. Puis, libérée de la présence physique de celle-ci, elle entreprend la quête de ses origines. Curieusement, elle ne se tourne pas vers sa mère naturelle, mais vers les femmes qui ont fait l'histoire de son pays; afin de vivre mieux dans une époque dont elle n'a éprouvé que le vide et le malentendu, elle attend de ces « mères fondatrices » l'élan originel d'une sagesse décantée des artifices et des scories de l'éducation qu'elle a dû subir.

Dodécaèdre ou les Eaux sans terre[391] de René CHAMPAGNE (né en 1927) n'est ni un roman ni un récit comme les autres; s'il peut se lire comme le conte éloquent d'un humaniste classique, il ne se comprend que comme la parabole intemporelle d'un philosophe inquiet qui s'interroge sur sa place dans une société que l'ivresse du pouvoir et de la gloire a détournée de la source qui lui a donné naissance. Jean-François SOMCYNSKI (né en 1943) est un romancier et nouvelliste prolifique, mais froid et superficiel; l'hédonisme mécanique et le bavardage journalistique empêchent qu'on le prenne au sérieux, même lorsque son imagination débridée lui permet de vagabonder à travers les espaces d'une science-fiction facile, comme dans *la Planète amoureuse*[392]. Émile MARTEL (né en 1941) fuit la hantise de la mort en cultivant la préciosité de l'écriture; la musique du langage séduit, mais les mots se caressent ludiquement sans assez dire et sans émouvoir, sauf dans *les Enfances brisées*[393].

L'œuvre de Sigmund RUKALSKI (né en 1925) manifeste plus de profondeur. « Récit d'une lutte désespérée » pour survivre aux démences haineuses d'une guerre dont les horreurs mutilantes font prendre conscience de la « brute féroce » et « infecte » qu'est le temps, *Voyage d'un emmuré* (1970) a la forme dépouillée et surréaliste d'une spirale térébrante de nausées et de vertiges qui naissent, s'enroulent, s'enfoncent et font remous à partir d'une obsédante vision sanguinolente : « C'était en face de moi quelque chose de rond planté sur une espèce de tronc d'où pendaient des guenilles, une fente entrouverte, aux crocs ensanglantés; en haut, une tignasse crottée; au milieu, une paire d'orbites vides de conscience, deux trous où se mirent l'inexistence[394]. » Délesté jusqu'à un certain point de cette image récurrente qui le poursuivait depuis les années de sa déportation par les nazis, Rukalski a fait paraître trois recueils de nouvelles nourries de souvenirs et de solitudes[395]; l'écriture, réaliste, dénote l'influence de Maupassant et de Tchekhov, mais reste personnelle par la sérénité dont elle est étonnamment empreinte malgré les traumatismes de guerre et d'exil qu'elle évoque. Les *Nouvelles de la capitale*[396] (1987) de Daniel Poliquin sont tirées de la jeunesse outaouaise de l'auteur; elles offrent l'intérêt d'un cru nouveau. Pierre-Paul Karch pratique le genre fantastique dans *Nuits blanches*[397] (1981) et maintes nouvelles éparses, mais son imagination se déploie davantage dans le volumineux roman *Noëlle à Cuba*[398] (1988).

Les Contes des quatre saisons[399] (1978) et *la Ménagerie*[400] (1985) de Jocelyne VILLENEUVE (née en 1941), poète du cœur et de la nature[401], appartiennent à une littérature enfantine de rêves et de liberté, tout comme *Nanna Bijou. Le Géant endormi*[402] (1981) et *la Princesse à la mante verte*[403] (1983), deux légendes odjibwées. *Les Mots d'Arlequin*[404] de Pierre LÉON (né en 1926), « petits poèmes pour rire et pour chanter » existent pour le plaisir des yeux et les oreilles des précieux, mais *les Voleurs d'étoiles de Saint-Arbrousse-Poil*[405] (1983) font « saliver et rire aux larmes » les lecteurs de tout âge, même si le livre s'adresse d'abord aux jeunes; « conte rempli de trouvailles, de surprises, d'élucubrations toutes plus amusantes les unes que les autres », il porte la marque d'un linguiste « érudit qui sait s'amuser de sa propre érudition et [...] la faire partager sans douleur[406] ».

Aux critiques littéraires de la période précédente, il faut ajouter, choisis entre une vingtaine de nouveaux venus, les suivants, qui se sont intéressés à des œuvres canadiennes : Odette CONDEMINE[407] (née en 19??), Jeanne d'Arc LORTIE[408] (née en 1915), Placide GABOURY[409] (né en 1928), Fernand DORAIS[410] (né en 1928), John E. HARE[411] (né en 1933), Robert MAJOR[412] (né en 1946), Pierre HÉBERT[413] (né en 1949) et Paul GAY (né en 1911), auteur de manuels d'histoire littéraire[414] et d'un millier d'articles dans le journal *Le Droit*; une bonne partie de ces textes ont trait à la littérature et à l'histoire de l'Ontario français[415]. Deux douzaines d'universitaires, tels Pascal SABOURIN[416] (né en 1938), Paul-Anthony FORTIER[417] (né en 1939) et Yvan-G. LEPAGE[418] (né en 1943), ont surtout étudié la littérature de la France.

Les essais culturels n'abondent pas; il s'en trouve quand même de très bonne qualité. Au fil de son itinéraire de chrétien, Placide Gaboury, artiste et théologien, réfléchit en philosophe spirituel dans une dizaine d'ouvrages. *L'Homme inchangé*[419] présente une vision personnelle de l'homme et du monde. L'auteur plaide pour la responsabilité incontournable de l'individu, malgré les systèmes qui encadrent et au-delà des institutions qui écrasent. Lui seul, non la gent humaine, peut changer. Et il le doit continuellement sous l'impulsion de l'irrationnel aussi bien que sous la dictée du rationnel; la foi concilie l'un et l'autre quand elle est vécue comme une relation personnelle avec le Christ. *Entre Montréal... et Sudbury*[420] de Fernand Dorais comprend neuf « documents » ou fragments sur une double expérience de vie, québécoise et franco-ontarienne. L'analyse de la première, menée avec rigueur, porte essentiellement sur les relations du Québécois avec le Divin; elle aboutit à cette dure conclusion : « au fond, Dieu n'a été que l'alibi de nos échecs[421] ». Les essais sur l'expérience franco-ontarienne se déploient plutôt à coups d'intuitions provoquées par les chocs linguistiques de deux ethnies; l'auteur lie le sort des Franco-Ontariens à celui des marginalisés et des humiliés de la terre : les violents seuls l'emportent... Autrement, il n'est de salut que dans l'imaginaire... Les « carnets » de Jean-Louis Major sont un des hauts lieux de l'écriture et de la pensée franco-ontariennes. *Entre l'écriture et la parole*[422] emprunte sa forme apparente au journal intime; fondamentalement, c'est un essai fragmenté comme les *Pensées* de Pascal et égotiste comme les *Essais* de Montaigne. L'écriture est ici première au sens originel du terme; la parole en tire consistance et relief : aucune phrase ne prend corps sur la page qu'elle n'ait été burinée dans un marbre archipoli, aucune réflexion n'est jetée sur le papier que réduite à l'essentiel du mot le plus juste et le plus dur. La tension de l'écriture, conciliation du silence et de la parole, reflète pudiquement l'angoisse d'un être vivant mortel. Professeur ou écrivain, Jean-Louis Major

« interroge les actes de son métier comme on médite les gestes de celui qui travaille la terre, le bois, le métal ou la pierre[423] ». Lecteur et critique des autres comme de lui-même, ses exigences sont crucifiantes; il examine les œuvres avec la lucidité fantasque, neuve et courageuse du Julien Gracq d'*En lisant, en écrivant*. Philosophe, il regarde la société en pessimiste : « En ces temps où chacun ne se veut que des droits, rappeler aux uns qu'ils ont des devoirs et aux autres qu'ils ont des responsabilités est un acte de courage qui n'est pas à la portée des politiciens[424] », et il se trouve des politiciens ailleurs que sur les collines parlementaires. *Entre l'écriture et la parole* est un livre de chevet.

Depuis 1973, il s'est publié peu d'autobiographies et de correspondances, de rares livres de mémoires et de souvenirs, presque pas de recueils de chroniques, seulement quelques biographies (si l'on excepte les monographies d'écrivains et d'artistes). L'histoire de l'Ontario français s'est particulièrement enrichie des ouvrages de Robert CHOQUETTE (né en 1938) sur les conflits anglo-français et l'histoire de l'Église catholique en Ontario[425], des chroniques outaouaises de Georgette LAMOUREUX[426] (née en 1915), des recherches de Gaétan GERVAIS[427] (né en 1944) et de Gaetan VALLIÈRES[428] (né en 1945) ainsi que de quelques histoires locales[429].

L'activité théâtrale connaît un regain de vie et une orientation nouvelle durant la décennie de 1970. Des troupes professionnelles se forment à Sudbury, dans la région outaouaise et à Toronto; un peu partout dans la province, des groupes d'amateurs montent sur la scène. Les jeunes prennent goût à la création collective qui est alors en vogue au Québec. Le théâtre devient un lieu d'expression et de promotion de la vie franco-ontarienne[430]. Pour le meilleur et pour le pire. Le metteur en scène ne dirige plus guère l'interprétation d'une œuvre d'écrivain; il s'essaie plutôt à bâtir *son spectacle* à l'aide des moyens les plus modernes des spectacles de variétés. Trop souvent, les comédiens créent leurs textes comme des amusements et improvisent leurs jeux pour leur propre plaisir (*les Rogers*[431] de Robert BELLEFEUILLE — né en 1957 —, Jean-Marc Dalpé et Robert MARINIER — né en 1954). Quelques fois, le texte, censément éducatif, prend l'allure d'un enseignement livré par bribes et déguisé en mascarade (*la Parole et la loi*[432] de la Corvée); la profondeur de l'histoire est absente, la représentation peut plaire un moment, voire convaincre parfois, mais elle ne persuade guère : le public ne passera pas à l'action, faute d'un fil conducteur qui inciterait à la continuité dans le temps. D'autres fois, le thème social, que l'on a eu le flair de choisir dans l'actualité, est dévoyé; il n'est plus exploité comme moyen de réflexion profonde : le texte, bavard, aguiche le peuple pour un moment d'évasion ou d'émotion faciles (*Hawkesbury Blues*[433] de Brigitte HAENTJENS — née en 1951 — et Jean-Marc Dalpé); il titille le goût populaire et, souvent, loin d'échapper à la vulgarité, chute allégrement dans une grossièreté gratuite que ses auteurs-comédiens prennent pour le comique (*les Rogers*). La langue de la plupart de ces pièces est réduite au bas dénominateur commun que l'on appelle le « joual franco-ontarien » (puisque les Québécois ont un « joual » qui court...); on le transcrit boiteusement, sans technique sûre ni cohérence, et on le reproduit sans style ou dans une écriture malaisée (il n'est pas donné à tous d'être des Michel Tremblay...). Voilà pour le pire.

Et le meilleur? Il a d'abord été dans l'éclatement[434] qu'André PAIEMENT (1950–1978) a fait subir au théâtre franco-ontarien en l'ouvrant aux techniques modernes de représenttion scénique, puis dans le choix, par ce jeune auteur, de sujets-problèmes qui lui étaient familiers : l'adolescence difficile (*Moé, j'viens du Nord, 'stie*[435]), la mort lente du drogué (*Et le septième jour...*[436]), l'opposition entre la ville et la campagne (*la Vie et les temps de Médéric Boileau*[437]), l'exploitation des travailleurs manuels (*Lavalléville*[438]). Presque toujours, chez Paiement, on sent l'authenticité du dire, l'économie du langage et une sensibilité profonde. Le dialogue d'*À mes fils bien-aimés*[439] tourne en rond; cependant, l'imagination créatrice transforme en œuvre esthétique l'arrière-fond historique, inavoué ou implicite[440], de *Lavalléville*. Il n'a pas été facile de marcher sur les traces de Paiement. *Strip*[441] de Catherine CARON (née en 19??), Brigitte Haentjens et Sylvie TRUDEL (née en 1959) représente convenablement la vie et les malheurs de la danseuse nue (langage et sujet sont ici de même niveau), mais *Nickel*[442] de Jean-Marc Dalpé et Brigitte Haentjens ne se tient pas à la hauteur du problème traité : un conflit syndical tragique à l'Inco de Sudbury. Au contraire, *l'Inconception*[443] de Robert Marinier et *le Chien*[444] de Jean-Marc Dalpé témoignent d'une recherche originale de la structure efficace et d'un réel effort d'approfondissement de leurs sujets : Faut-il concevoir ou pas? Et comment peut-on affronter son père? Le texte théâtral franco-ontarien contemporain sort difficile ment d'une adolescence attardée pendant laquelle il n'a souvent été que le prétexte de spectacles. Aussi n'est-il pas surprenant que, des quelque 150 pièces qui ont été créées, on ne trouve qu'une vingtaine en librairie.

CONCLUSION

Au terme d'un cheminement d'une dizaine d'années à travers des centaines d'œuvres qui nous ont demandé des milliers d'heures de recensement et de lecture, nous ne succomberons pas à la tentation facile, mais téméraire, de porter un jugement d'ensemble sur la littérature franco-ontarienne : nous en empêche le sentiment de respect et d'admiration que nous avons acquis pour les auteurs de ce corpus, initiateurs, témoins ou gardiens héroïques de la parole française en Ontario. Nous aimerions plutôt déplorer les conditions difficiles dans lesquelles ces écrivains non seulement ont vécu, mais vivent encore, et regretter que les responsables de ce patrimoine, tout aussi précieux que maints bâtiments et sites historiques, en fassent si peu de cas. Nous aurions beaucoup à dire sur ces deux sujets. Mais nous avons déjà pris plus de pages qu'on en accorde d'ordinaire à un simple chapitre. Nous nous contenterons donc d'en appeler au sens de la responsabilité de nos concitoyens ontariens, anglophones aussi bien que francophones, pour que s'établisse rapidement et solidement une tradition de recherche universitaire et d'édition décente, d'enseignement régulier à tous les niveaux et de lecture populaire. Aucune littérature n'existe vraiment sans une telle tradition. Cette nécessité exige des écrivains qu'ils soient les premiers à reconnaître qu'ils ont eu des devanciers et ne sont pas nés de la cuisse de Jupiter ni de la tête d'Athéna; et de tous les citoyens francophones qu'ils s'unissent, par-delà leurs origines diverses et malgré leurs divergences d'opinion, dans la pratique salvatrice d'une langue de bonne qualité, première source et garantie de la liberté d'esprit et d'expression.

Décembre 1988.

APPENDICE

TABLEAU I

La francophonie ontarienne

	centre	*est*	*centre-nord*	*nord-est*	*nord-ouest*	*ouest*	*TOTAL*
Population ontarienne totale	5 775 790	1 121 665	317 595	283 155	228 975	1 273 985	9 001 170
Langue maternelle française							
Français seulement	86 620	173 055	57 575	70 515	8 940	26 070	422 770
Français et anglais	28 975	28 665	13 620	12 770	2 365	10 520	96 910
Français, anglais, autres	6 635	1 810	415	220	120	645	9 850
Français et autres	2 460	555	160	105	25	390	3 700
TOTAL	124 690	204 085	71 770	83 610	11 450	37 620	533 230
% francophones/population totale	2,2	18,2	22,6	29,5	5,0	3,0	5,9
Langue parlée à la maison							
Français seulement	31 155	131 600	39 570	57 125	4 230	8 485	272 165
Français et anglais	23 010	28 060	13 405	11 795	2 065	7 605	85 940
Français, anglais et autres	2 430	805	155	95	30	215	3 725
Français et autres	555	385	30	50	—	35	1 055
Autres	67 540	43 235	18 610	14 550	5 125	21 285	170 350
TOTAL	124 690	204 085	71 770	83 615	11 450	37 625	533 235
% français parlée/pop. totale	1,0	14,3	16,7	24,4	2,8	1,3	4,3
% lang. franç. parlée/maternelle	45,8	78,8	74,1	82,6	55,2	43,4	68,1
% lang. franç. parlée seulement/langue maternelle	25,0	64,5	55,1	68,3	36,9	22,6	51,0

Source : Statistique Canada, *Recensement de 1986* (Catalogue 93-153)

NOTES

1 Voir Gaston Tremblay, « Genèse d'éditions francophones en Ontario », *Revue du Nouvel-Ontario* [sic], n° 4, 1982, p. 1–20.

2 Voir Murray Maltais, « Gaston Tremblay, éditeur et... poète », *Le Droit*, 9 février 1980, p. 19.

3 Sudbury, Éditions Prise de parole, 1973, 63 p. [La page de titre ne porte pas de nom d'auteur. La préface de Fernand Dorais est suivie de quatre groupes de poèmes signés, dans l'ordre suivant, par Gaston Tremblay, Denis St-Jules, Placide Gaboury et Jean Lalonde.]

4 10 avril, p. 1.

5 P. [8].

6 René Dionne, « GIÉFO (Groupe interuniversitaire d'études franco-ontariennes) », *Bulletin du Centre de recherche en civilisation canadienne-française*, n° 18, avril 1979, p. 1–4.

7 *Ibid.*, p. 3.

8 Voir R. Dionne, « Le GIÉFO à l'Université d'Ottawa », *ibid.*, p. 5–6; Benoît Cazabon, « Les Études franco-ontariennes à l'Université Laurentienne. Trois Années de travail », *ibid.*, p. 7–9; Denis Pion, « Deux Ans d'opération au sein du GIÉFO », *ibid.*, p. 11.

9 Voir Gaétan Gervais, « Le *Dictionnaire des écrits de l'Ontario français* (DÉOF) », *Revue d'histoire littéraire du Québec et du Canada français*, n° 8, été-automne 1984, p. 249–252.

10 R. Dionne, *Bibliographie de la littérature outaouaise et franco-ontarienne*, coll. « Documents de travail du Centre de recherche en civilisation canadienne-française », 10, Ottawa, Université d'Ottawa (CRCCF), 1978, 91 p.; deuxième édition, révisée et augmentée, 1981, viii, 204 p. Une troisième édition est en voie d'achèvement; c'est elle que nous utilisons pour le présent essai. Révisée et beaucoup augmentée, elle comprend d'abord une bibliographie générale, puis une liste chronologique des œuvres, une bibliographie analytique selon les genres (21 sections) et sept index (auteurs, titres, lieux d'édition, maisons d'édition, collections, cotes de bibliothèque).

11 Voir R. Dionne, « La Littérature régionale. Définition et problèmes », *Revue d'histoire littéraire du Québec et du Canada français*, n° 3, hiver-printemps 1982, p. 10–16; aussi *id.*, « La Littérature outaouaise. Une littérature des deux rives », *Le Droit*, 2 avril 1983, p. 20.

12 Voir Olga Jurgens, « Brûlé, Étienne », dans *Dictionnaire biographique du Canada [DBC]*, vol. 1 : *de l'an 1000 à 1700*, sous la direction de George W. Brown, Québec, PUL, 1966, p. 134–136.

13 Voir *Œuvres de Champlain*, présenté[es] par Georges-Émile Giguère, Montréal, Éditions du jour, 1973, t. 1, p. 427–475.

14 Voir *ibid.*, p. 507–591.

15 Hubert Deschamps, *Les Voyages de Samuel de Champlain, Saintongeais, père du Canada*, introduction, choix de textes et notes par H.D., coll. « Colonies et empires ; deuxième série : les classiques de la colonisation », 5, Paris, PUF, 1951, p. 24.

16 Voir Marcel Trudel, « Vignau, Nicolas de », dans *DBC*, vol. 1, p. 678–679.

17 Présentation par Marcel Trudel, coll. « Cahiers du Québec : documents d'histoire », 27, Montréal, Hurtubise HMH, 1976, liii, 268 p.; texte établi par Réal Ouellet, introduction et notes par Réal Ouellet et Jack Warwick, Montréal, BQ, 1990, 383[1] p.

18 P. 23–42, dans *Relations des jésuites [...]*, t. 1 : *1611–1636*, Montréal, Éditions du Jour, 1972.

19 P. 76–139, *ibid.*

20 Voir David M. Hayne, « Lom d'Arce de Lahontan, Louis Armand de », dans *DBC*, vol. 2 : *de 1701 à 1740*, sous la direction de David M. Hayne, Québec, PUL, 1969, p. 458–464; aussi Aline Côté-Lachapelle, Réal Ouellet, Claude Rigault et Hélène Vachon, dans *Dictionnaire des œuvres littéraires du Québec [DOLQ]*, t. 1 : *des origines à 1900*, sous la direction de Maurice Lemire, 2e éd., revue, corrigée et mise à jour, Montréal, Fides, 1980, p. 533–543.

21 *Voyages du baron de La Hontan dans l'Amérique septentrionale [...]*, seconde édition, revue, corrigée et augmentée [À Amsterdam, chez François l'Honoré, 1705], Montréal, Éditions Élysée, 1974, [24], 376 p.; Lahontan, *Œuvres complètes*, édition critique par Réal Ouellet, avec la collaboration d'Alain Beaulieu, coll. « Bibliothèque du Nouveau Monde », Montréal, PUM, 1990, t. 1, p. [241]–520.

22 *Mémoires de l'Amérique septentrionale [...]*, seconde édition [À Amsterdam, chez François l'Honoré & compagnie, 1705], Montréal, Éditions Élysée, 1974, 196 p. [suivi de *Dictionnaire de la langue des sauvages*]; Lahontan, *Œuvres complètes*, t. 1, p. [521]–771.

23 *Dialogues avec un sauvage*, introduction et notes par Maurice Roelens, coll. « Les Classiques du peuple », Paris, Éditions sociales, 1973, 179 p.; Lahontan, *Œuvres complètes*, t. 2, p. 801–885.

24 Gideon D. Scull (ed.), *Voyages of Peter Esprit Radisson*, being an account of his travels and experiences among the North American Indians from 1652 to 1684, transcribed from original manuscripts in the Bodleian Library and the British Museum, with historical illustrations and an introduction, « Publications of the Prince Society », 16, Boston, The Prince Society, 1885, 385 p.

25 « Les Explorateurs par voie de terre jusqu'à 1860 », dans Carl F. Klinck (dir.), *Histoire littéraire du Canada. Littérature canadienne de langue anglaise*, traduit de l'anglais par Maurice Lebel, Québec, PUL, 1970, p. 45.

26 *Ibid.*, p. 46.

27 Voir Grace Lee Nute, « Radisson, Pierre-Esprit », dans *DBC*, vol. 2, p. 558–563.

28 *Journal de l'expédition du chevalier de Troyes à la baie d'Hudson, en 1686*, édité et annoté par l'abbé Ivanhoë Caron, Beauceville, la Compagnie de « l'Éclaireur ». 1918, ix, 136 p. Voir Léopold Lamontagne, « Troyes, Pierre de, dit chevalier de Troyes », dans *DBC*, vol. 1, p. 668–669.

29 Voir « Introduction », in *Twenty Years of York Factory, 1694–1714 : Jeremie's Account of Hudson Strait and Bay*, translated from the French edition of 1720, with notes and introduction by R. Douglas and J.N. Wallace, Ottawa, Thorburn and Abbott, 1926, p. 5; aussi Jacques Rousseau, « Jérémie, dit Lamontagne, Nicolas », dans *DBC*, vol. 2, p. 307–311.

30 *Mémoire sur les mœurs, coustumes* [sic] *et relligion* [sic] *des sauvages de l'Amérique septentrionale*, publié pour la première fois par le R.P. J. Tailhan, S.J., coll. « Bibliotheca Americana », Leipzig & Paris, Librairie A. Franck, 1864, xliii, 341 p. Voir Claude Perrault [et collaborateurs], « Perrot, Nicolas », dans *DBC*, vol. 2, p. 540–543.

31 *Ontario Historical Society Papers and Records*, Vol. IV : *Exploration of the Great Lakes, 1669–1670*, by Dollier de Casson and de Bréhant de Galinée, Galinée's narrative and map with an English version, including all the map-legends, illustrated with portraits, maps, views, a bibliography, cartograph and annotations, translator and editor James H. Coyne, Part I, Toronto, Published by the Society, 1903, xxxvii, 89 p. Voir Olivier Maurault, « Bréhant de Galinée, René de », dans *DBC*, vol. 1, p. 129–130, et Jacques Mathieu, « Dollier de Casson, François », *ibid.*, vol. 2, p. 198–204.

32 Mis au jour par le Sr Louis Crespel, son frère, [à Francfort sur le Meyn, 1742], Québec, Imprimerie A. Côté et cie, 1884, p. 1–25. Voir Jean-Guy Pelletier, « Crespel, Emmanuel (baptisé Jacques Philippe) », dans *DBC*, vol. 4 : *de 1771 à 1800*, sous la direction de Francess G. Halpenny, Québec, PUL, 1980, p. 196–197. À ces textes, il faudrait ajouter ceux qu'Alain Nabarra, Davis Haavisto et Marilee Mucha ont cités ou mentionnés aux pages 52 à 120 de leur ouvrage *les Pays d'en haut, 1620–1900. Explorateurs, voyageurs, missionnaires, dans le Nord-Ouest de l'Ontario*, chronologie, anthologie, bibliographie, Thunder Bay, Information Nord-Ouest, 1980, [2], 199 f.

33 4 tomes, [À Paris, Jean-Luc Nion et François Didot, 1722, 370, 356, 310 et 271 p.], Ann Arbor (Michigan), University Microfilms Limited, 1969. Voir Léon Pouliot, « Leroy, dit Bacqueville de la Potherie, Claude-Charles », dans *DBC*, vol. 2, p. 439–441.

34 3 volumes, [À Paris, chez Nyon fils, 1744], Montréal, Éditions Élysée, 1976, [8], xxvi, 664; [6], xvi, 582, 56; [4], xx, xiv, 543, lxiv p. Voir David M. Hayne, « Charlevoix, Pierre-François-Xavier de », dans *DBC*, vol. 3 : *de 1741 à 1770*, sous la direction de Francess G. Halpenny, Québec, PUL, 1974, p. 111–118.

35 Voir A. Nabarra, D. Haavisto et M. Mucha, *Les Pays d'en haut, 1620–1900*, p. 32–33.

36 Voir Robert Choquette, *L'Ontario français. Historique*, coll. « L'Ontario fran-

çais », Montréal, Éditions Études vivantes, 1980, p. 76–78, 95–97; Gaetan Vallières, *L'Ontario français par les documents*, coll. « L'Ontario français », Montréal, Éditions Études vivantes, 1980, p. 45–57.

37 R. Choquette, *L'Ontario français. Historique*, p. 78.

38 *Ibid.*, p. 150–162; Arthur Godbout, *L'Origine des écoles françaises dans l'Ontario*, Ottawa, Éditions de l'Université d'Ottawa, 1972, xvi, 183 p.; *id.*, *Historique de l'enseignement français dans l'Ontario, 1676–1976*, Ottawa, Centre franco-ontarien de ressources pédagogiques, 1979, p. 10–33; Roger Guindon, *Coexistence difficile. La Dualité linguistique à l'Université d'Ottawa*, vol. 1 : *1848–1898*, Ottawa, les Presses de l'Université d'Ottawa, 1989, p. 1–52.

39 Préface de Claude Manceron, coll. « Étranges étrangers », Paris, Aubier Montaigne, 1978, 191 p.

40 Dans Louis-P. Cormier, *Jean-Baptiste Perrault, marchand voyageur, parti de Montréal le 28ᵉ de mai 1783*, Montréal, Boréal Express, 1978, 170 p. — Mentionnons aussi, qui raconte sa descente du lac Winnipeg à Montréal et décrit Fort William, Gabriel Franchère, *Journal d'un voyage sur la côte du nord-ouest de l'Amérique septentrionale, pendant les années 1811–12, 13, et 1814*, dans *The Journal of Gabriel Franchère*, « The Publications of the Champlain Society », Toronto, The Champlain Society, 1969, p. 313–322.

41 *Mœurs et légendes canadiennes*, édition populaire, Montréal, Librairie Saint-Joseph, Cadieux et Derome, 1884, 240 p. Le texte avait d'abord paru dans *les Soirées canadiennes*, vol. 3, 1863, p. 13–260.

42 *L'Appel du Nord dans la littérature canadienne-française*, essai, traduit par Jean Simard, coll. « Constantes », 30, Montréal, Hurtubise/HMH, 1972, p. 85–89; *id.*, « *Forestiers et voyageurs* », dans *DOLQ*, t. 1, p. 275–278.

43 Voir *Chansonnier franco-ontarien*, compilé et annoté par Germain Lemieux, t. 1, Sudbury, University de Sudbury (Centre franco-ontarien de folklore), 1974, p. 18–19, 68–71 ; t. 2, 1975, p. 42–43.

44 « Les Chansons populaires et historiques du Canada », *Le Foyer canadien*, vol. 1, 1863, p. 363–373. Voir aussi *Chansons populaires du Canada*, recueillies et publiées avec annotations, etc., par Ernest Gagnon, 5ᵉ éd., Montréal, Librairie Beauchemin, 1908, p. 100–104.

45 Voir l'édition critique que Marius Barbeau en a donnée dans le *Journal of American Folklore*, April-June 1954, p. 163–183.

46 La publication des *Relations des jésuites*, arrêtée en 1673, puis continuée de 1702 à 1776 avec les *Lettres édifiantes et curieuses* (34 volumes), avait repris au début de la décennie de 1840.

47 Éditées et commentées par Lorenzo Cadieux, Montréal, Éditions Bellarmin, et Paris, Maisonneuve et Larose, 1973, 951 p.

48 Voir Elizabeth Arthur, « Frémiot, Nicolas-Marie-Joseph (baptisé Nicolas-Joseph) », dans *DBC*, vol. 8 : *de 1851 à 1860*, sous la direction de Francess G. Halpenny, Québec, PUL, 1985, p. 341–343.

49 L. Cadieux, *Lettres des nouvelles missions du Canada, 1843–1852*, p. 707–741.
50 *Ibid.*, p. 886.
51 *Ibid.*, p. 433–444.
52 Il n'en est même fait aucune mention dans le premier tome du *DOLQ*.
53 Nous avons laissé de côté l'écrivain et voyageur français Xavier Marmier qui a peu parlé de l'Ontario, qu'il n'avait guère vu que durant sa remontée rapide du Saint-Laurent de Montréal à Niagara; si une partie de l'action romanesque de *Gazida* (Paris, Librairie de L. Hachette, 1860, 463 p.) se situe au sud de l'Outaouais et dans la région des Grands Lacs, il reste que ce cadre n'est pas décrit avec précision, mais évoqué vaguement à partir des lectures que Marmier a faites. Voir Jean Ménard, *Xavier Marmier et le Canada, avec des documents inédits. Relations franco-canadiennes au XIXe siècle*, coll. « Vie des lettres canadiennes », 4, Québec, PUL, 1967, xi, 311 p.
54 Poésies, Montréal, Eusèbe Senécal, 208 p.
55 Ottawa, Imprimerie du journal « Le Canada », 1880, 68 p.
56 Voir *Cinquante-six Ans de vie littéraire. Benjamin Sulte et son œuvre*, essai de bibliographie des travaux historiques et littéraires (1860–1916) de ce polygraphe canadien, précédé d'une notice biographique par Gérard Malchelosse, d'un poème inédit par Albert Ferland et d'une préface par Casimir Hébert, coll. « Laurentienne », Montréal, « le Pays laurentien », 1916, 78 p.
57 *Les Québecquoises*, Typographie de C. Darveau, 1876, 223 p.; *Les Feuilles d'érable*, poésies canadiennes, Montréal, Typographie Gebhardt-Berthiaume, 1890, 241 p.
58 *Le Lauréat. Critique des œuvres de M. Louis Fréchette*, Québec, Léger Brousseau, 1894, xvi, 327 p.; *Deux Copains. Réplique à MM. Fréchette et Sauvalle*, Québec, Léger Brousseau, 1894, 155 p.
59 Poésies canadiennes, Paris, Librairies-Imprimeries réunies, Motteroz, Martinet, 353 p.
60 (Poésies canadiennes), Paris, Éditions de la « Revue des poètes », 258 p.
61 Paris, Éditions de « la Revue des poètes », 242 p.
62 *William Chapman*, textes présentés et annotés par Jean Ménard, coll. « Classiques canadiens », 36, Montréal, Fides, 1968, p. 23.
63 *Les Aspirations*, p. 61–64.
64 *Ibid.*, p. 65.
65 *Le Parler français*, vol. 14, septembre 1915-septembre 1916, [décembre 1915], p. 161–163.
66 Montréal, Librairie Beauchemin, 1906, 220 p.
67 *Chansonnier politique du « Canard »*, [publié sous le pseudonyme « Le Père Louison »], (avec musique), Montréal, des Presses à vapeur du « Canard », 1879, 61 p.; *Caprices poétiques et chansons satiriques*, Montréal, A. Filiatrault, 1883, viii, 311 p.
68 *Coups d'ailes et coups de bec*, poésies diverses, Montréal, Imprimerie Gebhardt-

Berthiaume, 1888, 268 p.; *Boutades et rêveries*, poésies diverses, Fall River (Mass.), Société de publication de « l'Indépendant », 1893, 320 p.; *Vers l'idéal*, Ottawa, Imprimerie commerciale, 1912, 351 p.

69 On trouve même une comédie : « À trompeuse, trompeur et demi » (*Boutades et rêveries*, p. 289–316), et le texte d'un opéra (joué à Ottawa le 26 juin 1906) : « L'Intransigeant » (*Vers l'idéal*, p. 68–126).

70 Poésies canadiennes, Montréal, J.-P. Bédard, 206 p.

71 Outaouais, A. Bureau, [6], 217, v p.

72 *Jean Rivard, le défricheur*, récit de la vie réelle, et *Jean Rivard, économiste*, pour faire suite à *Jean Rivard, le défricheur*, 2e éd. revue et corrigée, Montréal, J.-B. Rolland & fils, viii, 207 et 229 p. Voir R. Dionne, *Antoine Gérin-Lajoie, homme de lettres*, coll. « Études », 16, Sherbrooke, Éditions Naaman, 1978, p. 248–259.

73 Montréal, Typographie de « la Patrie », 437 p.

74 Marmette s'établit à Ottawa en 1883 après être passé, l'année précédente, de l'emploi du gouvernement provincial à celui du fédéral. Voir Roger Le Moine, *Joseph Marmette. Sa vie, son œuvre, suivi de « À travers la vie », roman de mœurs canadiennes de Joseph Marmette*, coll. « Vie des lettres canadiennes », 5, Québec, PUL, 1968, p. 65, 75.

75 Voir *ibid.*, p. 135–227.

76 *Ou le Trésor des montagnes de roches*, épisode d'un voyage à la découverte de la mer de l'Ouest, en 1750–51–52, Montréal, Leprohon & Leprohon, 1897, 74 p. Roy publiera deux autres romans : *le Manoir hanté*, récit canadien, coll. « Cahiers populaires », Montréal, Carrier, 1928, 227 p.; *la Main de fer*, roman historique canadien, coll. « Le Roman canadien », Montréal, Éditions Édouard Garand, 1931, 54 p.

77 Nouvelle, Montréal, A.-P. Pigeon, 170 p. Voir Jean-Charles Falardeau, *Notre société et son roman*, coll. « Sciences de l'homme & humanisme », 1, Montréal, Éditions HMH, 1967, p. 11–38 : « Thèmes sociaux et idéologies dans des romans canadiens du XIXe siècle ». Bouchette a publié deux ouvrages d'économie : *Emparons-nous de l'industrie*, Ottawa, Imprimerie générale, 1901, 41 p.; *Études sociales et économiques sur le Canada*, Montréal, « la Revue canadienne », 1905, 196 p., qui sera connu sous le titre *l'Indépendance économique du Canada français*, à partir de la deuxième édition (1906).

78 Roman, Montréal, Imprimerie Guertin, 1906, 187 p.

79 Roman des jours héroïques du Canada sous la domination française, Montréal, la Cie de publication « la Patrie », 1910, 65 p.

80 *La Caverne de Wakefield, comté d'Ottawa*, Montréal, la Compagnie Burland-Desbarats, 1875, 28 p.; *Mélanges d'histoire et de littérature*, 4 vol., Ottawa, J. Bureau, 1876, 499 p. [pagination continue]; *Au coin du feu. Histoire et fantaisie*, Québec, Blumhart & cie, 1877, 208 p.; *Historiettes et fantaisies*, [s.l.n.é.], 1896, 96 p.; *Histoire de Jos Montferrand, l'athlète canadien*, 2e éd., Montréal,

J.-B. Camyré et cie, 1884, 48 p. Voir la liste des contes dans Aurélien Boivin, *Le Conte littéraire québécois au XIXe siècle. Essai de bibliographie critique et analytique*, préface de Maurice Lemire, Montréal, Fides, 1975, p. 344–355.

81 Voir Sylva Clapin, *Contes et nouvelles*, édition préparée et présentée par Gilles Dorion avec la collaboration d'Aurélien Boivin, coll. du « Nénuphar », 58, Montréal, Fides, 1980, 398 p.

82 Voir la liste dans Aurélien Boivin, *Le Conte littéraire québécois au XIXe siècle*, p. 325–331.

83 Ottawa, The Mortimer Co. Limited, 83 p.

84 Farce en un acte, à trois personnages, suivie du dialogue-bouffe « le Sourd », Montréal, C.-O. Beauchemin & fils, 105 p.

85 Farce en un acte, suivie du fameux discours de Baptiste Tranchemontagne : « Qu'est-ce que la politique? », Montréal, C.-O. Beauchemin & fils, 36 p.

86 Contes joyeux des champs, en prose rimée, Montréal, Gérard Malchelosse, 137 p.

87 Petits monologues comiques, en prose rimée, Montréal, les Cahiers populaires, 105 p. Autre dramaturge de l'époque, Augustin Laperrière (1829–1903) a publié trois pièces de théâtre, mais il est surtout connu comme compilateur des *Guêpes canadiennes* [recueils d'articles de journaux], 2 vol., Ottawa, A. Bureau, 1881 et 1882, 401, ii, et 350, ii p.

88 Québec, Typographie de C. Darveau, 259 p.

89 Rivière-Ouelle, Manoir d'Airvault, 1869, 254 p.

90 Ottawa, W.T. Masson, 517 p.

91 Origine, histoire, religion, guerres, découvertes, colonisation, coutumes, vie domestique, sociale et politique, développement, avenir, 8 vol., Montréal, Wilson & cie, 160, 160, 162, 160, 161, 160, 161, 160 p.

92 Histoire de l'établissement du gouvernement responsable, Québec, Typographie de L.-J. Demers & frère, 619 p. Voir R. Dionne, *Antoine Gérin-Lajoie, homme de lettres*, p. 280–287.

93 2 vol., Ottawa, Cie d'Imprimerie d'Ottawa, 1897, xix, 609 et 507, xxviii p. Il importe aussi de mentionner les historiens suivants, qui ont tous œuvré à Ottawa comme fonctionnaires : Stanislas Drapeau (1821–1893), Alfred-Duclos De Celles (1843–1925), Cyprien Tanguay (1819–1902), Joseph Tassé (1848–1895). Télesphore Saint-Pierre (1869–1912) a écrit une *Histoire des Canadiens du Michigan et du comté d'Essex*, Montréal, « la Gazette », 1895, [2] 348 p.

94 *Wilfrid Laurier à la tribune, 1871–1890*, recueil des principaux discours prononcés au Parlement ou devant le peuple par l'Honorable W. Laurier [...] depuis son entrée dans la politique active en 1871, édition française compilée par Ulric Barthe [...], Québec, Des presses à vapeur de Turcotte & Ménard, 1890, xxxii, 617, x p.; Wilfrid Laurier, *Discours à l'étranger et au Canada*, Montréal, Librairie Beauchemin limitée, 1909, xcix, 472 p.; Alfred-D. De Celles, *Discours de Sir Wilfrid Laurier, de 1889 à 1911*, Montréal, Librairie Beauchemin limitée, 1920, 263 p.

95 Il faut noter ici que la vie culturelle d'Ottawa est nourrie aussi par les francophones de Hull et des municipalités environnantes; en tous domaines, les échanges sont nombreux et constants entre les habitants des deux rives.

96 Voir Marcel Fortin, *Le Théâtre d'expression française dans l'Outaouais, des origines à 1967*, thèse de Ph.D. (lettres françaises), 2 vol., Université d'Ottawa, 1985, 462 et 214 p.

97 Nous avons laissé de côté Arthur Buies, qui a décrit plusieurs parties de l'Ontario en 1889 et 1890 dans *l'Outaouais supérieur* (*passim*) et *Récits et voyages* (p. 3–131), et les voyageurs canadiens qui n'ont fait que passer en Ontario, tel F.-H. St-Germain, dont quelques pages seulement (p. 11–17, 184–205) de *Souvenirs et impressions de voyage au Nord-Ouest canadien* (Arthabaska, la Compagnie d'imprimerie d'Arthabaskaville, 1907, 226 p.) ont trait à l'Ontario; les passages les plus intéressants de ce dernier livre ont été reproduits par A. Nabarra, D. Haavisto et M. Mucha, *Les Pays d'en haut, 1620–1900*, p. 167–175. Nous avons également omis les voyageurs venus de France; un seul, H. de Lamothe (*Cinq Mois chez les Français d'Amérique. Voyage au Canada et à la Rivière Rouge du Nord*, Paris, Librairie Hachette et cie, 1879, iv, 373 p.), a consacré un nombre important de pages à l'Ontario (environ 150). Voir, pour ces voyageurs français de la fin du XIXe siècle et du début du XXe, Yves Lefier, « Vision française de l'Ontario francophone », *Revue du Nouvel-Ontario* [sic], n° 6, 1984, p. 15–24.

98 Voir R. Choquette, *L'Ontario français. Historique*, p. 78, 162–171 ; G. Vallières, *L'Ontario français par les documents*, p. 93–97, 148–159.

99 Voir R. Choquette, *L'Ontario français. Historique*, p. 171–196; G. Vallières, *L'Ontario français par les documents*, p. 161–187; Arthur Godbout, *Nos écoles franco-ontariennes. Histoire des écoles de langue française dans l'Ontario, des origines du système scolaire (1841) jusqu'à nos jours*, Ottawa, Éditions de l'Université d'Ottawa, 1980, p. 49–74; Lionel Groulx, *L'Enseignement français au Canada*, t. 2 : *les écoles des minorités*, Montréal, Librairie Granger frères, 1933, p. 194–239 : « Les Écoles franco-ontariennes ».

100 Voir Laurent Tremblay, *Entre deux livraisons, 1913–1963*, Ottawa, « le Droit », 1963, 216 p.

101 Voir Paul-François Sylvestre, « Cent Ans de presse francophone dans le Sud-Ouest ontarien », dans *Propos sur la littérature outaouaise et franco-ontarienne*, introduction et choix de textes par R. Dionne, t. 4, Ottawa, Université d'Ottawa (CRCCF), 1983, p. 100–110.

102 Voir Suzanne Lafrenière, « Le Rédacteur de *la Justice* (1912–1913) », *ibid.*, p. 89–99.

103 « Discours de l'Honorable N.-A. Belcourt », dans *Congrès d'éducation des Canadiens-Français* [sic] *d'Ontario, 1910*, rapport officiel des séances tenues à Ottawa du 18 au 20 janvier 1910, Ottawa, Association canadienne-française d'éducation, 1910, p. 216–228.

104 Jules Tremblay, *Le Français en Ontario*, [...], Montréal, Arthur Nault, 1913, 36 p.

105 Philippe Landry, *La Question scolaire de l'Ontario. Le Désaveu*, [...], Québec, Imprimerie Dussault & Proulx, 1916, p. 4–14.

106 *Ibid.*, p. 14–31.

107 *Ibid.*. p. 31–34.

108 Roman, Montréal, Bibliothèque de l'Action française, 279 p.

109 Voir R. Dionne, « *L'Appel de la race* est-il un roman raciste? », *Propos sur la littérature outaouaise et franco-ontarienne*, t. 2, Ottawa, la Société des écrivains canadiens (section d'Ottawa-Hull), 1979, p. 71–76.

110 Voir Bruno Lafleur, « Introduction », *L'Appel de la race*, coll. du « Nénuphar », 15, Montréal, Fides, 1956, p. 9–93; aussi M. Lemire, *DOLQ*, t. 2 : *1900–1939*, Montréal, Fides, 1980, p. 51–59.

111 [Préface par Alphonse Beauregard], Montréal, Librairie Beauchemin, 228 p.

112 Ottawa, Imprimerie Beauregard, 77 p.

113 Quatrains, Ottawa, Imprimerie Beauregard, 61 p.

114 Ottawa, Imprimerie Beauregard, 75 p.

115 (Hommage du nouvel an 1919), Ottawa, Imprimerie Beauregard, 30 p.

116 *Proses et vers*, par Englebert Gallèze et autres, Montréal, [s.é.], p. 263–271.

117 *Vers le bien*, poèmes, Ottawa, Imprimerie Canadienne, 1916, 86 p.; *Vers le beau*, Ottawa, [s.é.], 1924, 111 p.; *Vers le vrai*, poésies, Montréal, Éditions du Mercure, 1928, 74 p.; [en collaboration avec William Wilkie Edgar], *Duets in Verse* (French and English), Ottawa, Graphic, 1929, 81 p.; *Reflets d'opales*, Montréal, [s.é.], 1945, 219 p.

118 Préface de J.-A. Foisy, Ottawa, « le Droit », 43 p.

119 Ottawa, « le Droit », 1920, 71 p.

120 Poésies, préface du Chanoine Émile Chartier, Montréal, les Éditions du « Devoir », 1925, 179 p.

121 Préface de M. l'abbé Camille Roy, Québec, « l'Action sociale », 96 p.

122 Préface de l'honorable Rodolphe Lemieux, Montréal, Librairie Beauchemin, 192 p.

123 *Lettres parisiennes, croquis canadiens, chroniques, voyages et fantaisies*, préface de M. l'abbé Thellier de Poncheville, Québec, « l'Action sociale », 251 p.

124 Montréal, Librairie Beauchemin, 234 p.

125 Préface du chanoine Stephen Coubé, avant-propos de l'abbé J.-N. Dupuis, avant-mot d'Émile Vaillancourt, Montréal, Éditions Édouard Garant, 80 p.

126 Marcel Fortin, *Le Théâtre d'expression française dans l'Outaouais, des origines à 1967*, p. 168.

127 Voir Germain Lemieux, *Les Jongleurs du billochet. Conteurs et contes franco-ontariens*, préface de Jean-d'Auteuil Richard, coll. « Documents historiques [de la Société historique du Nouvel-Ontario (*sic*)] », p. 61–63, Montréal, les Éditions Bellarmin, et Paris, Maisonneuve et Larose, 1972, p. 27–28.

128 Pour une présentation de l'auteur et de son œuvre entière, voir Jean Du Berger, « Germain Lemieux et le folklore », *Revue d'histoire littéraire du Québec et du Canada français*, n° 12, été-automne 1986, p. 109–139.

129 Contes franco-ontariens, recueillis et annotés par Germain Lemieux, coll. « Publications du Centre franco-ontarien de folklore », Montréal, Éditions Bellarmin, et Paris, Maisonneuve et Larose, 1973–1991.

130 Voir Jean-Pierre Pichette, « Le Centre franco-ontarien de folklore et le Département de folklore de l'Université de Sudbury (l'ethnologie dans le Nouvel Ontario) », dans *Quatre Siècles d'identité canadienne*, sous la direction de R. Dionne, Montréal, les Éditions Bellarmin, 1983, p. 113–128.

131 Voir, entre autres, Pierre Karch, « Une lecture rassurante : *Les vieux m'ont conté* », *Revue d'histoire littéraire du Québec et du Canada français*, n° 12, été-automne 1986, p. 141–150; Mariel O'Neil-Karch, « Les Formules initiales des conteurs franco-ontariens », *ibid.*, p. 151–156.

132 Voir Roger Saint-Denis et autres, *Rapport du comité franco-ontarien d'enquête culturelle*, Ottawa, [s.é.], 1969, p. 37.

133 Voir Robert Choquette, *La Foi, gardienne de la langue en Ontario, 1900–1950*, Montréal, les Éditions Bellarmin, 1987, p. 233–263.

134 Voir G. Vallières, *L'Ontario français par les documents*, p. 188–189; Gaétan Gervais, « L'Enseignement supérieur en Ontario français (1848–1965) », *Revue du Nouvel-Ontario*, n° 7, 1985, p. 37, 43.

135 Paris, Éditions de la Lyre et de la Croix, 155 p.

136 Paris, Éditions de la Lyre et de la Croix, et Montréal, Éditions du Lévrier, 43 p.

137 Québec, Éditions « le Soleil », 190 p.

138 Préface de Louis Dantin, Paris, Éditions Pierre Roger, 31 p.

139 Préface de M. Fernand Gregh, Paris, Éditions de la Caravelle, 195 p.

140 René Pageau, *Rencontres avec Simone Routier suivies des lettres d'Alain Grandbois*, Joliette, les Éditions de la Parabole, 1978, p. 33.

141 *Les Psaumes du jardin clos*, p. 11, note 1.

142 Poèmes, Montréal, les Éditions de Malte, 82 p.

143 Montréal, les Éditions de l'Hexagone, [46] p.

144 Montréal, les Éditions de l'Hexagone, 55 p.

145 Poèmes, coll. « Sur parole », Montréal, Hurtubise HMH, 183 p.

146 *Ou l'Angoisse et la volupté d'être*, poésie, Montréal, l'Hexagone, 104 p.

147 Poèmes, [s.l.n.é.], 52 p.

148 Montréal, [s.é.], [s.p.].

149 « Le Ban de vendange », *Il fait clair de glaise*, [s.p.].

150 Choix de poèmes (1956–1972), suivi d'une étude de Laurent Lavoie, Moncton, Éditions d'Acadie, [c1974; achevé d'imprimer en janvier 1975], 140 p.

151 Montréal, Éditions d'Orphée, 103[3] p.

152 Montréal, Beauchemin, 94 p.

153 Poèmes, Éditions Garneau, 59[3] p.

154 *Paysages en contrebande...*, p. 66.
155 Guy Lafond, « Art poétique », *Poèmes de l'Un*, coll. « Florilège », Montréal, Éditions Voltaire, 1968, p. 85.
156 Dans Thérèse Renaud, « La Poésie est mon athanor. Entretien avec Guy Lafond », *Voix et images*, vol. 4, n° 2, décembre 1978, p. 186.
157 Montréal, Éditions d'essai, [s.p.].
158 89[2] p.
159 Poème, Montréal, les Éditions Gueules d'azur, 75 p.
160 Poèmes, coll. « Sur parole », Montréal, Hurtubise HMH, 70[2] p.
161 Roman canadien, [préface de Honoré Parent], Montréal, les Éditions du « Devoir », 199 p.
162 Roman, Paris, Gallimard, 1938, 209[2] p.; coll. du « Nénuphar », 4, Montréal, Fides, 207 p.
163 Réjean Robidoux et André Renaud, *Le Roman canadien-français du vingtième siècle*, coll. « Visage des lettres canadiennes », 3, Ottawa, Éditions de l'Université d'Ottawa, 1966, p. 60.
164 Roman, Montréal, [Imprimerie populaire], 222 p.
165 Julia Richer, *Léo-Paul Desrosiers*, coll. « Écrivains canadiens d'aujourd'hui », 4, Montréal, Éditions Fides, 1966, p. 74.
166 Montréal, [Imprimerie populaire], 227 p.; le livre paraît après le retour de Desrosiers à Montréal, mais il appartient au premier cycle romanesque de l'auteur.
167 Quatre romans qui constituent un second cycle, trois biographies et un ouvrage historique.
168 Roman, Montréal, Éditions de l'Arbre, 121[2] p.
169 Montréal, Fides, 322[1] p.
170 Roman, coll. « Rêve et vie », Montréal, Fides, 1960, 157 p.
171 Roman, Montréal, [s.é.], 193 p.; [présentation de Gaston Tremblay, 2e éd.], Sudbury, Prise de parole, 1982.
172 Roman, Montréal, Éditions Fernand Pilon, 210 p.; [2e éd.], Sudbury, Prise de parole, 1983, 222 p.
173 Roman, Québec, Institut littéraire du Québec, 263 p.; [note de l'Éditeur, préface de Yolande Grisé, 2e éd.], coll. « Roman », Hearst, Le Nordir, 1989, 215[2] p.
174 Voir Yolande Grisé, « Un *Frenchy* à Chapleau au temps de la crise », dans *Propos sur la littérature outaouaise et franco-ontarienne*, introduction et choix de textes par R. Dionne, t. 3, Ottawa, Université d'Ottawa (CRCCF), 1981, p. 120–124.
175 Québec, Institut littéraire du Québec, 224 p.
176 Coll. « La Belle Équipe », Québec, Institut littéraire de Québec, 252 p.
177 Coll. « Les Romanciers du Jour », R-3, Montréal, les Éditions du Jour, 219 p.
178 Coll. « Les Romans canadiens », Montréal, Éditions Albert Lévesque, 192 p.
179 Montréal, Éditions Beauchemin, 223 p.

180 Roman, [préface de Marius Barbeau], Montréal, Éditions Beauchemin, 88[3] p.
181 Roman, Montréal, Éditions Bernard Valiquette, 216 p.
182 Roman, Montréal, Éditions de la Bibliothèque canadienne et Éditions Beauchemin, 196[1] p.
183 Montréal, Éditions de la Bibliothèque canadienne, 1951, la pagination va de 67 à 94 (tirage à part d'un essai paru, avec cette pagination, dans *Mémoires de la Société royale du Canada*, 1950).
184 Voir Paul Gay, « Une grande dame marquée par les fées de sa jeunesse », dans *Propos sur la littérature outaouaise et franco-ontarienne*, introduction et choix de textes par R. Dionne, coll. « Documents de travail du CRCCF », 11, t. 1, Ottawa, Université d'Ottawa (CRCCF), 1978, p. 48–50.
185 Roman, Montréal, Louis Carrier, Éditions du Mercure, 179[2] p.
186 Roman, Montréal, Éditions Albert Lévesque, 168[1] p.
187 Montréal, Beauchemin, 120[1] p.
188 Contes de folklore canadien, Ottawa, « le Droit », 71[2] p.
189 Montréal, Fides, 160 p.; [2e éd.], coll. « La Grande Aventure », illustrations de Madeleine Laliberté, [vol. 1 :] *Contes populaires gaspésiens*, et [vol. 2 :] *Le Géant Brigandin*, 1956, 96[1] et 108[1] p.
190 Voir Jean Du Berger, « Marius Barbeau : le conte et le conteur », *Études françaises*, vol. 12, nº 1–2, avril 1976, p. 61–70; Clarisse Cardin, *Bio-bibliographie de Marius Barbeau*, précédée d'un « Hommage à Marius Barbeau », par Luc Lacourcière et Félix-Antoine Savard, coll. « Les Archives du folklore », 2, Montréal, Publications de l'Université Laval, Éditions Fides, 1947, 96 p.
191 Illustrations de Phoebé Thomson, Montréal, Éditions Beauchemin, 101[2] p.
192 Illustrations de Phoebé Thomson, Montréal, Éditions Beauchemin, 103[2] p.
193 Illustrations de Phoebé Thomson et Marjorie Borden, Montréal, Éditions Beauchemin, 117 p.
194 12 fascicules, Montréal, Chanteclerc, 1950–1953.
195 Coll. du « Nénuphar », 8, Montréal, Fides, 231 p.
196 *Ordre de Bon-Temps (1606), Mme de Repentigny et sa « manufacture » (1705), Forestiers et voyageurs (1810)*, scènes de folklore représentées au Festival de Québec, mai 1928, Montréal, Louis Carrier & cie, et New York, Éditions du Mercure, 112[1] p.
197 Coll. « Théâtre canadien », Montréal, le Cercle du Livre de France, 285[2] p.
198 Montréal, Éditions Pascal, 325[2] p.
199 En un prologue et un acte, Montréal, Beauchemin, 48 p.
200 Quatre pièces inspirées de l'histoire trifluvienne, coll. « Pages trifluviennes : série C », 8, Trois-Rivières, Éditions du « Bien public », 49[1] p.
201 Ottawa, Éditions du « Droit », 1940, 159 p.
202 Montréal, Éditions de l'Arbre, 1943, 124 p.
203 *Réponse à « Désespoir de vieille fille »*, Montréal, Éditions Beauchemin, 143, 125 p.

204 Roman, édition préliminaire, Ottawa, Thérèse Tardif, 180 p.

205 Paris, PUF, vii, 276 p.

206 Coll. « Publications sériées de l'Université d'Ottawa », 5, 12, 18, 19, 24, 28, 39, 44, 55, Ottawa, Éditions de l'Université, 185[2], 191[2], 202[2], 192[1], 214[1], 222[1], 177[2], 190[1], 193[2] p.

207 Voir Guy Sylvestre, « *Gants du ciel* », *Revue d'histoire littéraire du Québec et du Canada français*, n° 6, été-automne 1983, p. 65–67.

208 Voir François Paré, « L'Hagiographie missionnaire au Canada français. Les Récits de Gaston Carrière », *ibid.*, n° 12, été-automne 1986, p. 157–169.

209 *Mère Élisabeth Bruyère et son œuvre. Les Sœurs Grises de la Croix d'Ottawa*, t. 1 : *mouvement général, 1845–1876*, préface de Son Éminence le cardinal Rodrigue Villeneuve, Ottawa, Maison mère des sœurs Grises de la Croix, 1945, 405[4] p. ; [t. 2 :] *Les Sœurs Grises de la Croix d'Ottawa. Mouvement général de l'Institut, 1876–1967*, Ottawa, Maison mère des sœurs Grises de la Croix, 1967, 390[1] p.

210 t. 1 : *des origines au régime royal*, t 2 : *du régime royal au traité d'Utrecht, 1663–1713*, t. 3 : *du traité d'Utrecht au traité de Paris, 1713–1763*, Montréal, Librairie Beauchemin, 1960, 1963 et 1964, 460, 370 et 405 p.

211 *Ottawa, capitale du Canada, de son origine à nos jours*, préface de Gustave Lanctot, coll. « Les Publications sériées de l'Université d'Ottawa », 17, Ottawa, Éditions de l'Université d'Ottawa, 1942, 305[6] p. ; *Histoire de la Pointe-Gatineau, 1807–1947*, Montréal, École industrielle des sourds-muets, 1948, 182 p. ; *Hull, 1800–1950*, [préface de J.-Alphonse Moussette], coll. « Les Publications sériées de l'Université d'Ottawa », 35, Ottawa, Éditions de l'Université d'Ottawa, 1950, 262[3] p. ; *Sainte-Anne d'Ottawa. Cent ans d'histoire, 1873–1973*, Ottawa, Imprimerie Beauregard, 1973, 80 p. ; *Histoire des comtés unis de Prescott et de Russell*, [préface de Elphège Lefebvre, préfet], L'Orignal (Ontario), Conseil des comtés unis, 1965, 377 p.

212 *Milieux agricoles de tradition française*, coll. « Science sociale », Montréal, Éditions de l'A. C.-F., 1938, 218[3] p.

213 Voir Jean-Charles Falardeau, « *Le Type économique et social des Canadiens*, essai de Léon Gérin », dans *DOLQ*, t. 2 : *1900–1939*, Montréal, Fides, 1980, p. 1101–1103.

214 Voir Jean-Pierre Pichette, « Le Centre franco-ontarien de folklore et le Département de folklore de l'Université de Sudbury », dans R. Dionne (dir.), *Quatre Siècles d'identité canadienne*, p. 117–119.

215 *La Langue française au Canada. Son état actuel*, étude canadienne, Ottawa, chez l'Auteur, xxxiii, 187 p. On doit aussi à L. de Montigny un autre sssai sur la langue, *Écrasons le perroquet*, divertissement philologique, Montréal, Fides, 1948, 107 p.

216 Coll. « Nos problèmes », Ottawa, Collège dominicain, 1936, 195[3] p.

217 Voir Émilien Lamirande, *Le Père Georges Simard, O.M.I., (1878–1956). Un disciple de saint Augustin à l'Université d'Ottawa*, préface de Pierre Savard, Ottawa, Éditions de l'Université d'Ottawa, 1981, 91[2] p.
218 Voir Marcel Fortin, « Le Théâtre français à l'Université d'Ottawa (1897–1967) », *Revue d'histoire littéraire du Québec et du Canada français*, n° 13, hiver-printemps 1987, p. 178–182.
219 Voir *id.*, *Le Théâtre d'expression française dans l'Outaouais, des origines à 1967*, p. 158–159.
220 Voir G. Gervais, « L'Enseignement supérieur en Ontario français (1848–1965) », *Revue du Nouvel-Ontario* [sic], n° 7, 1985, p. 37–43.
221 Voir R. Choquette, *L'Ontario français. Historique*, p. 202–228.
222 Voir R. Saint-Denis et autres, *Rapport du comité franco-ontarien d'enquête culturelle*, p. 201–215.
223 *Poèmes, 1960–1983*, coll. « Rétrospectives », Montréal, l'Hexagone, 371[13] p.
224 *Ibid.*, p. 98.
225 *Ibid.*, p. 289.
226 *Ibid.*, p. 89.
227 Jean Ménard, « Postface », *Plages*, édition révisée, Québec, Éditions Garneau, 1972, p. 68. (La première édition avait paru en 1962 : Montréal, Éditions Beauchemin, 63 p.).
228 Montréal, Éditions Beauchemin, 66 p.
229 Québec, Éditions Garneau, 66 p.
230 *Poèmes, 1960–1975 : Symphonie en « Blues », le Matin de l'Infini, les Sentinelles de l'Absence*, [préface de Paul Chamberland], Sudbury, Éditions Prise de parole, 1978, p. 114, 135.
231 « Collection poétique », *Chants de Bohême*, Montréal, Éditions Beauchemin, 1963, 64 p.
232 *Petits Poèmes en mauve*, Paris, Éditions de la Revue moderne, 1969, 77[1] p.
233 *Asies*, Paris, Éditions Bernard Grasset, 1969, 93 p.; *Petits Poèmes presque en prose*, coll. « Sur parole », Montréal, Hurtubise HMH, 1973, 155[2] p.; *Le Prince Dieu*, coll. « Poésie », Montréal, Leméac, 1984, 99 p.
234 *L'Étrange saison*, Montréal, Beauchemin, 1960, 58 p.; *Miroirs fauves*, poèmes, illustrations de Kazuo Nakamura, Québec, Librairie Garneau, 1968, 61 p.
235 Voir Patricia Smart, « *Hasard*, comédie de Gérard Bessette », dans *DOLQ*, t. 3 : *1940–1959*, p. 450–451.
236 « Poètes de notre temps », 101, Monte-Carlo, Regain, 59 p.; coll. « Poètes du Jour », [2e éd.], Montréal, Éditions du Jour, 1972, 59 p.
237 Roman, coll. « Nouvelle-France », 4, Montréal, Cercle du Livre de France, 231 p.
238 Roman, coll. « Nouvelle Prose », Montréal, Déom, 178 p.
239 Roman, coll. « Littérature d'Amérique », Montréal, Québec/Amérique, 278 p.

240 Roman, Montréal, Quinze et Stanké, 155[1] p.

241 Réjean Robidoux, « Le Cycle créateur de Gérard Bessette ou le Fond c'est la forme », dans R. Dionne, *Propos sur la littérature outaouaise et franco-ontarienne*, t. 2, p. 127. R. Robidoux est aussi l'auteur de l'étude la plus documentée et la plus extensive sur Bessette et son œuvre : *la Création de Gérard Bessette*, essai, coll. « Littérature d'Amérique », Montréal, Québec/Amérique, 1987, 210 p.

242 Roman, Paris, Julliard, 173 p.; Montréal, le Cercle du Livre de France, 173 p.

243 Montréal, le Cercle du Livre de France, 309 p.

244 Roman, coll. « Les Romanciers du Jour », R-73, Montréal, Éditions du Jour, 212[1] p.

245 Gabrielle Poulin, *Romans du pays, 1968–1979*, Montréal, les Éditions Bellarmin, 1980, p. 142.

246 Roman d'aventure(s), Montréal, la Presse, 297 p.

247 Roman, Montréal, le Cercle du Livre de France, 192 p.

248 Roman, Montréal, le Cercle du Livre de France, 187 p.

249 Roman, Montréal, le Cercle du Livre de France, 152 p.

250 Robert Vigneault, *Claire Martin. Son œuvre, les réactions de la critique*, préface de Roger Le Moine, Montréal, CLF Pierre Tisseyre, 1975, p. 77.

251 Montréal, le Cercle du Livre de France, 235 p.

252 *Dans un gant de fer, II*, Montréal, le Cercle du Livre de France, 209 p.

253 Montréal, le Cercle du Livre de France, 187 p.

254 *Mater Europa*, Montréal, le Cercle du Livre de France, 1968, p. 135.

255 Coll. « Roman québécois », 61, Montréal, Leméac, 465 p.

256 Coll. « L'Arbre », Montréal, HMH, 159 p.

257 Nouvelles, Montréal, Leméac, 105[4] p.

258 Voir note 233, *supra*.

259 Jean Éthier-Blais a réuni quelques-uns de son millier et plus d'articles de critique dans *Signets, I*, *Signets, II* et *Signets, III*, Montréal, le Cercle du Livre de France, 1967, 1967 et 1973, 192, 247, 269 p. Il est aussi l'auteur de *Autour de Borduas*, essai d'histoire intellectuelle, Montréal, PUM, 1979, 200 p.

260 « L'essentiel exil, c'est d'être loin de soi, de refuser en soi ce que le destin, le hasard, la volonté des siècles, y a mis. » Jean Éthier-Blais, *Dictionnaire de moi-même*, essai, coll. « Échanges », Montréal, la Presse, 1976, p. 46.

261 Jean Éthier-Blais, « Écrire ici » [entrevue par Jean-Pierre Duquette], *Voix et images*, vol. 2, n° 3, avril 1977, p. 310.

262 (Journal littéraire, 1973–1974), Montréal, Éditions Jumonville, 175 p.

263 Récit, Montréal, le Cercle du Livre de France, 153 p.

264 Roman, Montréal, Éditions Jumonville, 212 p.

265 Récit, Montréal, Éditions Jumonville, 179 p.

266 (Récit-reportage), Montréal, Éditions Jumonville, 324 p.

267 (Contes), Montréal, les Éditions de l'Homme, 166 p. ; [2e éd.], Montréal, Éditions Jumonville, 1974.

268 « *Ceux du Chemin-Taché*, recueil de contes d'Adrien Thério », dans *DOLQ*, t. 4 : *1960–1969*, sous la direction de M. Lemire, Montréal, Fides, 1984, p. 135.

269 Époque contemporaine, Montréal, Librairie Déom, 324, 377, 377 p.

270 Roman, Montréal, le Cercle du Livre de France, 159 p.

271 Roman, Montréal, le Cercle du Livre de France, 183 p.

272 Coll. « Témoignages », Montréal, la Presse, 198[1] p.

273 Nouvelles, coll. « Jeunesse », Montréal, le Cercle du Livre de France, 96 p.

274 Nouvelles, Montréal, le Cercle du Livre de France, 184[1] p.

275 Roman, Montréal, Beauchemin, 169 p.

276 Roman, Montréal, les Éditions « À la page », 143 p.

277 Couverture et illustrations par Fylis, Montréal, Librairie Beauchemin, 107 p.

278 Illustré par Édouard Perret, coll. « Le Canoë d'argent », Montréal, Centre de psychologie et de pédagogie, 1962, 58 p.

279 Voir Edgard Demers, « Claude Aubry. Deux Contes en Chine », *Le Droit*, 21 juillet 1984, p. 21.

280 *Trois Pièces en un acte*, une trilogie sur l'incommunicabilité, Ottawa, les Éditions de l'Onde, 109 p.

281 *Le Destin tragique de Cavelier de La Salle*, une pièce en quatre tableaux, Ottawa, les Éditions de l'Onde, 1979, 88 p.

282 Montréal, Beauchemin, 252 p.

283 Montréal, Éditions Beauchemin, 214[3] p.

284 Coll. « Cahiers du CRCCF », 5, Ottawa, Éditions de l'Université d'Ottawa, 1971, 258 p.

285 Avec des documents inédits, relations franco-canadiennes au XIXe siècle, coll. « Vie des lettres canadiennes », 4, Québec, PUL, xi, 210[1] p. Jean Ménard avait déjà publié, en 1956, une étude savante sur un autre écrivain français : *l'Œuvre de Boylesvre*, avec des documents inédits, Paris, Librairie Nizet, 269[2] p.

286 Réjean Robidoux, *Roger Martin du Gard et la religion*, coll. « Les Grandes Âmes, Paris, Aubier, 1964, 395 p.

287 Paul Cimon, *Péguy et le temps présent*, Montréal, Fides, 1964, 104[1] p. ; Robert Vigneault, *L'Univers féminin dans l'œuvre de Charles Péguy*, essai sur l'imagination créatrice d'un poète, coll. « Essais pour notre temps : langue et littérature », 6, Paris, Desclée de Brouwer, et Montréal, les Éditions Bellarmin, 1967, 334 p.

288 René de Chantal, *Marcel Proust, critique littéraire*, préface de Georges Poulet, 2 vol., Montréal, PUM, 1967, xiii, 765 p.

289 Jean-Louis Major, *Saint-Exupéry. L'Écriture et la pensée*, coll. « Publications

sériées de l'Université d'Ottawa », 89, Ottawa, Éditions de l'Université d'Ottawa, 1969, 272 p.

290 *Anne Hébert et le miracle de la parole*, coll. « Lignes québécoises : textuelles », Montréal, PUM, 1976, 114[1] p.; *Paul-Marie Lapointe. La Nuit incendiée*, coll. « Lignes québécoises: textuelles », Montréal, PUM, 1978, 136 p.; *Le Jeu en étoile*, études et essais, coll. « Cahiers du CRCCF », 17, Ottawa, Éditions de l'Université d'Ottawa, 1978, 185[4] p.

291 *La Création de Gérard Bessette*, voir note 241, *supra*.

292 *Saint-Denys Garneau à travers « Regards et jeux dans l'espace »*, coll. « Lignes québécoises: textuelles », Montréal, PUM, 1973, 70 p.; *Claire Martin. Son œuvre, les réactions de la critique*, voir note 250, *supra*.

293 *Rina Lasnier*, coll. « Écrivains canadiens d'aujourd'hui », 2, Montréal, Fides, 1964, 191 p.; *Rina Lasnier*, une étude de Eva Kushner, avec un choix de poèmes, 60 illustrations, une chronologie bibliographique : « Rina Lasnier et son temps », coll. « Poètes d'aujourd'hui », 183, Paris, Éditions Pierre Seghers, 1969, 188[1] p.; *Saint-Denys Garneau*, présentation par Eva Kushner, choix de textes, inédits; bibliographie, portraits, fac-similé, coll. « Poètes d'aujourd'hui », 158, Paris, Éditions P. Seghers, 1967, 191[1] p.

294 *Émile Nelligan. Sources et originalité de son œuvre*, coll. « Visages des lettres canadiennes », 1, et « Publications sériées de l'Université d'Ottawa », 62, Ottawa, Éditions de l'Université d'Ottawa, 1960, ix, 349 p.; *Émile Nelligan*, coll. « Écrivains canadiens d'aujourd'hui », 5, Montréal, Fides, 1969, 191 p.; *Nelligan et la musique*, Ottawa, Éditions de l'Université d'Ottawa, 1971, 145[4] p.; *Nelligan, 1879–1941*, biographie, coll. « Le Vaisseau d'or », Montréal, Fides, 1987, xvi, 532[3]; *Poésie et symbole*, perspectives du symbolisme, Émile Nelligan, Saint-Denys Garneau, Anne Hébert, le langage des arbres, dessins de M. Zygment Nowak, Montréal, Déom, 1965, 252[1] p.

295 *Les Images en poésie canadienne-française*, Montréal, Beauchemin, 1960, 282 p.; *Une littérature en ébullition*, Montréal, Éditions du Jour, 1968, 315[2] p.; *Trois Romanciers québécois*, Montréal, Éditions du Jour, 1973, 240 p.

296 *Joseph Marmette. Sa vie. Son œuvre*, suivi de « À travers la vie », roman de mœurs canadiennes de Joseph Marmette, coll. « Vie des lettres canadiennes », Québec, PUL, 1968, 250[1] p.; *Napoléon Bourassa. L'Homme et l'artiste*, coll. « Cahiers du CRCCF », 8, Ottawa, Éditions de l'Université d'Ottawa, 1974, 258 p.; *Un Québécois bien tranquille*, Québec, La Liberté, 1985, 187 p.

297 Lorenzo Cadieux, *Frédéric Romanet du Caillaud, « comte de Sudbury », 1847–1919*, préface de Jean Éthier-Blais, Montréal, les Éditions Bellarmin, 1971, 141[2] p. (Société historique du Nouvel-Ontario [*sic*], « Documents historiques », 55–57.)

298 Guy Courteau, *Le Dr Raoul Hurtubise. 40 Ans de vie française à Sudbury*, coll. « Histoire et biographies », Montréal, Bellarmin, 1971, 135 p.

299 Maurice Lacasse, *Le Lion de la Péninsule (1890–1953)*, biographie et poèmes du

sénateur Gustave Lacasse, Hull, chez l'Auteur (340, boulevard Riel), [s.d. (1975?)], 178 p.

300 Jean-Claude Dubé, *Claude-Thomas Dupuy, intendant de la Nouvelle-France, 1678–1738*, coll. « Fleur de lys », Montréal, Fides, 1969, xvi, 395 p.

301 Pierre Savard, *Jules-Paul Tardivel, la France et les États-Unis, 1851–1905*, coll. « Cahiers de l'Institut d'histoire », 8, Québec, PUL, 1967, xxxvii, 499 p.

302 Voir F. Paré, « L'Hagiographie littéraire au Canada français. Les Récits de Gaston Carrière », *Revue d'histoire littéraire du Québec et du Canada français*, n° 12, été-automne 1986, p. 157–169.

303 *Histoire économique et sociale du Québec, 1760–1850. Structures et conjoncture*, préface de Robert Mandrou, coll. « Histoire économique et sociale du Canada français », Montréal, Fides, 1966, xxxii, 639 p.; coll. « Bibliothèque canadienne-française : histoire et documents », 2e éd., 2 vol., 1971. *Le Bas-Canada, 1791–1840. Changements structuraux et crise*, coll. « Cahiers d'histoire de l'Université d'Ottawa », 6, Ottawa, Éditions de l'Université d'Ottawa, 1976, 541 p.; 2e éd. revue et corrigée, 1980. *Éléments d'histoire sociale du Bas-Canada*, coll. « Cahiers du Québec : histoire », 5, Montréal, Hurtubise HMH, 1972, 379 p.

304 *Les Premières Années du parlementarisme québécois, 1867–1878*, coll. « Les Cahiers d'histoire de l'Université Laval », 19, Québec, PUL, 1974, xii, 386[1] p.

305 Voir M. Fortin, *Le Théâtre d'expression française dans l'Outaouais, des origines à 1967*, p. 79, 108, 183–186, 210–211, 376.

306 Voir *id.*, « Le Théâtre français à l'Université d'Ottawa (1897–1967) », *Revue d'histoire littéraire du Québec et du Canada français*, n° 13, hiver-printemps 1987, p. 182–187.

307 Voir Pierre Savard, Rhéal Beauchamp et Paul Thompson, *Cultiver sa différence*, rapport sur les arts dans la vie franco-ontarienne, [s.l.n.é.], septembre 1977, p. 59.

308 Voir R. Choquette, *L'Ontario français. Historique*, p. 213–214, 221–224.

309 Voir René Dionne, « Les Études littéraires régionales », *Revue d'histoire littéraire du Québec et du Canada français*, n° 14, été-automne 1987, p. 135–142.

310 Voir Fernand Dorais, *Entre Montréal... et Sudbury. Pré-textes pour une francophonie franco-ontarienne*, essais, Sudbury, Prise de parole, 1984, p. 51–59; P. Savard, R. Beauchamp et P. Thompson, *Cultiver sa différence*, p. 37–40.

311 Voir G. Vallières, *L'Ontario français par les documents*, p. 254–256; P. Savard, R. Beauchamp et P. Thompson, *Cultiver sa différence*, p. 12–22.

312 Voir *ibid.*, p. 57–63, 65–69, 73–76, 81–85, 87–89, 94–96.

313 Voir *ibid.*, p. 143–147.

314 Voir R. Choquette, *L'Ontario français. Historique*, p. 209–233; P. Savard, R. Beauchamp et P. Thompson, *Cultiver sa différence*, p. 30–37.

315 Voir *ibid.*, p. 40–47.

316 *Ibid.*, p. 73.
317 Voir *ibid.*, p. 74.
318 Voir G. Tremblay, « Genèse d'éditions francophones en Ontario », *Revue du Nouvel-Ontario* [sic], n° 4, 1982, p. 1–20.
319 *Ibid.*, p. 16.
320 Voir François Paré, « Les Éditions Prise de parole : littérature et animation », *Revue d'histoire littéraire du Québec et du Canada français*, n° 3, hiver-printemps 1982, p. 24–31.
321 Coll. « Les Perce-Neige », 3, Sudbury, Prise de parole, 42 p.
322 Sudbury, Prise de parole, 94 p.
323 P. 14.
324 Sudbury, Prise de parole, 78 p.
325 *Ibid.*, p. 20–21.
326 Brigitte Haentjens et Jean-Marc Dalpé, *Hawkesbury Blues*, Sudbury, Prise de parole, 1982, p. 6 et 73–74.
327 Desbiens est le plus prolifique des poètes franco-ontariens; il a d'abord publié à Québec, aux Éditions À Mitaine, *Ici*, 1974, 30[1] f., puis à Sudbury, aux Éditions Prise de parole : *Les Conséquences de la vie*, 1977, 47 p.; *L'Espace qui reste*, 1979, 92 p.; *L'Homme invisible/The Invisible Man*, 1981, [ii/ii], 46/46 p.; *Sudbury. Textes, 1981–1983*, 1983, 63 p.; *Dans l'après-midi cardiaque*, 1985, 77 p.; *Les Cascadeurs de l'amour*, récit, 1987, 65[2] p.; *Poèmes anglais*, 1988, 62 p. Voir François Paré, « Conscience et oubli : les deux misères de la parole franco-ontarienne », *Revue du Nouvel-Ontario* [sic], n° 4, 1982, p. 94–100; Robert Dickson, « L'Espace à créer et l'espace qui reste », *ibid.*, p. 64–71; Paul Gay, « Patrice Desbiens, le surréaliste », dans R. Dionne, *Propos sur la littérature outaouaise et franco-ontarienne*, t. 3, p. 173–176.
328 *L'Homme invisible*, p. 13.
329 *L'Espace qui reste*, p. 39.
330 Robert Dickson et Gaston Tremblay, *Poèmes et chansons du Nouvel Ontario*, Sudbury, Prise de parole, 1983, p. 10–11.
331 Sudbury, Prise de parole, 44[4] p. Voir François Paré, « Les mots ont mis leur plus belle robe », *Le Droit*, 10 octobre 1987, p. 46.
332 *Au soleil du souffle*, coll. « Les Perce-Neige », 2, Sudbury, Prise de parole, 1979; *Coïncidence secrète*, poème, quatre dessins de Denise Bloomfield, Ottawa, les Éditions du Vermillon, 1985, 20 p.
333 *Robert Paquette*, Montréal, Intermède Musique, et Sudbury, Prise de parole, 1980, 80 p. Voir Marc Haentjens, « Robert Paquette. Un pays : son métier », *Liaison*, n° 33, hiver 1984–1985, p. 35–37.
334 Poésie, préface de Pierre Nepveu, coll. « Création », 97, Sherbrooke, Éditions Naaman, 60 p.
335 Poèmes, coll. « L'Astrolabe », 4, Ottawa, Éditions de l'Université d'Ottawa, 65 p.

336 *Déchirure de l'ombre*, suivi de *le Poème dans la poésie*, avec trois dessins de Christian Tisari, Saint-Lambert, Éditions du Noroît, 61 p. Voir André Brochu, « Poésie et protéines », *Voix et images*, vol. 8, n° 2, hiver 1983, p. 365–367.
337 *Déchirure de l'ombre*, p. 58.
338 *L'Usage du réel*, suivi de *Exercices de tir*, Saint-Lambert, Éditions du Noroît, 1986, 150 p. Voir François Paré, « Robert Yergeau. Pour mieux comprendre le réel », *Le Droit*, 16 mai 1987, p. 64.
339 *L'Usage du réel*, suivi de *Exercices de tir*, p. 123.
340 Saint-Lambert, Éditions du Noroît, 68 p.
341 Pierre Nepveu, « Préface », *L'Oralité de l'émeute*, p. 8.
342 *Le Tombeau d'Adélina Albert*, p. 58.
343 *Le Rituel de l'éblouissement*, Montréal, Louise Courteau éditrice, 1987, p. 42.
344 *Ibid.*, 56.
345 *Ibid.*, 120.
346 *Ibid.*, 59.
347 *Ibid.*, 82.
348 *Ibid.*, 83.
349 *Ibid.*, 76.
350 *Les Épées de l'hiver*, coll. « À l'écoute des sources », Paris, Éditions Saint-Germain-des-Prés, 1983, p. 57.
351 *Le Rituel de l'éblouissement*, p. 76.
352 *Les Jardins de l'aujourd'hui*, coll. « Les Rouges-Gorges », Trois-Rivières, Écrits des Forges, 1984, p. 33; *Le Rituel de l'éblouissement*, p. 99.
353 *Cicatrice*, Sudbury, les Éditions Prise de parole, 1977, 71 p.; *La Dame blanche*, Hearst, les Éditions Boréales, 1981, 59 p.
354 *Comme un simple voyageur*, Sudbury, Prise de parole, 1984, 46[1] p.
355 *Éclipses*, poèmes, [s.l.n.é., 1973?], 24 p.; *Semences*, Kapuskasing, Centre régional de loisirs culturels, 1984, 88 p.
356 *Éclate module*, coll. « Relances », 7, Montréal et Sherbrooke, Éditions Cosmos, 1972, 129 p.; *Vésuviade*, Paris, Éditions Saint-Germain-des-Prés, 1976, 101 p.
357 *Haïtuvois* suivi de *Antillades*, [préface de Jacqueline Leiner], coll. « Fiction », Montréal, Nouvelle Optique, 1980, 112 p.; *Vers et l'envers*, poèmes — récits, Toronto, ECW Press, 1982, 63 p.
358 Paris, la Pensée universelle, 108 p.
359 *La Maison sans murs*, illustrations de Suzanne Gauthier, coll. « Poètes de l'Outaouais », 5, Hull, Éditions Asticou, p. 8.
360 Coll. « L'Astrolabe », 1, Ottawa, Éditions de l'Université d'Ottawa, 67[2] p. Voir Gaétan Plamondon, « Pierre Pelletier, *Temps de vies* », *Livres et auteurs québécois, 1979*, p. 158–159.
361 Poèmes, présentation par Robert Vigneault, coll. « Amorces », 31, Sherbrooke, Éditions Naaman, 78 p.
362 Poèmes, coll. « Parole vivante », 4, Ottawa, les Éditions du Vermillon, 82[5] p.

363 Sudbury, Prise de parole, 95 p.

364 [Catherine Firestone], préface de Jacques Baron, coll. « Poésie sans frontière », Paris, Éditions Saint-Germain-des-Prés, 87[5] p.

365 [Catherine Firestone], Toronto, McClelland and Stewart, 96 p.

366 [Catherine Ahearn], poems/poèmes, Ottawa, les Éditions du peuple/Commoner's Publishing, 96 p.

367 *Chants et cris*, poèmes, dessins de Camille Claus, coll. « Création », 57, Sherbrooke, Éditions Naaman, 59[1] p.

368 *Des œufs frappés...*, Sudbury, Prise de parole, 1986, 141 p.

369 *Obéissance ou résistance*, récit, Montréal, Éditions Bellarmin, 1986, 150 p.

370 *Baptême*, roman, Sudbury, Prise de parole, 1982, 125 p.

371 Roman, coll. « Création », 68, Sherbrooke, Éditions Naaman, 125 p.

372 Roman, Sudbury, Prise de parole, 188 p.

373 Roman, Montréal, CLF Pierre Tisseyre, 161 p.

374 Sudbury, Prise de parole, 160 p.

375 Sudbury, Prise de parole, 90 p.

376 Voir André Vanasse, « *La Vengeance de l'orignal* de Doric Germain ou les Nouveaux Chercheurs de trésors », *Lettres québécoises*, n° 22, été 1981, p. 41.

377 Sudbury, Prise de parole, 134 p.

378 Sudbury, Prise de parole, 172 p.

379 Coll. « Prose entière », Montréal, Quinze, 283[2] p.; [2e éd.], Sudbury, Prise de parole, 1985, 283[2] p. Voir Gabrielle Poulin, « Ce feu qui couve... », dans R. Dionne, *Propos sur la littérature outaouaise et franco-ontarienne*, t. 4, p. 155–158; Paul Gay, « Chroniques du Nouvel-Ontario [*sic*] », *ibid.*, p. 159–161; Yolande Grisé, « Au pays de l'extrême », *Le Droit*, 20 juin 1981,

380 Réginald Martel, « Jadis en Nouvel-Ontario [*sic*]. Chercher le frère pour trouver l'amour », *La Presse*, 29 août 1981, p. C2.

381 Coll. « Prose entière », Montréal, Quinze, 200 p.; [2e éd.], Sudbury, Prise de parole, 1986, 233 p. Voir Gabrielle Poulin, « L'Action par dévoilement », *Lettres québécoises*, n° 31, automne 1983, p. 18–19; Fernand Dorais, « *Entre l'aube et le jour* », *Liaison*, n° 30, printemps 1984, p. 49–50; Paul Gay, « *Entre l'aube et le jour*. Des chroniques en spirale », *Le Droit*, 4 juin 1983, p. 30; Marie-Hélène Barbier-Tainturier, « *Chroniques du Nouvel-Ontario* [*sic*]. Hélène Brodeur. Le Roman régionaliste en question autour d'une étude du personnage d'Alexandre », mémoire de maîtrise sous la direction de Guy Lecomte, Université de Bourgogne (Centre d'études canadiennes), 1987, 260 f., annexes.

382 Sudbury, Prise de parole, 233[2] p. Voir Mariel O'Neil-Karch, *Le Droit*, 30 août 1986, p. 26.

383 Roman, Paris, Éditions Robert Laffont, 222[1] p.; roman, coll. « Les Romanciers du Jour », R-89, Montréal, Éditions du Jour, et Paris, Éditions Robert Laffont, 222[1] p.; [2e éd.], *Le Journal de Catherine W. L'Ogre de barbarie*, roman, coll. « Littérature d'Amérique », Montréal, Québec/Amérique, 1984, 222[2] p.

384 Gabrielle Poulin, « L'Enfance, terre de contradictions. Le Roman québécois en 1972 », *Relations*, n° 379, février 1973, p. 55.

385 Roman, Montréal, Jacques Frenette, éditeur, 139 p.

386 Coll. « 2 Continents : série best-sellers », Montréal, Québec/Amérique, [achevé d'imprimer, décembre 1981], 323[2] p.; roman, coll. « Points », R152, Paris, Éditions du Seuil, 1984 [c1982], 309 p. Voir Noël Audet, « Un suspens séduisant », *Le Devoir*, 10 avril 1982, p. 17, 32; Gabrielle Poulin, « Une histoire captivante », dans R. Dionne, *Propos sur la littérature outaouaise et franco-ontarienne*, t. 4, p. 152–154.

387 Roman, [préface de Gabrielle Poulin], Ottawa, Éditions Archambault, 216[2] p. Voir Suzanne Lafrenière, « Dans la lumière de la Bible », *Le Droit*, 29 octobre 1983, p. 32.

388 Récit, Montréal, Stanké, 245 p.; translated by Jane Pentland, *All the Way Home*, Ottawa, Oberon Press, 1984, 206 p. Voir Grahame C. Jones, « *Cogne la caboche* et s'ouvre la vie », *Voix et images*, vol. 6, n° 2, hiver 1981, p. 279–291; Jacques Michaud, « Ce passé qui secoue le présent », dans R. Dionne, *Propos sur la littérature outaouaise et franco-ontarienne*, t. 3, p. 125–128; André Vanasse, « La Belle au bois dormant reposait-elle dans un couvent? », *ibid.*, p. 129–132; Paul Gay, « L'Éclaboussant bonheur de l'enfance », *ibid.*, p. 133–136; Joseph Bonenfant, « La Courbe d'une route fascinante », *ibid.*, p. 141–146; Margit Reimer, « Untersuchungen sur Erzähltechnik in den Romanen Gabrielle Poulins », Schriftliche Hausarbeit zur Ersten Staatsprüfung für das Lehramt an Gymnasien, Kiel, Christian-Albrechts-Universität zu Kiel, 1988, 89[1] p.

389 Roman, Montréal, Éditions Bellarmin, 333[2] p. Voir Jacques Michaud, « Crier pour ne pas mourir », dans R. Dionne, *Propos sur la littérature outaouaise et franco-ontarienne*, t. 3, p. 137–140; Axel Maugey, « Du songe au désir féminin » [entrevue], *ibid.*, p. 147–151.

390 Roman, coll. « Littérature d'Amérique », Montréal, Québec, Amérique, 210 p. Voir Grahame C. Jones, « La Recherche de la liberté chez les héroïnes de Gabrielle Poulin », *Revue d'histoire littéraire du Québec et du Canada français*, n° 12, été-automne 1986, p. 265–278; *id.*, « Quelques Observations sur le conflit entre le réalisme et la fantaisie dans le roman québécois », *ibid.*, n° 13, hiver-printemps 1987, p. 137–153 [*passim*]; Gérald Gaudet, « Gabrielle Poulin. À travers les miroirs », *Voix d'écrivains. Entretiens*, coll. « Littérature d'Amérique », Montréal, Québec/Amérique, 1985, p. 131–139; Donald Smith, « Gabrielle Poulin. Le romancier moderne ne peut rester accroché à une rive du passé » [entrevue], *Liaison*, n° 34, printemps 1985, p. 35–37.

391 Récit, Montréal, les Éditions Bellarmin, 1977, 125 p. Voir Gabrielle Poulin, « Peut-on être religieux et romancier », dans R. Dionne, *Propos sur la littérature outaouaise et franco-ontarienne*, t. 3, p. 111–115; Denise Veillette-Santerre, « Réflexions sur l'œuvre littéraire. *Dodécaèdre ou les Eaux sans terre* de René Champagne », *Les Cahiers du CRSR*, n° 2, 1978, p. 220–290.

392 Longueuil, le Préambule, 1982, 172 p.

393 Récits, coll. « Les Romanciers du Jour », Montréal, les Éditions du Jour, 1969, 127 p.

394 *Voyages d'un emmuré*, récit, Neuchâtel, À la Baconnière, p. 13.

395 *Solitudes*, douze nouvelles, coll. « Création », 62, Sherbrooke, Éditions Naaman, 1979, 113[2] p.; *Au-delà de la vie*, quatorze nouvelles, coll. « Création », 114, Sherbrooke, Éditions Naaman, 1982, 136[2]; *Cercles de retour*, nouvelles, coll. « Création », 144, Sherbrooke, Éditions Naaman, 1984, 124[1] p.

396 Montréal, Québec/Amérique, 135[4] p.

397 Sudbury, Prise de parole, 95[2] p.

398 Roman, Prise de parole, 392 p.

399 Illustrations de France Bédard, Montréal, Éditions Héritage, 125[2] p.

400 Saint-Boniface, les Éditions des Plaines, 106 p. Voir François Paré, « Des animaux en quête de liberté », *Le Droit*, 25 octobre 1986, p. 60.

401 Voir Paul Gay, « L'Œuvre de Jocelyne Villeneuve », dans R. Dionne, *Propos sur la littérature outaouaise et franco-ontarienne*, t. 3, p. 212–215.

402 Sudbury, Prise de parole, 46 p.

403 Coll. « Contes et légendes », Sudbury, Prise de parole, 95[1] p.

404 Petits poèmes pour rire et pour chanter, illustrations de l'auteur, coll. « Création », 125, Sherbrooke, Éditions Naaman, 76[1] p.

405 Texte et illustrations de l'auteur, coll. « Jours de fête », Montréal, Leméac, 161 p.

406 Gabrielle Poulin, « Des trésors qui sont des livres », *Le Droit*, 2 juillet 1983, p. 26.

407 Octave Crémazie, *Œuvres*, texte établi et annoté par Odette Condemine, t. 1 : *poésies*, et t. 2 : *prose*, coll. « Présence », 2 et 3, Ottawa, Éditions de l'Université d'Ottawa, 1972 et 1976, 613 et 438 p.; *Octave Crémazie*, coll. « Albums », Montréal, Fides, 1980, 273 p.

408 *La Poésie nationaliste au Canada français (1606–1867)*, coll. « Vie des lettres québécoises », 13, Québec, PUL, 1975, 535 p.; (avec la collaboration de Pierre Savard et Paul Wyczynski), *Les Textes poétiques du Canada français, 1606–1867*, édition intégrale annotée, t. 1 : *1606–1806*, Montréal, Éditions Fides, 1987, 613 p.

409 *Louis Dantin et la critique d'identification*, coll. « Reconnaissances », Montréal, Hurtubise HMH, 1973, 263 p. Voir Yvon Morin, « Placide Gaboury, *Louis Dantin et la critique d'identification* », *Livres et auteurs québécois, 1973*, p. 181–182.

410 *Le Roman canadien-français de 1930 à 1958*, Sudbury, Université Laurentienne (Département de français), [1985], 268 p.; 2e éd. révisée, 1988.

411 *La pensée socio-politique au Québec, 1784–1812*, analyse sémantique, coll. « Cahiers du Centre de recherche en civilisation canadienne-française », 13, Ottawa, Éditions de l'Université d'Ottawa, 1977, 103 p.

412 *Parti pris. Idéologies et littérature*, coll. « Cahiers du Québec : littérature », 45, Montréal, Hurtubise HMH, 1979, 341 p.

413 *Le Temps et la forme. Essai de modèle et lecture de trois récits québécois : « l'Appel de la race », « Poussière sur la ville », « Quelqu'un pour m'écouter »*, coll. « Études », 38, Sherbrooke, Éditions Naaman, 1983, 110 p. ; (avec la collaboration de Marilyn Baszczynski), *Le Journal intime au Québec. Structure, évolution, réception*, Montréal, Fides, 1988, 209[3] p.

414 *Notre littérature*, guide littéraire du Canada français à l'usage des niveaux secondaire et collégial, Montréal, Éditions HMH, 1969, xvi, 214 p. ; *Notre roman*, coll. « Panorama littéraire du Canada français », 1, Montréal, Éditions Hurtubise HMH, 1973, xvii, 192 p. ; *Notre poésie*, coll. « Panorama littéraire du Canada français », 2, Montréal, Éditions Hurtubise HMH, 1974, 199[1] p. ; *La Vitalité littéraire de l'Ontario français*, premier panorama, coll. « Paedagogus », 1, Ottawa, les Éditions du Vermillon, 1985, 239 p. Voir Pierre Karch et Mariel O'Neill-Karch, « Paul Gay et la critique humaniste », *Revue d'histoire littéraire du Québec et du Canada français*, n° 14, été-automne 1987, p. 67–94.

415 On trouve 66 de ces textes dans R. Dionne, *Propos sur la littérature outaouaise et franco-ontarienne*, tomes 1(18), 2(16), 3(28) et 4(4).

416 *La Réflexion sur l'art d'André Malraux. Origines et évolution*, Paris, Éditions Klincksieck, 1972, 239 p.

417 *Une lecture de Camus. La Valeur des éléments descriptifs dans l'œuvre romanesque*, coll. « Bibliothèque française et romane, série C : études littéraires », 54, Paris, Éditions Klincksieck, 1977, 262 p. ; *Structures et communication dans « la Jalousie » d'Alain Robbe-Grillet*, coll. « Études », 29, Sherbrooke, Éditions Naaman, 1981, 126 p.

418 *Le Roman de Mahomet de Alexandre du Pont (1258)*, édition critique précédée d'une étude sur quelques aspects de la légende de Mahomet au Moyen Âge par Yvan-G. Lepage, avec le texte des *Otia de Machomete* de Gautier de Compiègne (XIIe siècle), établi par R.B.C. Huygens, coll. « Bibliothèque française et romane, série B : éditions critiques de textes », 16, Paris, Éditions Klincksieck, 1977, 258 p. ; *Les Rédactions en vers du Couronnement de Louis*, textes littéraires français, édition avec une introduction et des notes, Paris et Genève, Librairie Droz, 1978, xxx, 520[3]; *L'Œuvre lyrique de Richard de Fournival*, édition critique, coll. « Publications médiévales de l'Université d'Ottawa », 7, Ottawa, Éditions de l'Université d'Ottawa, 1981, 175[2] p.

419 *Une vision de l'homme et du monde*, essai, coll. « Constantes », 28, Montréal, Éditions Hurtubise HMH, 1972, 207[2] p. Voir Robert Vigneault, « La Critique et l'essai. Entre l'humain et le sacré », *Études françaises*, vol. 9, n° 2, mai 1973, p. 174–178; Jean-Louis Major, « Journal d'une lecture inachevée », *Le Jeu en étoile*, p. 171–185.

420 165 p., voir *supra*, note 310.

421 *Entre Montréal... et Sudbury*, p. 122.

422 Carnets, préface de Laurent Mailhot, coll. « Constantes », Montréal, Hurtubise HMH, 1984, 370 p.

423 « Enseigner ou l'Égotisme partagé », *Le Jeu en étoile*, p. 13.

424 *Entre l'écriture et la parole*, p. 130.

425 *Langue et religion. Histoire des conflits anglo-français en Ontario*, [avant-propos de Mason Wade], Ottawa, Éditions de l'Université d'Ottawa, 1977, 268 p.; *L'Église catholique dans l'Ontario français du dix-neuvième siècle*, coll. « Cahiers d'histoire », 13, Ottawa, Éditions de l'Université d'Ottawa, 1984, 365 p.; *La Foi, gardienne de la langue en Ontario, 1900–1950*, voir *supra*, note 133.

426 *Bytown et ses pionniers canadiens-français, 1826–1855*, Ottawa, G. Lamoureux, 1978, 364 p.; t. 2 : *Ottawa, 1855–1876, et sa population canadienne-française*, 1980, 294 p.; *Histoire d'Ottawa*, t. 3 : *Ottawa, 1876–1899, et sa population canadienne-française*, 1982, 268 p.; t. 4 : *Ottawa, 1900–1926, et sa population canadienne-française*, 1984, 321 p.

427 (En collaboration avec Matt Bray et Ernie Epp), *Un vaste et merveilleux pays*, histoire illustrée du nord de l'Ontario, Toronto, le ministère des Affaires du nord de l'Ontario, 1984, xviii, 205 p.; (en collaboration avec Ashley Thompson et Gwenda Hallsworth), *Bibliographie. Histoire du nord-est de l'Ontario*, Sudbury, la Société du Nouvel-Ontario [*sic*], 1985, [111], 112 p.; (dir.), *Toponymes français de l'Ontario selon les cartes anciennes (avant 1764)*, coll. « Documents historiques », 83, Sudbury, Société historique du Nouvel-Ontario [*sic*] (Université de Sudbury), 1985, 85 p.; etc.

428 *L'Ontario français par les documents*, xiv, 280 p., voir *supra*, note 36; (en collaboration avec Marcien Villemure), *Atlas de l'Ontario français*, coll. « L'Ontario français », Montréal, Éditions Études vivantes, 1981, 67 p.; (en collaboration avec Jacques Grimard), *Explorations et enracinements français en Ontario. Esquisse historique et ressources documentaires*, coll. « Guides de ressources à l'usage des enseignants », Toronto, ministère de l'Éducation, 1981, iv, 160 p.

429 Henri Clément, Margaret MacMillan et Jean-Roch Vachon (éd.), *Hawkesbury, 1859–1984*, [s.l.n.é.n.d.], viii, 507 p.; Pierre Fortier et Clermont Trudelle, *Toronto se raconte. La Paroisse du Sacré-Coeur*, Toronto, la Société d'histoire de Toronto, 1987, 128 p. (un modèle de présentation d'histoire paroissiale); etc.

430 Voir P. Savard, R. Beauchamp et P. Thompson, *Cultiver sa différence*, p. 98–107, 151–153; Paul Gay, « Le Théâtre franco-ontarien contemporain », dans R. Dionne, *Propos sur la littérature outaouaise et franco-ontarienne*, t. 4, p. 225–233.

431 Sudbury, Prise de parole, 1985, 61 p.

432 Sudbury, Prise de parole, 1980, 61[1] p.

433 Sudbury, Prise de parole, 1982, 74 p.

434 Le mot est emprunté à Robert Dickson, qui parle du théâtre d'André Paiement dans « l'Espace à créer et l'espace qui reste », *Revue du Nouvel-Ontario* [sic], n° 4, 1982, p. 55–57.

435 Suivie [*sic*] de *le Septième Jour* [sic] et *À mes fils bien-aimés*, Sudbury, Prise de parole, 1978, p. 5–40.

436 *Ibid.*, p. 43–65.

437 *Ou y a t'y quéquechose de plus en ville qu'y a pas dans le bois*, Sudbury, Prise de parole, 1978, 70[2] p.

438 Comédie musicale franco-ontarienne, 2e tirage, Sudbury, Prise de parole, [1978?; c1975], 95[1] p.

439 *Moé j'viens du Nord, 'stie*, p. 67–121.

440 Voir P. Gay, *La Vitalité littéraire de l'Ontario français*, p. 134–135.

441 Sudbury, Prise de parole, 1983, 48 p. Sylvie Trudel est aussi l'auteur de *Porquis Junction ou Des rêves perdus dans le no-where*, Sudbury, Prise de parole, 1980, 51 p.

442 *1932* [sic], *la ville du nickel*, une histoire d'amour sur fond de mines, Sudbury, Prise de parole, 1984, 62 p.

443 Sudbury, Prise de parole, 1984, 48 p.

444 Sudbury, Prise de parole, 1987, 62 p.

Index

Le papier utilisé pour cette publication satisfait aux exigences minimales contenues dans la norme American National Standard for Information Sciences - Permanence of Paper for Printed Library Materials, ANSI Z39.48-1992.

Achevé d'imprimer
en novembre 1993 sur les presses
des Ateliers Graphiques Marc Veilleux Inc.
Cap-Saint-Ignace (Québec).